APOLLONIUS RHODIUS
ARGONAUTICA
JASON AND THE GOLDEN FLEECE

ARGONAUTICA

OR, THE QUEST OF JASON FOR THE
GOLDEN FLEECE, THE EPIC POEM
FIRST SET DOWN IN THE ANCIENT
GREEK TONGUE BY APOLLONIUS OF
RHODES IN THE THIRD CENTURY B. C.
TOGETHER WITH THE TRANSLATION
INTO ENGLISH PROSE BY EDWARD P.
COLERIDGE; WITH A PREFACE
BY MOSES HADAS, AND
ILLUSTRATIONS BY
A. TASSOS

THE HERITAGE PRESS · NEW YORK

TABLE OF CONTENTS

VII

INTRODUCTION

I

I T may be claimed for the *Argonautica* of Apollonius of
Rhodes that it is the principal turning point between all
antecedent and all subsequent literature. The sum of the
differences between it (and all writing touched by its influence)
and the literature of classical Greece amounts to nothing less than
a revolution. In a word, the *Argonautica* is our first major work
of pure *belles-lettres*.

The literature of classical Greece is not *belles-lettres*. Not
only philosophers and essayists, but dramatic and choral and
elegiac poets regarded themselves as craftsmen who purveyed a
useful commodity. Their work was beautifully wrought because
Greek intelligence and taste demanded artistic workmanship. To
produce literary art merely for art's sake would have seemed as
absurd as making a beautiful chair upon which no one could sit
or a bowl from which no one could drink. But where joiners and
potters catered to private custom, poets were public figures, re-
sponsible to the whole community. The myths with which a poet
worked possessed a certain sanctity, and he observed strict limits
in his elaboration of them. His additions must be a natural and
probable expansion of the summary statement of the myth, cal-
culated to make the actions of the personages intelligible and give
them universal ethical relevance. He did not invent major figures
(unless he were a comic poet, in which case he was an even more
openly avowed teacher) and hence could not invent novel plots.
The public asserted its own interests: through their chosen rep-
resentatives the Athenians selected what plays they would hear,
and through their immediate representatives they bestowed or
withheld approval. When Isocrates pointed out that the didactic
function could be effectively exercised in artistic prose, poetry
virtually ceased to be written. The Alexandrians, then, were not
continuing an uninterrupted tradition of poetic activity; they were
creating an artificial renaissance after a long interval of silence.

The principal change in the Hellenistic age, when democracy
gave way to absolute monarchies, was that poets were no longer
responsible to a community but depended on royal patronage.

IX

There was no vocal and exigent public which looked to poets for instruction, as there had been in Athens; poets wrote only to enhance their reputation among their peers. The inevitable result was a preciosity parading erudition and high polish which could only have puzzled the utilitarian consumer of literature. Homer and even tragedy can be read without special preparation or helps, and discussed intelligently by any reader; the Alexandrians cannot be read without a shelf of reference books, and when they have been read, there is little beyond literary technicalities to discuss. The pensioners of Ptolemy in the Alexandrian library were, indeed, in Timon's apt phrase, kept birds in a coop.

II

THE Alexandrians seem not to have been aware of the essential difference between themselves and their predecessors. They believed, apparently, that the ancients had worked to the same program as themselves and that they were superior to the ancients because they followed the program with greater virtuosity. Prodigious scholars as they were, the one great lack of the Alexandrians was the kind of historical sense we ourselves take for granted. When Zenodotus (Apollonius's immediate predecessor as librarian) made his critical text of Homer he condemned the line which speaks of Aphrodite carrying a chair for Helen (*Iliad* 3.423) and altered the line where Aphrodite is said to be looking for something (4.88) because Alexandrians thought it was inappropriate for a goddess to do menial service to a mortal and bad theology to have her *look* for something; they could not, apparently, imagine that a less sophisticated age might find such things altogether appropriate.

It is because they could not imagine that literature had ever had other than esthetic justification that the work of the Alexandrians seems so hollow. Sculpture, as well as various literary genres, exhibits the same devolution: origins and early history had a specifically religious association, then as the religious implications faded the forms were retained for their esthetic value, and eventually they might be found appropriate for a new serious content. Even pastoral poetry, which is regarded as the one Hellenistic innovation, probably derives from a more serious earlier pattern, perhaps the so-called Homeric Hymns. Today no sympathetic reader of the beautiful and noble *Hymn to Demeter* would question that it is a deeply felt religious document; but if it were presented in a collection of pastoral masques it would seem to fit: there is the conventional rustic background, the pretty girls bearing country names, the masquerade, the recognition

x

when masks are removed. Such a poem would be cherished for its esthetic beauty long after its religious meaning had faded, and a later poet could imitate and improve upon it without realizing that it had ever had other than esthetic significance. In epic, similarly, an Apollonius might well think that he was doing with greater professional sophistication and more recondite materials what Homer did crudely with obvious materials. Eventually a Vergil, or a Milton, would give the form new serious content.

"Men are readiest to hear the song that is newest in their ears," says Homer (*Odyssey* 1.351), and Apollonius's choice of one of the oldest and most familiar stories in the Greek repertory shows that it was in manner rather than matter that he expected, and was expected, to display his special talent. Even Homer's audience was familiar with the story of the Argo, as the form of his allusion to it proves. To illustrate the perils of his own voyage Odysseus speaks of the passage of the Argo through the Symplegades (*Odyssey* 12.70):

Sole this voyage hath made, of the ships which fare on the ocean,
Argo ever renowned, as she sailed from the land of Æetes.
Aye and the Argo too on the huge rocks surely had driven
Save for the guidance of Hera, who showed such favor to Jason.

Pindar devoted his longest and finest ode, the Fourth Pythian, to the quest of the Golden Fleece and the loves of Jason and Medea. Not only literary allusions but vase paintings assume that every detail of the story is common knowledge.

In outline this is the story Apollonius's readers already knew. When Pelias wrested the kingdom of Iolcus in Thessaly from his brother Æson, Æson's infant son Jason was spirited away to the cave of the centaur Chiron, who brought him up. Upon attaining manhood Jason returned to demand his heritage, and Pelias agreed to retire in favor of his nephew if he would bring back from Colchis the Golden Fleece, which was in the possession of King Æetes and guarded by a never-sleeping dragon. For this enterprise Argus, at the behest of Hera, built the world's first ship, the Argo, which was manned by the fifty prime heroes of Greece, including such figures as Heracles, Theseus, Castor and Pollux, Orpheus, and the like. After many hazardous adventures, of which the passage through the Symplegades is the most famous, the Argo arrived at Colchis, where King Æetes agreed to surrender the Golden Fleece if Jason would first harness fire-breathing bulls to a plough and sow dragon's teeth which would at once spring into armed and hostile soldiery. He was able to surmount these trials and lull the watchful dragon

XI

who guarded the Fleece by magic means provided by Medea, and he and Medea sailed away with the Fleece. To retard pursuit, Medea killed her brother Absyrtus and strewed his dismembered limbs over the sea. After more hazardous adventures and a circuitous voyage (which involved portage of the Argo across North Africa), the heroes regain Iolcus. Here the adventure proper, and Apollonius's account, stops, but knowledge of the subsequent fate of Jason and Medea colors the earlier part of the story. At Iolcus Medea persuaded Pelias's daughters that they could rejuvenate their aged father by boiling him in a cauldron; when their attempt failed, Jason and Medea were compelled to flee to Corinth. There they lived peacefully with their two sons until Jason determined to discard Medea and marry King Creon's daughter. Medea's vengeance is described in Euripides's *Medea*, which every reader of the *Argonautica* would certainly have known.

No story could be richer in tragic possibilities; not only the main enterprise, but the individual encounters within it involve significant moral choices which entail pregnant consequences. No classical Greek could have told the story, even in prose, without realizing the tragedy. If to call Thucydides or Herodotus tragic is only a suggestive metaphor, no metaphor is involved in calling Homer tragic. And the choices of Achilles and their consequences are what give the *Iliad* its power and make Homer a moral teacher. Apollonius abdicates the moral function, and his abdication is the root of which all his deviations from Homer are ramifications.

III

APOLLONIUS'S treatment of the Olympians provides a telling touchstone. After two millenia of a different religious tradition, it may be difficult for us to acknowledge the divinity of Homer's gods, but no one can question that they were real to Homer's heroes; if consistent awareness of the supernatural and frequency of invocation are criteria, the Homeric heroes were more religious than most professing Christians. Homer's sublimation of the Olympians and his purposeful relegation of the dark chthonic powers have led one school of scholars to maintain that Homer is one of the world's major religious teachers. In any case, his example made it mandatory for all subsequent epics to employ the machinery of divine interventions, and Apollonius conforms to the requirement. But Apollonius's gods are a caricature. For Jason to succeed in the quest of the Golden Fleece we would expect divine assistance; but the assistance comes not in a sudden access of prowess, but through Medea's magic means, which she can be persuaded to provide only if she is in love with him. To procure that she shall fall in love with him, Hera and Athene go to solicit the help of Aphrodite. The blacksmith's wife has just been making the bed and is putting up her hair when the two grand ladies of the Olympian court call; she is flustered by the unprecedented visit of her social superiors and when, with smiling condescension, they state their business, she complains that her boy Eros is hard to discipline. Then she finds him playing at dice with Ganymede, all of whose pieces he has taken, and bribes him with a new ball. He asks her to hold his winnings while he goes on her errand, but remembers to count them over before entrusting them to her. All this is certainly not intentional satire, and hardly intentional farce; but certainly these gods are in no sense worshipful, and apparently Apollonius cannot imagine that they ever were.

What strikes the modern reader about the divine intervention in this case is that it is totally unnecessary to the story but serves only to fulfil a literary requirement. Apollonius prepares the love episode with the greatest verisimilitude; no reader could question the likelihood, on purely human grounds, of the impressionable barbarian princess falling in love with the handsome and romantic stranger in distress. The divine lumber in Vergil's copy, where Cupid is elaborately substituted for Ascanius to make Dido fall in love with Aeneas, is equally obtrusive and equally unnecessary, for Vergil too has created complete verisimilitude for mutual attraction; but in Vergil the destiny of Rome is in question, and the founder's suppression of his own desires in the interest of his great mission, and the intervention of Rome's patron deities is an appropriate device for enhancing the dignity of the episode.

IV

ASIDE from the intervention of the gods, which the reader accepts as cavalierly as Apollonius presents it, his love story is a masterpiece. It is the first sympathetic psychologic description of the rise of love, and it remains unsurpassed in its kind. At night in her bed Medea's mind is filled with the stranger. She imagines that he has come to Colchis for the sole purpose of marrying her, and dreams that she herself is struggling with the fire-breathing bulls. After she awoke—

"......and lo! she longed to go to her sister, and she passed over the threshold of her room. And long time she waited there at the entrance of her chamber, held back by shame, and she turned her back once more; and yet again she went from her

XIII

room, and again stole back; for her feet bore her in vain this way and that; yea, and oft as she was going straight on, modesty kept her within; then would bold desire urge her against the curb of modesty. Thrice she tried, and thrice she held back; the fourth time she turned and threw herself face down upon the bed."

The entire episode is treated with equal perception. If on reflection we find it difficult to reconcile the romantic girl with the monster she turns into later in the poem (and in Euripides and Seneca), that is the fault of the episodic and encyclopedic technique we shall speak of presently. The essential innovation is not so much that Apollonius tells his love story well, but that he tells it at such length as to make it central to the epic. The classical Greeks were of course not oblivious to the power of sexual love, but it usually figures as a disruptive element which afflicts men and from which they pray for deliverance. It could never be made the mainspring for heroic action. Even when, in the Hellenistic age, love came to occupy a more central place in literature, its treatment was still confined to poetry of a lighter kind and could not be reconciled with the high dignity expected of epic. It was Apollonius who made love available to the heroic career. It is hard to conceive of an Achilles being transformed into a Tristan or Launcelot; Jason needs only to learn a little chivalry to become an acceptable romantic hero.

V

THE new importance of love, like the surburban-housewife goddesses, is an index of the transition from heroic to bourgeois ideals. The society which could picture the Olympian goddesses as Apollonius represents them would have been made very uncomfortable by a stark Achilles, whom the loss of Briseis affected only as an affront to his glory; it would have taken Jason to its bosom. The interval between Achilles and Jason is an accurate measure of the interval between Homer and Apollonius. Achilles's virtue is his self-sufficiency and his passion for glory which overrides loyalty to his comrades-in-arms and even to the gods. Only in the lists of love does Jason exhibit anything resembling heroic prowess. When strength or decision is required Apollonius's favorite epithet for him is *amechanos*, "helpless." His quality is first revealed on the manless island of Lemnos, when he is entertained by Queen Hypsipyle. Here again there is an amusing devolution from the Homeric ideal. Homer has a detailed description of the designs on the shield of Achilles. Such descriptions, like the divine interventions, became canonical for epic; Vergil similarly describes the shield of Aeneas. In the

XIV

Argonautica it is not Jason's shield which is described but the designs on the robe he wore when he fascinated Hypsipyle.

The technique of describing works of art was an important element in the curriculum of Hellenistic teachers of literature and was given a special name, *ecphrasis*. Not only in the description of the robe or of other artifacts is the manner of the *ecphrasis* apparent in Apollonius, but repeatedly descriptions of actual scenes and people read rather like descriptions of pictures or statues of them. It is this second remove from reality, what Plato would call an imitation of an imitation, that gives the *Argonautica* its quality of being "literary" in the sense that the *Iliad* is not. Again a Homeric detail provides an instructive comparison. When a Homeric hero is in dire straits, his spear spent and his sword broken, he grasps a boulder, a huge one "such as two men that live today" could scarcely lift, to hurl at his enemy. In Apollonius it is "six men" and in Vergil it would be twelve. Homer's moderation gives his picture truth. Under terrific stress a great hero might lift almost twice the normal weight; he becomes incredible, merely literary, when he lifts six times the normal weight.

VI

IT is not reality, then, that Apollonius is concerned to represent, but an imitation of reality according to artistic conventions currently fashionable. Because the realities of the human condition are reasonably constant we can appreciate Homer's representation of it quite fully; but artistic conventions fluctuate, and though we may not like those of the Alexandrian age it is unfair to judge Apollonius by any other. Where his conventions are like our own, as in his telling of the Medea story, it is easy to recognize his merit; but he is equally an artist in aspects of his work where his conventions are not like ours. Of these, the one that seems strangest to modern conceptions (but not to those of the greater part of our literary history) is that the poet must exhibit wide learning in all departments, but mainly in mythology and geography. The standing epithet for Roman poets, who were directly influenced by the Alexandrians and in turn influenced the Renaissance, is *doctus*, "learned." Because he must display his erudition, Apollonius gives his story a shape which can include the greatest concentration of it. The Argonauts are made to take devious routes and stop at remote places because Apollonius was determined to include the obscure myths he knew connecting individual heroes with those places, and not necessarily because the stories contributed to the total effect. Thus his poem becomes

XV

almost a framework for disparate tales, in this sense a precursor of the *Metamorphoses,* or *Decameron,* or *Thousand and One Nights.* As in Ovid, the stories are well told and deftly connected, but as in Ovid they are "literary"; they are told as learned and delightful curiosities, and no higher quality of belief is expected of the reader than the author himself gives them.

VII

IN the disparate stories, then, as in other respects, it may be said of the *Argonautica,* as is said of Alexandrian literature in general, that it is excellent in detail but weak in total effects. This is doubtless what Apollonius's rival Callimachus had in mind when he declared that long poems could no longer be written. What holds the *Argonautica* together is the fact that its principal character marches through the whole work on a single quest; but in fact the plot is of the kind Aristotle called episodic: some of the adventures might be omitted without harm to the story and others might be added. What we have is nearer chronicle than drama. But there is a unity, generally overlooked, aside from the unity of persons and the overall theme of the quest. It is the kind of unity which gives *Don Quixote,* which is also episodic and in which stories could be omitted or added without harm to the plot, its special character. In Cervantes the stories do all illustrate the Don's devotion to a set of values which to him are the essence of human worth. Similarly all the stories in the *Argonautica* are aspects of what the conquest of the Golden Fleece implies — a victory of civilization over barbarism. This is made most explicit in the boxing match between Pollux and the Bebrycian king, which serves as a sort of symbol for the whole enterprise. The barbarian is a lumbering juggernaut, Pollux a slight but perfectly disciplined scientific boxer, and his victory over the frightening barbarian prefigures the greater victory over the non-Hellenic Colchians. If we demand of epic a self-willed and strong individual hero like Achilles or Beowulf, Roland, or Siegfried, the *Argonautica* is not epic. But in the sense and to the degree that it is an assertion of a national ideal the *Argonautica* is an epic: the flower of Greece combined into a single band under the patronage of the deities of civilization goes on a distant and dangerous quest and brings back a manifest symbol of Greek superiority. The quest is not so definite and does not so definitely inform every part of the poem as Aeneas's mission informs the *Aeneid,* but it is unmistakably there, and its presence makes Apollonius a worthy intermediary between Homer and Vergil.

XVI

VIII

ABOUT Apollonius the man little can be said with certainty. He lived during the third century B.C.; his dates cannot be fixed more precisely. The one episode in his life of which we have knowledge is his famous feud with Callimachus. Passages in Callimachus abusing some rival are taken to refer to Apollonius; we have nothing from Apollonius on Callimachus. Apollonius was librarian at Alexandria, after Zenodotus and before Eratosthenes, and Callimachus was apparently his subordinate, not the other way round, as older scholars thought. The issue between the men, doubtless exacerbated by the disparity of their positions, was whether or not it was feasible for contemporaries to write long poems. Apollonius was said to have been worsted in the argument and to have retired to Rhodes in consequence. His motive for writing the *Argonautica*, then, would be to demonstrate that Callimachus was wrong; in a climate where defeat in a literary argument could drive a man into exile it is not inconceivable that such may actually have been his motivation. His poem was studied and commented upon in his own age, and was much admired by the Romans. Our best text is in the magnificent tenth-century Laurentian manuscript which also contains Aeschylus and Sophocles. This includes valuable scholia and also two epitomes of a life of Apollonius. Here is the first:

> Apollonius the poet of the *Argonautica* was an Alexandrian by birth, the son of Silleus, or as some have it, Illeus, of the tribe of Ptolemais, and was a pupil of Callimachus. At first he associated with his own teacher Callimachus, but later he turned to composing poetry. They say that he exhibited his *Argonautica* while he was still quite young, and when he could not endure being shamed by his fellow citizens nor the insults and slanders of other poets, he decided to forsake his country and migrate to Rhodes. There he polished and corrected his poems and then exhibited them, and gained very high opinions. It is for this reason that he inscribes himself a Rhodian in his poems. He was a brilliant cultural influence in Rhodes, and was by the Rhodians esteemed worthy of citizenship and distinction.

MOSES HADAS
*Jay Professor of Greek in
Columbia University*

XVII

TYRO, the daughter of Salmoneus, had two sons by Poseidon, Neleus and Pelias; she afterwards wedded Cretheus, son of Æolus, and bore to him Æson, Pheres, and Amythaon. From Æson sprang Jason; from Pheres, Admetus; from Amythaon, Melampus.

Now Jason was handed over to the Centaur Chiron to be brought up and to learn the art of healing; while Æson, his father, left the kingdom to Pelias, his own brother, bidding him rule Thessaly until Jason's return from Chiron. But Pelias had received an oracle from Apollo, bidding him beware of a man who should come with only one sandal; for by him should he be slain.

So Jason grew up, and came to his uncle to take his share in his father's kingdom. But when he came to the river Anaurus, which is in Thessaly, wishing to ford it, there upon the bank he found Hera in the disguise of an old dame, and she would cross, but was afraid. Then did Jason take her upon his shoulders, and carry her safe over, but one sandal left he in the mud in the middle of the river. Thence he fared to the city with his one sandal, and there he found an assembly of the folk, and Pelias doing sacrifice to the gods. When Pelias saw him thus he minded him of the oracle, and being eager to be rid of him he set him this task, that he should go to Scythia in quest of the golden fleece, and then receive the kingdom. Now this he did from no wish for the fleece, but because he thought that Jason would be slain by some man in that strange land, or be shipwrecked.

This is the story of the golden fleece.

ATHAMAS, the son of Æolus, and brother of Cretheus, had to wife Nephele first, and begat two children, Phrixus and Helle. When Nephele died, he married Ino, who did plot against the children of Nephele, and persuaded her country-women to roast the seed for sowing; but the earth, receiving roasted seed, would not bear her yearly crops. So Athamas sent to Delphi to inquire about the barrenness; but Ino bribed his messengers, telling them to return and say, that the god had answered that Helle and Phrixus must be sacrificed if they wanted the barrenness to cease. Wherefore Athamas was persuaded, and placed them at the altar; but the gods in pity snatched them away through the air by means of the ram with the golden fleece; now Helle let go, and fell into the sea that bears her name, while Phrixus landed safe in Colchis. There he offered up the ram to Zeus, who helped his flight, for that he had escaped the plot of his stepmother. And having married Chalciope, daughter of Æetes, king of the Scythians, he begat four sons, Argus, Cytissorus, Melas, and Phrontis. And there he died.

BIBΛION ΠΡΩTON

BOOK ONE

Ἀρχόμενος σέο, Φοῖβε, παλαιγενέων κλέα φωτῶν
μνήσομαι, οἳ Πόντοιο κατὰ στόμα καὶ διὰ πέτρας
Κυανέας βασιλῆος ἐφημοσύνῃ Πελίαο
χρύσειον μετὰ κῶας ἐύζυγον ἤλασαν Ἀργώ.
Τοίην γὰρ Πελίης φάτιν ἔκλυεν, ὥς μιν ὀπίσσω
μοῖρα μένει στυγερή, τοῦδ' ἀνέρος, ὅντιν' ἴδοιτο
δημόθεν οἰοπέδιλον, ὑπ' ἐννεσίῃσι δαμῆναι.
δηρὸν δ' οὐ μετέπειτα † τεὴν † κατὰ βάξιν Ἰήσων
χειμερίοιο ῥέεθρα κιὼν διὰ ποσσὶν Ἀναύρου
ἄλλο μὲν ἐξεσάωσεν ὑπ' ἰλύος, ἄλλο δ' ἔνερθεν
κάλλιπεν αὖθι πέδιλον ἐνισχόμενον προχοῇσιν.
ἵκετο δ' ἐς Πελίην αὐτοσχεδὸν ἀντιβολήσων
εἰλαπίνης, ἣν πατρὶ Ποσειδάωνι καὶ ἄλλοις
ῥέζε θεοῖς, Ἥρης δὲ Πελασγίδος οὐκ ἀλέγιζεν.
αἶψα δὲ τόνγ' ἐσιδὼν ἐφράσσατο, καί οἱ ἄεθλον
ἔντυε ναυτιλίης πολυκηδέος, ὄφρ' ἐνὶ πόντῳ
ἠὲ καὶ ἀλλοδαποῖσι μετ' ἀνδράσι νόστον ὀλέσσῃ.
Νῆα μὲν οὖν οἱ πρόσθεν ἐπικλείουσιν ἀοιδοὶ
Ἄργον Ἀθηναίης καμέειν ὑποθημοσύνῃσιν.
νῦν δ' ἂν ἐγὼ γενεήν τε καὶ οὔνομα μυθησαίμην
ἡρώων, δολιχῆς τε πόρους ἁλός, ὅσσα τ' ἔρεξαν
πλαζόμενοι· Μοῦσαι δ' ὑποφήτορες εἶεν ἀοιδῆς.
Πρῶτά νυν Ὀρφῆος μνησώμεθα, τόν ῥά ποτ' αὐτὴ
Καλλιόπη Θρήικι φατίζεται εὐνηθεῖσα
Οἰάγρῳ σκοπιῆς Πιμπληίδος ἄγχι τεκέσθαι.

2

With thee, Phœbus, will I begin and record the famous deeds of those men of old time, who, at the bidding of king Pelias, rowed the good ship Argo past the mouth of the Euxine and through the rocks Cyanean to fetch the golden fleece.

For Pelias had heard an oracle on this wise, that in the latter days a hateful doom awaited him, even death at the prompting of one whom he should see come forth from the people with but one sandal. And not long after, according to the sure report, came Jason on foot across the stream of a swollen torrent, and one sandal did he save from 'neath the mud, but the other left he there sticking in the river-bed. So he came to Pelias forthwith to take a part in the solemn feast, which he was offering to his father Poseidon and the other gods, but to Pelasgian Hera he paid no heed. And the instant Pelias saw Jason, he was ware of him, and made ready to his hurt a grievous task of seamanship, that so he might lose his return in the deep or haply among strange folk.

Now minstrels even before my day do tell how Argus by the counsels of Athene built a ship for him; but mine shall it now be to declare the lineage and name of the heroes, and their passage of the long sea, and all that they did in their wanderings; and may the Muses be the heralds of my song!

3

αὐτὰρ τόνγ' ἐνέπουσιν ἀτειρέας οὔρεσι πέτρας
θέλξαι ἀοιδάων ἐνοπῇ ποταμῶν τε ῥέεθρα.
φηγοὶ δ' ἀγριάδες, κείνης ἔτι σήματα μολπῆς,
ἀκτῆς Θρηικίης Ζώνης ἔπι τηλεθόωσαι
ἑξείης στιχόωσιν ἐπήτριμοι, ἃς ὅγ' ἐπιπρὸ
θελγομένας φόρμιγγι κατήγαγε Πιερίηθεν.
Ὀρφέα μὲν δὴ τοῖον ἑῶν ἐπαρωγὸν ἀέθλων
Αἰσονίδης Χείρωνος ἐφημοσύνῃσι πιθήσας
δέξατο, Πιερίῃ Βιστωνίδι κοιρανέοντα.
Ἦλθε δ' Ἀστερίων αὐτοσχεδόν, ὅν ῥα Κομήτης
γείνατο δινήεντος ἐφ' ὕδασιν Ἀπιδανοῖο,
Πειρεσιὰς ὄρεος Φυλληίου ἀγχόθι ναίων,
ἔνθα μὲν Ἀπιδανός τε μέγας καὶ δῖος Ἐνιπεὺς
ἄμφω συμφορέονται, ἀπόπροθεν εἰς ἓν ἰόντες.
Λάρισαν δ' ἐπὶ τοῖσι λιπὼν Πολύφημος ἵκανεν
Εἰλατίδης, ὃς πρὶν μὲν ἐρισθενέων Λαπιθάων,
ὁππότε Κενταύροις Λαπίθαι ἐπὶ θωρήσσοντο,
ὁπλότερος πολέμιζε· τότ' αὖ βαρύθεσκέ οἱ ἤδη
γυῖα, μένεν δ' ἔτι θυμὸς ἀρήιος, ὡς τὸ πάρος περ.
Οὐδὲ μὲν Ἴφικλος Φυλάκῃ ἔνι δηρὸν ἔλειπτο,
μήτρως Αἰσονίδαο· κασιγνήτην γὰρ ὄπυιεν
Αἴσων Ἀλκιμέδην Φυλακηίδα· τῆς μιν ἀνώγει
πηοσύνη καὶ κῆδος ἐνικρινθῆναι ὁμίλῳ.
Οὐδὲ Φεραῖς Ἄδμητος ἐυρρήνεσσιν ἀνάσσων
μίμνεν ὑπὸ σκοπιὴν ὄρεος Χαλκωδονίοιο.
Οὐδ' Ἀλόπῃ μίμνον πολυλήιοι Ἑρμείαο
υἱέες εὖ δεδαῶτε δόλους, Ἔρυτος καὶ Ἐχίων,
τοῖσι δ' ἐπὶ τρίτατος γνωτὸς κίε νισσομένοισιν
Αἰθαλίδης· καὶ τὸν μὲν ἐπ' Ἀμφρυσσοῖο ῥοῇσιν
Μυρμιδόνος κούρη Φθιὰς τέκεν Εὐπολέμεια·
τὼ δ' αὖτ' ἐκγεγάτην Μενετηίδος Ἀντιανείρης.
Ἦλθε δ' ἀφνειὴν προλιπὼν Γυρτῶνα Κόρωνος
Καινεΐδης, ἐσθλὸς μέν, ἑοῦ δ' οὐ πατρὸς ἀμείνων.
Καινέα γὰρ ζώόν περ ἔτι κλείουσιν ἀοιδοὶ
Κενταύροισιν ὀλέσθαι, ὅτε σφέας οἶος ἀπ' ἄλλων
ἤλασ' ἀριστήων· οἱ δ' ἔμπαλιν ὁρμηθέντες
οὔτε μιν ἀγκλῖναι προτέρω σθένον, οὔτε δαΐξαι·
ἀλλ' ἄρρηκτος ἄκαμπτος ἐδύσετο νειόθι γαίης,
θεινόμενος στιβαρῇσι καταΐγδην ἐλάτῃσιν.
Ἦλθε δ' αὖ Μόψος Τιταρήσιος, ὃν περὶ πάντων
Λητοΐδης ἐδίδαξε θεοπροπίας οἰωνῶν·
ἠδὲ καὶ Εὐρυδάμας Κτιμένου πάις· ἄγχι δὲ λίμνης
Ξυνιάδος Κτιμένην Δολοπηίδα ναιετάασκεν.
Καὶ μὴν Ἄκτωρ υἷα Μενοίτιον ἐξ Ὀπόεντος
ὦρσεν, ἀριστήεσσι σὺν ἀνδράσιν ὄφρα νέοιτο.

4

First then let us make mention of Orpheus; he it was, whom, on a day, as rumour saith, Calliope bare beside the peak of Pimpleia, her pledge of love to Thracian Œager. He, men say, did charm the stubborn rocks upon the hills and the river streams by the strains of his minstrelsy. And wild oaks, memorials yet of that his singing, which he had led right on from Pieria by the spell of his lyre, marched in ordered ranks, each behind his fellow, to range themselves, with all their leaves, upon the fringe of the Thracian shore. So mighty a man was Orpheus, whom the son of Æson, by the counsels of Chiron, did persuade and take to help him in his toils from his kingship over Bistonian Pieria.

Anon came Asterion; he it was whom Cometes did beget by the waters of swirling Apidanus, when he dwelt in Peiresia, hard by the Phylleian hill, where mighty Apidanus and divine Enipeus do unite, flowing into one stream from their distant sources.

To these came Polyphemus, son of Elatus, having left Larissa; who erst, what time the Lapithæ armed against the Centaurs, joined the fray as the youngest of the mighty Lapithæ. Now on that day were his limbs weighed down with wine, but firm abode his warlike spirit still, even as aforetime.

No long space was Iphiclus, uncle of the son of Æson, left behind in Phylace; for Æson had wedded his sister, Alcimede of Phylace; whence the claims of blood and kith bade him enrol himself in the muster.

Neither did Admetus, lord of Pheræ, rich in sheep, abide beneath the peak of the Chalcodonian mountain.

Erytus and Echion too, sons of Hermes, well skilled in craftiness, and rich in broad cornlands, lingered not in Alope; and yet a third arrived to join them as they were starting, Æthalides, their kinsman; him by the stream of Myrmidonian Amphrysus did Eupolemeia, maid of Phthia, bear; but those other twain were sons of Antianeira, daughter of Menetes.

Came too Coronus, son of Cæneus, leaving rich Gyrton, a goodly man, yet scarce his father's match. For minstrels tell how Cæneus, though he liveth yet, was slain by the Centaurs; what time, alone and apart from the other chiefs, he routed them; and, when they suddenly rallied again, they could not make him give way nor slay him; but he, unconquered and unflinching,

Εἵπετο δ' Εὐρυτίων τε καὶ ἀλκήεις Ἐρυβώτης,
υἷες ὁ μὲν Τελέοντος, ὁ δ' Ἴρου Ἀκτορίδαο·
ἤτοι ὁ μὲν Τελέοντος εὐκλειὴς Ἐρυβώτης,
Ἴρου δ' Εὐρυτίων. σὺν καὶ τρίτος ἦεν Ὀϊλεύς,
ἔξοχος ἠνορέην καὶ ἐπαῖξαι μετόπισθεν
εὖ δεδαὼς δήοισιν, ὅτε κλίνωσι φάλαγγας.
Αὐτὰρ ἀπ' Εὐβοίης Κάνθος κίε, τόν ῥα Κάνηθος
πέμπεν Ἀβαντιάδης λελιημένον· οὐ μὲν ἔμελλεν
νοστήσειν Κήρινθον ὑπότροπος. αἶσα γὰρ ἦεν
αὐτὸν ὁμῶς Μόψον τε δαήμονα μαντοσυνάων
πλαγχθέντας Λιβύης ἐνὶ πείρασι δηωθῆναι.
ὡς οὐκ ἀνθρώποισι κακὸν μήκιστον ἐπαυρεῖν,
ὁππότε κἀκείνους Λιβύῃ ἔνι ταρχύσαντο,
τόσσον ἑκὰς Κόλχων, ὅσσον τέ περ ἠελίοιο
μεσσηγὺς δύσιές τε καὶ ἀντολαὶ εἰσορόωνται.
Τῷ δ' ἄρ' ἐπὶ Κλυτίος τε καὶ Ἴφιτος ἠγερέθοντο,
Οἰχαλίης ἐπίουροι, ἀπηνέος Εὐρύτου υἷες,
Εὐρύτου, ᾧ πόρε τόξον Ἑκηβόλος· οὐδ' ἀπόνητο
δωτίνης· αὐτῷ γὰρ ἑκὼν ἐρίδηνε δοτῆρι.
Τοῖσι δ' ἐπ' Αἰακίδαι μετεκίαθον· οὐ μὲν ἅμ' ἄμφω,
οὐδ' ὁμόθεν· νόσφιν γὰρ ἀλευάμενοι κατένασθεν
Αἰγίνης, ὅτε Φῶκον ἀδελφεὸν ἐξενάριξαν
ἀφραδίῃ. Τελαμὼν μὲν ἐν Ἀτθίδι νάσσατο νήσῳ·
Πηλεὺς δὲ Φθίῃ ἐνὶ δώματα ναῖε λιασθείς.
Τοῖς δ' ἐπὶ Κεκροπίηθεν ἀρήιος ἦλθε Βούτης,
παῖς ἀγαθοῦ Τελέοντος, ἐυμμελίης τε Φάληρος.
Ἄλκων μιν προέηκε πατὴρ ἑός· οὐ μὲν ἔτ' ἄλλους
γήραος υἷας ἔχεν βιότοιό τε κηδεμονῆας.
ἀλλά ἑ τηλύγετόν περ ὁμῶς καὶ μοῦνον ἐόντα
πέμπεν, ἵνα θρασέεσσι μεταπρέποι ἡρώεσσιν.
Θησέα δ', ὃς περὶ πάντας Ἐρεχθεΐδας ἐκέκαστο,
Ταιναρίην ἀίδηλος ὑπὸ χθόνα δεσμὸς ἔρυκεν,
Πειρίθῳ ἑσπόμενον κοινὴν ὁδόν· ἦ τέ κεν ἄμφω
ῥηίτερον καμάτοιο τέλος πάντεσσιν ἔθεντο.
Τῖφυς δ' Ἁγνιάδης Σιφαέα κάλλιπε δῆμον
Θεσπιέων, ἐσθλὸς μὲν ὀρινόμενον προδαῆναι
κῦμ' ἁλὸς εὐρείης, ἐσθλὸς δ' ἀνέμοιο θυέλλας
καὶ πλόον ἠελίῳ τε καὶ ἀστέρι τεκμήρασθαι.
αὐτή μιν Τριτωνὶς ἀριστήων ἐς ὅμιλον
ὦρσεν Ἀθηναίη, μετὰ δ' ἤλυθεν ἐλδομένοισιν.
αὐτὴ γὰρ καὶ νῆα θοὴν κάμε· σὺν δέ οἱ Ἄργος
τεῦξεν Ἀρεστορίδης κείνης ὑποθημοσύνῃσιν.
τῷ καὶ πασάων προφερεστάτη ἔπλετο νηῶν,
ὅσσαι ὑπ' εἰρεσίῃσιν ἐπειρήσαντο θαλάσσης.
Φλίας δ' αὖτ' ἐπὶ τοῖσιν Ἀραιθυρέηθεν ἵκανεν,

6

passed beneath the earth, smitten by the heavy pines they hurled on him.

Next came Mopsus, sprung from Titaron; him the son of Leto had taught the augury of birds beyond all men; likewise came Eurydamas, son of Ctimenus, who had his dwelling in Dolopian Ctimene, nigh unto the Xunian lake.

Moreover Actor sent forth his son Menœtius from Opus, to go with the chieftains.

And Eurytion followed, and valiant Eribotes; one the son of Teleon, the other of Irus, son of Actor; verily, famous Eribotes was sprung from Teleon, and Eurytion had Irus for his sire. With these went a third, Oileus, matchless for chivalry, and skilled enow in rushing on the rear of the foe, what time their ranks give way.

From Eubœa Canthus hied him forth; he it was whom Canethus, son of Abas, was sending with eager feet; yet was he never to turn again and reach Cerinthus. For his fate it was with Mopsus, that skilled diviner, to wander to his death in the utmost ends of Libya. For of evils none is too far away for man to meet therewith; seeing that men buried those twain even in Libya, as far from Colchis as the rising and the setting of the sun are seen to be from each other.

Next then gathered to the muster Clytius and Iphitus, wardens of Œchalia, sons of Eurytus the harsh — that Eurytus, to whom the far-darting god gave a bow; yet had he no joy of the gift, for of his own choice he strove with the giver himself.

After these the sons of Æacus joined the quest; they came not both together, nor from the same place; for they dwelt apart, keeping aloof from Ægina, since the day, when in their witlessness they slew their kinsman Phocus. Now Telamon had settled in Salamis, isle of Attica; while Peleus went away and builded him a home in Phthia.

Next came the warrior Butes from Cecropia, the son of goodly Teleon, and Phalerus of the stout ashen spear. Alcon, his sire, had sent him forth, albeit he had no other sons to nurse the evening of his life; yet for all he was his well-beloved, yea, his only-begotten, still would he send him to win renown among those heroes bold.

But Theseus, who far excelled all the sons of Erechtheus, did an unseen bond keep back beneath the

ΑΡΓΟΝΑΥΤΙΚΑ

ἔνθ' ἀφνειὸς ἔναιε Διωνύσοιο ἕκητι,
πατρὸς ἑοῦ, πηγῆσιν ἐφέστιος Ἀσωποῖο.
Ἀργόθεν αὖ Ταλαὸς καὶ Ἀρήιος, υἷε Βίαντος,
ἤλυθον ἴφθιμός τε Λεώδοκος, οὓς τέκε Πηρὼ
Νηληίς· τῆς δ' ἀμφὶ δύην ἐμόγησε βαρεῖαν
Αἰολίδης σταθμοῖσιν ἐν Ἰφίκλοιο Μελάμπους.
Οὐδὲ μὲν οὐδὲ βίην κρατερόφρονος Ἡρακλῆος
πευθόμεθ' Αἰσονίδαο λιλαιομένου ἀθερίξαι.
ἀλλ' ἐπεὶ ἄιε βάξιν ἀγειρομένων ἡρώων,
νεῖον ἀπ' Ἀρκαδίης Λυρκήιον Ἄργος ἀμείψας
τὴν ὁδόν, ᾗ ζωὸν φέρε κάπριον, ὅς ῥ' ἐνὶ βήσσῃς
φέρβετο Λαμπείης, Ἐρυμάνθιον ἂμ μέγα τῖφος,
τὸν μὲν ἐνὶ πρώτῃσι Μυκηναίων ἀγορῇσιν
δεσμοῖς ἰλλόμενον μεγάλων ἀπεθήκατο νώτων·
αὐτὸς δ' ᾗ ἰότητι παρὲκ νόον Εὐρυσθῆος
ὡρμήθη· σὺν καί οἱ Ὕλας κίεν, ἐσθλὸς ὀπάων·
πρωθήβης, ἰῶν τε φορεὺς φύλακός τε βιοῖο.
Τῷ δ' ἐπὶ δὴ θείοιο κίεν Δαναοῖο γενέθλη,
Ναύπλιος. ἦ γὰρ ἔην Κλυτονήου Ναυβολίδαο·
Ναύβολος αὖ Λέρνου· Λέρνον γε μὲν ἴδμεν ἐόντα
Προίτου Ναυπλιάδαο· Ποσειδάωνι δὲ κούρη
πρίν ποτ' Ἀμυμώνη Δαναῒς τέκεν εὐνηθεῖσα
Ναύπλιον, ὃς περὶ πάντας ἐκαίνυτο ναυτιλίῃσιν.
Ἴδμων δ' ὑστάτιος μετεκίαθεν, ὅσσοι ἔναιον
Ἄργος, ἐπεὶ δεδαὼς τὸν ἑὸν μόρον οἰωνοῖσιν
ἤιε, μή οἱ δῆμος ἐυκλείης ἀγάσαιτο.
οὐ μὲν ὅγ' ἦεν Ἄβαντος ἐτήτυμον, ἀλλά μιν αὐτὸς
γείνατο κυδαλίμοις ἐναρίθμιον Αἰολίδῃσιν
Λητοΐδης· αὐτὸς δὲ θεοπροπίας ἐδίδαξεν
οἰωνούς τ' ἀλέγειν ἠδ' ἔμπυρα σήματ' ἰδέσθαι.
Καὶ μὴν Αἰτωλὶς κρατερὸν Πολυδεύκεα Λήδη
Κάστορά τ' ὠκυπόδων ὦρσεν δεδαημένον ἵππων
Σπάρτηθεν· τοὺς δ' ἦγε δόμοις ἔνι Τυνδαρέοιο
τηλυγέτους ὠδῖνι μιῇ τέκεν· οὐδ' ἀπίθησεν
νισσομένοις· Ζηνὸς γὰρ ἐπάξια μήδετο λέκτρων.
Οἵ τ' Ἀφαρητιάδαι Λυγκεὺς καὶ ὑπέρβιος Ἴδας
Ἀρήνηθεν ἔβαν, μεγάλῃ περιθαρσέες ἀλκῇ
ἀμφότεροι· Λυγκεὺς δὲ καὶ ὀξυτάτοις ἐκέκαστο
ὄμμασιν, εἰ ἐτεόν γε πέλει κλέος, ἀνέρα κεῖνον
ῥηιδίως καὶ νέρθε κατὰ χθονὸς αὐγάζεσθαι.
Σὺν δὲ Περικλύμενος Νηλήιος ὦρτο νέεσθαι,
πρεσβύτατος παίδων, ὅσσοι Πύλῳ ἐξεγένοντο
Νηλῆος θείοιο· Ποσειδάων δέ οἱ ἀλκὴν
δῶκεν ἀπειρεσίην ἠδ' ὅττι κεν ἀρήσαιτο
μαρνάμενος, τὸ πέλεσθαι ἐνὶ ξυνοχῇ πολέμοιο.

8

land of Tænarus, for thither had he gone along with Peirithous. Verily these twain might have made the accomplishment of their toil lighter for them all.

And Tiphys, son of Hagnias, left his Thespian folk in Siphas; a cunning prophet he to foretell a rising tumult amid the waves of the wide sea, and cunning to divine storms of wind and the course of a ship from the sun and the stars. Him did Tritonian Athene herself rouse to the gathering of the chiefs, and he came amongst men eager for his coming; for it was Athene, too, that builded the swift ship, and with her had Argus, son of Arestor, fashioned it by her counsels. Wherefore was Argo far the best of all the barques that ever crossed the sea with oars.

Next came Phlias from Aræthyrea, where he dwelt in plenty by the grace of Dionysus, his father, in his home by the springs of Asopus.

From Argos came forth Talaus and Areius, two sons of Bias; and mighty Leodocus, whom Pero, daughter of Neleus, bare; for her sake Melampus, son of Æolus, endured grievous misery in the steading of Iphiclus.

Nor are we told that mighty Heracles, stout of heart, made light of the earnest prayer of the son of Æson. Nay, when he heard the report that the heroes were gathering, he changed his path anew from Arcadia and came to Lyrceian Argos, whither he was bringing alive a boar that battened in the glens of Lampeia beside the vast marsh of Erymanthus; and he cast him down from off his mighty back, fast bound in chains, at the entrance to the assembly of the Mycenæans, while himself started off as he listed against the purpose of Eurystheus; and with him came Hylas, his trusty squire, in the bloom of youth, to bear his arrows and to keep his bow.

Next came the son of divine Danaus, Nauplius. Lo! he was son of Clytoneus, the child of Naubolus; and Naubolus was the son of Lernus; and of Lernus we are told that he was the son of Prœtus, whom Nauplius begat; for the maid Amymone, daughter of Danaus, in days gone by, bare, from the embraces of Poseidon, Nauplius, who far excelled all men in seamanship.

And last of those, who dwelt in Argos, came Idmon; for he would be there, although from augury he knew his fate; lest the people should grudge him a fair fame. He, of a truth, was no son of Abas, but the child of Leto

Καὶ μὴν Ἀμφιδάμας Κηφεύς τ' ἴσαν Ἀρκαδίηθεν.
οἳ Τεγέην καὶ κλῆρον Ἀφειδάντειον ἔναιον,
υἷε δύω Ἀλεοῦ· τρίτατός γε μὲν ἕσπετ' ἰοῦσιν
Ἀγκαῖος, τὸν μέν ῥα πατὴρ Λυκόοργος ἔπεμπεν,
τὸν ἄμφω γνωτὸς προγενέστερος. ἀλλ' ὁ μὲν ἤδη
γηράσκοντ' Ἀλεὸν λίπετ' ἂμ πόλιν ὄφρα κομίζοι,
παῖδα δ' ἑὸν σφετέροισι κασιγνήτοισιν ὄπασσεν.
βῆ δ' ὅγε Μαιναλίης ἄρκτου δέρος, ἀμφίτομόν τε
δεξιτερῇ πάλλων πέλεκυν μέγαν. ἔντεα γάρ οἱ
πατροπάτωρ Ἀλεὸς μυχάτῃ ἐνέκρυψε καλιῇ,
αἴ κέν πως ἔτι καὶ τὸν ἐρητύσειε νέεσθαι.
Βῆ δὲ καὶ Αὐγείης, ὃν δὴ φάτις Ἡελίοιο
ἔμμεναι· Ἠλείοισι δ' ὅγ' ἀνδράσιν ἐμβασίλευεν,
ὄλβῳ κυδιόων· μέγα δ' ἵετο Κολχίδα γαῖαν
αὐτόν τ' Αἰήτην ἰδέειν σημάντορα Κόλχων.
Ἀστέριος δὲ καὶ Ἀμφίων Ὑπερασίου υἷες
Πελλήνης ἀφίκανον Ἀχαιίδος, ἥν ποτε Πέλλης
πατροπάτωρ ἐπόλισσεν ἐπ' ὀφρύσιν Αἰγιαλοῖο.
Ταίναρον αὖτ' ἐπὶ τοῖσι λιπὼν Εὔφημος ἵκανεν,
τόν ῥα Ποσειδάωνι ποδωκήστατον ἄλλων
Εὐρώπη Τιτυοῖο μεγασθενέος τέκε κούρη.
κεῖνος ἀνὴρ καὶ πόντου ἐπὶ γλαυκοῖο θέεσκεν
οἴδματος, οὐδὲ θοοὺς βάπτεν πόδας, ἀλλ' ὅσον ἄκροις
ἴχνεσι τεγγόμενος διερῇ πεφόρητο κελεύθῳ.
Καὶ δ' ἄλλω δύο παῖδε Ποσειδάωνος ἵκοντο·
ἤτοι ὁ μὲν πτολίεθρον ἀγαυοῦ Μιλήτοιο
νοσφισθεὶς Ἐργῖνος, ὁ δ' Ἰμβρασίης ἕδος Ἥρης,
Παρθενίην, Ἀγκαῖος ὑπέρβιος· ἴστορε δ' ἄμφω
ἠμὲν ναυτιλίης, ἠδ' ἄρεος εὐχετόωντο.
Οἰνεΐδης δ' ἐπὶ τοῖσιν ἀφορμηθεὶς Καλυδῶνος
ἀλκήεις Μελέαγρος ἀνήλυθε, Λαοκόων τε,
Λαοκόων Οἰνῆος ἀδελφεός, οὐ μὲν ἰῆς γε
μητέρος· ἀλλά ἑ θῆσσα γυνὴ τέκε· τὸν μὲν ἄρ' Οἰνεὺς
ἤδη γηραλέον κοσμήτορα παιδὸς ἴαλλεν·
ὧδ' ἔτι κουρίζων περιθαρσέα δῦνεν ὅμιλον
ἡρώων. τοῦ δ' οὔτιν' ὑπέρτερον ἄλλον ὀίω,
νόσφιν γ' Ἡρακλῆος, ἐπελθέμεν, εἴ κ' ἔτι μοῦνον
αὖθι μένων λυκάβαντα μετετράφη Αἰτωλοῖσιν.
καὶ μήν οἱ μήτρως αὐτὴν ὁδόν, εὖ μὲν ἄκοντι,
εὖ δὲ καὶ ἐν σταδίῃ δεδαημένος ἀντιφέρεσθαι,
Θεστιάδης Ἴφικλος ἐφωμάρτησε κιόντι.
Σὺν δὲ Παλαιμόνιος Λέρνου πάις Ὠλενίοιο,
Λέρνου ἐπίκλησιν, γενεήν γε μὲν Ἡφαίστοιο·
τούνεκ' ἔην πόδα σιφλός· ἀτὰρ δέμας οὔ κέ τις ἔτλη
ἠνορέην τ' ὀνόσασθαι, ὃ καὶ μεταρίθμιος ἦεν

10

himself begat him to swell the number of the famous race of Æolus; yea, and himself did teach him divination, and to heed the flight of birds, and to read signs in blazing fire.

Moreover, Ætolian Leda sent forth from Sparta strong Polydeuces and Castor, skilled to curb fleet steeds; these, her well-beloved sons, she bare at one birth in the halls of Tyndarus, and when they would go she said not nay, for her thoughts were worthy the bride of Zeus.

From Arene came the sons of Apharetus, Lynceus and Idas, of overweening pride, both too confident in their great strength; and Lynceus too excelled in the keenness of his sight, if that is really a true legend, that he could see with ease a man even beneath the earth.

And with them Periclymenus, son of Neleus, started to go, eldest of all the children that were born to divine Neleus in Pylos; him Poseidon gifted with boundless might, and granted that whatsoever he should pray to be during the fray, that should he become in the stress of battle.

Again, from Arcadia came Amphidamas and Cepheus, who dwelt in Tegea, the heritage of Apheidas, the two sons of Aleus; and eke a third followed in their train, Ancæus, whom his own father Lycurgus was sending; he was elder brother to those twain, but was left behind in the city that he might care for Aleus in his old age, but he sent his own son to join his brethren. And the young man went on his way, brandishing the skin of a bear of Mænalus, and in his right hand a great two-edged axe. For his grandsire Aleus had hidden his weapons in an inner closet, if haply he might stay him even yet from setting out.

There came too Augeas, who, legend saith, is son to Helios; and over the men of Elis this prince held sway, glorying in his wealth; but greatly did he long to see the land of Colchis and Æetes in person, the leader of the Colchians.

And Asterius and Amphion, sons of Hyperasius, came from Achæan Pellene, which on a day their grandsire Pelles founded on the crags by the sea-shore.

To these, again, came Euphemus, leaving Tænarus; he it was whom Europe, daughter of Tityus, of giant strength, bare, outstripping all in speed of foot. He would run upon the sea's gray swell, and never wet his swift

πᾶσιν ἀριστήεσσιν, Ἰήσονι κῦδος ἀέξων.
Ἐκ δ' ἄρα Φωκήων κίεν Ἴφιτος Ὀρνυτίδαο
Ναυβόλου ἐκγεγαώς· ξεῖνος δέ οἱ ἔσκε πάροιθεν
ἦμος ἔβη Πυθῶδε θεοπροπίας ἐρεείνων
ναυτιλίης· τόθι γάρ μιν ἑοῖς ὑπέδεκτο δόμοισιν.
Ζήτης αὖ Κάλαΐς τε Βορήιοι υἷες ἵκοντο,
οὕς ποτ' Ἐρεχθηὶς Βορέῃ τέκεν Ὠρείθυια
ἐσχατιῇ Θρήκης δυσχειμέρου· ἔνθ' ἄρα τήνγε
Θρηίκιος Βορέης ἀνερέψατο Κεκροπίηθεν
Ἰλισσοῦ προπάροιθε χορῷ ἔνι δινεύουσαν.
καί μιν ἄγων ἕκαθεν, Σαρπηδονίην ὅθι πέτρην
κλείουσιν, ποταμοῖο παρὰ ῥόον Ἐργίνοιο,
λυγαίοις ἐδάμασσε περὶ νεφέεσσι καλύψας.
τὼ μὲν ἐπ' ἀκροτάτοισι ποδῶν ἑκάτερθεν ἐρεμνὰς
σεῖον ἀειρομένω πτέρυγας, μέγα θάμβος ἰδέσθαι,
χρυσείαις φολίδεσσι διαυγέας· ἀμφὶ δὲ νώτοις
κράατος ἐξ ὑπάτοιο καὶ αὐχένος ἔνθα καὶ ἔνθα
κυάνεαι δονέοντο μετὰ πνοιῇσιν ἔθειραι.
Οὐδὲ μὲν οὐδ' αὐτοῖο πάις μενέαινεν Ἄκαστος
ἰφθίμου Πελίαο δόμοις ἔνι πατρὸς ἑῆος
μιμνάζειν, Ἄργος τε θεᾶς ὑποεργὸς Ἀθήνης·
ἀλλ' ἄρα καὶ τὼ μέλλον ἐνικρινθῆναι ὁμίλῳ.
Τόσσοι ἄρ' Αἰσονίδῃ συμμήστορες ἠγερέθοντο.
τοὺς μὲν ἀριστῆας Μινύας περιναιετάοντες
κίκλησκον μάλα πάντας, ἐπεὶ Μινύαο θυγατρῶν
οἱ πλεῖστοι καὶ ἄριστοι ἀφ' αἵματος εὐχετόωντο
ἔμμεναι· ὣς δὲ καὶ αὐτὸν Ἰήσονα γείνατο μήτηρ
Ἀλκιμέδη, Κλυμένης Μινυηίδος ἐκγεγαυῖα.
Αὐτὰρ ἐπεὶ δμώεσσιν ἐπαρτέα πάντ' ἐτέτυκτο,
ὅσσα περ ἐντύνονται ἐπαρτέες ἔνδοθι νῆες,
εὖτ' ἂν ἄγῃ χρέος ἄνδρας ὑπεὶρ ἅλα ναυτίλλεσθαι,
δὴ τότ' ἴσαν μετὰ νῆα δι' ἄστεος, ἔνθα περ ἀκταὶ
κλείονται Παγασαὶ Μαγνήτιδες· ἀμφὶ δὲ λαῶν
πληθὺς σπερχομένων ἄμυδις θέεν· οἱ δὲ φαεινοὶ
ἀστέρες ὣς νεφέεσσι μετέπρεπον· ὧδε δ' ἕκαστος
ἔννεπεν εἰσορόων σὺν τεύχεσιν ἀίσσοντας·
'Ζεῦ ἄνα, τίς Πελίαο νόος ; πόθι τόσσον ὅμιλον
ἡρώων γαίης Παναχαίιδος ἔκτοθι βάλλει ;
αὐτῆμάρ κε δόμους ὀλοῷ πυρὶ δῃώσειαν
Αἰήτεω, ὅτε μή σφιν ἑκὼν δέρος ἐγγυαλίξῃ.
ἀλλ' οὐ φυκτὰ κέλευθα, πόνος δ' ἄπρηκτος ἰοῦσιν.'
Ὣς φάσαν ἔνθα καὶ ἔνθα κατὰ πτόλιν· αἱ δὲ γυναῖκες
πολλὰ μάλ' ἀθανάτοισιν ἐς αἰθέρα χεῖρας ἄειρον,
εὐχόμεναι νόστοιο τέλος θυμηδὲς ὀπάσσαι.
ἄλλη δ' εἰς ἑτέρην ὀλοφύρετο δακρυχέουσα·

12

feet; but, moistening just the soles thereof, he sped along his watery path.

And there came two other sons of Poseidon; the one, to wit, Erginus, who had left the town of noble Miletus; the other, Ancæus, the proud, who had come from Parthenie, seat of Imbrasian Hera; both these boasted their knowledge of seacraft and of war.

Next came valiant Meleager, son of Œneus, having started from Calydon, and Laocoon too, who was brother of Œneus; yet were they not sons of one mother, but him did a bondwoman bear; he it was whom Œneus sent, now that he was grown up, to guard his child; so while yet a youth he entered that brave band of heroes, and none, methinks, mightier than he had come, save Heracles alone, if he had stayed but one year longer there and been trained up amongst the Ætolians. And lo! his uncle Iphiclus, the son of Thestius, bare him company on that journey, a spearman good, and skilled enow as well to match himself with any in close fight.

And with him was Palæmonius, son of Lernus, of Olenus; son of Lernus men called him, but he drew his lineage from Hephæstus, wherefore he was lame of foot; but none would have the hardihood to scorn his form and manliness, wherefore he too was numbered amongst the other chiefs, swelling the fame of Jason.

From the Phocians then came Iphitus, sprung from Naubolus, son of Ornytus; now he had been Jason's host aforetime when he came to Pytho to ask an oracle about his voyage; for there did Iphitus receive him in his halls.

Next came the sons of Boreas, Calais and Zetes, whom, on a day, Oreithyia, daughter of Erechtheus, bare to Boreas at the verge of wintry Thrace; thither it was that Thracian Boreas had snatched her away from Cecropia, as she was circling in the dance by the banks of the Ilissus. And from afar he brought her to the spot men call Sarpedon's rock, beside the stream of the river Erginus, and there he shrouded her in dark clouds, and had his will of her. These his two sons made strong pinions move on either ancle as they rose, a mighty marvel to behold, radiant with scales of gold; and about their backs, from the crown of the head and on either side the neck, dark hair was waving in the breeze.

Nor yet had Acastus, son of stalwart Pelias himself, any longing to abide within his father's house; nor

'Δειλὴ 'Αλκιμέδη, καὶ σοὶ κακὸν ὀψέ περ ἔμπης
ἤλυθεν, οὐδ' ἐτέλεσσας ἐπ' ἀγλαΐῃ βιότοιο.
Αἴσων αὖ μέγα δή τι δυσάμμορος. ἦ τέ οἱ ἦεν
βέλτερον, εἰ τὸ πάροιθεν ἐνὶ κτερέεσσιν ἐλυσθεὶς
νειόθι γαίης κεῖτο, κακῶν ἔτι νῆις ἀέθλων.
ὡς ὄφελεν καὶ Φρίξον, ὅτ' ὤλετο παρθένος Ἕλλη,
κῦμα μέλαν κριῷ ἅμ' ἐπικλύσαι· ἀλλὰ καὶ αὐδὴν
ἀνδρομέην προέηκε κακὸν τέρας, ὥς κεν ἀνίας
'Αλκιμέδῃ μετόπισθε καὶ ἄλγεα μυρία θείη.'
Αἱ μὲν ἄρ' ὣς ἀγόρευον ἐπὶ προμολῇσι κιόντων.
ἤδη δὲ δμῶές τε πολεῖς δμωαί τ' ἀγέροντο·
μήτηρ δ' ἀμφ' αὐτὸν βεβολημένη. ὀξὺ δ' ἑκάστην
δῦνεν ἄχος· σὺν δέ σφι πατὴρ ὀλοῷ ὑπὸ γήραι
ἐντυπὰς ἐν λεχέεσσι καλυψάμενος γοάασκεν.
αὐτὰρ ὁ τῶν μὲν ἔπειτα κατεπρήυνεν ἀνίας
θαρσύνων, δμώεσσι δ' ἀρήια τεύχε' ἀείρειν
πέφραδεν· οἱ δέ τε σῖγα κατηφέες ἠείροντο.
μήτηρ δ' ὡς τὰ πρῶτ' ἐπεχεύατο πήχεε παιδί,
ὣς ἔχετο κλαίους' ἀδινώτερον, ἠύτε κούρη
οἰόθεν ἀσπασίως πολιὴν τροφὸν ἀμφιπεσοῦσα
μύρεται, ᾗ οὐκ εἰσὶν ἔτ' ἄλλοι κηδεμονῆες,
ἀλλ' ὑπὸ μητρυιῇ βίοτον βαρὺν ἡγηλάζει·
καί ἑ νέον πολέεσσιν ὀνείδεσιν ἐστυφέλιξεν,
τῇ δέ τ' ὀδυρομένῃ δέδεται κέαρ ἔνδοθεν ἄτῃ,
οὐδ' ἔχει ἐκφλύξαι τόσσον γόον, ὅσσον ὀρεχθεῖ·
ὣς ἀδινὸν κλαίεσκεν ἑὸν παῖδ' ἀγκὰς ἔχουσα
'Αλκιμέδη, καὶ τοῖον ἔπος φάτο κηδοσύνῃσιν·
'Αἴθ' ὄφελον κεῖν' ἦμαρ, ὅτ' ἐξειπόντος ἄκουσα
δειλὴ ἐγὼ Πελίαο κακὴν βασιλῆος ἐφετμήν,
αὐτίκ' ἀπὸ ψυχὴν μεθέμεν, κηδέων τε λαθέσθαι,
ὄφρ' αὐτός με τεῇσι φίλαις ταρχύσαο χερσίν,
τέκνον ἐμόν· τὸ γὰρ οἶον ἔην ἔτι λοιπὸν ἐέλδωρ
ἐκ σέθεν, ἄλλα δὲ πάντα πάλαι θρεπτήρια πέσσω.
νῦν γε μὲν ἡ τὸ πάροιθεν 'Αχαιάδεσσιν ἀγητὴ
δμωὶς ὅπως κενεοῖσι λελείψομαι ἐν μεγάροισιν,
σεῖο πόθῳ μινύθουσα δυσάμμορος, ᾧ ἔπι πολλὴν
ἀγλαΐην καὶ κῦδος ἔχον πάρος, ᾧ ἔπι μούνῳ
μίτρην πρῶτον ἔλυσα καὶ ὕστατον. ἔξοχα γάρ μοι
Εἰλείθυια θεὰ πολέος ἐμέγηρε τόκοιο.
ὤ μοι ἐμῆς ἄτης· τὸ μὲν οὐδ' ὅσον, οὐδ' ἐν ὀνείρῳ
ὠισάμην, εἰ Φρίξος ἐμοὶ κακὸν ἔσσετ' ἀλύξας.'
Ὣς ἥγε στενάχουσα κινύρετο· ταὶ δὲ γυναῖκες
ἀμφίπολοι γοάασκον ἐπισταδόν· αὐτὰρ ὁ τήνγε
μειλιχίοις ἐπέεσσι παρηγορέων προσέειπεν·
'Μή μοι λευγαλέας ἐνιβάλλεο, μῆτερ, ἀνίας

14

Argus either, servant of the goddess Athene; nay, for they too, I ween, were to be counted in the muster.

This, then, is the tale of those who gathered to the son of Æson to aid him with their counsel; whom the neighbouring folk called Minyan chieftains, one and all, since most of them, and those the best, avowed them to be of the blood of the daughters of Minyas; even so Alcimede, the mother of Jason himself, was sprung from Clymene, a daughter of Minyas.

Now when the thralls had made all things ready, wherewith ships are furnished for their freight, whenso business calls men to make a voyage across the sea; in that hour they betook them to the ship through the city to the place men call the headland of Pagasæ in Magnesia; and around them a crowd of folk ran thronging eagerly; but they showed like bright stars amid clouds, and thus would each man say as he gazed on them flashing in their harness: « King Zeus, what is the intent of Pelias? whither is he sending such a muster of heroes from out the Panachæan land? They will sack the homes of Æetes with baleful fire the very day they see them, if so be he give them not the fleece of his own accord. But the voyage may not be shunned, nor shall their toil be fruitless, if they go.»

So spake they, one here, one there throughout the city; and the women lifted up their hands full oft toward heaven to the immortal gods, praying that they would grant the accomplishment of their return as their heart desired. And one to another would thus complain through her tears: « Ah, hapless Alcimede, to thee too hath sorrow come, late though it be, nor hast thou finished thy course with joy. Surely Æson is a man of sorrows, and that in no small measure. Yea, better for him had it been, if ere this he had been wrapped in his shroud and were lying 'neath the earth, a stranger still to evil enterprises. Would that the black wave had engulfed Phrixus too, fleece and all, on the day that the maiden Helle perished! But no! that prodigy of ill uttered a human voice, that it might bring grief and countless woes to Alcimede, in days to come.»

Thus would the women speak as the heroes went on their way forth. And many thralls, both men and maids, were already gathering, and his mother flung herself on Jason's neck. For piercing grief had entered each woman's breast; and with her his father, bowed by

15

ὧδε λίην, ἐπεὶ οὐ μὲν ἐρητύσεις κακότητος
δάκρυσιν, ἀλλ' ἔτι κεν καὶ ἐπ' ἄλγεσιν ἄλγος ἄροιο.
πήματα γάρ τ' ἀίδηλα θεοὶ θνητοῖσι νέμουσιν,
τῶν μοῖραν κατὰ θυμὸν ἀνιάζουσά περ ἔμπης
τλῆθι φέρειν· θάρσει δὲ συνημοσύνησιν Ἀθήνης,
ἠδὲ θεοπροπίοισιν, ἐπεὶ μάλα δεξιὰ Φοῖβος
ἔχρη, ἀτὰρ μετέπειτά γ' ἀριστήων ἐπαρωγῇ.
ἀλλὰ σὺ μὲν νῦν αὖθι μετ' ἀμφιπόλοισιν ἔκηλος
μίμνε δόμοις, μηδ' ὄρνις ἀεικελίη πέλε νηί·
κεῖσε δ' ὁμαρτήσουσιν ἔται δμῶές τε κιόντι.'

16

baleful age, made moan upon his bed, closely veiled from head to foot.

And Jason, the while, was soothing their grief with words of comfort; but he signed to the thralls to take up his weapons of war, and they in silence and with downcast look took them up. But his mother, so soon as she had thrown her arms around her boy, so clung to him, while her sobs came ever more thick and fast; as when a maiden in her solitude is fain to cast her arms about her gray-haired nurse and weep, one who hath none left to defend her, but she leads a cruel life under a step-mother, who ill-treats her tender years with many a flout; and as she weeps, her heart within her is held fast in misery, nor can she utter half the grief she yearneth to; even thus was Alcimede weeping loud and long, as she held her son in her arms. And in her affliction she spake this word: «Ah! would that I had straight given up the ghost and so forgotten my troubles, on the day I heard king Pelias declare to my sorrow his evil hest, that thou, my child, with thine own dear hands mightest have buried me; since that was all I yet could wish of thee, for all else that thy nurture owed I have long enjoyed. Now shall I, who erst was so admired by the Achæan women, be left like a slave in my empty halls, miserably wasting away in longing for thee, over whom I once had much joy and glory, my only son for whom I loosed my maiden zone for the first time and the last. For the goddess Eileithyia exceedingly did grudge me many children. Ah me! for my blind folly! Little I recked of this, even in dreams, that Phrixus would be an evil for me to shun.»

Thus was she, poor lady, sobbing and wailing, and the women her handmaids took up the wail in turn, but Jason spake to her softly with words of comfort: «Mother mine, lay not such piteous grief on me thus all too much, for by thy tears shalt thou not keep from suffering; nay, thou wilt join sorrow on to sorrow. For the gods allot to mortals woes they cannot see. Take heart to bear the lot of mortals for all thy heaviness of soul, and cheer thee with the solemn promise of Athene and with the god's answer, for very favourable was the word of Phœbus, and after these with the aid of the chieftains. But now do thou with thy handmaidens abide quietly within the house, and be not a bird of ill omen to our ship; for my clansmen and my thralls shall lead me on my way thither.»

17

Ἦ, καὶ ὁ μὲν προτέρωσε δόμων ἐξῶρτο νέεσθαι.
οἷος δ' ἐκ νηοῖο θυώδεος εἶσιν Ἀπόλλων
Δῆλον ἀν' ἠγαθέην, ἠὲ Κλάρον, ἢ ὅγε Πυθώ,
ἢ Λυκίην εὐρεῖαν, ἐπὶ Ξάνθοιο ῥοῇσιν,
τοῖος ἀνὰ πληθὺν δήμου κίεν· ὦρτο δ' ἀυτὴ
κεκλομένων ἄμυδις. Τῷ δὲ ξύμβλητο γεραιὴ
Ἰφιὰς Ἀρτέμιδος πολιηόχου ἀρήτειρα,
καί μιν δεξιτερῆς χειρὸς κύσεν, οὐδέ τι φάσθαι
ἔμπης ἱεμένη δύνατο, προθέοντος ὁμίλου·
ἀλλ' ἡ μὲν λίπετ' αὖθι παρακλιδόν, οἷα γεραιὴ
ὁπλοτέρων, ὁ δὲ πολλὸν ἀποπλαγχθεὶς ἐλιάσθη.
Αὐτὰρ ἐπεί ῥα πόληος ἐυδμήτους λίπ' ἀγυιάς,
ἀκτὴν δ' ἵκανεν Παγασηίδα, τῇ μιν ἑταῖροι
δειδέχατ', Ἀργώῃ ἄμυδις παρὰ νηὶ μένοντες.
στῆ δ' ἄρ' ἐπὶ προμολῆς· οἱ δ' ἀντίοι ἠγερέθοντο.
ἐς δ' ἐνόησαν Ἄκαστον ὁμῶς Ἄργον τε πόληος
νόσφι καταβλώσκοντας, ἐθάμβησαν δ' ἐσιδόντες
πασσυδίῃ Πελίαο παρὲκ νόον ἰθύοντας.
δέρμα δ' ὁ μὲν ταύροιο ποδηνεκὲς ἀμφέχετ' ὤμους
Ἄργος Ἀρεστορίδης λάχνῃ μέλαν· αὐτὰρ ὁ καλὴν
δίπλακα, τήν οἱ ὄπασσε κασιγνήτη Πελόπεια.
ἀλλ' ἔμπης τὼ μέν τε διεξερέεσθαι ἕκαστα
ἔσχετο· τοὺς δ' ἀγορήνδε συνεδριάασθαι ἄνωγεν.
αὐτοῦ δ' ἰλλομένοις ἐπὶ λαίφεσιν, ἠδὲ καὶ ἱστῷ
κεκλιμένῳ μάλα πάντες ἐπισχερὼ ἑδριόωντο.
τοῖσιν δ' Αἴσονος υἱὸς ἐυφρονέων μετέειπεν·
'Ἄλλα μὲν ὅσσα τε νηὶ ἐφοπλίσσασθαι ἔοικεν
—πάντα γὰρ εὖ κατὰ κόσμον—ἐπαρτέα κεῖται ἰοῦσιν.
τῶ οὐκ ἂν δηναιὸν ἐχοίμεθα τοῖο ἕκητι
ναυτιλίης, ὅτε μοῦνον ἐπιπνεύσουσιν ἀῆται.
ἀλλά, φίλοι,—ξυνὸς γὰρ ἐς Ἑλλάδα νόστος ὀπίσσω,
ξυναὶ δ' ἄμμι πέλονται ἐς Αἰήταο κέλευθοι—
τοὔνεκα νῦν τὸν ἄριστον ἀφειδήσαντες ἕλεσθε
ὄρχαμον ἡμείων, ᾧ κεν τὰ ἕκαστα μέλοιτο,
νείκεα συνθεσίας τε μετὰ ξείνοισι βαλέσθαι.'
Ὣς φάτο· πάπτηναν δὲ νέοι θρασὺν Ἡρακλῆα
ἥμενον ἐν μέσσοισι· μιῇ δέ ἑ πάντες ἀυτῇ
σημαίνειν ἐπέτελλον· ὁ δ' αὐτόθεν, ἔνθα περ ἧστο,
δεξιτερὴν ἀνὰ χεῖρα τανύσσατο φώνησέν τε·
'Μήτις ἐμοὶ τόδε κῦδος ὀπαζέτω. οὐ γὰρ ἔγωγε
πείσομαι· ὣς τε καὶ ἄλλον ἀναστήσεσθαι ἐρύξω.
αὐτός, ὅτις ξυνάγειρε, καὶ ἀρχεύοι ὁμάδοιο.'
Ἦ ῥα μέγα φρονέων, ἐπὶ δ' ᾔνεον, ὡς ἐκέλευεν
Ἡρακλέης· ἀνὰ δ' αὐτὸς ἀρήιος ὤρνυτ' Ἰήσων
γηθόσυνος, καὶ τοῖα λιλαιομένοις ἀγόρευεν·

He spake, and forth from the house started on his path. Even as Apollo goes forth from his fragrant shrine through holy Delos, or Claros, or through Pytho, in his might, or wide Lycia by the streams of Xanthus; in such beauty went he through the throng of folk, and there arose a shout of men giving commands all together. And there met him Iphias, the aged priestess of Artemis, protectress of the city; and she clasped him by his right hand but could not say a word for all her longing, since the crowd went hasting on; so she turned aside and left him there, as an old dame must before younger folk; and lo! he passed by and was gone far away.

Now when he had left the streets of the town with their fair buildings, and was come to the headland of Pagasæ; there did his comrades welcome him, abiding together beside the ship Argo. There she stood at the river mouth, and they were gathered over against her; when lo! they saw Acastus and with him Argus coming forth from the city to them, and they marvelled to see them hasting thither with all speed, against the will of Pelias. And the one, Argus, son of Arestor, had fastened about his shoulders a bull's hide, reaching to his feet, black, with the hair upon it; but the other had a fair mantle of double woof, which his sister Pelopeia gave to him. But Jason refrained for all that from questioning the pair on each point, but bade them seat themselves at the assembly; for there were they sitting one and all in rows on furled sails and the mast that lay upon the ground. And amongst them the son of Æson spake with good intent, « For the rest, whatsoever a ship should be furnished withal lies ready against our start, for all hath been done well and in order; therefore no long space will we hold back from our voyage on that account, when but the winds blow fair. Nay but, friends, since our return to Hellas again is for all of us, and for all is the voyage to the land of Æetes, choose ye therefore now ungrudgingly the best of you for leader, to whom each thing shall be a care, to take upon him our quarrels and our covenants with strangers.»

So spake he: and the young men looked round at bold Heracles sitting in their midst; and with one shout they bade Jason declare him leader; but he forthwith, from where he sat, stretched out his right hand and uttered his voice, « Let none offer this honour to me. For I will never consent; wherefore I will even stay another from

19

Ἐἰ μὲν δή μοι κῦδος ἐπιτρωπᾶτε μέλεσθαι,
μηκέτ' ἔπειθ', ὡς καὶ πρίν, ἐρητύοιτο κέλευθα.
νῦν γε μὲν ἤδη Φοῖβον ἀρεσσάμενοι θυέεσσιν
δαῖτ' ἐντυνώμεσθα παρασχεδόν. ὄφρα δ' ἴωσιν
δμῶες ἐμοὶ σταθμῶν σημάντορες, οἷσι μέμηλεν
δεῦρο βόας ἀγέληθεν ἐὺ κρίναντας ἐλάσσαι,
τόφρα κε νῆ' ἐρύσαιμεν ἔσω ἁλός, ὅπλα δὲ πάντα
ἐνθέμενοι πεπάλαχθε κατὰ κληῖδας ἐρετμά.
τείως δ' αὖ καὶ βωμὸν ἐπάκτιον Ἐμβασίοιο
θείομεν Ἀπόλλωνος, ὅ μοι χρείων ὑπέδεκτο
σημανέειν δείξειν τε πόρους ἁλός, εἴ κε θυηλαῖς
οὗ ἔθεν ἐξάρχωμαι ἀεθλεύων βασιλῆι.'
Ἦ ῥα, καὶ εἰς ἔργον πρῶτος τράπεθ'· οἱ δ' ἐπανέσταν
πειθόμενοι· ἀπὸ δ' εἵματ' ἐπήτριμα νηήσαντο
λείῳ ἐπὶ πλαταμῶνι, τὸν οὐκ ἐπέβαλλε θάλασσα
κύμασι, χειμερίη δὲ πάλαι ἀποέκλυσεν ἅλμη.
νῆα δ' ἐπικρατέως Ἄργου ὑποθημοσύνῃσιν
ἔζωσαν πάμπρωτον ἐυστρεφεῖ ἔνδοθεν ὅπλῳ
τεινάμενοι ἑκάτερθεν, ἵν' εὖ ἀραροίατο γόμφοις
δούρατα καὶ ῥοθίοιο βίην ἔχοι ἀντιόωσαν.
σκάπτον δ' αἶψα κατ' εὖρος ὅσον περιβάλλετο χῶρον,
ἠδὲ κατὰ πρῴραν εἴσω ἁλὸς ὁσσάτιόν περ
ἑλκομένη χείρεσσιν ἐπιδραμέεσθαι ἔμελλεν.
αἰεὶ δὲ προτέρω χθαμαλώτερον ἐξελάχαινον
στείρης, ἐν δ' ὁλκῷ ξεστὰς στορέσαντο φάλαγγας·
τὴν δὲ κατάντη κλῖναν ἐπὶ πρώτῃσι φάλαγξιν,
ὥς κεν ὀλισθαίνουσα δι' αὐτάων φορέοιτο.
ὕψι δ' ἄρ' ἔνθα καὶ ἔνθα μεταστρέψαντες ἐρετμὰ
πήχυιον προύχοντα περὶ σκαλμοῖσιν ἔδησαν.
τῶν δ' ἐναμοιβαδὶς αὐτοὶ ἐνέσταθεν ἀμφοτέρωθεν,
στέρνα θ' ὁμοῦ καὶ χεῖρας ἐπήλασαν. ἐν δ' ἄρα Τῖφυς
βήσαθ', ἵν' ὀτρύνειε νέους κατὰ καιρὸν ἐρύσσαι·
κεκλόμενος δ' ἤυσε μάλα μέγα· τοὶ δὲ παρᾶσσον
ᾧ κράτεϊ βρίσαντες ἰῇ στυφέλιξαν ἐρωῇ
νειόθεν ἐξ ἕδρης, ἐπὶ δ' ἐρρώσαντο πόδεσσιν
προπροβιαζόμενοι· ἡ δ' ἕσπετο Πηλιὰς Ἀργὼ
ῥίμφα μάλ'· οἱ δ' ἑκάτερθεν ἐπίαχον ἀίσσοντες.
αἱ δ' ἄρ' ὑπὸ τρόπιδι στιβαρῇ στενάχοντο φάλαγγες
τριβόμεναι· περὶ δέ σφιν ἀιδνὴ κήκιε λιγνὺς
βριθοσύνῃ, κατόλισθε δ' ἔσω ἁλός· οἱ δέ μιν αὖθι
ἂψ ἀνασειράζοντες ἔχον προτέρωσε κιοῦσαν.
σκαλμοῖς δ' ἀμφὶς ἐρετμὰ κατήρτυον· ἐν δέ οἱ ἱστὸν
λαίφεά τ' εὐποίητα καὶ ἁρμαλίην ἐβάλοντο.
Αὐτὰρ ἐπεὶ τὰ ἕκαστα περιφραδέως ἀλέγυναν,
κληῖδας μὲν πρῶτα πάλῳ διεμοιρήσαντο,

20

*rising up. Let him who gathered us together, also lead
the throng.»*

*So spake he in the greatness of his heart; and they
would have it as Heracles bade. Then arose warlike
Jason himself in his gladness, and to his eager listeners
thus made harangue: «If then 'tis your will that your
fame be in my hands, no longer let the voyage be delayed
as hitherto. Now forthwith let us appease Phœbus with
sacrifice and make a feast at once; and whilst my
thralls, the overseers of my steadings, go forth, whose
business it is to make good choice of oxen and drive them
hither from the herd; meantime will we drag the ship to
sea, and do ye place all the tackling therein and allot the
oars amongst the benches; and let us the while build
an altar on the strand to Apollo, lord of embarkation,
who in answer to my prayer hath promised to declare
and show the passage o'er the sea, if haply by sacrifice
to him I may begin my contest with the king.»*

*So spake he, and was the first to turn him to the
work, and they rose up obedient to him; and they piled
up their garments apart in rows on a smooth ledge of
rock, over which the sea burst not with its waves, but long
ago the stormy brine had washed it clean. First then
by the counsels of Argus they lashed the ship stoutly with
a well-twisted cable from within, stretching it on either
side, that the timbers might hold fast by their bolts and
have strength to meet the breakers. And quickly they
scooped out a space as wide as the ship's girth en-
compassed, and about the prow into the deep they dug
out all that she would take to run in, when they hauled
her down. And ever in front of the keel they kept
hollowing deeper in the ground, and in the furrow did
they lay smooth rollers, and on to the first of these they
tilted her forward, that she might slide along them and
be carried on. And above, on this side and on that, they
laid the oars across the ship, so as to project a cubit,
and they bound them to the tholes; while they stood there
on either side at alternate oars and pushed with hand
and chest together. And amongst them went Tiphys to
encourage the young men to push in time. Loudly he
shouted to urge them, and they at once leant on with all
their might, and thrust her with one rush right from
out her place, while with their feet they strained and
strove; and lo! Pelian Argo went with them very swiftly,
and they darted from her sides with a cheer. Beneath*

ἄνδρ' ἐντυναμένω δοιὼ μίαν· ἐκ δ' ἄρα μέσσην
ᾕρεον Ἡρακλῆι καὶ ἡρώων ἄτερ ἄλλων
Ἀγκαίῳ, Τεγέης ὅς ῥα πτολίεθρον ἔναιεν.
τοῖς μέσσην οἴοισιν ἀπὸ κληῖδα λίποντο
αὕτως, οὔτι πάλῳ· ἐπὶ δ' ἔτρεπον αἰνήσαντες
Τῖφυν ἐυστείρης οἰήια νηὸς ἔρυσθαι.
Ἔνθεν δ' αὖ λάιγγας ἁλὸς σχεδὸν ὀχλίζοντες
νήεον αὐτόθι βωμὸν ἐπάκτιον Ἀπόλλωνος,
Ἀκτίου Ἐμβασίοιό τ' ἐπώνυμον· ὦκα δὲ τοίγε
φιτροὺς ἀζαλέης στόρεσαν καθύπερθεν ἐλαίης.
τείως δ' αὖτ' ἀγέληθεν ἐπιπροέηκαν ἄγοντες
βουκόλοι Αἰσονίδαο δύω βόε. τοὺς δ' ἐρύσαντο
κουρότεροι ἑτάρων βωμοῦ σχεδόν. οἱ δ' ἄρ' ἔπειτα
χέρνιβά τ' οὐλοχύτας τε παρέσχεθον. αὐτὰρ Ἰήσων
εὔχετο κεκλόμενος πατρώιον Ἀπόλλωνα·
Κλῦθι ἄναξ, Παγασάς τε πόλιν τ' Αἰσωνίδα ναίων,
ἡμετέροιο τοκῆος ἐπώνυμον, ὅς μοι ὑπέστης
Πυθοῖ χρειομένῳ ἄνυσιν καὶ πείραθ' ὁδοῖο
σημανέειν, αὐτὸς γὰρ ἐπαίτιος ἔπλευ ἀέθλων·
αὐτὸς νῦν ἄγε νῆα σὺν ἀρτεμέεσσιν ἑταίροις
κεῖσέ τε καὶ παλίνορσον ἐς Ἑλλάδα. σοὶ δ' ἂν ὀπίσσω
τόσσων, ὅσσοι κεν νοστήσομεν, ἀγλαὰ ταύρων
ἱρὰ πάλιν βωμῷ ἐπιθήσομεν· ἄλλα δὲ Πυθοῖ,
ἄλλα δ' ἐς Ὀρτυγίην ἀπερείσια δῶρα κομίσσω.
νῦν δ' ἴθι, καὶ τήνδ' ἥμιν, Ἑκηβόλε, δέξο θυηλήν,
ἥν τοι τῆσδ' ἐπίβαθρα χάριν προτεθείμεθα νηὸς
πρωτίστην· λύσαιμι δ', ἄναξ, ἐπ' ἀπήμονι μοίρῃ
πείσματα σὴν διὰ μῆτιν· ἐπιπνεύσειε δ' ἀήτης
μείλιχος, ᾧ κ' ἐπὶ πόντον ἐλευσόμεθ' εὐδιόωντες.'
Ἦ, καὶ ἅμ' εὐχωλῇ προχύτας βάλε· τὼ δ' ἐπὶ βουσὶν
ζωσάσθην, Ἀγκαῖος ὑπέρβιος, Ἡρακλέης τε.
ἤτοι ὁ μὲν ῥοπάλῳ μέσσον κάρη ἀμφὶ μέτωπα
πλῆξεν, ὁ δ' ἀθρόος αὖθι πεσὼν ἐνερείσατο γαίῃ·
Ἀγκαῖος δ' ἑτέροιο κατὰ πλατὺν αὐχένα κόψας
χαλκείῳ πελέκει κρατεροὺς διέκερσε τένοντας·
ἤριπε δ' ἀμφοτέροισι περιρρηδὴς κεράεσσιν.
τοὺς δ' ἕταροι σφάξαν τε θοῶς, δεῖράν τε βοείας,
κόπτον, δαίτρευόν τε, καὶ ἱερὰ μῆρ' ἐτάμοντο,
κὰδ δ' ἄμυδις τάγε πάντα καλύψαντες πύκα δημῷ
καῖον ἐπὶ σχίζῃσιν· ὁ δ' ἀκρήτους χέε λοιβὰς
Αἰσονίδης, γήθει δὲ σέλας θηεύμενος Ἴδμων
πάντοσε λαμπόμενον θυέων ἄπο τοῖό τε λιγνὺν
πορφυρέαις ἑλίκεσσιν ἐναίσιμον ἀίσσουσαν·
αἶψα δ' ἀπηλεγέως νόον ἔκφατο Λητοΐδαο·
"Ὑμῖν μὲν δὴ μοῖρα θεῶν χρειώ τε περῆσαι

*her heavy keel the rollers groaned at the friction, and
around them dark smoke and flame leapt up beneath the
weight, and into the sea she slid. Then did they check
her onward course and held her with a rope. And they
fitted oars on both sides to the tholes, and laid the mast
and shapely sails and stores within her.*

*Now when they had taken careful heed to each thing,
first they portioned out the benches by lot, two men being
told off to one bench, but the midmost bench, apart from
the other heroes, did they select for Heracles and Ancæus,
who dwelt in the citadel of Tegea. For them alone they
left the middle seat, at once, without casting lots; and
with one accord they entrusted Tiphys to mind the helm
of their ship with her good keel.*

*Next, hard by the sea, they raised a pile of shingle,
and builded an altar there upon the strand to Apollo,
naming it after him who holds the shore and favours
those who go aboard. And quickly they laid thereon logs
of dry olive; meantime, the herdsmen of the son of Æson
drove before them from the herd two oxen; these the
young men of his crew dragged to the altar, while others
then held the lustral water and meal for sprinkling nigh.
And Jason called upon Apollo, the god of his fathers,
and prayed, «Hearken, O king, who dwellest in Pagasæ
and the city of Æson, that is called after my sire, thou
who didst promise me when I sought to thee at Pytho to
show me the accomplishment and end of my journey. For
'twas thou thyself that wast the cause of the enterprise.
Do thou then bring my ship with my comrades safe and
sound hither back to Hellas. Then in thy honour will
we lay hereafter on thy altar noble sacrifices of bulls for
all of us who shall return, and other gifts will I bring
to Pytho, and others to Ortygia in countless number.
Come then and receive this sacrifice at our hands, far-
darting god; which we have set before thee; a first gift,
as an offering for our embarking on this ship; and may
I loose my cables with a harmless destiny through thy
guidance, and may soft breezes blow, wherewith we may
go in fair weather across the sea.»*

*He spake, and, as he prayed, cast the barley-meal.
And those twain, Ancæus the proud and Heracles, girt
themselves to slay the steers. Now the one smote with his
club the middle of the head about the forehead, and
forthwith the ox lay fallen in a heap upon the earth.
But Ancæus struck the other on his broad neck with a*

23

ἐνθάδε κῶας ἄγοντας· ἀπειρέσιοι δ' ἐνὶ μέσσῳ
κεῖσέ τε δεῦρό τ' ἔασιν ἀνερχομένοισιν ἄεθλοι.
αὐτὰρ ἐμοὶ θανέειν στυγερῇ ὑπὸ δαίμονος αἴσῃ
τηλόθι που πέπρωται ἐπ' Ἀσίδος ἠπείροιο.
ὧδε κακοῖς δεδαὼς ἔτι καὶ πάρος οἰωνοῖσιν
πότμον ἐμὸν πάτρης ἐξήιον, ὄφρ' ἐπιβαίην
νηός, εὐκλείη δὲ δόμοις ἐπιβάντι λίπηται.'
Ὣς ἄρ' ἔφη· κοῦροι δὲ θεοπροπίης ἀίοντες
νόστῳ μὲν γήθησαν, ἄχος δ' ἕλεν Ἴδμονος αἴσῃ.
ἦμος δ' ἠέλιος σταθερὸν παραμείβεται ἦμαρ,
αἱ δὲ νέον σκοπέλοισιν ὑποσκιόωνται ἄρουραι,
δειελινὸν κλίνοντος ὑπὸ ζόφον ἠελίοιο,
τῆμος ἄρ' ἤδη πάντες ἐπὶ ψαμάθοισι βαθεῖαν
φυλλάδα χευάμενοι πολιοῦ πρόπαρ αἰγιαλοῖο
κέκλινθ' ἑξείης· παρὰ δέ σφισι μυρί' ἔκειτο
εἴδατα, καὶ μέθυ λαρόν, ἀφυσσαμένων προχόῃσιν
οἰνοχόων· μετέπειτα δ' ἀμοιβαδὶς ἀλλήλοισιν
μυθεῦνθ', οἷά τε πολλὰ νέοι παρὰ δαιτὶ καὶ οἴνῳ
τερπνῶς ἑψιόωνται, ὅτ' ἄατος ὕβρις ἀπείη.
ἔνθ' αὖτ' Αἰσονίδης μὲν ἀμήχανος εἰν ἑοῖ αὐτῷ
πορφύρεσκεν ἕκαστα κατηφιόωντι ἐοικώς.
τὸν δ' ἄρ' ὑποφρασθεὶς μεγάλῃ ὀπὶ νείκεσεν Ἴδας·
' Αἰσονίδη, τίνα τήνδε μετὰ φρεσὶ μῆτιν ἑλίσσεις;
αὔδα ἐνὶ μέσσοισι τεὸν νόον. ἦέ σε δαμνᾷ
τάρβος ἐπιπλόμενον, τὸ τ' ἀνάλκιδας ἄνδρας ἀτύζει;
ἴστω νῦν δόρυ θοῦρον, ὅτῳ περιώσιον ἄλλων
κῦδος ἐνὶ πτολέμοισιν ἀείρομαι, οὐδέ μ' ὀφέλλει
Ζεὺς τόσον, ὁσσάτιόν περ ἐμὸν δόρυ, μή νύ τι πῆμα
λοίγιον ἔσσεσθαι, μηδ' ἀκράαντον ἄεθλον
Ἴδεω ἑσπομένοιο, καὶ εἰ θεὸς ἀντιόωτο.
τοῖόν μ' Ἀρήνηθεν ἀοσσητῆρα κομίζεις.'
Ἦ, καὶ ἐπισχόμενος πλεῖον δέπας ἀμφοτέρῃσιν
πῖνε χαλίκρητον λαρὸν μέθυ· δεύετο δ' οἴνῳ
χείλεα, κυάνεαί τε γενειάδες· οἱ δ' ὁμάδησαν
πάντες ὁμῶς, Ἴδμων δὲ καὶ ἀμφαδίην ἀγόρευσεν·
' Δαιμόνιε, φρονέεις ὀλοφώια καὶ πάρος αὐτῷ.
ἦέ τοι εἰς ἄτην ζωρὸν μέθυ θαρσαλέον κῆρ
οἰδάνει ἐν στήθεσσι, θεοὺς δ' ἀνέηκεν ἀτίζειν;
ἄλλοι μῦθοι ἔασι παρήγοροι, οἷσί περ ἀνὴρ
θαρσύνοι ἕταρον· σὺ δ' ἀτάσθαλα πάμπαν ἔειπας,
τοῖα φάτις καὶ τοὺς πρὶν ἐπιφλύειν μακάρεσσιν
υἷας Ἀλωιάδας, οἷς οὐδ' ὅσον ἰσοφαρίζεις
ἠνορέην· ἔμπης δὲ θοοῖς ἐδάμησαν ὀιστοῖς
ἄμφω Λητοΐδαο, καὶ ἴφθιμοί περ ἐόντες.'
Ὣς ἔφατ'. ἐκ δ' ἐγέλασσεν ἄδην Ἀφαρήιος Ἴδας

24

*brazen axe and cleft the strong sinews, and down he
tumbled, doubled up upon his horns. Quickly then their
comrades cut the oxen's throats, and flayed their hides;
next broke them up and carved them, cutting out the
sacred thighs, which they wrapped closely in fat all
together and burnt upon firewood. Next the son of Æson
poured pure libations; and Idmon was glad, when he
saw the flame blaze up on every side from the sacrifice
and the smoke thereof leaping up favourably in dark-
gleaming wreaths; and forthwith he declared outright the
will of the son of Leto.*

*«Lo! it is the will of heaven and your destiny to
come hither again bringing the fleece with you, but
countless toils meantime await you as you come and go.
But for me 'tis fated to die by the hateful doom of a
god, somewhere far away on Asia's strand. Even so came
I forth from my fatherland, though I knew my doom a
while ago from evil omens, that I might embark upon the
ship, and fair fame be left me in my home for my
embarking.»*

*So spake he: and the young warriors heard his
prophecy and were glad for their return, though grief
seized them for the fate of Idmon. Now when the sun had
passed the still hour of noon, and the plough-lands were
just shadowed by the rocks, as the sun declined beneath
the evening dusk; in that hour all strewed a deep couch
of leaves upon the sand and laid them down in order
before the gray sea's edge, and beside them lay vast stores
of food and sweet mead, which cupbearers drew forth in
beakers; next they told each other tales in turn, such
tales as young men oft love to tell for their pastime o'er
the feast and wine, what time the spirit of insatiate
violence is far away. Now the son of Æson the while
was lost in wonder, and was pondering each matter
within himself like to one downcast, when lo! Idas noted
him askance, and with loud voice railed upon him,
«Thou son of Æson, what plan is this thou turnest
over in thy heart? Speak out thy will here in the midst.
Is it fear, that bugbear of cowards, that is coming upon
thee and mastering thee? Be witness 'twixt us now, my
impetuous spear, wherewith I win myself renown far
beyond other men in the wars, nor is it Zeus that helpeth
me the half as much as this my spear, — yea, let it
witness that there shall come no deadly woe, and that
no task shall remain unaccomplished while Idas is with*

καί μιν ἐπιλλίζων ἠμείβετο κερτομίοισιν·
῏Αγρει νυν τόδε σῇσι θεοπροπίῃσιν ἐνίσπες,
εἰ καὶ ἐμοὶ τοιόνδε θεοὶ τελέουσιν ὄλεθρον,
οἷον ᾿Αλωιάδῃσι πατὴρ τεὸς ἐγγυάλιξεν.
φράζεο δ᾿ ὅππως χεῖρας ἐμὰς σόος ἐξαλέοιο,
χρειὼ θεσπίζων μεταμώνιον εἴ κεν ἁλῴης.᾿
Χώετ᾿ ἐνιπτάζων· προτέρω δέ κε νεῖκος ἐτύχθη,
εἰ μὴ δηριόωντας ὁμοκλήσαντες ἑταῖροι
αὐτός τ᾿ Αἰσονίδης κατερήτυεν· ἂν δὲ καὶ ᾿Ορφεὺς
λαιῇ ἀνασχόμενος κίθαριν πείραζεν ἀοιδῆς.
῎Ηειδεν δ᾿ ὡς γαῖα καὶ οὐρανὸς ἠδὲ θάλασσα,
τὸ πρὶν ἐπ᾿ ἀλλήλοισι μιῇ συναρηρότα μορφῇ,
νείκεος ἐξ ὀλοοῖο διέκριθεν ἀμφὶς ἕκαστα·
ἠδ᾿ ὡς ἔμπεδον αἰὲν ἐν αἰθέρι τέκμαρ ἔχουσιν
ἄστρα σεληναίη τε καὶ ἠελίοιο κέλευθοι·
οὔρεά θ᾿ ὡς ἀνέτειλε, καὶ ὡς ποταμοὶ κελάδοντες
αὐτῇσιν νύμφῃσι καὶ ἑρπετὰ πάντ᾿ ἐγένοντο.
ἤειδεν δ᾿ ὡς πρῶτον ᾿Οφίων Εὐρυνόμη τε
᾿Ωκεανὶς νιφόεντος ἔχον κράτος Οὐλύμποιο·
ὥς τε βίῃ καὶ χερσὶν ὁ μὲν Κρόνῳ εἴκαθε τιμῆς,
ἡ δὲ ῾Ρέῃ, ἔπεσον δ᾿ ἐνὶ κύμασιν ᾿Ωκεανοῖο·
οἱ δὲ τέως μακάρεσσι θεοῖς Τιτῆσιν ἄνασσον,
ὄφρα Ζεὺς ἔτι κοῦρος, ἔτι φρεσὶ νήπια εἰδώς,
Δικταῖον ναίεσκεν ὑπὸ σπέος· οἱ δέ μιν οὔπω
γηγενέες Κύκλωπες ἐκαρτύναντο κεραυνῷ,
βροντῇ τε στεροπῇ τε· τὰ γὰρ Διὶ κῦδος ὀπάζει.
῏Η, καὶ ὁ μὲν φόρμιγγα σὺν ἀμβροσίῃ σχέθεν αὐδῇ.
τοὶ δ᾿ ἄμοτον λήξαντος ἔτι προύχοντο κάρηνα
πάντες ὁμῶς ὀρθοῖσιν ἐπ᾿ οὔασιν ἠρεμέοντες
κηληθμῷ· τοῖόν σφιν ἐνέλλιπε θέλκτρον ἀοιδῆς.
οὐδ᾿ ἐπὶ δὴν μετέπειτα κερασσάμενοι Διὶ λοιβάς,
† ᾗ θέμις ἐστί, τέως ἐπί τε γλώσσῃσι χέοντο †
αἰθομέναις, ὕπνου δὲ διὰ κνέφας ἐμνώοντο.
Αὐτὰρ ὅτ᾿ αἰγλήεσσα φαεινοῖς ὄμμασιν ᾿Ηὼς
Πηλίου αἰπεινὰς ἴδεν ἄκριας, ἐκ δ᾿ ἀνέμοιο
εὔδιοι ἐκλύζοντο τινασσομένης ἁλὸς ἄκραι,
δὴ τότ᾿ ἀνέγρετο Τῖφυς· ἄφαρ δ᾿ ὀρόθυνεν ἑταίρους
βαινέμεναί τ᾿ ἐπὶ νῆα καὶ ἀρτύνασθαι ἐρετμά.
σμερδαλέον δὲ λιμὴν Παγασήιος ἠδὲ καὶ αὐτὴ
Πηλιὰς ἴαχεν ᾿Αργὼ ἐπισπέρχουσα νέεσθαι.
ἐν γάρ οἱ δόρυ θεῖον ἐλήλατο, τό ῥ᾿ ἀνὰ μέσσην
στεῖραν ᾿Αθηναίη Δωδωνίδος ἥρμοσε φηγοῦ.
οἱ δ᾿ ἀνὰ σέλματα βάντες ἐπισχερὼ ἀλλήλοισιν,
ὡς ἐδάσαντο πάροιθεν ἐρεσσέμεν ᾧ ἐνὶ χώρῳ,
εὐκόσμως σφετέροισι παρ᾿ ἔντεσιν ἑδριόωντο.

26

thee, even though a god should rise up against us. Such a man am I whom thou art bringing from Arene to thy aid.»

He spake; and grasping in both hands a full goblet drank off the pure sweet mead, and his lips and dark cheeks were wet with wine; but those others raised a din all together, and Idmon lifted up his voice and spake, «God help thee, fool! deadly are thy thoughts, even beforehand, for thyself. Is it that the pure mead makes thy bold heart to swell within thy breast to thy undoing, and hath driven thee to slight the gods? Other are the words of comfort wherewith a man might cheer his fellow, but thou hast spoken altogether presumptuously. Such a speech, 'tis said, the sons of Aloeus, men of old time, did sputter forth against the blessed gods; and to them thou art nowise equal in manhood; yet were they both laid low by the swift arrows of the son of Leto, for all their bravery.»

He ended; and Idas, son of Aphareus, laughed aloud his fill; and, with blinking eyes, answered him with mocking words, «Come now, tell me this by thy divination, whether for me too the gods are fulfilling such another doom, as that father of thine gave unto the sons of Aloeus. And devise thee how thou mayest safely escape from my hands, else shalt thou die for telling a prophecy light as the winds.»

Thus in his wrath he upbraided him; and the quarrel would have gone further, had not their comrades and the son of Æson himself called to them with one accord and stayed them from their strife. Then too Orpheus lifted up his lyre in his left hand and made essay to sing. He sang how earth, and heaven, and sea, once all joined together in unity, were separated, each apart, after a deadly quarrel; and how, for ever in heaven, the stars, and moon, and the paths of the sea have their steadfast goal; and how the mountains rose up, and how rivers rushing noisily with their nymphs, and all creeping things came into being. Next he sang how, at the first, Ophion and Eurynome, daughter of Oceanus, held sway o'er snow-capped Olympus, and how the one yielded up his honours to the mighty hands of Cronus, while she gave way to Rhea, and they plunged 'neath the waves of ocean. Awhile did these lord it over the blessed Titan gods, whilst Zeus was yet a child and thought as a child in his home beneath the Cave of Dicte, for not yet had

27

Ο ΙΑΣΩΝ ΚΑΙ ΟΙ ΑΡΓΟΝΑΥΤΑΙ
ΕΠΙΒΙΒΑΖΟΝΤΑΙ ΣΤΗΝ ΑΡΓΩ

JASON AND THE ARGONAUTS
ABOUT TO EMBARK ON THE ARGO

μέσσῳ δ' Ἀγκαῖος μέγα τε σθένος Ἡρακλῆος
ἵζανον· ἄγχι δέ οἱ ῥόπαλον θέτο, καί οἱ ἔνερθεν
ποσσὶν ὑπεκλύσθη νηὸς τρόπις. εἵλκετο δ' ἤδη
πείσματα, καὶ μέθυ λεῖβον ὕπερθ' ἁλός. αὐτὰρ Ἰήσων
δακρυόεις γαίης ἀπὸ πατρίδος ὄμματ' ἔνεικεν.
οἱ δ', ὥστ' ἠίθεοι Φοίβῳ χορὸν ἢ ἐνὶ Πυθοῖ
ἤ που ἐν Ὀρτυγίῃ, ἢ ἐφ' ὕδασιν Ἰσμηνοῖο
στησάμενοι, φόρμιγγος ὑπαὶ περὶ βωμὸν ὁμαρτῇ
ἐμμελέως κραιπνοῖσι πέδον ῥήσσωσι πόδεσσιν·
ὣς οἱ ὑπ' Ὀρφῆος κιθάρῃ πέπληγον ἐρετμοῖς
πόντου λάβρον ὕδωρ, ἐπὶ δὲ ῥόθια κλύζοντο·
ἀφρῷ δ' ἔνθα καὶ ἔνθα κελαινὴ κήκιεν ἅλμη
δεινὸν μορμύρουσα ἐρισθενέων μένει ἀνδρῶν.
στράπτε δ' ὑπ' ἠελίῳ φλογὶ εἴκελα νηὸς ἰούσης
τεύχεα· μακραὶ δ' αἰὲν ἐλευκαίνοντο κέλευθοι,
ἀτραπὸς ὣς χλοεροῖο διειδομένη πεδίοιο.
πάντες δ' οὐρανόθεν λεῦσσον θεοὶ ἤματι κείνῳ
νῆα καὶ ἡμιθέων ἀνδρῶν μένος, οἳ τότ' ἄριστοι
πόντον ἐπιπλώεσκον· ἐπ' ἀκροτάτῃσι δὲ νύμφαι
Πηλιάδες κορυφῇσιν ἐθάμβεον εἰσορόωσαι
ἔργον Ἀθηναίης Ἰτωνίδος, ἠδὲ καὶ αὐτοὺς
ἥρωας χείρεσσιν ἐπικραδάοντας ἐρετμά.
αὐτὰρ ὅγ' ἐξ ὑπάτου ὄρεος κίεν ἄγχι θαλάσσης
Χείρων Φιλλυρίδης, πολιῇ δ' ἐπὶ κύματος ἀγῇ
τέγγε πόδας, καὶ πολλὰ βαρείῃ χειρὶ κελεύων,
νόστον ἐπευφήμησεν ἀκηδέα νισσομένοισιν.
σὺν καί οἱ παράκοιτις ἐπωλένιον φορέουσα
Πηλεΐδην Ἀχιλῆα, φίλῳ δειδίσκετο πατρί.
Οἱ δ' ὅτε δὴ λιμένος περιηγέα κάλλιπον ἀκτὴν
φραδμοσύνῃ μήτι τε δαΐφρονος Ἀγνιάδαο
Τίφυος, ὅς ῥ' ἐνὶ χερσὶν ἐΰξοα τεχνηέντως
πηδάλι' ἀμφιέπεσκ', ὄφρ' ἔμπεδον ἐξιθύνοι,
δή ῥα τότε μέγαν ἱστὸν ἐνεστήσαντο μεσόδμῃ,
δῆσαν δὲ προτόνοισι, τανυσσάμενοι ἑκάτερθεν,
κὰδ δ' αὐτοῦ λίνα χεῦαν, ἐπ' ἠλακάτην ἐρύσαντες.
ἐν δὲ λιγὺς πέσεν οὖρος· ἐπ' ἰκριόφιν δὲ κάλωας
ξεστῇσιν περόνῃσι διακριδὸν ἀμφιβαλόντες
Τισαίην εὔκηλοι ὑπὲρ δολιχὴν θέον ἄκρην.
τοῖσι δὲ φορμίζων εὐθήμονι μέλπεν ἀοιδῇ
Οἰάγροιο πάις νηοσσόον εὐπατέρειαν
Ἄρτεμιν, ἣ κείνας σκοπιὰς ἁλὸς ἀμφιέπεσκεν
ῥυομένη καὶ γαῖαν Ἰωλκίδα· τοὶ δὲ βαθείης
ἰχθύες ἀΐσσοντες ὕπερθ' ἁλός, ἄμμιγα παύροις
ἄπλετοι, ὑγρὰ κέλευθα διασκαίροντες ἕποντο.
ὡς δ' ὁπότ' ἀγραύλοιο κατ' ἴχνια σημαντῆρος

the earth-born Cyclopes made strong his hands with bolts of flashing lightning, for 'tis these that bring glory to Zeus.

He ended, and checked his lyre and voice divine; but they, as he ceased, still leant their heads towards him with eager ears, one and all hushed but hungry still by his enchantment, so strong a spell of music had he left within their hearts. But not long after did they mix libations for Zeus, as was his due, and piously poured them on the blazing tongues, and so bethought them of sleep for the night.

Now when the radiant Dawn with bright eyes looked forth upon the high mountain-tops of Pelias, and the headlands of the tossing main were swept into clear view before the breeze; in that hour uprose Tiphys, and at once he bade his comrades go aboard and make ready the oars. And strangely did the harbour of Pagasæ, yea, and Pelian Argo herself cry aloud, urging them to set forth. For within Argo was laid one beam divine; this it was that Athene made of oak from Dodona, and fitted all along the keel. So they went up upon the benches one after another, as before they had allotted to each in his place to row, and sat them down in order beside their gear. And in the midst sat Ancæus and Heracles, that mighty man, and nigh to him he set his club, and beneath his tread the ship's keel sank deep. And now were the cables drawn in, and they poured a cup of mead upon the sea. And Jason with a tear turned his eyes away from his fatherland.

But they, like young men who range themselves to dance to Phœbus, either in Pytho, or haply in Ortygia or by the waters of Ismenus, and all together and in time they beat the ground with nimble feet to the sound of the lyre round his altar; even so they in time to the lyre of Orpheus smote with their oars the boisterous water of the deep, and the waves went dashing by, while on this side and on that the dark brine bubbled up in foam, boiling terribly 'neath the might of those strong men. And their harness flashed like flame in the sunlight as the ship sped on, while ever far behind their course was white with foam, like a track seen over a grassy plain.

On that day all the gods looked down from heaven at the ship, and those men of courage half divine, who then were sailing o'er the sea, a picked crew; and upon the tops of peaks stood the Pelian nymphs, marvelling

31

μυρία μῆλ' ἐφέπονται ἄδην κεκορημένα ποίης
εἰς αὖλιν, ὁ δέ τ' εἶσι πάρος σύριγγι λιγείη
καλὰ μελιζόμενος νόμιον μέλος· ὣς ἄρα τοίγε
ὡμάρτευν· τὴν δ' αἰὲν ἐπασσύτερος φέρεν οὖρος.

Αὐτίκα δ' ἠερίη πολυλήιος αἶα Πελασγῶν
δύετο, Πηλιάδας δὲ παρεξήμειβον ἐρίπνας
αἰὲν ἐπιπροθέοντες· ἔδυνε δὲ Σηπιὰς ἄκρη,
φαίνετο δ' εἰναλίη Σκίαθος, φαίνοντο δ' ἄπωθεν
Πειρεσιαὶ Μάγνησά θ' ὑπεύδιος ἠπείροιο

ἀκτὴ καὶ τύμβος Δολοπήιος· ἔνθ' ἄρα τοίγε
ἑσπέριοι ἀνέμοιο παλιμπνοίῃσιν ἔκελσαν,
καί μιν κυδαίνοντες ὑπὸ κνέφας ἔντομα μήλων

κεῖαν, ὀρινομένης ἁλὸς οἴδματι· διπλόα δ' ἀκταῖς
ἤματ' ἐλινύεσκον· ἀτὰρ τριτάτῳ προέηκαν
νῆα, τανυσσάμενοι περιώσιον ὑψόθι λαῖφος.
τὴν δ' ἀκτὴν Ἀφέτας Ἀργοῦς ἔτι κικλήσκουσιν.
Ἔνθεν δὲ προτέρωσε παρεξέθεον Μελίβοιαν,
ἀκτήν τ' αἰγιαλόν τε δυσήνεμον †εἰσορόωντες. †

ἠῶθεν δ' Ὁμόλην αὐτοσχεδὸν εἰσορόωντες
πόντῳ κεκλιμένην παρεμέτρεον· οὐδ' ἔτι δηρὸν
μέλλον ὑπὲκ ποταμοῖο βαλεῖν Ἀμύροιο ῥέεθρα.
κεῖθεν δ' Εὐρυμένας τε πολυκλύστους τε φάραγγας

Ὄσσης Οὐλύμποιό τ' ἐσέδρακον· αὐτὰρ ἔπειτα
κλίτεα Παλλήναια, Καναστραίην ὑπὲρ ἄκρην,
ἤνυσαν ἐννύχιοι πνοιῇ ἀνέμοιο θέοντες.
ἦρι δὲ νισσομένοισιν Ἄθω ἀνέτελλε κολώνη

Θρηικίη, ἣ τόσσον ἀπόπροθι Λῆμνον ἐοῦσαν,
ὅσσον ἐς ἔνδιόν κεν εὔστολος ὁλκὰς ἀνύσσαι,
ἀκροτάτῃ κορυφῇ σκιάει, καὶ ἐσάχρι Μυρίνης.
τοῖσιν δ' αὐτῆμαρ μὲν ἄεν καὶ ἐπὶ κνέφας οὖρος

πάγχυ μάλ' ἀκραής, τετάνυστο δὲ λαίφεα νηός.
αὐτὰρ ἅμ' ἠελίοιο βολαῖς ἀνέμοιο λιπόντος
εἰρεσίῃ κραναὴν Σιντηίδα Λῆμνον ἵκοντο.
Ἔνθ' ἄμυδις πᾶς δῆμος ὑπερβασίῃσι γυναικῶν

νηλειῶς δέδμητο παροιχομένῳ λυκάβαντι.
δὴ γὰρ κουριδίας μὲν ἀπηνήναντο γυναῖκας
ἀνέρες ἐχθήραντες, ἔχον δ' ἐπὶ ληιάδεσσιν
τρηχὺν ἔρον, ἃς αὐτοὶ ἀγίνεον ἀντιπέρηθεν
Θρηικίην δηοῦντες· ἐπεὶ χόλος αἰνὸς ὄπαζεν

Κύπριδος, οὕνεκά μιν γεράων ἐπὶ δηρὸν ἄτισσαν.
ὦ μέλεαι, ζήλοιό τ' ἐπισμυγερῶς ἀκόρητοι.
οὐκ οἶον σὺν τῇσιν ἑοὺς ἔρραισαν ἀκοίτας
ἀμφ' εὐνῇ, πᾶν δ' ἄρσεν ὁμοῦ γένος, ὥς κεν ὀπίσσω
μήτινα λευγαλέοιο φόνου τίσειαν ἀμοιβήν.

οἴη δ' ἐκ πασέων γεραροῦ περιφείσατο πατρὸς

*to see the work of Itonian Athene, and the heroes too,
wielding their oars in their hands. Yea, and from a
mountain-top came another nigh unto the sea, Chiron,
son of Philyra, and he wetted his feet where the gray
waves break, and with his weighty hand he waved them
on full oft, chanting the while as they went a returning
free from sorrow. And with him his wife, bearing on
her arm Achilles, son of Peleus, sent a greeting to his
dear father.*

*But when they had left the rounded headland of the
harbour by the cunning and skill of Tiphys, wise son of
Hagnias, who deftly handled the polished helm to guide
the ship stedfastly, then did they set up the mighty mast
in the cross-plank, and made it fast with stays, drawing
them taut on either side, and they spread the sails upon
it, stretching them along the yard-arm. Therewith a fresh
fair wind fell on them, so they fastened the ropes on the
deck to polished pins, set at intervals, and quietly they
sped beneath the long headland of Tisa. And for them
the son of Œager touched his lyre and sang in rhythmic
song of Artemis, daughter of a noble sire, protectress of
ships, who keepeth 'neath her care those peaks by the sea
and the land of Iolchos; and the fishes darting beneath
the deep sea, great and small together, followed bounding
through the watery ways. As when, in the track of the
shepherd, countless sheep follow to the fold filled to the
full with grass, while he goeth before them gaily piping
some shepherd's madrigal on his shrill pipe; even so did
the fishes follow with them, and ever onward the steady
wind bare Argo.*

*Anon the misty land of the Pelasgi, with its many
cornfields, sank out of sight; and past the Pelian cliffs
they went, speeding ever onward; then the Sepian
headland opened to them, and Sciathus by the sea came
in view, and in the distance were seen the Peiresian
headlands and the headland of Magnesia, calm and clear
upon the mainland, and the cairn of Dolops; there they
beached their ship at eve, as the wind veered round, and
in honour of Dolops they burnt victims at nightfall by the
swell of the heaving deep. And two days they rested on
the beach, but on the third they put forth the ship,
stretching the wide canvas aloft; wherefore men still call
that beach the loosing place of Argo.*

*Thence onward they sped past Meliboea, seeing its
black and stormy strand. And at dawn they saw Homole*

33

Α

Ρ

Γ

Ο

Ν

Α

Υ

Τ

Ι

Κ

Α

Ὑψιπύλεια Θόαντος, ὃ δὴ κατὰ δῆμον ἄνασσεν·
λάρνακι δ' ἐν κοίλῃ μιν ὕπερθ' ἁλὸς ἧκε φέρεσθαι,
αἴ κε φύγῃ. καὶ τὸν μὲν ἐς Οἰνοίην ἐρύσαντο
πρόσθεν, ἀτὰρ Σίκινόν γε μεθύστερον αὐδηθεῖσαν
νῆσον, ἐπακτῆρες, Σικίνου ἄπο, τόν ῥα Θόαντι
νηιὰς Οἰνοίη νύμφη τέκεν εὐνηθεῖσα.
τῇσι δὲ βουκόλιαί τε βοῶν χάλκειά τε δύνειν
τεύχεα, πυροφόρους τε διατμήξασθαι ἀρούρας
ῥηίτερον πάσῃσιν Ἀθηναίης πέλεν ἔργων,
οἷς αἰεὶ τὸ πάροιθεν ὁμίλεον. ἀλλὰ γὰρ ἔμπης
ἦ θαμὰ δὴ πάπταινον ἐπὶ πλατὺν ὄμμασι πόντον
δείματι λευγαλέῳ, ὁπότε Θρήικες ἴασιν.
τῶ καὶ ὅτ' ἐγγύθι νήσου ἐρεσσομένην ἴδον Ἀργώ,
αὐτίκα πασσυδίῃ πυλέων ἔκτοσθε Μυρίνης
δήια τεύχεα δῦσαι ἐς αἰγιαλὸν προχέοντο,
Θυιάσιν ὠμοβόροις ἴκελαι· φὰν γάρ που ἱκάνειν
Θρήικας· ἡ δ' ἅμα τῇσι Θοαντιὰς Ὑψιπύλεια
δῦν' ἐνὶ τεύχεσι πατρός. ἀμηχανίῃ δ' ἐχέοντο
ἄφθογγοι· τοῖόν σφιν ἐπὶ δέος ᾐωρεῖτο.
Τείως δ' αὖτ' ἐκ νηὸς ἀριστῆες προέηκαν
Αἰθαλίδην κήρυκα θοόν, τῷπέρ τε μέλεσθαι
ἀγγελίας καὶ σκῆπτρον ἐπέτρεπον Ἑρμείαο,
σφωιτέροιο τοκῆος, ὅ οἱ μνῆστιν πόρε πάντων
ἄφθιτον· οὐδ' ἔτι νῦν περ ἀποιχομένου Ἀχέροντος
δίνας ἀπροφάτους ψυχὴν ἐπιδέδρομε λήθη·
ἀλλ' ἥ γ' ἔμπεδον αἰὲν ἀμειβομένη μεμόρηται,
ἄλλοθ' ὑποχθονίοις ἐναρίθμιος, ἄλλοτ' ἐς αὐγὰς
ἠελίου ζωοῖσι μετ' ἀνδράσιν. ἀλλὰ τί μύθους
Αἰθαλίδεω χρειώ με διηνεκέως ἀγορεύειν;
ὅς ῥα τόθ' Ὑψιπύλην μειλίξατο δέχθαι ἰόντας
ἤματος ἀνομένοιο διὰ κνέφας· οὐδὲ μὲν ἠοῖ
πείσματα νηὸς ἔλυσαν ἐπὶ πνοιῇ βορέαο.
Λημνιάδες δὲ γυναῖκες ἀνὰ πτόλιν ἷζον ἰοῦσαι
εἰς ἀγορήν· αὐτὴ γὰρ ἐπέφραδεν Ὑψιπύλεια.
καὶ ῥ' ὅτε δὴ μάλα πᾶσαι ὁμιλαδὸν ἠγερέθοντο,
αὐτίκ' ἄρ' ἥ γ' ἐνὶ τῇσιν ἐποτρύνουσ' ἀγόρευεν·
" Ὦ φίλαι, εἰ δ' ἄγε δὴ μενοεικέα δῶρα πόρωμεν
ἀνδράσιν, οἷά τ' ἔοικεν ἄγειν ἐπὶ νηὸς ἔχοντας,
ἤια, καὶ μέθυ λαρόν, ἵν' ἔμπεδον ἔκτοθι πύργων
μίμνοιεν, μηδ' ἄμμε κατὰ χρειὼ μεθέποντες
ἀτρεκέως γνώωσι, κακὴ δ' ἐπὶ πολλὸν ἵκηται
βάξις· ἐπεὶ μέγα ἔργον ἐρέξαμεν, οὐδέ τι πάμπαν
θυμηδὲς καὶ τοῖσι τόγ' ἔσσεται, εἴ κε δαεῖεν.
ἡμετέρη μὲν νῦν τοίη παρενήνοθε μῆτις·
ὑμέων δ' εἴ τις ἄρειον ἔπος μητίσεται ἄλλη,

34

close to them lying on the deep, and past it they steered, nor was it long before they were to sail away from the streams of the river Amyrus. From thence they beheld Eurymenæ, and the sea-beat ravines of Ossa and Olympus; and then speeding on by the breath of the wind they reached at night the slopes of Pallene beyond the headland of Canastra. Now, as they fared on in the morning, the Thracian hill of Athos rose before them, which overshadows with its crest Lemnos, lying as far away as a well-found merchantman could make by noon, even unto Myrine. On the self-same day the wind blew on for them till nightfall, exceeding fresh, and the sails of the ship strained to it. But at sunset, when the wind fell, they rowed, and came to Sintian Lemnos, rugged isle.

There had all the men-folk together been ruthlessly slain by the women's wanton violence in the past year; for the men had rejected their wedded wives from dislike, and had had a wild passion for captive maids, whom they brought from the mainland opposite from their forays in Thrace; for the dire wrath of Cypris was upon them, for that they long had grudged her her honours. Ah! hapless wives, insatiate in jealousy to your own grief. Not only did they slay their husbands with those captives for their guilty love, but the whole race of men as well, that they might exact no vengeance thereafter for the pitiful murder. Alone of all the women Hypsipyle spared Thoas, her aged father, who indeed was king over the people; but him she sent to drift o'er the sea in a hollow ark, if haply he might escape. Him did fisher-folk bring safe to an island, formerly called Œnoe, but afterwards Sicinus, from that Sicinus whom Œnoe, the water-nymph, bare from the embraces of Thoas. Now to these Lemnian women, one and all, the herding of cattle, and the donning of bronze harness, and ploughing the wheat-bearing tilth was an easier lot than the toils of Athene, whereat ever aforetime they busied them. Yet for all that full oft would they peer across the broad sea in grievous dread against the coming of the Thracians. Wherefore when they saw Argo rowing near the island, forthwith in all speed they did on their warlike gear, and poured down to the beach from out the gates of Myrine, like to Thyades who eat raw flesh, for they thought that surely the Thracians were come; and amongst them, she, the

35

ἐγρέσθω· τοῦ γάρ τε καὶ εἴνεκα δεῦρο κάλεσσα.'
Ὣς ἄρ' ἔφη, καὶ θῶκον ἐφίζανε πατρὸς ἑοῖο
λάινον· αὐτὰρ ἔπειτα φίλη τροφὸς ὦρτο Πολυξώ,

γήραϊ δὴ ῥικνοῖσιν ἐπισκάζουσα πόδεσσιν,
βάκτρῳ ἐρειδομένη, περὶ δὲ μενέαιν' ἀγορεῦσαι.
τῇ καὶ παρθενικαὶ πίσυρες σχεδὸν ἑδριόωντο
ἀδμῆτες λευκῇσιν ἐπιχνοάουσῃ ἐθείραις.
στῆ δ' ἄρ' ἐνὶ μέσσῃ ἀγορῇ, ἀνὰ δ' ἔσχεθε δειρὴν
ἦκα μόλις κυφοῖο μεταφρένου, ὧδέ τ' ἔειπεν·

'Δῶρα μέν, ὡς αὐτῇ περ ἐφανδάνει Ὑψιπυλείῃ,
πέμπωμεν ξείνοισιν, ἐπεὶ καὶ ἄρειον ὀπάσσαι.
ὔμμι γε μὴν τίς μῆτις ἐπαύρεσθαι βιότοιο,
αἴ κεν ἐπιβρίσῃ Θρήιξ στρατός, ἠέ τις ἄλλος

δυσμενέων, ἅ τε πολλὰ μετ' ἀνθρώποισι πέλονται ;
ὡς καὶ νῦν ὅδ' ὅμιλος ἀνωίστως ἐφικάνει.
εἰ δὲ τὸ μὲν μακάρων τις ἀποτρέποι, ἄλλα δ' ὀπίσσω
μυρία δηιοτῆτος ὑπέρτερα πήματα μίμνει,

εὖτ' ἂν δὴ γεραραὶ μὲν ἀποφθινύθωσι γυναῖκες,
κουρότεραι δ' ἄγονοι στυγερὸν ποτὶ γῆρας ἵκησθε.
πῶς τῆμος βώσεσθε δυσάμμοροι ; ἦε βαθείαις
αὐτόματοι βόες ὔμμιν ἐνιζευχθέντες ἀρούραις
γειοτόμον νειοῖο διειρύσσουσιν ἄροτρον,

καὶ πρόκα τελλομένου ἔτεος στάχυν ἀμήσονται ;
ἦ μὲν ἐγών, εἰ καί με τὰ νῦν ἔτι πεφρίκασιν
Κῆρες, ἐπερχόμενόν που ὀίομαι εἰς ἔτος ἤδη
γαῖαν ἐφέσσεσθαι, κτερέων ἀπὸ μοῖραν ἑλοῦσαν

αὔτως, ἣ θέμις ἐστί, πάρος κακότητα πελάσσαι.
ὁπλοτέρῃσι δὲ πάγχυ τάδε φράζεσθαι ἄνωγα.
νῦν γὰρ δὴ παρὰ ποσσὶν ἐπήβολός ἐστ' ἀλεωρή,
εἰ κεν ἐπιτρέψητε δόμους καὶ ληίδα πᾶσαν

ὑμετέρην ξείνοισι καὶ ἀγλαὸν ἄστυ μέλεσθαι.'
Ὣς ἔφατ'· ἐν δ' ἀγορῇ πλῆτο θρόου. εὔαδε γάρ σφιν
μῦθος. ἀτὰρ μετὰ τήνγε παρασχεδὸν αὖτις ἀνῶρτο
Ὑψιπύλη, καὶ τοῖον ὑποβλήδην ἔπος ηὔδα·

'Εἰ μὲν δὴ πάσῃσιν ἐφανδάνει ἥδε μενοινή,
ἤδη κεν μετὰ νῆα καὶ ἄγγελον ὀτρύναιμι.'
ἦ ῥα, καὶ Ἰφινόην μετεφώνεεν ἆσσον ἐοῦσαν·
'Ὄρσο μοι, Ἰφινόη, τοῦδ' ἀνέρος ἀντιόωσα,
ἡμετερόνδε μολεῖν, ὅστις στόλου ἡγεμονεύει,

ὄφρα τί οἱ δήμοιο ἔπος θυμῆρες ἐνίσπω·
καὶ δ' αὐτοὺς γαίης τε καὶ ἄστεος, αἴ κ' ἐθέλωσιν,
κέκλεο θαρσαλέως ἐπιβαινέμεν εὐμενέοντας.'
Ἦ, καὶ ἔλυσ' ἀγορήν, μετὰ δ' εἰς ἑὸν ὦρτο νέεσθαι.
ὣς δὲ καὶ Ἰφινόη Μινύας ἵκεθ'· οἱ δ' ἐρέεινον,

χρεῖος ὅ τι φρονέουσα μετήλυθεν. ὦκα δὲ τούσγε

daughter of Thoas, Hypsipyle, did on her father's harness; and they poured forth speechless with dismay; such dread was in their fluttering hearts. Meantime forth from the ship the chieftains sent Æthalides, their swift herald, to whose care they entrusted their message and the wand of Hermes, his own sire, who gave to him a memory for all things, that waxed not old; for even when he crossed the dreadful whirlpools of Acheron forgetfulness rushed not o'er his soul, but its portion is ever to change to and fro, now counted amongst those beneath the earth, now amongst living men in the sun-light. But why need I tell out in full the tale of Æthalides? He it was who then persuaded Hypsipyle to receive the heroes, as they came at dusk, toward the close of day; nor did they loose the cables of their ship at dawn to the breath of the north-wind.

Now the women of Lemnos went through the city and sat themselves in the assembly; for such was the bidding of Hypsipyle herself. And when they were gathered, one and all, and come together, forthwith amongst them she made eager harangue.

«My friends, come now, let us give the men gifts in plenty, all that men should have to carry on a ship, food and sweet mead, that so they may abide steadfastly outside our battlements, and may not in pursuit of their business get to know us too well, and a foul report spread far and wide; for we have wrought a great deed, which will not be wholly to their liking, if they should learn it. Let this be our plan now in this matter. But if any of you can devise better counsel, let her arise, for to this end did I call you hither.»

So spake she, and sat down on her father's seat of stone. And next uprose her dear nurse Polyxo, limping on feet shrivelled with age, I trow, and leaning on a staff; and she longed exceedingly to have her say. And by her, with her white hair about her head, sat four unmarried maidens. So she stood in the midst of the assembly, and raising ever so little her bent and skinny back, she spake thus:

«Gifts let us send to the strangers, as is pleasing to Hypsipyle herself, for 'tis better to send them. But for you, what plan have ye to keep your life, if a Thracian army fall on you, or any other foe, as happeneth oft 'mongst men? since even now yon host is come unexpectedly. And if any one of the blessed gods

πασσυδίη μύθοισι προσέννεπεν ἐξερέοντας·
῾ Κούρη τοί μ᾽ ἐφέηκε Θοαντιὰς ἐνθάδ᾽ ἰοῦσαν,
῾Υψιπύλη, καλέειν νηὸς πρόμον, ὅστις ὄρωρεν,
ὄφρα τί οἱ δήμοιο ἔπος θυμῆρες ἐνίσπῃ·
καὶ δ᾽ αὐτοὺς γαίης τε καὶ ἄστεος, αἴ κ᾽ ἐθέλητε,
κέκλεται αὐτίκα νῦν ἐπιβαινέμεν εὐμενέοντας.᾽
Ὣς ἄρ᾽ ἔφη· πάντεσσι δ᾽ ἐναίσιμος ἥνδανε μῦθος.
῾Υψιπύλην δ᾽ εἴσαντο καταφθιμένοιο Θόαντος
τηλυγέτην γεγαυῖαν ἀνασσέμεν· ὦκα δὲ τόνγε
πέμπον ἴμεν, καὶ δ᾽ αὐτοὶ ἐπεντύνοντο νέεσθαι.
Αὐτὰρ ὅγ᾽ ἀμφ᾽ ὤμοισι θεᾶς Τριτωνίδος ἔργον,
δίπλακα πορφυρέην περονήσατο, τήν οἱ ὄπασσεν
Παλλάς, ὅτε πρῶτον δρυόχους ἐπεβάλλετο νηὸς
Ἀργοῦς, καὶ κανόνεσσι δάε ζυγὰ μετρήσασθαι.
τῆς μὲν ῥηίτερόν κεν ἐς ἠέλιον ἀνιόντα
ὄσσε βάλοις, ἢ κεῖνο μεταβλέψειας ἔρευθος.
δὴ γάρ τοι μέσση μὲν ἐρευθήεσσα τέτυκτο,
ἄκρα δὲ πορφυρέη πάντη πέλεν· ἐν δ᾽ ἄρ᾽ ἑκάστῳ
τέρματι δαίδαλα πολλὰ διακριδὸν εὖ ἐπέπαστο.
Ἐν μὲν ἔσαν Κύκλωπες ἐπ᾽ ἀφθίτῳ ἥμενοι ἔργῳ,
Ζηνὶ κεραυνὸν ἄνακτι πονεύμενοι· ὃς τόσον ἤδη
παμφαίνων ἐτέτυκτο, μιῆς δ᾽ ἔτι δεύετο μοῦνον
ἀκτῖνος, τὴν οἵγε σιδηρείης ἐλάασκον
σφύρῃσιν, μαλεροῖο πυρὸς ζείουσαν ἀυτμήν.
Ἐν δ᾽ ἔσαν Ἀντιόπης Ἀσωπίδος υἱέε δοιώ,
Ἀμφίων καὶ Ζῆθος· ἀπύργωτος δ᾽ ἔτι Θήβη
κεῖτο πέλας, τῆς οἵγε νέον βάλλοντο δομαίους
ἱέμενοι. Ζῆθος μὲν ἐπωμαδὸν ἠέρταζεν
οὔρεος ἠλιβάτοιο κάρη, μογέοντι ἐοικώς·
Ἀμφίων δ᾽ ἐπὶ οἷ χρυσέῃ φόρμιγγι λιγαίνων
ἤιε, δὶς τόσση δὲ μετ᾽ ἴχνια νίσσετο πέτρη.
Ἑξείης δ᾽ ἤσκητο βαθυπλόκαμος Κυθέρεια
Ἄρεος ὀχμάζουσα θοὸν σάκος· ἐκ δέ οἱ ὤμου
πῆχυν ἔπι σκαιὸν ξυνοχὴ κεχάλαστο χιτῶνος
νέρθεν ὑπὲκ μαζοῖο· τὸ δ᾽ ἀντίον ἀτρεκὲς αὔτως
χαλκείῃ δείκηλον ἐν ἀσπίδι φαίνετ᾽ ἰδέσθαι.
Ἐν δὲ βοῶν ἔσκεν λάσιος νομός· ἀμφὶ δὲ βουσὶν
Τηλεβόαι μάρναντο καὶ υἱέες Ἠλεκτρύωνος·
οἱ μὲν ἀμυνόμενοι, ἀτὰρ οἵγ᾽ ἐθέλοντες ἀμέρσαι,
λῃσταὶ Τάφιοι· τῶν δ᾽ αἵματι δεύετο λειμὼν
ἑρσήεις, πολέες δ᾽ ὀλίγους βιόωντο νομῆας.
Ἐν δὲ δύω δίφροι πεπονήατο δηριόωντες.
καὶ τὸν μὲν προπάροιθε Πέλοψ ἴθυνε, τινάσσων
ἡνία, σὺν δέ οἱ ἔσκε παραιβάτις Ἱπποδάμεια·
τὸν δὲ μεταδρομάδην ἐπὶ Μυρτίλος ἤλασεν ἵππους,

38

turn this aside, yet hereafter there await us countless other woes worse than battle, when the aged women are dead, and ye younger maidens reach a cheerless old age, childless. How then will ye live, poor creatures? shall the oxen, yoked of their own accord for you, drag the plough, that cleaves the fallow, through the deep tilth, and straightway in the fulness of the year reap the harvest? Of a truth o'er me, methinks, the earth shall lie this very year that cometh, albeit the Fates have hitherto shrunk away from me, and I shall get my meed of burial even thus, as is right, or ever misfortune arrive. But I bid you younger women heed these things well. For now before you open stands the door of escape, if but ye will give over to the care of strangers your homes and all your booty and your glorious town.»

So spake she, and through the assembly ran a murmur of assent. For her saying pleased them well. But after her at once Hypsipyle, again uprising, took up her parable and said:

«Why, then, if unto you all this purpose is pleasing, at once will I send forth even a messenger to find their ship.»

She spake, and called to Iphinoe sitting near, «Rouse thee, Iphinoe, I pray, and beg yon man who leads their company to come unto us, that I may tell to him the word that finds favour with my people, and bid his company, if they will, set foot within our land and city boldly and with a good heart.»

She spake, and broke up the assembly; and then started to go to her own house. And so Iphinoe came unto the Minyæ, who questioned her on what business bent she came amongst them. And forthwith she thus made answer with all haste to their questions, «Verily, 'twas the daughter of Thoas, Hypsipyle, who sent me on my journey hither to call the captain of the ship, whosoever he is, that she may tell him somewhat that hath found favour with her folk; moreover she bids you, an you list, at once now set foot within her land and city with a good heart.»

So spake she; and welcome to all was her fair message. Now they imagined that Hypsipyle, the well-beloved daughter of Thoas, did reign in his stead; so quickly sent they Jason on his way, yea, and themselves made ready to go.

Now he had buckled on his shoulders a purple

σὺν τῷ δ' Οἰνόμαος προτενὲς δόρυ χειρὶ μεμαρπὼς
ἄξονος ἐν πλήμνῃσι παρακλιδὸν ἀγνυμένοιο
πῖπτεν, ἐπεσσύμενος Πελοπήϊα νῶτα δαΐξαι.
Ἐν καὶ Ἀπόλλων Φοῖβος ὀιστεύων ἐτέτυκτο,
βούπαις οὔπω πολλός, ἑὴν ἐρύοντα καλύπτρης
μητέρα θαρσαλέως Τιτυὸν μέγαν, ὅν ῥ' ἔτεκέν γε
δῖ' Ἐλάρη, θρέψεν δὲ καὶ ἂψ ἐλοχεύσατο Γαῖα.
Ἐν καὶ Φρίξος ἔην Μινυήϊος ὡς ἐτεόν περ
εἰσαΐων κριοῦ, ὁ δ' ἄρ' ἐξενέποντι ἐοικώς.
κείνους κ' εἰσορόων ἀκέοις, ψεύδοιό τε θυμόν,

40

mantle of double woof, the handiwork of the Tritonian goddess, which Pallas gave him, on that first day she laid down the props for the ship Argo, and taught him to measure cross-planks with the rule. More easily might you gaze on the sun at his rising than on that mantle, or face the sheen thereof. For lo! the middle was red, and the top was all of purple, and on either end many cunning things were worked passing well. On it were the Cyclopes sitting at their work, that never decayeth, fashioning the thunderbolt for king Zeus; lo! it was all but made in its bright splendour, but yet it lacked one single flash, which they with their hammers of iron were forging, with its breath of fierce fire.

On it were the two sons of Antiope, daughter of Asopus, Amphion and Zethus; near by lay Thebes, as yet ungirt with towers, whereof they were just laying the foundations in eager haste. Zethus was bearing shoulder-high the top of a steep mountain, like unto a man that toiled; and behind him came Amphion, singing aloud to his golden lyre, while in his track twice as large a rock followed.

Next was worked thereon Cytherea, of the thick tresses, carrying the nimble shield of Ares; and from her shoulder, from beneath her bosom, hung her girdle loosely over her left arm; and there as she stood one seemed to see her sure reflection thrown upon the brazen shield. And there was a shaggy herd upon it; and the Teleboans and the sons of Electryon were fighting about the cattle; these in their defence, but those others, Taphian pirates, longing to rob them; and the dewy meadow was wet with their blood, and the many had the mastery of the few, even of the herdsmen.

Two chariots racing were fashioned there. Pelops drove the one that was in front, shaking the reins, and with him was Hippodamia for his companion; while hard upon him Myrtilus urged his steeds, and with him was Œnomaus, gripping in his hand his couchèd lance, but down he fell as the axle of the wheel break sideways in the nave, in his eagerness to wound Pelops in the back.

There too was broidered Phœbus Apollo, a big boy not yet grown up, shooting at Tityos as he tried, with bold hand, to snatch away his mother's veil,— great Tityos, whose mother indeed was divine Elare, but the earth gave him second birth, and brought him up.

41

ἐλπόμενος πυκινήν τιν' ἀπὸ σφείων ἐσακοῦσαι
βάξιν, ὃ καὶ δηρόν περ ἐπ' ἐλπίδι θηήσαιο.
Τοῖ' ἄρα δῶρα θεᾶς Τριτωνίδος ἦεν Ἀθήνης·
δεξιτερῇ δ' ἕλεν ἔγχος ἑκηβόλον, ὅ ῥ' Ἀταλάντη

Μαινάλῳ ἔν ποτέ οἱ ξεινήιον ἐγγυάλιξεν,
πρόφρων ἀντομένη· περὶ γὰρ μενέαινεν ἕπεσθαι
τὴν ὁδόν· ἀλλὰ γὰρ αὐτὸς ἑκὼν ἀπερήτυε κούρην,
δεῖσεν δ' ἀργαλέας ἔριδας φιλότητος ἕκητι.

Βῆ δ' ἴμεναι προτὶ ἄστυ, φαεινῷ ἀστέρι ἶσος,
ὅν ῥά τε νηγατέῃσιν ἐεργόμεναι καλύβῃσιν
νύμφαι θηήσαντο δόμων ὕπερ ἀντέλλοντα,

καί σφισι κυανέοιο δι' ἠέρος ὄμματα θέλγει
καλὸν ἐρευθόμενος, γάνυται δέ τε ἠιθέοιο
παρθένος ἱμείρουσα μετ' ἀλλοδαποῖσιν ἐόντος
ἀνδράσιν, ᾧ καί μιν μνηστὴν κομέουσι τοκῆες·
τῷ ἴκελος πρὸ πόληος ἀνὰ στίβον ἤιεν ἥρως.

καὶ ῥ' ὅτε δὴ πυλέων τε καὶ ἄστεος ἐντὸς ἔβησαν,
δημότεραι μὲν ὄπισθεν ἐπεκλονέοντο γυναῖκες,
γηθόσυναι ξείνῳ· ὁ δ' ἐπὶ χθονὸς ὄμματ' ἐρείσας
νίσσετ' ἀπηλεγέως, ὄφρ' ἀγλαὰ δώμαθ' ἵκανεν
Ὑψιπύλης· ἄνεσαν δὲ πύλας προφανέντι θεράπναι
δικλίδας, εὐτύκτοισιν ἀρηρεμένας σανίδεσσιν.

ἔνθα μιν Ἰφινόη κλισμῷ ἔνι παμφανόωντι
ἐσσυμένως καλῆς διὰ παστάδος εἶσεν ἄγουσα
ἀντία δεσποίνης· ἡ δ' ἐγκλιδὸν ὄσσε βαλοῦσα
παρθενικὰς ἐρύθηνε παρηίδας· ἔμπα δὲ τόνγε

αἰδομένη μύθοισι προσέννεπεν αἱμυλίοισιν·
'Ξεῖνε, τίη μίμνοντες ἐπὶ χρόνον ἔκτοθι πύργων
ἦσθ' αὔτως; ἐπεὶ οὐ μὲν ὑπ' ἀνδράσι ναίεται ἄστυ,
ἀλλὰ Θρηικίης ἐπινάστιοι ἠπείροιο

πυροφόρους ἀρόωσι γύας. κακότητα δὲ πᾶσαν
ἐξερέω νημερτές, ἵν' εὖ γνοίητε καὶ αὐτοί.
εὖτε Θόας ἀστοῖσι πατὴρ ἐμὸς ἐμβασίλευεν,
τηνίκα Θρηικίην, οἵ τ' ἀντία ναιετάουσιν,
δήμου ἀπορνύμενοι λαοὶ πέρθεσκον ἐπαύλους

ἐκ νηῶν, αὐτῇσι δ' ἀπείρονα ληίδα κούραις
δεῦρ' ἄγον· οὐλομένης δὲ θεᾶς πορσύνετο μῆτις
Κύπριδος, ἥ τέ σφιν θυμοφθόρον ἔμβαλεν ἄτην.
δὴ γὰρ κουριδίας μὲν ἀπέστυγον, ἐκ δὲ μελάθρων,
ᾗ ματίῃ εἴξαντες, ἀπεσσεύοντο γυναῖκας·

αὐτὰρ ληιάδεσσι δορικτήταις παρίαυον,
σχέτλιοι. ἦ μὲν δηρὸν ἐτέτλαμεν, εἴ κέ ποτ' αὖτις
ὀψὲ μεταστρέψωσι νόον· τὸ δὲ διπλόον αἰεὶ
πῆμα κακὸν προύβαινεν. ἀτιμάζοντο δὲ τέκνα

γνήσι' ἐνὶ μεγάροις, σκοτίη δ' ἀνέτελλε γενέθλη.

Yea, and Minyan Phrixus was there, even as though he were really listening to the ram, while it was like to one that spoke. Ah! shouldst thou see them, thou wouldst be silent and deceive thy soul, expecting haply to hear their voice aloud; and long mightest thou gaze thereon in that hope.

Such then were the presents of the Tritonian goddess Athene. And in his right hand he held a spear, far-darting, which on a day Atalanta gave to him in Mænalus as a gift to a stranger, what time she met him graciously; for greatly did she long to join him on that voyage; but yet of himself and willingly he held her back, for he feared grievous quarrels for her love.

So he went on his way toward the city like a bright star, which maidens through their curtains, newly made, do see, when they awake, rising o'er their home, and through the dark mist it charms their eyes with its lovely blush; and the maiden is cheered in her longing for the youth who is amongst strange folk, for whom her parents are keeping her to be his wedded wife; like to that star the hero stepped along the path before the city. Now when they were come within the gates of the city, the maidens of the people surged behind them, glad to see the stranger; but he, with his eyes upon the ground, kept straight on, until he reached the glorious halls of Hypsipyle; and at his appearing maids threw wide the folding-doors, fitted with planks well wrought. Then did Iphinoe lead him hastily through a fair hall, and seat him on a shining couch before her mistress; but that lady cast down her eyes, and a blush stole o'er her maiden cheek; yet for all her modesty found she wheedling word to address him withal: «Strange sir, why sat ye thus so long outside our battlements? for our husbands abide not now within the city, but they are sojourners awhile upon the Thracian mainland, and do plough the wheat-bearing tilths. And I will tell thee truly all our trouble, that ye may know it surely for yourselves. When my father Thoas was king over the burghers, then did bands of our folk start forth and plunder from their ships the folds of the Thracians who dwell over against us, and hither they brought endless booty and maidens too. But Cypris, deadly goddess, schemed a scheme, which cast upon them a fatal curse. For lo! they loathed their wedded wives, and chased

αὔτως δ' ἀδμῆτές τε κόραι, χῆραί τ' ἐπὶ τῆσιν
μητέρες ἂμ πτολίεθρον ἀτημελέες ἀλάληντο.
οὐδὲ πατὴρ ὀλίγον περ ἑῆς ἀλέγιζε θυγατρός,
εἰ καὶ ἐν ὀφθαλμοῖσι δαϊζομένην ὁρόωτο
μητρυιῆς ὑπὸ χερσὶν ἀτασθάλου· οὐδ' ἀπὸ μητρὸς
λώβην, ὡς τὸ πάροιθεν, ἀεικέα παῖδες ἄμυνον·
οὐδὲ κασιγνήτοισι κασιγνήτη μέλε θυμῷ.
ἀλλ' οἶαι κοῦραι ληΐτιδες ἔν τε δόμοισιν
ἔν τε χοροῖς ἀγορῇ τε καὶ εἰλαπίνῃσι μέλοντο.
εἰσόκε τις θεὸς ἄμμιν ὑπέρβιον ἔμβαλε θάρσος,
ἂψ ἀναερχομένους Θρηκῶν ἄπο μηκέτι πύργοις
δέχθαι, ἵν' ἢ φρονέοιεν ἅπερ θέμις, ἠέ πῃ ἄλλῃ
αὐταῖς ληϊάδεσσιν ἀφορμηθέντες ἵκοιντο.
οἱ δ' ἄρα θεσσάμενοι παίδων γένος, ὅσσον ἔλειπτο
ἄρσεν ἀνὰ πτολίεθρον, ἔβαν πάλιν, ἔνθ' ἔτι νῦν περ
Θρηικίης ἄροσιν χιονώδεα ναιετάουσιν.
τῶ ὑμεῖς στρωφᾶσθ' ἐπιδήμιοι· εἰ δέ κεν αὖθι
ναιετάειν ἐθέλοις, καί τοι ἅδοι, ἦ τ' ἂν ἔπειτα
πατρὸς ἐμεῖο Θόαντος ἔχοις γέρας· οὐδέ τί σ' οἴω
γαῖαν ὀνόσσεσθαι· περὶ γὰρ βαθυλήιος ἄλλων
νήσων, Αἰγαίῃ ὅσαι εἰν ἁλὶ ναιετάουσιν.
ἀλλ' ἄγε νῦν ἐπὶ νῆα κιὼν ἑτάροισιν ἐνίσπες
μύθους ἡμετέρους, μηδ' ἔκτοθι μίμνε πόληος.'
Ἴσκεν, ἀμαλδύνουσα φόνου τέλος, οἷον ἐτύχθη
ἀνδράσιν· αὐτὰρ ὁ τήνγε παραβλήδην προσέειπεν·
' Ὑψιπύλη, μάλα κεν θυμηδέος ἀντιάσαιμεν
χρησμοσύνης, ἣν ἄμμι σέθεν χατέουσιν ὀπάζεις.
εἶμι δ' ὑπότροπος αὖτις ἀνὰ πτόλιν, εὖτ' ἂν ἕκαστα
ἐξείπω κατὰ κόσμον. ἀνακτορίη δὲ μελέσθω
σοίγ' αὐτῇ καὶ νῆσος· ἔγωγε μὲν οὐκ ἀθερίζων
χάζομαι, ἀλλά με λυγροὶ ἐπισπέρχουσιν ἄεθλοι.'
Ἦ, καὶ δεξιτερῆς χειρὸς θίγεν· αἶψα δ' ὀπίσσω
βῆ ῥ' ἴμεν, ἀμφὶ δὲ τόνγε νεήνιδες ἄλλοθεν ἄλλαι
μυρίαι εἱλίσσοντο κεχαρμέναι, ὄφρα πυλάων
ἐξέμολεν. μετέπειτα δ' ἐυτροχάλοισιν ἀμάξαις
ἀκτὴν εἰσαπέβαν, ξεινήια πολλὰ φέρουσαι,
μῦθον ὅτ' ἤδη πάντα διηνεκέως ἀγόρευσεν,
τόν ῥα καλεσσαμένη διεπέφραδεν Ὑψιπύλεια·
καὶ δ' αὐτοὺς ξεινοῦσθαι ἐπὶ σφέα δώματ' ἄγεσκον
ῥηιδίως. Κύπρις γὰρ ἐπὶ γλυκὺν ἵμερον ὦρσεν
Ἡφαίστοιο χάριν πολυμήτιος, ὄφρα κεν αὖτις
ναίηται μετόπισθεν ἀκήρατος ἀνδράσι Λῆμνος.
Ἔνθ' ὁ μὲν Ὑψιπύλης βασιλήιον ἐς δόμον ὦρτο
Αἰσονίδης· οἱ δ' ἄλλοι ὅπῃ καὶ ἔκυρσαν ἕκαστος,
Ἡρακλῆος ἄνευθεν, ὁ γὰρ παρὰ νηὶ λέλειπτο

44

them from their homes, yielding to their folly, and they took for concubines the captives of their spears, luckless wights! Long time did we endure, if haply they might change their mind again at last; but ever the evil went on and doubled, for they dishonoured their true children in their halls, and there grew up a bastard race. And so maids unwed, and widowed mothers with them, went wandering in neglect through the city. Nor did a father care ever so little for his daughter, though he saw her done to death before his eyes by the hand of an insolent step-mother; nor did children ward off unseemly outrage from their mother as before, nor had brothers any thought for a sister. But only captive maidens found favour at home and in the dance, in the place of assembly, and at festivals, till some god put overweening boldness in our hearts, that we would no more receive them in our battlements on their return from the Thracians, that so they might either be minded aright, or start and go elsewhither, captive maids and all. Thereon did they demand all the male children that were left within the city, and went back again to the place where still they dwell on the snowy ploughlands of Thrace. Wherefore tarry ye here and sojourn; and if, indeed, thou wilt dwell here, and it find favour with thee, verily then shalt thou have the honour of my father Thoas. And methinks thou canst not scorn my land, for very fruitful is it beyond all other isles that lie in the Ægean sea. Nay, come now, get thee to thy ship, and tell our words unto thy crew, and abide not outside the city.»

So spake she, glozing over the murderous end that had been worked upon the men; and Jason said to her in answer, «Hypsipyle, lo! so shall we gain a request that is very dear unto our hearts, which thou dost offer to our desire. But I will return again unto the city, when I have told each thing in order. But thine, and thine alone be the lordship of the island; 'tis from no scorn that I shrink therefrom, but upon me grievous toils press hard.»

He spake, and took her right hand, and at once went on his way back; while about him throngs of maidens danced on every side for very joy, till he passed outside the gates. Next they went unto the shore, bearing on smoothly-running wains gifts full many for the strangers as soon as he had told them all the message from beginning to end, even the word that Hypsipyle declared

αὐτὸς ἑκὼν παῦροί τε διακρινθέντες ἑταῖροι.
αὐτίκα δ' ἄστυ χοροῖσι καὶ εἰλαπίνῃσι γεγήθει
καπνῷ κνισήεντι περίπλεον· ἔξοχα δ' ἄλλων
ἀθανάτων Ἥρης υἷα κλυτὸν ἠδὲ καὶ αὐτὴν
Κύπριν ἀοιδῇσιν θυέεσσί τε μειλίσσοντο.
ἀμβολίη δ' εἰς ἦμαρ ἀεὶ ἐξ ἤματος ἦεν
ναυτιλίης· δηρὸν δ' ἂν ἐλίννυον αὖθι μένοντες,
εἰ μὴ ἀολλίσσας ἑτάρους ἀπάνευθε γυναικῶν
Ἡρακλέης τοίοισιν ἐνιπτάζων μετέειπεν·
'Δαιμόνιοι, πάτρης ἐμφύλιον αἷμ' ἀποέργει
ἡμέας ; ἦε γάμων ἐπιδευέες ἐνθάδ' ἔβημεν
κεῖθεν, ὀνοσσάμενοι πολιήτιδας ; αὖθι δ' ἕαδεν
ναίοντας λιπαρὴν ἄροσιν Λήμνοιο ταμέσθαι ;
οὐ μὰν εὐκλειεῖς γε σὺν ὀθνείῃσι γυναιξὶν
ἐσσόμεθ' ὧδ' ἐπὶ δηρὸν ἐελμένοι· οὐδέ τι κῶας
αὐτόματον δώσει τις ἑλὼν θεὸς εὐξαμένοισιν.
ἴομεν αὖτις ἕκαστοι ἐπὶ σφέα· τὸν δ' ἐνὶ λέκτροις
Ὑψιπύλης εἰᾶτε πανήμερον, εἰσόκε Λῆμνον
παισὶν ἐσανδρώσῃ, μεγάλη τέ ἑ βάξις ἵκηται.'
Ὣς νείκεσσεν ὅμιλον· ἐναντία δ' οὔ νύ τις ἔτλη
ὄμματ' ἀνασχεθέειν, οὐδὲ προτιμυθήσασθαι·
ἀλλ' αὔτως ἀγορῆθεν ἐπαρτίζοντο νέεσθαι
σπερχόμενοι. ταὶ δέ σφιν ἐπέδραμον, εὖτ' ἐδάησαν.
ὡς δ' ὅτε λείρια καλὰ περιβρομέουσι μέλισσαι
πέτρης ἐκχύμεναι σιμβληίδος, ἀμφὶ δὲ λειμὼν
ἑρσήεις γάνυται, ταὶ δὲ γλυκὺν ἄλλοτε ἄλλον
καρπὸν ἀμέργουσιν πεποτημέναι· ὣς ἄρα ταίγε
ἐνδυκὲς ἀνέρας ἀμφὶ κινυρόμεναι προχέοντο,
χερσί τε καὶ μύθοισιν ἐδεικανόωντο ἕκαστον,
εὐχόμεναι μακάρεσσιν ἀπήμονα νόστον ὀπάσσαι.
ὣς δὲ καὶ Ὑψιπύλη ἠρήσατο χεῖρας ἑλοῦσα
Αἰσονίδεω, τὰ δέ οἱ ῥέε δάκρυα χήτει ἰόντος·
'Νίσσεο, καὶ σὲ θεοὶ σὺν ἀπηρέσιν αὖτις ἑταίροις
χρύσειον βασιλῆι δέρος κομίσειαν ἄγοντα
αὔτως, ὡς ἐθέλεις καί τοι φίλον· ἥδε δὲ νῆσος
σκῆπτρά τε πατρὸς ἐμεῖο παρέσσεται, ἢν καὶ ὀπίσσω
δή ποτε νοστήσας ἐθέλῃς ἄψορρον ἱκέσθαι.
ῥηιδίως δ' ἂν ἑοῖ καὶ ἀπείρονα λαὸν ἀγείραις
ἄλλων ἐκ πολίων· ἀλλ' οὐ σύγε τήνδε μενοινὴν
σχήσεις, οὔτ' αὐτὴ προτιόσσομαι ὧδε τελεῖσθαι.
μνώεο μὴν ἀπεών περ ὁμῶς καὶ νόστιμος ἤδη
Ὑψιπύλης· λίπε δ' ἥμιν ἔπος, τό κεν ἐξανύσαιμι
πρόφρων, ἢν ἄρα δή με θεοὶ δώωσι τεκέσθαι.'
Τὴν δ' αὖτ' Αἴσονος υἱὸς ἀγαιόμενος προσέειπεν·
'Ὑψιπύλη, τὰ μὲν οὕτω ἐναίσιμα πάντα γένοιτο

*when she summoned him. Yea, and they led the heroes
to their houses to entertain them, willingly. For Cypris
stirred up sweet desire for the sake of Hephæstus, the
crafty; that so Lemnos might again be inhabited by
men in time to come and get no hurt.*

*Then did he, the son of Æson, start for the royal
home of Hypsipyle, but those others went whither chance
led each, all save Heracles, for he stayed by the ship
of his own free will, and with him a few chosen
comrades. Anon the city made merry with dance and
feast, filled with the smoke of steaming sacrifice; and
beyond the rest of the immortal gods did they propitiate
the famous son of Hera, yea, and Cypris too, with
song and sacrifice. And ever day by day was their
voyage delayed, and long time would they have tarried
and rested there, had not Heracles assembled his
companions, apart from the women, and thus upbraided
them: «God help you, sirs! is it a kinsman's murder
that keeps us from our country? Was it for want of
weddings that we came from that land to this, scorning
the maidens of our people? or is it your pleasure to
dwell here and till the fat glebes of Lemnos? No fair
fame shall we win, I trow, from this our long sojourn
with strange women; nor will some god of his own
accord take the fleece and give it us at our prayer. Let
us go each man to his own again; but leave ye that
other to spend the livelong day in the arms of Hypsipyle,
till he people Lemnos with male children, and so there
come to him great fame.»*

*Thus did he chide the company, and none durst look
him in the face or make answer to him, but, even as they
were, hasting from the assembly they made ready to be
gone. But the women ran to them, when they learnt
thereof. And as when bees hum round fair lilies, pour-
ing forth from their hive in the rock, and around the
dewy meadow is glad, and they the while flit from
flower to flower, and gather their sweet food; even so, I
ween, did those women pour forth eagerly around the
men, with loud lament, while with hand and word they
greeted each one, praying to the blessed gods to grant
them a safe return. So too Hypsipyle prayed, taking the
son of Æson by the hands, and the tears that she shed
were for the loss of him departing, «Go, and heaven
guide thee hither again with thy comrades all unmaimed,
bearing the golden fleece to the king, even thus as thou*

47

ἐκ μακάρων· τύνη δ' ἐμέθεν πέρι θυμὸν ἀρείω
ἴσχαν', ἐπεὶ πάτρην μοι ἅλις Πελίαο ἕκητι
ναιετάειν· μοῦνόν με θεοὶ λύσειαν ἀέθλων.
εἰ δ' οὔ μοι πέπρωται ἐς Ἑλλάδα γαῖαν ἱκέσθαι
τηλοῦ ἀναπλώοντι, σὺ δ' ἄρσενα παῖδα τέκηαι,
πέμπε μιν ἡβήσαντα Πελασγίδος ἔνδον Ἰωλκοῦ
πατρί τ' ἐμῷ καὶ μητρὶ δύης ἄκος, ἢν ἄρα τούσγε
τέτμῃ ἔτι ζώοντας, ἵν' ἄνδιχα τοῖο ἄνακτος
σφοῖσιν πορσύνωνται ἐφέστιοι ἐν μεγάροισιν.'
Ἦ, καὶ ἔβαιν' ἐπὶ νῆα παροίτατος· ὡς δὲ καὶ ἄλλοι
βαῖνον ἀριστῆες· λάζοντο δὲ χερσὶν ἐρετμὰ
ἐνσχερὼ ἑζόμενοι· πρυμνήσια δέ σφιν Ἄργος
λῦσεν ὑπὲκ πέτρης ἁλιμυρέος. ἔνθ' ἄρα τοίγε
κόπτον ὕδωρ δολιχῇσιν ἐπικρατέως ἐλάτῃσιν.
ἑσπέριοι δ' Ὀρφῆος ἐφημοσύνῃσιν ἔκελσαν
νῆσον ἐς Ἠλέκτρης Ἀτλαντίδος, ὄφρα δαέντες
ἀρρήτους ἀγανῇσι τελεσφορίῃσι θέμιστας
σωότεροι κρυόεσσαν ὑπεὶρ ἅλα ναυτίλλοιντο.
τῶν μὲν ἔτ' οὐ προτέρω μυθήσομαι· ἀλλὰ καὶ αὐτὴ
νῆσος ὁμῶς κεχάροιτο καὶ οἳ λάχον ὄργια κεῖνα
δαίμονες ἐνναέται, τὰ μὲν οὐ θέμις ἄμμιν ἀείδειν.
Κεῖθεν δ' εἰρεσίῃ Μέλανος διὰ βένθεα πόντου
ἱέμενοι τῇ μὲν Θρηκῶν χθόνα, τῇ δὲ περαίην
Ἴμβρον ἔχον καθύπερθε· νέον γε μὲν ἠελίοιο
δυομένου Χερόνησον ἐπὶ προὔχουσαν ἵκοντο.
ἔνθα σφιν λαιψηρὸς ἄη νότος, ἱστία δ' οὔρῳ
στησάμενοι κούρης Ἀθαμαντίδος αἰπὰ ῥέεθρα
εἰσέβαλον· πέλαγος δὲ τὸ μὲν καθύπερθε λέλειπτο
ἦρι, τὸ δ' ἐννύχιοι Ῥοιτειάδος ἔνδοθεν ἀκτῆς
μέτρεον, Ἰδαίην ἐπὶ δεξιὰ γαῖαν ἔχοντες.
Δαρδανίην δὲ λιπόντες ἐπιπροσέβαλλον Ἀβύδῳ,
Περκώτην δ' ἐπὶ τῇ καὶ Ἀβαρνίδος ἠμαθόεσσαν
ἠιόνα ζαθέην τε παρήμειβον Πιτύειαν.
καὶ δὴ τοίγ' ἐπὶ νυκτὶ διάνδιχα νηὸς ἰούσης
δίνῃ πορφύροντα διήνυσαν Ἑλλήσποντον.
Ἔστι δέ τις αἰπεῖα Προποντίδος ἔνδοθι νῆσος
τυτθὸν ἀπὸ Φρυγίης πολυληίου ἠπείροιο
εἰς ἅλα κεκλιμένη, ὅσσον τ' ἐπιμύρεται ἰσθμὸς
χέρσῳ ἐπιπρηνὴς καταειμένος· ἐν δέ οἱ ἀκταὶ
ἀμφίδυμοι, κεῖνται δ' ὑπὲρ ὕδατος Αἰσήποιο.
Ἄρκτων μιν καλέουσιν ὄρος περιναιετάοντες·
καὶ τὸ μὲν ὑβρισταί τε καὶ ἄγριοι ἐνναίουσιν
Γηγενέες, μέγα θαῦμα περικτιόνεσσιν ἰδέσθαι.
ἓξ γὰρ ἑκάστῳ χεῖρες ὑπέρβιοι ἠερέθονται,
αἱ μὲν ἀπὸ στιβαρῶν ὤμων δύο, ταὶ δ' ὑπένερθεν

wilt and as is thy desire. And this mine isle and my father's sceptre shall be thine, if some day hereafter thou wilt yet return and come again; and easily couldst thou gather for thyself a countless host from other cities. Nay, but thou wilt never have this eager desire, and of myself I foresee that thus it will not come to pass; still I pray thee, though thou art far away, and when thou art returning, remember Hypsipyle; and leave me now thy bidding, which I will fulfil gladly, if, as may be, the gods grant me to bear thy child.»

But the son of Æson, with a look of admiration answered her: «Hypsipyle, may all these things turn out luckily by the will of the blessed gods. But do thou devise some better thought for me, for 'tis enough for me to dwell in my fatherland by the grace of Pelias; only may heaven loose me from my toils! But if it is not destined that I should come to the land of Hellas after my far journey, and thou do bear a boy, send him, when he is grown, within Pelasgian Iolchos, to my father and mother, to soothe their grief, if haply he find them yet alive, that they may sit within their halls and be cared for, though I, the king, be far away.»

Therewith he went aboard before them all, and in like manner went the other chiefs, and, sitting in rows, they grasped the oars in their hands, and Argus loosed for them the stern-cables from beneath the sea-beat rock. Then did they smite the water lustily with the long oars. At eve, by the counsel of Orpheus, they beached the ship at the isle of Electra, daughter of Atlas, that they might learn the secret rites through gentle initiation, and so might fare more safely over the chilling sea. Of these things will I speak no further; nay, farewell to yon isle itself, and farewell to the gods who dwell there, whose mysteries these are; of them 'tis not right for us to sing.

Hence did they row over the depths of the Black sea, speeding on, with the land of Thrace on the one side, and on the other side to starboard Imbros over against Thrace; and just at sunset they reached the promontory of Chersonese. Then did the swift south-wind blow upon them; so they set the sails to the breeze and entered the rushing stream of the daughter of Athamas. At dawn the open sea to the north was left behind, and at night were they measuring their way over that which lies within the headland of Rhœteum, keeping the land

ARGONAUTICA

49

τέσσαρες αἰνοτάτῃσιν ἐπὶ πλευρῇς ἀραρυῖαι.
ἰσθμὸν δ' αὖ πεδίον τε Δολίονες ἀμφενέμοντο
ἀνέρες· ἐν δ' ἥρως Αἰνήιος υἱὸς ἄνασσεν
Κύζικος, ὃν κούρη δίου τέκεν Εὐσώροιο
Αἰνήτη. τοὺς δ' οὔτι καὶ ἔκπαγλοί περ ἐόντες
Γηγενέες σίνοντο, Ποσειδάωνος ἀρωγῇ·
τοῦ γὰρ ἔσαν τὰ πρῶτα Δολίονες ἐκγεγαῶτες.
ἔνθ' Ἀργὼ προύτυψεν ἐπειγομένη ἀνέμοισιν
Θρηικίοις, Καλὸς δὲ λιμὴν ὑπέδεκτο θέουσαν.
κεῖσε καὶ εὐναίης ὀλίγον λίθον ἐκλύσαντες
Τίφυος ἐννεσίῃσιν ὑπὸ κρήνῃ ἐλίποντο,
κρήνῃ ὑπ' Ἀρτακίῃ· ἕτερον δ' ἕλον, ὅστις ἀρήρει,
βριθύν· ἀτὰρ κεῖνόν γε θεοπροπίαις Ἑκάτοιο
Νηλεῖδαι μετόπισθεν Ἰάονες ἱδρύσαντο
ἱερόν, ἣ θέμις ἦεν, Ἰησονίης ἐν Ἀθήνης.
Τοὺς δ' ἄμυδις φιλότητι Δολίονες ἠδὲ καὶ αὐτὸς
Κύζικος ἀντήσαντες ὅτε στόλον ἠδὲ γενέθλην
ἔκλυον, οἵτινες εἶεν, ἐυξείνως ἀρέσαντο,
καί σφεας εἰρεσίῃ πέπιθον προτέρωσε κιόντας
ἄστεος ἐν λιμένι πρυμνήσια νηὸς ἀνάψαι.
ἔνθ' οἵγ' Ἐκβασίῳ βωμὸν θέσαν Ἀπόλλωνι
εἰσάμενοι παρὰ θῖνα, θυηπολίης τ' ἐμέλοντο.
δῶκεν δ' αὐτὸς ἄναξ λαρὸν μέθυ δευομένοισιν
μῆλά θ' ὁμοῦ· δὴ γάρ οἱ ἔην φάτις, εὖτ' ἂν ἵκωνται
ἀνδρῶν ἡρώων θεῖος στόλος, αὐτίκα τόνγε
μείλιχον ἀντιάαν, μηδὲ πτολέμοιο μέλεσθαι.
ἶσόν που κἀκείνῳ ἐπισταχύεσκον ἴουλοι,
οὐδέ νύ πω παίδεσσιν ἀγαλλόμενος μεμόρητο·
ἀλλ' ἔτι οἱ κατὰ δώματ' ἀκήρατος ἦεν ἄκοιτις
ὠδίνων, Μέροπος Περκωσίου ἐκγεγαυῖα,
Κλείτη ἐυπλόκαμος, τὴν μὲν νέον ἐξέτι πατρὸς
θεσπεσίοις ἕδνοισιν ἀνήγαγεν ἀντιπέρηθεν.
ἀλλὰ καὶ ὣς θάλαμόν τε λιπὼν καὶ δέμνια νύμφης
τοῖς μέτα δαῖτ' ἀλέγυνε, βάλεν δ' ἀπὸ δείματα θυμοῦ.
ἀλλήλους δ' ἐρέεινον ἀμοιβαδίς. ἤτοι ὁ μέν σφεων
πεύθετο ναυτιλίης ἄνυσιν, Πελίαό τ' ἐφετμάς·
οἱ δὲ περικτιόνων πόλιας καὶ κόλπον ἅπαντα
εὐρείης πεύθοντο Προποντίδος· οὐ μὲν ἐπιπρὸ
ἠείδει καταλέξαι ἐελδομένοισι δαῆναι.
ἠοῖ δ' εἰσανέβαν μέγα Δίνδυμον, ὄφρα καὶ αὐτοὶ
θηήσαιντο πόρους κείνης ἁλός· ἐκ δ' ἄρα τοίγε
νῆα Χυτὸν λιμένα προτέρου ἐξήλασαν ὅρμου·
ἥδε δ' Ἰησονίη πέφαται ὁδός, ἥνπερ ἔβησαν.
Γηγενέες δ' ἑτέρωθεν ἀπ' οὔρεος ἀίξαντες
φράξαν ἀπειρεσίοιο Χυτοῦ στόμα νειόθι πέτρης

50

of Ida on the right. Leaving Dardania they steered for Abydos, and on that night passed by Percote and the sandy beach of Abarnis and sacred Pityeia. Yea, on that night, as the ship sped on with oar and sail, they passed right through the Hellespont with its dark eddies.

Now there is within Propontis a hilly isle, a little from the Phrygian mainland with its rich corn-fields, sloping to the sea, and there is an isthmus in front of the mainland stretching across the sea, but the waves just wash over it. And there are there two beaches, and they lie beyond the waters of the Æsepus; and they who dwell around call the hill Arctos. On it a wild and lawless race of earth-born men ever had their home, a great wonder to their neighbours to behold; for each hath six masterful hands hanging from him, twain from his strong shoulders, and other four joined below upon his fearsome sides. About the isthmus and the plain the Doliones had their dwelling, and amongst them Cyzicus, son of Æneus, held sway, whom Ænete, daughter of divine Eusorus, bare. But these the earth-born race in no wise harried, for all their fearsomeness, for Poseidon guarded them; for from him were the Doliones first sprung. Thither Argo pressed forward, driven by the winds of Thrace, and a fair haven received the speeding ship. There too by the advice of Tiphys they loosed and left their light anchor-stone below a fountain, even the Artacian fountain; and they chose another, which suited them, a ponderous stone; but that old one did the Ionians, sons of Neleus, in the after time, in obedience to the oracle of Hecatus, set up as holy, as was right, in the temple of Athene, who was with Jason.

Now the Doliones, yea, and Cyzicus himself, came forth to meet them in a body, and treated them with kindness and hospitality, when they heard of their expedition and knew their lineage, and who they were, and they persuaded them to row on a space and moor the ship in the harbour of the city. There they builded an altar to Apollo, god of embarkation, and set it by the beach and busied themselves with sacrifice. And the king of his own bounty gave them in their need sweet mead and sheep as well; for lo! there came a voice from heaven which said, that when there should arrive a goodly expedition of heroes, he should straightway meet them graciously, and take no thought for war. Now he was about Jason's age; his beard

51

ΑΡΓΟΝΑΥΤΙΚΑ

πόντιον, οἶά τε θῆρα λοχώμενοι ἔνδον ἐόντα.
ἀλλὰ γὰρ αὖθι λέλειπτο σὺν ἀνδράσιν ὁπλοτέροισιν
Ἡρακλέης, ὃς δή σφι παλίντονον αἶψα τανύσσας
τόξον, ἐπασσυτέρους πέλασε χθονί· τοὶ δὲ καὶ αὐτοὶ
πέτρας ἀμφιρρῶγας ἀερτάζοντες ἔβαλλον.
δὴ γάρ που κἀκεῖνα θεὰ τρέφεν αἰνὰ πέλωρα
Ἥρη, Ζηνὸς ἄκοιτις, ἀέθλιον Ἡρακλῆι.
σὺν δὲ καὶ ὦλλοι δῆθεν ὑπότροποι ἀντιόωντες,
πρίν περ ἀνελθέμεναι σκοπιήν, ἥπτοντο φόνοιο
Γηγενέων ἥρωες ἀρήιοι, ἠμὲν ὀιστοῖς
ἠδὲ καὶ ἐγχείῃσι δεδεγμένοι, εἰσόκε πάντας
ἀντιβίην ἀσπερχὲς ὀρινομένους ἐδάιξαν.
ὡς δ' ὅτε δούρατα μακρὰ νέον πελέκεσσι τυπέντα
ὑλοτόμοι στοιχηδὸν ἐπὶ ῥηγμῖνι βάλωσιν,
ὄφρα νοτισθέντα κρατεροὺς ἀνεχοίατο γόμφους·
ὣς οἱ ἐνὶ ξυνοχῇ λιμένος πολιοῖο τέταντο
ἑξείης, ἄλλοι μὲν ἐς ἁλμυρὸν ἀθρόοι ὕδωρ
δύπτοντες κεφαλὰς καὶ στήθεα, γυῖα δ' ὕπερθεν
χέρσῳ τεινάμενοι· τοὶ δ' ἔμπαλιν, αἰγιαλοῖο
κράατα μὲν ψαμάθοισι, πόδας δ' εἰς βένθος ἔρειδον,
ἄμφω ἅμ' οἰωνοῖσι καὶ ἰχθύσι κύρμα γενέσθαι.
Ἥρωες δ', ὅτε δή σφιν ἀταρβὴς ἔπλετ' ἄεθλος,
δὴ τότε πείσματα νηὸς ἐπὶ πνοιῇς ἀνέμοιο
λυσάμενοι προτέρωσε διὲξ ἁλὸς οἶδμα νέοντο.
ἡ δ' ἔθεεν λαίφεσσι πανήμερος· οὐ μὲν ἰούσης
νυκτὸς ἔτι ῥιπὴ μένεν ἔμπεδον, ἀλλὰ θύελλαι
ἀντίαι ἁρπάγδην ὀπίσω φέρον, ὄφρ' ἐπέλασσαν
αὖτις ἐυξείνοισι Δολίοσιν. ἐκ δ' ἄρ' ἔβησαν
αὐτονυχί· Ἱερὴ δὲ φατίζεται ἥδ' ἔτι πέτρη,
ᾗ πέρι πείσματα νηὸς ἐπεσσύμενοι ἐβάλοντο.
οὐδέ τις αὐτὴν νῆσον ἐπιφραδέως ἐνόησεν
ἔμμεναι· οὐδ' ὑπὸ νυκτὶ Δολίονες ἂψ ἀνιόντας
ἥρωας νημερτὲς ἐπήισαν· ἀλλά που ἀνδρῶν
Μακριέων εἴσαντο Πελασγικὸν ἄρεα κέλσαι.
τῶ καὶ τεύχεα δύντες ἐπὶ σφίσι χεῖρας ἄειραν.
σὺν δ' ἔλασαν μελίας τε καὶ ἀσπίδας ἀλλήλοισιν
ὀξείῃ ἴκελοι ῥιπῇ πυρός, ἥ τ' ἐνὶ θάμνοις
αὐαλέοισι πεσοῦσα κορύσσεται· ἐν δὲ κυδοιμὸς
δεινός τε ζαμενής τε Δολιονίῳ πέσε δήμῳ.
οὐδ' ὅγε δηιοτῆτος ὑπὲρ μόρον αὖτις ἔμελλεν
οἴκαδε νυμφιδίους θαλάμους καὶ λέκτρον ἱκέσθαι.
ἀλλά μιν Αἰσονίδης τετραμμένον ἰθὺς ἑοῖο
πλῆξεν ἐπαΐξας στῆθος μέσον, ἀμφὶ δὲ δουρὶ
ὀστέον ἐρραίσθη· ὁ δ' ἐνὶ ψαμάθοισιν ἐλυσθεὶς
μοῖραν ἀνέπλησεν. τὴν γὰρ θέμις οὔποτ' ἀλύξαι

52

*was just sprouting, nor yet had he gotten children to
his joy, but his bride within his house had not yet
known travail, the daughter of Percosian Merops, Cleite
with the fair tresses, whom he had but lately brought
thither from the mainland opposite, with wondrous
gifts of wooing to her father. Yet even so he left his
bridal bed and chamber, and made ready a banquet
amongst them, casting all fear from his heart. And they
questioned one another in turn; and he asked them
of the end of their voyage and of the commands of
Pelias, while they enquired about the cities of the folk
around and about the whole gulf of wide Propontis;
but he knew not how to tell them when they were
anxious to know aught far ahead. So at dawn they
went up to mighty Dindymus, that they might spy
out for themselves the passage of that sea, and they drave
forth the ship from the outer basin of the harbour of
Chytus; wherefore this way they went is called Ja-
son's way.*

*But the earth-born men, rushing from both sides
of the mountain, blocked the sea-ward mouth of boundless
Chytus with rocks at the bottom, lying in wait as
though for a wild beast inside. Now Heracles had been
left there with the younger men; so quickly he stretched
his curved bow against them and brought them to the
ground one after another; and they for their part caught
up jagged rocks and hurled them. For lo! Hera, goddess
wife of Zeus, I wis, had raised those fearful monsters
too, a labour for Heracles; and the other warlike heroes
turned back anon to meet them, or ever they had mounted
to their place of outlook, and joined in the slaughter of
the earth-born men, receiving them with arrows and
swords till they had slain them all as they rushed to
meet them impetuously.*

*As when wood-cutters throw down in rows upon
the beach long beams just hewn by their axes, that
they may soak and so receive the strong bolts; even
so those monsters lay stretched there in the entrance
to the gray haven, some with head and chest plunged
all at once into the salt water, and their limbs below
spread out upon the strand; others again were resting
their heads upon the sand of the beach and their feet
in the deep water, both alike to be a prey to birds and
fishes.*

But the heroes, as soon as there was nought to fear

53

Ο ΙΑΣΩΝ ΣΚΟΤΩΝΕΙ ΤΟΝ ΒΑΣΙ-
ΛΕΑ ΤΩΝ ΔΟΛΙΟΝΩΝ ΚΥΖΙΚΟΝ

JASON SLAYING CYZICUS
KING OF THE DOLIONES

θνητοῖσιν· πάντῃ δὲ περὶ μέγα πέπταται ἕρκος.
ὣς τὸν ὀιόμενόν που ἀδευκέος ἔκτοθεν ἄτης
εἶναι ἀριστήων αὐτῇ ὑπὸ νυκτὶ πέδησεν
μαρνάμενον κείνοισι· πολεῖς δ' ἐπαρηγόνες ἄλλοι
ἔκταθεν· Ἡρακλέης μὲν ἐνήρατο Τηλεκλῆα
ἠδὲ Μεγαβρόντην· Σφόδριν δ' ἐνάριξεν Ἄκαστος·
Πηλεὺς δὲ Ζέλυν εἷλεν ἀρηίθοόν τε Γέφυρον.
αὐτὰρ ἐυμμελίης Τελαμὼν Βασιλῆα κατέκτα.
Ἴδας δ' αὖ Προμέα, Κλυτίος δ' Ὑάκινθον ἔπεφνεν,
Τυνδαρίδαι δ' ἄμφω Μεγαλοσσάκεα Φλογίον τε.
Οἰνεΐδης δ' ἐπὶ τοῖσιν ἕλεν θρασὺν Ἰτυμονῆα
ἠδὲ καὶ Ἀρτακέα, πρόμον ἀνδρῶν· οὓς ἔτι πάντας
ἐνναέται τιμαῖς ἡρωίσι κυδαίνουσιν.
οἱ δ' ἄλλοι εἴξαντες ὑπέτρεσαν, ἠύτε κίρκους
ὠκυπέτας ἀγεληδὸν ὑποτρέσσωσι πέλειαι.
ἐς δὲ πύλας ὁμάδῳ πέσον ἀθρόοι· αἶψα δ' ἀυτῆς
πλῆτο πόλις στονόεντος ὑποτροπίῃ πολέμοιο.
ἠῶθεν δ' ὀλοὴν καὶ ἀμήχανον εἰσενόησαν
ἀμπλακίην ἄμφω· στυγερὸν δ' ἄχος εἷλεν ἰδόντας
ἥρωας Μινύας Αἰνήιον υἷα πάροιθεν
Κύζικον ἐν κονίῃσι καὶ αἵματι πεπτηῶτα.
ἤματα δὲ τρία πάντα γόων, τίλλοντό τε χαίτας
αὐτοὶ ὁμῶς λαοί τε Δολίονες. αὐτὰρ ἔπειτα
τρὶς περὶ χαλκείοις σὺν τεύχεσι δινηθέντες
τύμβῳ ἐνεκτερέιξαν, ἐπειρήσαντό τ' ἀέθλων,
ἢ θέμις, ἂμ πεδίον λειμώνιον, ἔνθ' ἔτι νῦν περ
ἀγκέχυται τόδε σῆμα καὶ ὀψιγόνοισιν ἰδέσθαι.
οὐδὲ μὲν οὐδ' ἄλοχος Κλείτη φθιμένοιο λέλειπτο
οὗ πόσιος μετόπισθε· κακῷ δ' ἐπὶ κύντερον ἄλλο
ἤνυσεν, ἁψαμένη βρόχον αὐχένι. τὴν δὲ καὶ αὐταὶ
νύμφαι ἀποφθιμένην ἀλσηίδες ὠδύραντο·
καί οἱ ἀπὸ βλεφάρων ὅσα δάκρυα χεῦαν ἔραζε,
πάντα τάγε κρήνην τεῦξαν θεαί, ἣν καλέουσιν
Κλείτην, δυστήνοιο περικλεὲς οὔνομα νύμφης.
αἰνότατον δὴ κεῖνο Δολιονίῃσι γυναιξὶν
ἀνδράσι τ' ἐκ Διὸς ἦμαρ ἐπήλυθεν· οὐδὲ γὰρ αὐτῶν
ἔτλη τις πάσσασθαι ἐδητύος, οὐδ' ἐπὶ δηρὸν
ἐξ ἀχέων ἔργοιο μυληφάτου ἐμνώοντο·
ἀλλ' αὕτως ἄφλεκτα διαζώεσκον ἔδοντες.
ἔνθ' ἔτι νῦν, εὖτ' ἄν σφιν ἐτήσια χύτλα χέωνται
Κύζικον ἐνναίοντες Ἰάονες, ἔμπεδον αἰεὶ
πανδήμοιο μύλης πελάνους ἐπαλετρεύουσιν.
Ἐκ δὲ τόθεν τρηχεῖαι ἀνηέρθησαν ἄελλαι
ἤμαθ' ὁμοῦ νύκτας τε δυώδεκα, τοὺς δὲ κατ' αὖθι
ναυτίλλεσθαι ἔρυκον. ἐπιπλομένῃ δ' ἐνὶ νυκτὶ

56

*for their enterprise, at once loosed the cables of the
ship to the breath of the wind, and voyaged on across
the ocean-swell. And the ship sped on the live-long day
under canvas; but, as night came on, the rushing wind
no longer abode steadfast, but contrary blasts caught
and swept them backward, till they drew nigh again to
the hospitable Doliones. And they disembarked that
self-same night; and that rock is still called the sacred
rock, whereto they bound the cables of the ship in their
haste. Nor did any man surely know that it was really
the island, nor did the Doliones by night perceive for
certain that it was the heroes again coming to them;
but they supposed maybe some band of Pelasgian
warriors from the Macrians was landing. Wherefore
they did on their harness and stretched forth their
hands against them. And they drove their ashen spears
and shields against each other, like a swift rush of
fire, which falling on a dry thicket rears its head;
and withal upon the Dolionian folk fell the din of
battle, terrible and furious. Nor was he, their king, to
rise above the doom of battle and come again home to
his bridal chamber and bed. Nay, him did the son of
Æson, with one bound, smite through the middle of
the breast as he turned to face him, and the bone
splintered about his spear, and he grovelling on the
sand wound up his clew of fate. For mortal man may
not escape his fate, but on all sides is spread a mighty
snare around him. Thus upon that night it caught
him in its toils, as he thought, maybe, to avoid the bitter
doom dealt out by the chieftains, what time he fought
with them; and many other champions were slain.
Heracles slew Telecles and Megabrontes; and Acastus
stript Sphodris of his arms; and Peleus laid Zelys low,
and Gephyrus, that fleet warrior. And Telamon of the
stout ashen spear killed Basileus. Idas slew Promeus,
and Clytius Hyacinthus; and the two sons of Tyndarus
slew Megalossaces and Phlogius.*

*Besides these the son of Œneus smote bold Itymoneus,
yea, and Artaces, a leader of men; all these do the in-
habitants still honour with the worship due to heroes.*

*But the rest gave way and fled in terror, even as doves
in flocks fly cowering from swift hawks, and they rushed
headlong to the gates with loud cries; then straight was
the city filled with cries and groans as the battle was
turned backward. But at daybreak did both sides*

57

ἄλλοι μέν ῥα πάρος δεδμημένοι εὐνάζοντο
ὕπνῳ ἀριστῆες πύματον λάχος· αὐτὰρ Ἄκαστος
Μόψος τ' Ἀμπυκίδης ἀδινὰ κνώσσοντας ἔρυντο.
ἡ δ' ἄρ' ὑπὲρ ξανθοῖο καρήατος Αἰσονίδαο
πωτᾶτ' ἀλκυονὶς λιγυρῇ ὀπὶ θεσπίζουσα
λῆξιν ὀρινομένων ἀνέμων· συνέηκε δὲ Μόψος
ἀκταίης ὄρνιθος ἐναίσιμον ὄσσαν ἀκούσας.
καὶ τὴν μὲν θεὸς αὖτις ἀπέτραπεν, ἷζε δ' ὕπερθεν
νηίου ἀφλάστοιο μετήορος ἀίξασα.
τὸν δ' ὅγε κεκλιμένον μαλακοῖς ἐνὶ κώεσιν οἰῶν
κινήσας ἀνέγειρε παρασχεδόν, ὧδέ τ' ἔειπεν·
'Αἰσονίδη, χρειώ σε τόδ' ἱερὸν εἰσανιόντα
Διδύμου ὀκριόεντος ἐύθρονον ἱλάξασθαι
μητέρα συμπάντων μακάρων· λήξουσι δ' ἄελλαι
ζαχρηεῖς· τοίην γὰρ ἐγὼ νέον ὄσσαν ἄκουσα
ἀλκυόνος ἁλίης, ἥ τε κνώσσοντος ὕπερθεν
σεῖο πέριξ τὰ ἕκαστα πιφαυσκομένη πεπότηται.
ἐκ γὰρ τῆς ἄνεμοί τε θάλασσά τε νειόθι τε χθὼν
πᾶσα πεπείρηται νιφόεν θ' ἕδος Οὐλύμποιο·
καί οἱ, ὅτ' ἐξ ὀρέων μέγαν οὐρανὸν εἰσαναβαίνῃ,
Ζεὺς αὐτὸς Κρονίδης ὑποχάζεται. ὣς δὲ καὶ ὧλλοι
ἀθάνατοι μάκαρες δεινὴν θεὸν ἀμφιέπουσιν.'
Ὣς φάτο· τῷ δ' ἀσπαστὸν ἔπος γένετ' εἰσαΐοντι.
ὤρνυτο δ' ἐξ εὐνῆς κεχαρημένος· ὦρσε δ' ἑταίρους
πάντας ἐπισπέρχων, καί τέ σφισιν ἐγρομένοισιν
Ἀμπυκίδεω Μόψοιο θεοπροπίας ἀγόρευεν.
αἶψα δὲ κουρότεροι μὲν ἀπὸ σταθμῶν ἐλάσαντες
ἔνθεν ἐς αἰπεινὴν ἄναγον βόας οὔρεος ἄκρην.
οἱ δ' ἄρα λυσάμενοι Ἱερῆς ἐκ πείσματα πέτρης
ἤρεσαν ἐς λιμένα Θρηίκιον· ἂν δὲ καὶ αὐτοὶ
βαῖνον, παυροτέρους ἑτάρων ἐν νηὶ λιπόντες.
τοῖσι δὲ Μακριάδες σκοπιαὶ καὶ πᾶσα περαίη
Θρηικίης ἐνὶ χερσὶν ἑαῖς προυφαίνετ' ἰδέσθαι·
φαίνετο δ' ἠερόεν στόμα Βοσπόρου ἠδὲ κολῶναι
Μυσίαι· ἐκ δ' ἑτέρης ποταμοῦ ῥόος Αἰσήποιο
ἄστυ τε καὶ πεδίον Νηπήιον Ἀδρηστείης.
ἔσκε δέ τι στιβαρὸν στύπος ἀμπέλου ἔντροφον ὕλῃ,
πρόχνυ γεράνδρυον· τὸ μὲν ἔκταμον, ὄφρα πέλοιτο
δαίμονος οὐρείης ἱερὸν βρέτας· ἔξεσε δ' Ἄργος
εὐκόσμως, καὶ δή μιν ἐπ' ὀκριόεντι κολωνῷ
ἵδρυσαν φηγοῖσιν ἐπηρεφὲς ἀκροτάτῃσιν,
αἵ ῥά τε πασάων πανυπέρταται ἐρρίζωνται.
βωμὸν δ' αὖ χέραδος παρενήνεον· ἀμφὶ δὲ φύλλοις
στεψάμενοι δρυΐνοισι θυηπολίης ἐμέλοντο
Μητέρα Διδυμίην πολυπότνιαν ἀγκαλέοντες,

*perceive their grievous, cureless error; and bitter anguish
seized the Minyan heroes when they saw before them
Cyzicus fallen mid the dust and blood. Three whole days
they mourned, they and the folk of the Doliones together,
tearing out their hair. And then thrice about his tomb
they marched in their bronze harness and made his
funeral, and instituted trial of games, as was right, on
the meadow plain, where to this day is his tomb heaped
up for men that shall be hereafter to see.*

*Nor could his bride Cleite survive her husband's
death, but in her grief she wrought a deed more awful
still, what time she fastened the noose about her neck.
And the wood nymphs mourned her death, and all
the tears they let fall to earth from their eyes for her,
of these did the goddesses make a spring, which men
call Cleite, the storied name of that poor maid. Yea,
that was the direst day that Zeus ever sent upon the
men and women of the Doliones; for none of them
could bear to taste of food, and for a long time after
their trouble they minded them not of the work of
grinding; but they dragged on their life, eating the
food, as it was, uncooked. There to this day, whenso
the Ionians, that dwell in Cyzicus, pour the yearly
libation to the dead, they ever grind their meal at the
public mill.*

*From thenceforth for twelve whole days and nights
arose tempestuous winds, which kept them there from
their voyage. But on the next night, all the other chiefs,
ere this, I ween, o'ercome by sleep, were resting there
for the last time, while Acastus and Mopsus, son of
Ampycus, guarded their sound slumbers. When lo!
above the yellow head of the son of Æson there flew a
king-fisher, boding by her shrill note an end of the violent
winds; and Mopsus, directly he heard the lucky cry
of that bird of the shore, marked it well; and the
goddess brought it back again, and it darted aloft and
perched above the carved stern; then did Mopsus stir
Jason, where he lay upon the soft fleeces of sheep,
and roused him instantly, and thus unto him spake:
«Son of Æson, to yonder temple on rugged Dindymus
thou must go up and seek the favour of the fair-throned
queen, mother of all the blessed gods; then shall cease
the stormy winds. For such was the voice I heard but
now of the halcyon, bird of the sea, which flew above
about thy sleeping form and told me all. For this*

59

ἐνναέτιν Φρυγίης, Τιτίην θ' ἅμα Κύλληνόν τε,
οἳ μοῦνοι πολέων μοιρηγέται ἠδὲ πάρεδροι
Μητέρος Ἰδαίης κεκλήαται, ὅσσοι ἔασιν
Δάκτυλοι Ἰδαῖοι Κρηταιέες, οὕς ποτε νύμφη
Ἀγχιάλη Δικταῖον ἀνὰ σπέος ἀμφοτέρῃσιν
δραξαμένη γαίης Οἰαξίδος ἐβλάστησεν.
πολλὰ δὲ τήνγε λιτῇσιν ἀποστρέψαι ἐριώλας
Αἰσονίδης γουνάζετ' ἐπιλλείβων ἱεροῖσιν
αἰθομένοις· ἄμυδις δὲ νέοι Ὀρφῆος ἀνωγῇ
σκαίροντες βηταρμὸν ἐνόπλιον ὠρχήσαντο,
καὶ σάκεα ξιφέεσσιν ἐπέκτυπον, ὥς κεν ἰωὴ
δύσφημος πλάζοιτο δι' ἠέρος, ἣν ἔτι λαοὶ
κηδείῃ βασιλῆος ἀνέστενον. ἔνθεν ἐσαιεὶ
ῥόμβῳ καὶ τυπάνῳ Ῥείην Φρύγες ἱλάσκονται.
ἡ δέ που εὐαγέεσσιν ἐπὶ φρένα θῆκε θυηλαῖς
ἀνταίη δαίμων· τὰ δ' ἐοικότα σήματ' ἔγεντο.
δένδρεα μὲν καρπὸν χέον ἄσπετον, ἀμφὶ δὲ ποσσὶν
αὐτομάτη φύε γαῖα τερείνης ἄνθεα ποίης.
θῆρες δ' εἰλυούς τε κατὰ ξυλόχους τε λιπόντες
οὐρῇσιν σαίνοντες ἐπήλυθον. ἡ δὲ καὶ ἄλλο
θῆκε τέρας· ἐπεὶ οὔτι παροίτερον ὕδατι νᾶεν
Δίνδυμον· ἀλλά σφιν τότ' ἀνέβραχε διψάδος αὔτως
ἐκ κορυφῆς ἄλληκτον· Ἰησονίην δ' ἐνέπουσιν
κεῖνο ποτὸν κρήνην περιναιέται ἄνδρες ὀπίσσω.
καὶ τότε μὲν δαῖτ' ἀμφὶ θεᾶς θέσαν οὔρεσιν Ἄρκτων,
μέλποντες Ῥείην πολυπότνιαν· αὐτὰρ ἐς ἠὼ
ληξάντων ἀνέμων νῆσον λίπον εἰρεσίῃσιν.

60

goddess hath experience of the winds and the sea and all the earth beneath and the snow-capped seat of Olympus; and before her Zeus himself, the son of Cronos, doth somewhat yield, when from her mountains she ascendeth to the wide heaven. And hence it is the other blessed deathless gods do reverence to this dread goddess.»

So spake he, and welcome to Jason's ear was his word. And he roused him from his bed with joy, and hasted to awake all his crew; and, when they were risen, he declared to them the heavenly message of Mopsus, son of Ampycus. Then straight did the young men drive up oxen from the byres there to the steep mountain-top. And the rest meantime loosed the cables from the sacred rock and rowed to the Thracian harbour, and themselves went forth, leaving but a few of their fellows in the ship. Now upon their right hand the Macrian cliffs and all the Thracian mainland rose clear in view, and the dim entrance to the Bosporus and the hills of Mysia appeared; while upon their left was the stream of the river Æsepus, and the city and plain of Nepeia, which is called Adresteia. Now there was a sturdy stump of a vine growing in a wood, an exceeding old tree; this they cut out, for to make a sacred image of the mountain goddess, and Argus polished it neatly, and there upon that rugged hill they set it up beneath a canopy of towering oaks, trees that have their roots deepest of all, I trow. Next heaped they an altar of stones, and wreathed it with oak-leaves, and busied themselves with sacrifice, calling on the name of the Dindymian mother, queen revered, that dwelleth in Phrygia, and on Titias too and Cyllene, who alone are called the dispensers of destiny and assessors of the Idæan mother of all that band, who in Crete are the Dactylian priests of Ida; them on a day the nymph Anchiale brought forth in the Dictæan grotto, clutching with both hands the Œaxian land. And the son of Æson besought her with many prayers to turn away the hurricane, pouring libations the while on blazing sacrifices; and therewith young men, by the bidding of Orpheus, danced a measured step in full harness, smiting swords and bucklers, that the ill-omened cry might lose itself in wandering through the air, even the lamentation, which the folk were still raising at the funeral of their king. Whence the Phrygians do ever

61

Ἔνθ' ἔρις ἄνδρα ἕκαστον ἀριστήων ὀρόθυνεν,
ὅστις ἀπολλήξειε πανύστατος. ἀμφὶ γὰρ αἰθὴρ
νήνεμος ἐστόρεσεν δίνας, κατὰ δ' εὔνασε πόντον.
οἱ δὲ γαληναίη πίσυνοι ἐλάασκον ἐπιπρὸ
νῆα βίῃ· τὴν δ' οὔ κε διὲξ ἁλὸς ἀίσσουσαν
οὐδὲ Ποσειδάωνος ἀελλόποδες κίχον ἵπποι.
ἔμπης δ' ἐγρομένοιο σάλου ζαχρηέσιν αὔραις,
αἳ νέον ἐκ ποταμῶν ὑπὸ δείελον ἠερέθονται,
τειρόμενοι καὶ δὴ μετελώφεον· αὐτὰρ ὁ τούσγε
πασσυδίῃ μογέοντας ἐφέλκετο κάρτεϊ χειρῶν
Ἡρακλέης, ἐτίνασσε δ' ἀρηρότα δούρατα νηός.
ἀλλ' ὅτε δὴ Μυσῶν λελιημένοι ἠπείροιο
Ῥυνδακίδας προχοὰς μέγα τ' ἠρίον Αἰγαίωνος
τυτθὸν ὑπὲκ Φρυγίης παρεμέτρεον εἰσορόωντες,
δὴ τότ' ἀνοχλίζων τετρηχότος οἴδματος ὁλκοὺς
μεσσόθεν ἆξεν ἐρετμόν. ἀτὰρ τρύφος ἄλλο μὲν αὐτὸς
ἄμφω χερσὶν ἔχων πέσε δόχμιος, ἄλλο δὲ πόντος
κλύζε παλιρροθίοισι φέρων, ἀνὰ δ' ἕζετο σιγῇ
παπταίνων· χεῖρες γὰρ ἀήθεον ἠρεμέουσαι.
Ἦμος δ' ἀγρόθεν εἶσι φυτοσκάφος ἤ τις ἀροτρεὺς
ἀσπασίως εἰς αὖλιν ἑήν, δόρποιο χατίζων,
αὐτοῦ δ' ἐν προμολῇ τετρυμένα γούνατ' ἔκαμψεν
αὐσταλέος κονίῃσι, περιτριβέας δέ τε χεῖρας
εἰσορόων κακὰ πολλὰ ἑῇ ἠρήσατο γαστρί·
τῆμος ἄρ' οἵγ' ἀφίκοντο Κιανίδος ἤθεα γαίης
ἀμφ' Ἀργανθώνειον ὄρος προχοάς τε Κίοιο.
τοὺς μὲν ἐυξείνως Μυσοὶ φιλότητι κιόντας
δείδεχατ', ἐνναέται κείνης χθονός, ἤιά τέ σφιν
μῆλά τε δευομένοις μέθυ τ' ἄσπετον ἐγγυάλιξαν.
ἔνθα δ' ἔπειθ' οἱ μὲν ξύλα κάγκανα, τοὶ δὲ λεχαίην
φυλλάδα λειμώνων φέρον ἄσπετον ἀμήσαντες,
στόρνυσθαι· τοὶ δ' ἀμφὶ πυρήια δινεύεσκον·
οἱ δ' οἶνον κρητῆρσι κέρων, πονέοντό τε δαῖτα,
Ἐκβασίῳ ῥέξαντες ὑπὸ κνέφας Ἀπόλλωνι.
Αὐτὰρ ὁ δαίνυσθαι ἑτάροις οἷς εὖ ἐπιτείλας
βῆ ῥ' ἴμεν εἰς ὕλην υἱὸς Διός, ὥς κεν ἐρετμὸν
οἷ αὐτῷ φθαίη καταχείριον ἐντύνασθαι.
εὗρεν ἔπειτ' ἐλάτην ἀλαλήμενος, οὔτε τι πολλοῖς
ἀχθομένην ὄζοις, οὐδὲ μέγα τηλεθόωσαν,
ἀλλ' οἷον ταναῆς ἔρνος πέλει αἰγείροιο·
τόσση ὁμῶς μῆκός τε καὶ ἐς πάχος ἦεν ἰδέσθαι.
ῥίμφα δ' ὀιστοδόκην μὲν ἐπὶ χθονὶ θῆκε φαρέτρην
αὐτοῖσιν τόξοισιν, ἔδυ δ' ἀπὸ δέρμα λέοντος.
τὴν δ' ὅγε χαλκοβαρεῖ ῥοπάλῳ δαπέδοιο τινάξας
νειόθεν ἀμφοτέρῃσι περὶ στύπος ἔλλαβε χερσίν,

62

seek the favour of Rhea with tambourine and drum.
And now, I ween, the goddess turned her ear to hearken
to their pious worship; and signs, that are favourable,
did appear. Trees shook down countless fruits, and
around their feet the earth of herself brought forth the
flowers of tender plants. Wild creatures left their lairs
in the thickets and came wagging their tails. And yet
another marvel she produced; for aforetime Dindymus
had no running water, but now they saw it gush forth
there and cease not from the thirsty hill; wherefore
neighbouring folk in after time called that water Jason's
spring. Then did they make a feast in honour of the
goddess on Mount Arctos, singing the praise of Rhea,
august queen; and at dawn the wind ceased and they
rowed away from the island.

Then rivatry stirred each chieftain's heart to be
the last to leave his rowing. For around them the still
air had laid the tumbling waves and lulled the sea to
rest. So they, trusting to the calm, drave on the ship
mightily, nor would even Poseidon's steeds, that are
swift as wind, have caught her as she sped through the
sea. Yet as the salt waves began to rise beneath violent
gusts, which toward evening were just beginning to get
up from the rivers, then were they for ceasing, foredone
with toil; but Heracles with mighty hands pulled those
tired rowers along all together, making the joints of the
ship's timbers to quiver.

But when, in their haste past the mainland of the
Mysians, they had sighted and sailed by the mouth of
the river Rhyndacus and the great cairn of Ægæon, a
little away from Phrygia; in that hour did Heracles
break his oar in the middle as he heaved aside the
furrows of the roughened surge. And backward fell he,
grasping in both hands one fragment while the sea swept
the other away on its wash. And there he sat glaring
round in silence, for his hands knew not to be idle.

At the hour when some delver or ploughman cometh
from the field joyfully to his cottage, longing for his
supper; and there on his threshold, all squalid with
dust as he is, he droops his weary knees, and, gazing
on his toil-worn hands, many a bitter curse he flingeth
at that belly of his; in that hour, I trow, came those
heroes to the abodes of the land Cianian about the
Arganthonian mountain and the mouth of the river
Cios. And the Mysians welcomed them with all

63

ἠνορέῃ πίσυνος· ἐν δὲ πλατὺν ὦμον ἔρεισεν
εὖ διαβάς· πεδόθεν δὲ βαθύρριζόν περ ἐοῦσαν
προσφὺς ἐξήειρε σὺν αὐτοῖς ἔχμασι γαίης.
ὡς δ' ὅταν ἀπροφάτως ἱστὸν νεός, εὖτε μάλιστα
χειμερίη ὀλοοῖο δύσις πέλει Ὠρίωνος,
ὑψόθεν ἐμπλήξασα θοὴ ἀνέμοιο κατάιξ
αὐτοῖσι σφήνεσσιν ὑπὲκ προτόνων ἐρύσηται·
ὣς ὅγε τὴν ἤειρεν. ὁμοῦ δ' ἀνὰ τόξα καὶ ἰοὺς
δέρμα θ' ἑλὼν ῥόπαλόν τε παλίσσυτος ὦρτο νέεσθαι.
Τόφρα δ' Ὕλας χαλκέῃ σὺν κάλπιδι νόσφιν ὁμίλου
δίζητο κρήνης ἱερὸν ῥόον, ὥς κέ οἱ ὕδωρ
φθαίη ἀφυσσάμενος ποτιδόρπιον, ἄλλα τε πάντα
ὀτραλέως κατὰ κόσμον ἐπαρτίσσειεν ἰόντι.
δὴ γάρ μιν τοίοισιν ἐν ἤθεσιν αὐτὸς ἔφερβεν,
νηπίαχον τὰ πρῶτα δόμων ἐκ πατρὸς ἀπούρας,
δίου Θειοδάμαντος, ὃν ἐν Δρυόπεσσιν ἔπεφνεν
νηλειῶς, βοὸς ἀμφὶ γεωμόρου ἀντιόωντα.
ἤτοι ὁ μὲν νειοῖο γύας τέμνεσκεν ἀρότρῳ
Θειοδάμας ἀνίῃ βεβολημένος· αὐτὰρ ὁ τόνγε
βοῦν ἀρότην ἤνωγε παρασχέμεν οὐκ ἐθέλοντα.
ἵετο γὰρ πρόφασιν πολέμου Δρυόπεσσι βαλέσθαι
λευγαλέην, ἐπεὶ οὔτι δίκης ἀλέγοντες ἔναιον.
ἀλλὰ τὰ μὲν τηλοῦ κεν ἀποπλάγξειεν ἀοιδῆς.
αἶψα δ' ὅγε κρήνην μετεκίαθεν, ἣν καλέουσιν
Πηγὰς ἀγχίγυοι περιναιέται. οἱ δέ που ἄρτι
νυμφάων ἵσταντο χοροί· μέλε γάρ σφισι πάσαις,
ὅσσαι κεῖσ' ἐρατὸν νύμφαι ῥίον ἀμφενέμοντο,
Ἄρτεμιν ἐννυχίῃσιν ἀεὶ μέλπεσθαι ἀοιδαῖς.
αἱ μέν, ὅσαι σκοπιὰς ὀρέων λάχον ἢ καὶ ἐναύλους,
αἵγε μὲν ὑλήωροι ἀπόπροθεν ἐστιχόωντο,
ἡ δὲ νέον κρήνης ἀνεδύετο καλλινάοιο
νύμφη ἐφυδατίη· τὸν δὲ σχεδὸν εἰσενόησεν
κάλλεϊ καὶ γλυκερῇσιν ἐρευθόμενον χαρίτεσσιν.
πρὸς γάρ οἱ διχόμηνις ἀπ' αἰθέρος αὐγάζουσα
βάλλε σεληναίη. τὴν δὲ φρένας ἐπτοίησεν
Κύπρις, ἀμηχανίῃ δὲ μόλις συναγείρατο θυμόν.
αὐτὰρ ὅγ' ὡς τὰ πρῶτα ῥόῳ ἔνι κάλπιν ἔρεισεν
λέχρις ἐπιχριμφθείς, περὶ δ' ἄσπετον ἔβραχεν ὕδωρ
χαλκὸν ἐς ἠχήεντα φορεύμενον, αὐτίκα δ' ἥγε
λαιὸν μὲν καθύπερθεν ἐπ' αὐχένος ἄνθετο πῆχυν
κύσσαι ἐπιθύουσα τέρεν στόμα· δεξιτερῇ δὲ
ἀγκῶν' ἔσπασε χειρί, μέσῃ δ' ἐνικάββαλε δίνῃ.
Τοῦ δ' ἥρως ἰάχοντος ἐπέκλυεν οἶος ἑταίρων
Εἰλατίδης Πολύφημος, ἰὼν προτέρωσε κελεύθου,
δέκτο γὰρ Ἡρακλῆα πελώριον, ὁππόθ' ἵκοιτο.

64

hospitality and kindness on their coming, for they dwelt in that land, and they gave them at their need sheep and mead in plenty. So then some brought dry logs, and others mowed the plenteous herbage of the meadows for beds to strew withal, and others twirled sticks to get fire; and they mixed wine in bowls, and made ready a feast, after sacrificing to Apollo, god of embarkation, as darkness fell.

Now Heracles bade his comrades give good heed unto the feast, while he went on his way to the wood, that son of Zeus, that he might first fashion for himself an oar to suit him. And in his wandering he found a pine that was not burdened with many branches, nor had much foliage thereon, but it was like some tall poplar sapling to look at both in height and girth. Quickly then upon the ground he laid his quiver, arrows and all, and doffed his lion-skin. And when he with his heavy club of bronze had made it totter from its base, then did he grip it low down about the stump with both hands, trusting to his strength, and planting himself firmly he leant his broad shoulder against it, and so clinging to it he dragged it from the ground, deep-rooted though it was, clods of earth and all. As when a sudden squall of wind strikes aloft a ship's mast unexpectedly, just at the time of baleful Orion's winter setting, and tears it from its stays, wedges and all; even thus the strong man dragged it out. And at once he caught up his bow and arrows, and his skin and club, and hasted to go back.

Meantime Hylas with a brazen pitcher went apart from the company, in quest of a sacred running spring, that he might ere his return draw for him water against suppertime, and get all else ready and in order for him at his coming. For Heracles had with his own hands brought him up in such habits from his earliest childhood, having robbed him from his father's house, goodly Theiodamas, whom he slew ruthlessly amongst the Dryopes, because he withstood him about a steer for ploughing. Now Theiodamas was ploughing up a fallow field, when the curse fell on him; and Heracles bade him give up the steer he was ploughing with, and he would not. For he longed to find some grim pretext for war against the Dryopes, for there they dwelt without regard for justice. But this would send me straying far from my story. Quickly came Hylas to the spring,

A
R
G
O
N
A
U
T
I
C
A

65

βῆ δὲ μεταΐξας Πηγέων σχεδόν, ἠύτε τις θὴρ
ἄγριος, ὅν ῥά τε γῆρυς ἀπόπροθεν ἵκετο μήλων,
λιμῷ δ' αἰθόμενος μετανίσσεται, οὐδ' ἐπέκυρσεν
ποίμνῃσιν· πρὸ γὰρ αὐτοὶ ἐνὶ σταθμοῖσι νομῆες
ἔλσαν· ὁ δὲ στενάχων βρέμει ἄσπετον, ὄφρα κάμῃσιν·
ὣς τότ' ἄρ' Εἰλατίδης μεγάλ' ἔστενεν, ἀμφὶ δὲ χῶρον
φοίτα κεκληγώς· μελέη δέ οἱ ἔπλετο φωνή.
αἶψα δ' ἐρυσσάμενος μέγα φάσγανον ὦρτο δίεσθαι,
μήπως ἢ θήρεσσιν ἕλωρ πέλοι, ἠέ μιν ἄνδρες
μοῦνον ἐόντ' ἐλόχησαν, ἄγουσι δὲ ληίδ' ἑτοίμην.

66

which they who dwell around and near call Pegæ. Now it chanced that lately choirs of nymphs had settled there; their care it was ever to hymn Artemis with midnight song, as many of them as dwelt there round the lovely peak. All those, whose lot it is to watch o'er hilltops and mountain-streams, and they who guard the woods, were all drawn up apart; but she, the nymph of the water, was just rising from her lovely spring, when she marked him near with the blush of his beauty and sweet grace upon him. For on him the full moon from heaven was shedding her light. And Cypris made the nymph's heart flutter, and scarce in her confusion could she collect herself. But he, so soon as he had dipped his pitcher in the stream, leaning aslant over it, and good store of water was flowing into the sounding brass and bubbling round it, lo! in that instant the nymph from below the water laid her left arm on his neck, longing to kiss his soft lips; while with her right hand she plucked him by the elbow and plunged him amid the ripple.

And as he cried out, Polyphemus, son of Elatus, alone of his comrades, heard him, as he came on along the path. For he would welcome mighty Heracles, whensoever he might come. Away rushed he towards Pegæ like some wild beast, to whom from afar hath come the bleating of sheep, and furious with hunger he goeth to find them and yet cometh not upon the flocks, for shepherds before have penned them with their own hands within the fold; but he howls and roars unceasingly till he is tired. So then did the son of Elatus cry aloud, and went to and fro about the place shouting, and piteous was his voice. Anon drew he his mighty sword and started to go forth, for fear that the boy might be a prey to beasts, or men have taken him in ambush as he was alone, and be leading him away, an easy booty. Then did he meet Heracles himself in the way as he was brandishing his naked sword in his hand, and right well he knew him as he hasted toward the ship through the darkness. At once he told the grievous news, gasping hard for breath, «God help thee! friend, a bitter grief shall I be the first to tell thee. Hylas went unto the spring, but he cometh not again in safety; but robbers have attacked him and are leading him away, or beasts are tearing him, for I heard his loud cry.»

So spake he; and, as the other listened, there broke out great beads of sweat upon his forehead, and beneath

A
R
G
O
N
A
U
T
I
C
A

67

ἔνθ' αὐτῷ ξύμβλητο κατὰ στίβον Ἡρακλῆι
γυμνὸν ἐπαΐσσων παλάμῃ ξίφος· εὖ δέ μιν ἔγνω
σπερχόμενον μετὰ νῆα διὰ κνέφας. αὐτίκα δ' ἄτην
ἔκφατο λευγαλέην, βεβαρημένος ἄσθματι θυμόν·
'Δαιμόνιε, στυγερόν τοι ἄχος πάμπρωτος ἐνίψω.
οὐ γὰρ Ὕλας κρήνηνδε κιὼν σόος αὖτις ἱκάνει.
ἀλλά ἑ ληιστῆρες ἐνιχρίμψαντες ἄγουσιν,
ἢ θῆρες σίνονται· ἐγὼ δ' ἰάχοντος ἄκουσα.'
Ὣς φάτο· τῷ δ' ἀΐοντι κατὰ κροτάφων ἅλις ἱδρὼς
κήκιεν, ἐν δὲ κελαινὸν ὑπὸ σπλάγχνοις ζέεν αἷμα.
χωόμενος δ' ἐλάτην χαμάδις βάλεν, ἐς δὲ κέλευθον
τὴν θέεν, ᾗ πόδες αὐτὸν ὑπέκφερον ἀΐσσοντα.
ὡς δ' ὅτε τίς τε μύωπι τετυμμένος ἔσσυτο ταῦρος
πίσεά τε προλιπὼν καὶ ἑλεσπίδας, οὐδὲ νομήων,
οὐδ' ἀγέλης ὄθεται, πρήσσει δ' ὁδόν, ἄλλοτ' ἄπαυστος,
ἄλλοτε δ' ἱστάμενος καὶ ἀνὰ πλατὺν αὐχέν' ἀείρων
ἵησιν μύκημα, κακῷ βεβολημένος οἴστρῳ·
ὣς ὅγε μαιμώων ὁτὲ μὲν θοὰ γούνατ' ἔπαλλεν
συνεχέως, ὁτὲ δ' αὖτε μεταλλήγων καμάτοιο
τῆλε διαπρύσιον μεγάλῃ βοάασκεν αὐτῇ.
Αὐτίκα δ' ἀκροτάτας ὑπερέσχεθεν ἄκριας ἀστὴρ
ἠῷος, πνοιαὶ δὲ κατήλυθον· ὦκα δὲ Τῖφυς
ἐσβαίνειν ὀρόθυνεν, ἐπαύρεσθαί τ' ἀνέμοιο.
οἱ δ' εἴσβαινον ἄφαρ λελιημένοι· ὕψι δὲ νηὸς
εὐναίας ἐρύσαντες ἀνεκρούσαντο κάλωας.
κυρτώθη δ' ἀνέμῳ λίνα μεσσόθι, τῆλε δ' ἀπ' ἀκτῆς
γηθόσυνοι φορέοντο παραὶ Ποσιδήιον ἄκρην.
ἦμος δ' οὐρανόθεν χαροπὴ ὑπολάμπεται ἠὼς
ἐκ περάτης ἀνιοῦσα, διαγλαύσσουσι δ' ἀταρποί,
καὶ πεδία δροσόεντα φαεινῇ λάμπεται αἴγλῃ,
τῆμος τούσγ' ἐνόησαν ἀιδρείῃσι λιπόντες.
ἐν δέ σφιν κρατερὸν νεῖκος πέσεν, ἐν δὲ κολῳὸς
ἄσπετος, εἰ τὸν ἄριστον ἀποπρολιπόντες ἔβησαν
σφωιτέρων ἑτάρων. ὁ δ' ἀμηχανίῃσιν ἀτυχθεὶς
οὔτε τι τοῖον ἔπος μετεφώνεεν, οὔτε τι τοῖον
Αἰσονίδης· ἀλλ' ἧστο βαρείῃ νειόθεν ἄτῃ
θυμὸν ἔδων· Τελαμῶνα δ' ἕλεν χόλος, ὧδέ τ' ἔειπεν·
'Ἧσ' αὔτως εὔκηλος, ἐπεί νύ τοι ἄρμενον ἦεν
Ἡρακλῆα λιπεῖν· σέο δ' ἔκτοθι μῆτις ὄρωρεν,
ὄφρα τὸ κείνου κῦδος ἀν' Ἑλλάδα μή σε καλύψῃ,
αἴ κε θεοὶ δώωσιν ὑπότροπον οἴκαδε νόστον.
ἀλλὰ τί μύθων ἦδος ; ἐπεὶ καὶ νόσφιν ἑταίρων
εἶμι τεῶν, οἵ τόνγε δόλον συνετεκτήναντο.'
Ἦ, καὶ ἐς Ἁγνιάδην Τῖφυν θόρε· τὼ δέ οἱ ὄσσε
ὄστλιγγες μαλεροῖο πυρὸς ὣς ἰνδάλλοντο.

68

his heart the dark blood surged. Down upon the ground in wrath he cast the pine, and hasted along the path whither his feet carried him in his hurry. As when a bull somewhere, stung by the gadfly, rushes along, leaving the meadows and marsh-lands, and heedeth not the herdsmen, nor the herd, but passes on his way, at one time without stopping, and again standing still, and lifting up his broad neck he bellows aloud, 'neath the sting of that cursed fly; even so Heracles in his eagerness now made his swift knees move without a check, and now again, ceasing from his toil, he would make his loud shout peal afar.

Anon uprose the morning star above the topmost heights, and down came the breeze; quickly then did Tiphys urge them go aboard and take advantage of the wind. So they at once embarked eagerly, and they hauled in the anchor ropes of the ship and backed her out. And the sails were bellied out by the wind, and they were borne far from the beach past the headland of Posideum, glad at heart. Now when bright-eyed dawn, arising from the east, shed its light from heaven and the paths stood out clearly, and the dew-spangled plains shone in the bright gleam, then knew they those whom they had left behind in ignorance. And there arose a fierce strife amongst them, and brawling unspeakable, to think that they had gone and left the best of all their crew. But he, the son of Æson, mazed and at a loss, had nought to say one way or the other, but there he sat, inly consuming his soul with heavy woe; but Telamon was seized with wrath and thus spake he, «Sit thee then in silence thus, since it pleased thee well to leave Heracles behind; far from thee is any counsel that so his fame may not o'ershadow thee in Hellas, if haply the gods grant a return home again. But what joy is there in words? for I will go even apart from thy crew, who helped thee to devise this guile.»

He spake and sprung toward Tiphys, son of Hagnias, and his two eyes were like the flash of glowing fire. And now would they have come back to the Mysian land in spite of the wide sea and the ceaseless roaring blast, had not the two sons of Thracian Boreas held back the son of Æacus with harsh words, poor wights; verily upon them came a grievous vengeance in the after time from the hands of Heracles, for that they stayed the search for him. For he slew them in sea-girt Tenos

καί νύ κεν ἄψ ὀπίσω Μυσῶν ἐπὶ γαῖαν ἵκοντο
λαῖτμα βιησάμενοι ἀνέμου τ' ἄλληκτον ἰωήν,
εἰ μὴ Θρηικίοιο δύω υἷες Βορέαο
Αἰακίδην χαλεποῖσιν ἐρητύεσκον ἔπεσσιν,
σχέτλιοι· ἦ τέ σφιν στυγερὴ τίσις ἔπλετ' ὀπίσσω
χερσὶν ὑφ' Ἡρακλῆος, ὅ μιν δίζεσθαι ἔρυκον.
ἄθλων γὰρ Πελίαο δεδουπότος ἄψ ἀνιόντος
Τήνῳ ἐν ἀμφιρύτῃ πέφνεν, καὶ ἀμήσατο γαῖαν
ἀμφ' αὐτοῖς, στήλας τε δύω καθύπερθεν ἔτευξεν,
ὧν ἑτέρη, θάμβος περιώσιον ἀνδράσι λεύσσειν,
κίνυται ἠχήεντος ὑπὸ πνοιῇ βορέαο.
καὶ τὰ μὲν ὣς ἤμελλε μετὰ χρόνον ἐκτελέεσθαι.
τοῖσιν δὲ Γλαῦκος βρυχίης ἁλὸς ἐξεφαάνθη,
Νηρῆος θείοιο πολυφράδμων ὑποφήτης·
ὕψι δὲ λαχνῆέν τε κάρη καὶ στῆθε' ἀείρας
νειόθεν ἐκ λαγόνων στιβαρῇ ἐπορέξατο χειρὶ
νηίου ὁλκαίοιο, καὶ ἴαχεν ἐσσυμένοισιν·
'Τίπτε παρὲκ μεγάλοιο Διὸς μενεαίνετε βουλὴν
Αἰήτεω πτολίεθρον ἄγειν θρασὺν Ἡρακλῆα;
Ἄργεΐ οἱ μοῖρ' ἐστὶν ἀτασθάλῳ Εὐρυσθῆι
ἐκπλῆσαι μογέοντα δυώδεκα πάντας ἀέθλους,
ναίειν δ' ἀθανάτοισι συνέστιον, εἴ κ' ἔτι παύρους
ἐξανύσῃ· τῶ μή τι ποθὴ κείνοιο πελέσθω.
αὔτως δ' αὖ Πολύφημον ἐπὶ προχοῇσι Κίοιο
πέπρωται Μυσοῖσι περικλεὲς ἄστυ καμόντα
μοῖραν ἀναπλήσειν Χαλύβων ἐν ἀπείρονι γαίῃ.
αὐτὰρ Ὕλαν φιλότητι θεὰ ποιήσατο νύμφη
ὃν πόσιν, οἷό περ οὕνεκ' ἀποπλαγχθέντες ἔλειφθεν.'
Ἦ, καὶ κῦμ' ἀλίαστον ἐφέσσατο νειόθι δύψας·
ἀμφὶ δέ οἱ δίνῃσι κυκώμενον ἄφρεεν ὕδωρ
πορφύρεον, κοίλην δὲ διὲξ ἁλὸς ἔκλυσε νῆα.
γήθησαν δ' ἥρωες· ὁ δ' ἐσσυμένως ἐβεβήκει
Αἰακίδης Τελαμὼν ἐς Ἰήσονα χεῖρα δὲ χειρὶ
ἄκρην ἀμφιβαλὼν προσπτύξατο, φώνησέν τε·
'Αἰσονίδη, μή μοί τι χολώσεαι, ἀφραδίῃσιν
εἴ τί περ ἀασάμην· πέρι γὰρ μ' ἄχος εἷλεν ἐνισπεῖν
μῦθον ὑπερφίαλόν τε καὶ ἄσχετον, ἀλλ' ἀνέμοισιν
δώομεν ἀμπλακίην, ὡς καὶ πάρος εὐμενέοντες.'
Τὸν δ' αὖτ' Αἴσονος υἱὸς ἐπιφραδέως προσέειπεν·
'Ὦ πέπον, ἦ μάλα δή με κακῷ ἐκυδάσσαο μύθῳ,
φὰς ἐνὶ τοῖσιν ἅπασιν ἐνηέος ἀνδρὸς ἀλείτην
ἔμμεναι. ἀλλ' οὐ θήν τοι ἀδευκέα μῆνιν ἀέξω,
πρίν περ ἀνιηθείς· ἐπεὶ οὐ περὶ πώεσι μήλων,
οὐδὲ περὶ κτεάτεσσι χαλεψάμενος μενέηνας,
ἀλλ' ἑτάρου περὶ φωτός. ἔολπα δέ τοι σὲ καὶ ἄλλῳ

70

as they returned from the games after the slaughter of Pelias, and he piled the earth about them, and set up two pillars above them, whereof the one, an exceeding marvel for men to see, is stirred by the breath of the noisy north-wind. Thus were these things to be brought to pass in days to come. But to them appeared Glaucus from the depth of the sea, wise expounder of the will of godlike Nereus; and he raised aloft his shaggy head and chest from the hollow depths, and laid hold upon the ship's keel with his stalwart hand and cried to them as they hastened, «Why against the will of mighty Zeus are ye eager to take bold Heracles to the city of Æetes? His lot it is to toil in Argos for insolent Eurystheus till he complete twelve labours in all, and then to dwell amongst the deathless gods, if haply he accomplish yet a few. Wherefore let there be no regret for him. Yea, and even thus it is decreed that Polyphemus found a famous town amongst the Mysians at the mouth of the river Cios, and then wind up his clew of fate in the boundless country of the Chalybes. And Hylas hath a goddess nymph taken as her husband for love of him, and this was why they wandered away and were left behind.»

Therewith he dived below and wrapped the restless wave around him, and the dark water seethed and foamed in eddies about him, and he let the hollow ship go on through the sea. Then were the heroes glad; and he, Telamon, son of Æacus, made haste to come to Jason, and he grasped his hand in his own and embraced him, with these words, «Son of Æson, be not angered with me, if in my folly I was somewhat blinded, for exceeding grief urged me to speak a haughty word I could not stay. Nay, let us give our error to the winds, and be good friends even as before.»

Him in answer the son of Æson cautiously addressed, «Yea, good friend, that was a grievous word enough, I trow, wherewith thou didst revile me, making me to be a sinner against a comrade king amongst all these. Yet no long time will I nurse bitter wrath against thee, though before distressed, for it was not for flocks of sheep nor for possessions that thou wert angered into fury, but for a man that was thy comrade. Yea, fain would I have thee stand up for me too against another, if ever there come such need.»

He spake, and they sat them down, united as of old;

ἀμφ' ἐμεῦ, εἰ τοιόνδε πέλοι ποτέ, δηρίσασθαι.'
Ἦ ῥα, καὶ ἀρθμηθέντες, ὅπη πάρος, ἐδριόωντο.
τὼ δὲ Διὸς βουλῆσιν, ὁ μὲν Μυσοῖσι βαλέσθαι
μέλλεν ἐπώνυμον ἄστυ πολισσάμενος ποταμοῖο
Εἰλατίδης Πολύφημος· ὁ δ' Εὐρυσθῆος ἀέθλους
αὖτις ἰὼν πονέεσθαι, ἐπηπείλησε δὲ γαῖαν
Μυσίδ' ἀναστήσειν αὐτοσχεδόν, ὁππότε μή οἱ
ἢ ζωοῦ εὕροιεν Ὕλα μόρον, ἠὲ θανόντος.
τοῖο δὲ ῥύσι' ὅπασσαν ἀποκρίναντες ἀρίστους
υἱέας ἐκ δήμοιο, καὶ ὅρκια ποιήσαντο,
μήποτε μαστεύοντες ἀπολλήξειν καμάτοιο.
τούνεκεν εἰσέτι νῦν περ Ὕλαν ἐρέουσι Κιανοί,
κοῦρον Θειοδάμαντος, ἐϋκτιμένης τε μέλονται
Τρηχῖνος. δὴ γάρ ῥα κατ' αὐτόθι νάσσατο παῖδας
οὕς οἱ ῥύσια κεῖθεν ἐπιπροέηκαν ἄγεσθαι.
Νηῦν δὲ πανημερίην ἄνεμος φέρε νυκτί τε πάσῃ
λάβρος ἐπιπνείων· ἀτὰρ οὐδ' ἐπὶ τυτθὸν ἄητο
ἠοῦς τελλομένης, οἱ δὲ χθονὸς εἰσανέχουσαν
ἀκτὴν ἐκ κόλποιο μάλ' εὐρεῖαν ἐσιδέσθαι
φρασσάμενοι, κώπῃσιν ἅμ' ἠελίῳ ἐπέκελσαν.

72

and so by the counsel of Zeus, the one was destined to found and build a city called after the river, namely Polyphemus, son of Elatus, while the other returned and performed the labours of Eurystheus. Now he threatened at once to ravage the Mysian land, since they could not discover for him the fate of Hylas, either alive or dead. But they chose out the noblest sons of the people, and gave them as pledges for him, and took an oath that they would never cease from the toil of seeking him. Wherefore to this day the men of Cios ask after Hylas, the son of Theiodamas, and take care of the stablished town of Trachin, for there it was that Heracles did place the boys, whom they sent to him from Cios to take as hostages.

And all day long and all that night the wind bare on the ship, blowing in its strength; but as the dawn broke, never a breath stirred. So they, having marked a headland, broad enow to look upon, stretching out from a bend in the land, took to their oars and anchored there at sunrise.

ΒΙΒΛΙΟΝ ΔΕΥΤΕΡΟΝ

BOOK TWO

Ἔνθα δ' ἔσαν σταθμοί τε βοῶν αὖλίς τ' Ἀμύκοιο,
Βεβρύκων βασιλῆος ἀγήνορος, ὅν ποτε νύμφη
τίκτε Ποσειδάωνι Γενεθλίῳ εὐνηθεῖσα
Βιθυνὶς Μελίη, ὑπεροπληέστατον ἀνδρῶν·
ὅς τ' ἐπὶ καὶ ξείνοισιν ἀεικέα θεσμὸν ἔθηκεν,
μήτιν' ἀποστείχειν, πρὶν πειρήσασθαι ἑοῖο
πυγμαχίης· πολέας δὲ περικτιόνων ἐδάιξεν.
καὶ δὲ τότε προτὶ νῆα κιών, χρειώ μιν ἐρέσθαι
ναυτιλίης, οἵ τ' εἶεν, ὑπερβασίῃσιν ἄτισσεν,
τοῖον δ' ἐν πάντεσσι παρασχεδὸν ἔκφατο μῦθον·
'Κέκλυθ', ἁλίπλαγκτοι, τάπερ ἴδμεναι ὔμμιν ἔοικεν.
οὔτινα θεσμιόν ἐστιν ἀφορμηθέντα νέεσθαι
ἀνδρῶν ὀθνείων, ὅς κεν Βέβρυξι πελάσσῃ,
πρὶν χείρεσσιν ἐμῇσιν ἑὰς ἀνὰ χεῖρας ἀεῖραι.
τῶ καί μοι τὸν ἄριστον ἀποκριδὸν οἶον ὁμίλου
πυγμαχίῃ στήσασθε καταυτόθι δηρινθῆναι.
εἰ δ' ἂν ἀπηλεγέοντες ἐμὰς πατέοιτε θέμιστας,
ἦ κέν τις στυγερῶς κρατερὴ ἐπιέψετ' ἀνάγκη.'
Ἦ ῥα μέγα φρονέων· τοὺς δ' ἄγριος εἰσαΐοντας
εἷλε χόλος· περὶ δ' αὖ Πολυδεύκεα τύψεν ὁμοκλή.
αἶψα δ' ἑῶν ἑτάρων πρόμος ἵστατο, φώνησέν τε·
'Ἴσχεο νῦν, μηδ' ἄμμι κακήν, ὅτις εὔχεαι εἶναι,
φαῖνε βίην· θεσμοῖς γὰρ ὑπείξομεν, ὡς ἀγορεύεις.
αὐτὸς ἑκὼν ἤδη τοι ὑπίσχομαι ἀντιάασθαι'.
Ὣς φάτ' ἀπηλεγέως· ὁ δ' ἐσέδρακεν ὄμμαθ' ἑλίξας,

76

Here were the steadings and the farm of Amycus,
proud king of the Bebryces, whom on a day the Bithynian
nymph, Melie, bare from the embraces of Poseidon, lord
of birth, to be the haughtiest of men, for he laid this
unseemly ordinance even on his guests, that none
should go away, till he had made trial of his boxing;
and many of his neighbours had he slain. So then he
came to the ship, but scorned to ask the object of their
voyage and who they were, in his exceeding insolence; but
this word at once spake he amongst them all: «Hearken,
ye rovers o'er the deep; 'tis right ye should know these
things. Of stranger folk none may get him hence, whoso
draweth nigh to the Bebryces, ere he have lifted up his
hands to fight with me. Wherefore set the best man of
your company alone and apart to do battle with me in
boxing on the spot. But if ye neglect and trample on
my decrees, verily some hard necessity shall follow you
to your sorrow.»

So spake he in his great pride. But savage anger
seized them as they listened. And most of all his chiding
smote Polydeuces. Quickly he stood up as champion
of his fellows, and spake, «Hold thee now, and show
no coward violence, whoever thou boastest to be; for we
will yield to thy ordinance, as thou declarest it. I myself
willingly do undertake to meet thee in this very hour.»

77

ὥστε λέων ὑπ' ἄκοντι τετυμμένος, ὅν τ' ἐν ὄρεσσιν
ἀνέρες ἀμφιπένονται· ὁ δ' ἰλλόμενός περ ὁμίλῳ
τῶν μὲν ἔτ' οὐκ ἀλέγει, ἐπὶ δ' ὄσσεται οἰόθεν οἶος
ἄνδρα τόν, ὅς μιν ἔτυψε παροίτατος, οὐδ' ἐδάμασσεν.
ἔνθ' ἀπὸ Τυνδαρίδης μὲν ἐΰστιπτον θέτο φᾶρος
λεπταλέον, τό ῥά οἱ τις ἑὸν ξεινήιον εἶναι
ὤπασε Λημνιάδων· ὁ δ' ἐρεμνὴν δίπτυχα λώπην
αὐτῇσιν περόνῃσι καλαύροπά τε τρηχεῖαν
κάββαλε, τὴν φορέεσκεν, ὀριτρεφέος κοτίνοιο.
αὐτίκα δ' ἐγγύθι χῶρον ἑαδότα παπτήναντες
ἷζον ἑοὺς δίχα πάντας ἐνὶ ψαμάθοισιν ἑταίρους,
οὐ δέμας, οὐδὲ φυὴν ἐναλίγκιοι εἰσοράασθαι.
ἀλλ' ὁ μὲν ἢ ὀλοοῖο Τυφωέος, ἠὲ καὶ αὐτῆς
Γαίης εἶναι ἔικτο πέλωρ τέκος, οἷα πάροιθεν
χωομένη Διὶ τίκτεν· ὁ δ' οὐρανίῳ ἀτάλαντος
ἀστέρι Τυνδαρίδης, οὗπερ κάλλισται ἔασιν
ἑσπερίην διὰ νύκτα φαεινομένου ἀμαρυγαί.
τοῖος ἔην Διὸς υἱός, ἔτι χνοάοντας ἰούλους
ἀντέλλων, ἔτι φαιδρὸς ἐν ὄμμασιν. ἀλλά οἱ ἀλκὴ
καὶ μένος ἠΰτε θηρὸς ἀέξετο· πῆλε δὲ χεῖρας
πειράζων, εἴθ' ὡς πρὶν ἐυτρόχαλοι φορέονται,
μηδ' ἄμυδις καμάτῳ τε καὶ εἰρεσίῃ βαρύθοιεν.
οὐ μὰν αὖτ' Ἄμυκος πειρήσατο· σῖγα δ' ἄπωθεν
ἑστηὼς εἰς αὐτὸν ἔχ' ὄμματα, καί οἱ ὀρέχθει
θυμὸς ἐελδομένῳ στηθέων ἐξ αἷμα κεδάσσαι.
τοῖσι δὲ μεσσηγὺς θεράπων Ἀμύκοιο Λυκωρεὺς
θῆκε πάροιθε ποδῶν δοιοὺς ἑκάτερθεν ἱμάντας
ὠμούς, ἀζαλέους, περὶ δ' οἵγ' ἔσαν ἐσκληῶτες.
αὐτὰρ ὁ τόνγ' ἐπέεσσιν ὑπερφιάλοισι μετηύδα·
'Τῶνδέ τοι ὅν κ' ἐθέλῃσθα, πάλου ἄτερ ἐγγυαλίξω
αὐτὸς ἑκών, ἵνα μή μοι ἀτέμβηαι μετόπισθεν.
ἀλλὰ βάλευ περὶ χειρί· δαεὶς δέ κεν ἄλλῳ ἐνίσποις,
ὅσσον ἐγὼ ῥινούς τε βοῶν περίειμι ταμέσθαι
ἀζαλέας, ἀνδρῶν τε παρηίδας αἵματι φύρσαι.'
Ὣς ἔφατ'· αὐτὰρ ὅγ' οὔτι παραβλήδην ἐρίδηνεν.
ἦκα δὲ μειδήσας, οἵ οἱ παρὰ ποσσὶν ἔκειντο,
τοὺς ἕλεν ἀπροφάτως· τοῦ δ' ἀντίος ἤλυθε Κάστωρ
ἠδὲ Βιαντιάδης Ταλαὸς μέγας· ὦκα δ' ἱμάντας
ἀμφέδεον, μάλα πολλὰ παρηγορέοντες ἐς ἀλκήν.
τῷ δ' αὖτ' Ἄρητός τε καὶ Ὄρνυτος, οὐδέ τι ᾔδειν
νήπιοι ὕστατα κεῖνα κακῇ δήσαντες ἐν αἴσῃ.
Οἱ δ' ἐπεὶ οὖν ἱμᾶσι διασταδὸν ἠρτύναντο,
αὐτίκ' ἀνασχόμενοι ῥεθέων προπάροιθε βαρείας
χεῖρας, ἐπ' ἀλλήλοισι μένος φέρον ἀντιόωντες.
ἔνθα δὲ Βεβρύκων μὲν ἄναξ, ἅ τε κῦμα θαλάσσης

So spake he bluntly; but the other rolled his eyes and gazed at him, as when a lion is wounded by a spear, and men encompass him upon the hills; but he, hemmed in, though he be, by the press, yet recketh no more of them, but only mindeth in his solitude that man who first did wound him and slew him not. Then did the son of Tyndarus lay aside his fine close-woven robe, that robe which one of the Lemnian maidens had given him for a stranger's gift, and he threw down his dark cloak of double woof with the brooches thereupon, and the rough shepherd's crook of wild mountain olive that he was carrying. Anon they looked about for a convenient spot near, and made their comrades all sit down in two bands upon the beach; nor were they in form or stature like each other to behold. The one was like some monstrous birth of baleful Typhoeus or haply of Earth herself, such as she aforetime bare to Zeus in her displeasure; while the other, the son of Tyndarus, was like a star of heaven, whose twinklings are most lovely when he shineth in the gloaming. So fair was the son of Zeus, with the young down still sprouting on his face and the glad light yet in his eyes. But his might and his spirit waxed as doth a beast's; and he swung his arms, testing them to see if they moved nimbly as of yore, or lest they might be stiff withal from toil and rowing. Amycus however made no trial of himself; there he stood apart in silence, and kept his eyes on him, and his heart beat high with eagerness to dash the other's life-blood from his breast. Betwixt them Lycoreus, henchman of Amycus, laid at their feet two pairs of thongs, rough, dry, and wrinkled all about. And Amycus with haughty words addressed the other: «Here will I freely give thee without casting lots whichever of these thou wilt, that thou mayst not find fault with me hereafter. Come, bind it about thy hand; and, when thou hast learnt, thou mayst tell another, how far I excel in cutting the hides of oxen when they are dry, and in dabbling men's cheeks with blood.»

He spake; but the other answered him with never a taunt, but, lightly smiling, readily took up the thongs that lay at his own feet; and Castor came to be his squire, and mighty Talaus, the son of Bias; and quickly they bound the thongs about his arms, very earnestly exhorting him to show his prowess; while for that other Aretus and Ornytus did the like, and little they knew,

τρηχὺ θοὴν ἐπὶ νῆα κορύσσεται, ἡ δ' ὑπὸ τυτθὸν
ἰδρείῃ πυκινοῖο κυβερνητῆρος ἀλύσκει,
ἱεμένου φορέεσθαι ἔσω τοίχοιο κλύδωνος,
ὣς ὅγε Τυνδαρίδην φοβέων ἕπετ', οὐδέ μιν εἴα
δηθύνειν. ὁ δ' ἄρ' αἰὲν ἀνούτατος ἦν διὰ μῆτιν
ἀίσσοντ' ἀλέεινεν· ἀπηνέα δ' αἶψα νοήσας
πυγμαχίην, ᾗ κάρτος ἀάατος, ᾗ τε χερείων,
στῆ ῥ' ἄμοτον καὶ χερσὶν ἐναντία χεῖρας ἔμιξεν.
ὡς δ' ὅτε νήια δοῦρα θοοῖς ἀντίξοα γόμφοις
ἀνέρες ὑληουργοὶ ἐπιβλήδην ἐλάοντες
θείνωσι σφύρῃσιν, ἐπ' ἄλλῳ δ' ἄλλος ἄηται
δοῦπος ἄδην· ὣς τοῖσι παρήιά τ' ἀμφοτέρωθεν
καὶ γέννες κτύπεον· βρυχὴ δ' ὑπετέλλετ' ὀδόντων
ἄσπετος, οὐδ' ἔλληξαν ἐπισταδὸν οὐτάζοντες,
ἔστε περ οὐλοὸν ἆσθμα καὶ ἀμφοτέρους ἐδάμασσεν.
στάντε δὲ βαιὸν ἄπωθεν ἀπωμόρξαντο μετώπων
ἱδρῶ ἅλις, καματηρὸν ἀυτμένα φυσιόωντε.
ἂψ δ' αὖτις συνόρουσαν ἐναντίοι, ἠύτε ταύρω
φορβάδος ἀμφὶ βοὸς κεκοτηότε δηριάασθον.
ἔνθα δ' ἔπειτ' Ἄμυκος μὲν ἐπ' ἀκροτάτοισιν ἀερθεὶς,
βουτύπος οἷα, πόδεσσι τανύσσατο, κὰδ δὲ βαρεῖαν
χεῖρ' ἐπὶ οἷ πελέμιξεν· ὁ δ' ἀίξαντος ὑπέστη,
κρᾶτα παρακλίνας, ὤμῳ δ' ἀνεδέξατο πῆχυν
τυτθόν· ὁ δ' ἄγχ' αὐτοῖο παρὲκ γόνυ γουνὸς ἀμείβων
κόψε μεταΐγδην ὑπὲρ οὔατος, ὀστέα δ' εἴσω
ῥῆξεν· ὁ δ' ἀμφ' ὀδύνῃ γνὺξ ἤριπεν· οἱ δ' ἰάχησαν
ἥρωες Μινύαι· τοῦ δ' ἀθρόος ἔκχυτο θυμός.
Οὐδ' ἄρα Βέβρυκες ἄνδρες ἀφείδησαν βασιλῆος·
ἀλλ' ἄμυδις κορύνας ἀζηχέας ἠδὲ σιγύννους
ἰθὺς ἀνασχόμενοι Πολυδεύκεος ἀντιάασκον.
τοῦ δὲ πάρος κολεῶν εὐήκεα φάσγαν' ἑταῖροι
ἔσταν ἐρυσσάμενοι. πρῶτός γε μὲν ἀνέρα Κάστωρ
ἤλασ' ἐπεσσύμενον κεφαλῆς ὕπερ· ἡ δ' ἑκάτερθεν
ἔνθα καὶ ἔνθ' ὤμοισιν ἐπ' ἀμφοτέροις ἐκεάσθη.
αὐτὸς δ' Ἰτυμονῆα πελώριον ἠδὲ Μίμαντα,
τὸν μὲν ὑπὸ στέρνοιο θοῷ ποδὶ λὰξ ἐπορούσας
πλῆξε, καὶ ἐν κονίῃσι βάλεν· τοῦ δ' ἆσσον ἰόντος
δεξιτερῇ σκαιῆς ὑπὲρ ὀφρύος ἤλασε χειρί,
δρύψε δέ οἱ βλέφαρον, γυμνὴ δ' ὑπελείπετ' ὀπωπή.
Ὠρείδης δ' Ἀμύκοιο βίην ὑπέροπλος ὀπάων
οὖτα Βιαντιάδαο κατὰ λαπάρην Ταλαοῖο,
ἀλλά μιν οὐ κατέπεφνεν, ὅσον δ' ἐπὶ δέρματι μοῦνον
νηδυίων ἄψαυστος ὑπὸ ζώνην θόρε χαλκός.
αὔτως δ' Ἄρητος μενεδήιον Εὐρύτου υἷα
Ἴφιτον ἀζαλέῃ κορύνῃ στυφέλιξεν ἐλάσσας,

*poor fools, that they had bound them for the last time,
with ill luck to boot.*

*But they then, when they were ready with their
thongs, face to face, at once held out before their bodies
their weighty fists, and brought their might to meet
each other. Then the king of the Bebryces, like a wave
of the sea that rears its rugged crest against a swift
ship that only just avoids it by the skill of the crafty
pilot, as the billow is eager to rush within her bulwark;
even so the king pressed hard the son of Tyndarus to
frighten him, nor would he give him any respite. But
the other, unwounded ever, kept avoiding his rush by
his skill; and quickly he noted his rough boxing, to see
if he were invincible in his strength or haply his inferior;
so there he stood continually, and gave him blow for blow.
As when carpenters, urgently laying on, do strike with
hammers and nail together ship-timbers with sharp
mortices, while blow on blow re-echoes round unceasingly;
so their cheeks and jaws on both sides resounded, and
the gnashing of teeth arose incessantly, and they ceased
not to smite each in turn, till sore gasping o'ercame
them both. Then stood they a little apart, wiping
from their faces great drops of sweat, with grievous
panting and hard breathing the while. Once more
they roused them to the encounter, like two bulls that
furiously battle for a grazing heifer. Then did Amycus,
rising on tiptoe, like a butcher, strain to his full
height and shot forth his heavy fist at him, but he
stooped his head and went under his rush, but caught
his blow just on the shoulder; then did he come up to
Amycus, and advancing his knee past him dashed in
and smote him above the ear, crashing the bones inward;
and the other fell on his knees in agony, but the
Minyan heroes cheered; and away sped his spirit
at once.*

*But the Bebryces, I trow, left not their king thus;
no, at once they caught up rough clubs and spears and
made straight for Polydeuces. But his comrades drew
their keen swords from the scabbards and stood up before
him. 'Twas Castor first that smote a man upon the head
as he rushed at him, and his skull was cleft in twain
on either shoulder. Likewise he smote the giant Itymoneus
and Mimas; the one he smote beneath the breast, having
rushed on him with speedy foot, and hurled him in the
dust; the other, as he drew nigh, he struck with his*

οὔπω κηρὶ κακῇ πεπρωμένον· ἦ τάχ' ἔμελλεν
αὐτὸς δῃώσεσθαι ὑπὸ ξίφεϊ Κλυτίοιο.
καὶ τότ' ἄρ' Ἀγκαῖος Λυκοόργοιο θρασὺς υἱὸς
αἶψα μάλ' ἀντεταγὼν πέλεκυν μέγαν ἠδὲ κελαινὸν
ἄρκτου προσχόμενος σκαιῇ δέρος ἔνθορε μέσσῳ

ἐμμεμαὼς Βέβρυξιν· ὁμοῦ δέ οἱ ἐσσεύοντο
Αἰακίδαι, σὺν δέ σφιν ἀρήιος ὦρνυτ' Ἰήσων.
ὡς δ' ὅτ' ἐνὶ σταθμοῖσιν ἀπείρονα μῆλ' ἐφόβησαν
ἤματι χειμερίῳ πολιοὶ λύκοι ὁρμηθέντες

λάθρῃ ἐϋρρίνων τε κυνῶν αὐτῶν τε νομήων,
μαίονται δ' ὅ τι πρῶτον ἐπαΐξαντες ἕλωσιν,
πόλλ' ἐπιπαμφαλόωντες ὁμοῦ· τὰ δὲ πάντοθεν αὔτως
στείνονται πίπτοντα περὶ σφίσιν· ὣς ἄρα τοίγε

λευγαλέως Βέβρυκας ὑπερφιάλους ἐφόβησαν.
ὡς δὲ μελισσάων σμῆνος μέγα μηλοβοτῆρες
ἠὲ μελισσοκόμοι πέτρῃ ἔνι καπνιόωσιν,
αἱ δ' ἤτοι τείως μὲν ἀολλέες ᾧ ἐνὶ σίμβλῳ

βομβηδὸν κλονέονται, ἐπιπρὸ δὲ λιγνυόεντι
καπνῷ τυφόμεναι πέτρης ἑκὰς ἀΐσσουσιν·
ὣς οἵγ' οὐκέτι δὴν μένον ἔμπεδον, ἀλλ' ἐκέδασθεν
εἴσω Βεβρυκίης, Ἀμύκου μόρον ἀγγελέοντες·

νήπιοι, οὐδ' ἐνόησαν ὃ δή σφισιν ἐγγύθεν ἄλλο
πῆμ' ἀΐδηλον ἔην. πέρθοντο γὰρ ἠμὲν ἀλωαὶ
ἠδ' οἶαι τῆμος δῄῳ ὑπὸ δουρὶ Λύκοιο
καὶ Μαριανδυνῶν ἀνδρῶν, ἀπεόντος ἄνακτος.
αἰεὶ γὰρ μάρναντο σιδηροφόρου περὶ γαίης.

οἱ δ' ἤδη σταθμούς τε καὶ αὔλια δῃάασκον·
ἤδη δ' ἄσπετα μῆλα περιτροπάδην ἐτάμοντο
ἥρωες, καὶ δή τις ἔπος μετὰ τοῖσιν ἔειπεν·
'Φράζεσθ' ὅττι κεν ᾗσιν ἀναλκείῃσιν ἔρεξαν,
εἴ πως Ἡρακλῆα θεὸς καὶ δεῦρο κόμισσεν.

ἤτοι μὲν γὰρ ἐγὼ κείνου παρεόντος ἔολπα
οὐδ' ἂν πυγμαχίῃ κρινθήμεναι· ἀλλ' ὅτε θεσμοὺς
ἤλυθεν ἐξερέων, αὐτοῖς ἄφαρ οἷς ἀγόρευεν
θεσμοῖσιν ῥοπάλῳ μιν ἀγηνορίης λελαθέσθαι.

ναὶ μὲν ἀκήδεστον γαίῃ ἔνι τόνγε λιπόντες
πόντον ἐπέπλωμεν· μάλα δ' ἡμέων αὐτὸς ἕκαστος
εἴσεται οὐλομένην ἄτην, ἀπάνευθεν ἐόντος.'
Ὣς ἄρ' ἔφη· τὰ δὲ πάντα Διὸς βουλῇσι τέτυκτο.

καὶ τότε μὲν μένον αὖθι διὰ κνέφας, ἕλκεά τ' ἀνδρῶν
οὐταμένων ἀκέοντο, καὶ ἀθανάτοισι θυηλὰς
ῥέξαντες μέγα δόρπον ἐφώπλισαν· οὐδέ τιν' ὕπνος
εἷλε παρὰ κρητῆρι καὶ αἰθομένοις ἱεροῖσιν.
ξανθὰ δ' ἐρεψάμενοι δάφνῃ καθύπερθε μέτωπα

ἀγχιάλῳ, τῇ καί τε περὶ πρυμνῆσι' ἀνῆπτο.

82

*right hand above the left eye-brow and tore off the lid,
and the eye was left uncovered. And Oreides too, daring
squire of Amycus, wounded Talaus, the son of Bias,
in the loins, but he slew him not, for the bronze sped
beneath his belt merely along the skin, and touched not
his belly. In like manner Aretus sprang at Iphitus,
steadfast son of Eurytus, and smote him with a seasoned
club, not yet doomed to die miserably; Aretus indeed
was soon to fall beneath the sword of Clytius.*

*'Twas then that Ancæus, bold son of Lycurgus,
uplifted his great axe right speedily, holding his black
bear skin in his left hand, and sprang furiously into
the thick of the Bebryces, and the son of Æacus charged
with him, and Jason too rushed on with them.*

*As when, on a day in winter, grizzled wolves attack
and terrify countless sheep in the fold without the
knowledge of the keen-scented dogs and the shepherds
themselves, and they seek how they may at once spring
on them and take them, oft peering over the pens withal,
while the sheep from every side huddle as they are,
tumbling over one another; even so, I ween, the heroes
grievously affrighted the overweening Bebryces. As
shepherds or bee-keepers smoke a mighty swarm of
bees in a rock, and these the while, all huddled in their
hive, buzz round confusedly; and far from the rock they
dart, smoked right through by the sooty fumes; so these
men no longer abode steadfastly, but fled routed within
Bebrycia, carrying the news of the death of Amycus;
poor fools, for they knew not of another unseen woe that
was very nigh to them. For their orchards and villages
were wasted by the hostile spear of Lycus and the
Mariandyni now that their king was gone. For there
was ever a feud twixt them about the land that yielded
iron; for these at once began to pillage the farms and
steadings, while the heroes forthwith plundered and carried
off their countless sheep; and thus some man amongst
them would say: «Bethink you what they would have
brought upon themselves by their craven deeds, if haply
some god had brought Heracles too hither. Very sure am
I, had he been here, there would have been not so much as
a trial of boxing; no, but when he came to tell his
ordinances, forthwith the club would have made him
forget his pride and the ordinances too which he declared.
Yea, we have left him yonder on the shore without a
thought and gone our way across the sea, but every*

Ὀρφείῃ φόρμιγγι συνοίμιον ὕμνον ἄειδον
ἐμμελέως· περὶ δέ σφιν ἰαίνετο νήνεμος ἀκτὴ
μελπομένοις· κλεῖον δὲ Θεραπναῖον Διὸς υἷα.
Ἦμος δ' ἠέλιος δροσερὰς ἐπέλαμψε κολώνας
ἐκ περάτων ἀνιών, ἤγειρε δὲ μηλοβοτῆρας,
δὴ τότε λυσάμενοι νεάτης ἐκ πείσματα δάφνης,
ληίδα τ' εἰσβήσαντες ὅσην χρεὼ ἦεν ἄγεσθαι,
πνοιῇ δινήεντ' ἀνὰ Βόσπορον ἰθύνοντο.
ἔνθα μὲν ἠλιβάτῳ ἐναλίγκιον οὔρεϊ κῦμα
ἀμφέρεται προπάροιθεν ἐπαΐσσοντι ἐοικός,
αἰὲν ὑπὲρ νεφέων ἠερμένον· οὐδέ κε φαίης
φεύξεσθαι κακὸν οἶτον, ἐπεὶ μάλα μεσσόθι νηὸς
λάβρον ἐπικρέμαται, καθάπερ νέφος. ἀλλὰ τόγ' ἔμπης
στόρνυται, εἴ κ' ἐσθλοῖο κυβερνητῆρος ἐπαύρῃ.
τῶ καὶ Τίφυος οἴδε δαημοσύνῃσι νέοντο,
ἀσκηθεῖς μέν, ἀτὰρ πεφοβημένοι. ἤματι δ' ἄλλῳ
ἀντιπέρην γαίῃ Βιθυνίδι πείσματ' ἀνῆψαν.
Ἔνθα δ' ἐπάκτιον οἶκον Ἀγηνορίδης ἔχε Φινεύς,
ὃς περὶ δὴ πάντων ὀλοώτατα πήματ' ἀνέτλη
εἵνεκα μαντοσύνης, τήν οἱ πάρος ἐγγυάλιξεν
Λητοΐδης· οὐδ' ὅσσον ὀπίζετο καὶ Διὸς αὐτοῦ
χρείων ἀτρεκέως ἱερὸν νόον ἀνθρώποισιν.
τῶ καί οἱ γῆρας μὲν ἐπὶ δηναιὸν ἴαλλεν,
ἐκ δ' ἕλετ' ὀφθαλμῶν γλυκερὸν φάος· οὐδὲ γάνυσθαι
εἴα ἀπειρεσίοισιν ὀνείασιν, ὅσσα οἱ αἰεὶ
θέσφατα πευθόμενοι περιναιέται οἴκαδ' ἄγειρον.
ἀλλὰ διὰ νεφέων ἄφνω πέλας ἀίσσουσαι
Ἅρπυιαι στόματος χειρῶν τ' ἀπὸ γαμφηλῇσιν
συνεχέως ἥρπαζον. ἐλείπετο δ' ἄλλοτε φορβῆς
οὐδ' ὅσον, ἄλλοτε τυτθόν, ἵνα ζώων ἀκάχοιτο.
καὶ δ' ἐπὶ μυδαλέην ὀδμὴν χέον· οὐδέ τις ἔτλη
μὴ καὶ λευκανίηνδε φορεύμενος, ἀλλ' ἀποτηλοῦ
ἑστηώς· τοῖόν οἱ ἀπέπνεε λείψανα δαιτός.
αὐτίκα δ' εἰσαΐων ἐνοπὴν καὶ δοῦπον ὁμίλου
τούσδ' αὐτοὺς παριόντας ἐπήισεν, ὧν οἱ ἰόντων
θέσφατον ἐκ Διὸς ἦεν ἑῆς ἀπόνασθαι ἐδωδῆς.
ὀρθωθεὶς δ' εὐνῆθεν, ἀκήριον ἠύτ' ὄνειρον,
βάκτρῳ σκηπτόμενος ῥικνοῖς ποσὶν ᾖε θύραζε,
τοίχους ἀμφαφόων· τρέμε δ' ἄψεα νισσομένοιο
ἀδρανίῃ γήραϊ τε· πίνῳ δέ οἱ αὐσταλέος χρὼς
ἐσκλήκει, ῥινοὶ δὲ σὺν ὀστέα μοῦνον ἔεργον.
ἐκ δ' ἐλθὼν μεγάροιο καθέζετο γοῦνα βαρυνθεὶς
οὐδοῦ ἐπ' αὐλείοιο· κάρος δέ μιν ἀμφεκάλυψεν
πορφύρεος, γαῖαν δὲ πέριξ ἐδόκησε φέρεσθαι
νειόθεν, ἀβληχρῷ δ' ἐπὶ κώματι κέκλιτ' ἄναυδος.

84

man amongst us shall know that fatal mistake, now that he is far away.»

Thus spake he; but all these things were wrought by the counsels of Zeus. There they abode that night, and set to curing the wounds of those who were smitten, and they offered sacrifices to the deathless gods, and made ready a great supper; and sleep o'ertook no man beside the wine-bowls and the blazing sacrifices. And they wreathed their yellow locks with bay that groweth by the sea, whereto also were fastened the cables, and sang in sweet harmony to the lyre of Orpheus; and as they sang the headland round grew calm and still, for their song was of the son of Zeus, who dwelleth in Therapnæ.

Now when the sun, rising from the east, shone upon the dewy hills, and awoke shepherds, in that hour they loosed their cables from the stem of the bay-tree, and, putting their booty on board, even all that they had need to carry, they steered with the wind along the swirling Bosporus. Then did a wave like to a steep mountain rush upon them in front, as though it were charging them, rearing itself ever above the clouds, and never wouldst thou have said they would escape a horrid fate, for it hung arching right over the middle of the ship in all its fury; but yet even this grows smooth, if but you possess a clever pilot. So then they too came forth, unscathed, though much afeard, through the skill of Tiphys. And on the next day they anchored over against the Bithynian land.

Here Phineus, son of Agenor, had his home beside the sea; he who, by reason of the divination that the son of Leto granted him aforetime, suffered most awful woes, far beyond all men; for not one jot did he regard even Zeus himself, in foretelling the sacred purpose to men unerringly. Wherefore Zeus granted him a weary length of days, but reft his eyes of the sweet light, nor suffered him to have any joy of all the countless gifts, which those, who dwelt around and sought to him for oracles, were ever bringing to his house. But suddenly through the clouds the Harpies darted nigh, and kept snatching them from his mouth or hands in their talons. Sometimes never a morsel of food was left him, sometimes a scrap, that he might live and suffer. And upon his food they spread a fetid stench; and none could endure to bring food to his mouth, but stood afar off; so foul

οἱ δέ μιν ὡς εἴδοντο, περισταδὸν ἠγερέθοντο
καὶ τάφον. αὐτὰρ ὁ τοῖσι μάλα μόλις ἐξ ὑπάτοιο
στήθεος ἀμπνεύσας μετεφώνεε μαντοσύνῃσιν·
'Κλῦτε, Πανελλήνων προφερέστατοι, εἰ ἐτεὸν δὴ
οἵδ' ὑμεῖς, οὓς δὴ κρυερῇ βασιλῆος ἐφετμῇ
Ἀργῴης ἐπὶ νηὸς ἄγει μετὰ κῶας Ἰήσων.
ὑμεῖς ἀτρεκέως. ἔτι μοι νόος οἶδεν ἕκαστα
ᾗσι θεοπροπίῃσι. χάριν νύ τοι, ὦ ἄνα, Λητοῦς
υἱέ, καὶ ἀργαλέοισιν ἀνάπτομαι ἐν καμάτοισιν.
Ἱκεσίου πρὸς Ζηνός, ὅτις ῥίγιστος ἀλιτροῖς
ἀνδράσι, Φοίβου τ' ἀμφὶ καὶ αὐτῆς εἵνεκεν Ἥρης
λίσσομαι, ᾗ περίαλλα θεῶν μέμβλεσθε κιόντες,
χραίσμετέ μοι, ῥύσασθε δυσάμμορον ἀνέρα λύμης,
μηδέ μ' ἀκηδείῃσιν ἀφορμήθητε λιπόντες
αὔτως. οὐ γὰρ μοῦνον ἐπ' ὀφθαλμοῖσιν Ἐρινὺς
λὰξ ἐπέβη, καὶ γῆρας ἀμήρυτον ἐς τέλος ἕλκω·
πρὸς δ' ἔτι πικρότατον κρέμαται κακὸν ἄλλο κακοῖσιν·
Ἅρπυιαι στόματός μοι ἀφαρπάζουσιν ἐδωδὴν
ἔκποθεν ἀφράστοιο καταΐσσουσαι ὀλέθρου.
ἴσχω δ' οὔτινα μῆτιν ἐπίρροθον. ἀλλά κε ῥεῖα
αὐτὸς ἑὸν λελάθοιμι νόον δόρποιο μεμηλώς,
ἢ κείνας· ὧδ' αἶψα διηέριαι ποτέονται.
τυτθὸν δ' ἢν ἄρα δήποτ' ἐδητύος ἄμμι λίπωσιν,
πνεῖ τόδε μυδαλέον τε καὶ οὐ τλητὸν μένος ὀδμῆς·
οὔ κέ τις οὐδὲ μίνυνθα βροτῶν ἄνσχοιτο πελάσσας,
οὐδ' εἰ οἱ ἀδάμαντος ἐληλάμενον κέαρ εἴη.
ἀλλά με πικρὴ δῆτα καὶ ἄατος ἴσχει ἀνάγκη
μίμνειν καὶ μίμνοντα κακῇ ἐν γαστέρι θέσθαι.
τὰς μὲν θέσφατόν ἐστιν ἐρητῦσαι Βορέαο
υἱέας. οὐδ' ὀθνεῖοι ἀλαλκήσουσιν ἐόντες,
εἰ δὴ ἐγὼν ὁ πρίν ποτ' ἐπικλυτὸς ἀνδράσι Φινεὺς
ὄλβῳ μαντοσύνῃ τε, πατὴρ δέ με γείνατ' Ἀγήνωρ·
τῶν δὲ κασιγνήτην, ὅτ' ἐνὶ Θρήκεσσιν ἄνασσον,
Κλειοπάτρην ἕδνοισιν ἐμὸν δόμον ἦγον ἄκοιτιν.'
Ἴσκεν Ἀγηνορίδης· ἀδινὸν δ' ἕλε κῆδος ἕκαστον
ἡρώων, πέρι δ' αὖτε δύω υἷας Βορέαο.
δάκρυ δ' ὀμορξαμένω σχεδὸν ἤλυθον, ὧδέ τ' ἔειπεν
Ζήτης, ἀσχαλόωντος ἑλὼν χερὶ χεῖρα γέροντος·
'Ἆ δείλ', οὔτινά φημι σέθεν σμυγερώτερον ἄλλον
ἔμμεναι ἀνθρώπων. τί νύ τοι τόσα κήδε' ἀνῆπται;
ἦ ῥα θεοὺς ὀλοῇσι παρήλιτες ἀφραδίῃσιν
μαντοσύνας δεδαώς; τῷ τοι μέγα μηνιόωσιν;
ἄμμι γε μὴν νόος ἔνδον ἀτύζεται ἱεμένοισιν
χραισμεῖν, εἰ δὴ πρόχνυ γέρας τόδε πάρθετο δαίμων
νῶιν. ἀρίζηλοι γὰρ ἐπιχθονίοισιν ἐνιπαὶ

a reek breathed from the remnants of his meal. At once, when he heard the sound and noise of a company, he perceived that they were the very men now passing by, at whose coming an oracle from Zeus had said that he should enjoy his food. Up from his couch he rose, as it were, a lifeless phantom, and, leaning on his staff, came to the door on his wrinkled feet, feeling his way along the walls; and, as he went, his limbs trembled from weakness and age, and his skin was dry and caked with filth, and nought but the skin held his bones together. So he came forth from his hall, and sat down with heavy knees on the threshold of the court, and a dark swoon gathered about him and he thought that the earth beneath was spinning round; and there he sank with never a word, in strengthless lethargy.

But they, when they saw him, gathered round, and were astonied. And he, drawing a laboured breath from the bottom of his chest, took up his parable for them and said : « Hearken, choice sons of all the Hellenes, if 'tis you in very truth, whom now Jason, at the king's chill bidding, is leading on the ship Argo to fetch the fleece. 'Tis surely you. Still doth my mind know each thing by its divining. Wherefore to thee, my prince, thou son of Leto, do I give thanks even in my cruel sufferings. By Zeus, the god of suppliants, most awful god to sinful men, for Phœbus' sake and for the sake of Hera herself, who before all other gods hath had you in her keeping as ye came, help me, I implore; rescue a hapless wretch from misery, and do not heedlessly go hence and leave me thus. For not only hath the avenging fiend set his heel upon my eyes, not only do I drag out to the end a tedious old age, but yet another most bitter pain is added to the tale. Harpies, swooping from some unseen den of destruction, that I see not, do snatch the food from my mouth. And I have no plan to help me. But lightly would my mind forget her longing for a meal, or the thought of them, so quickly fly they through the air. But if, as happens at times, they leave me some scrap of food, a noisome stench it hath, and a smell too strong to bear, nor could any mortal man draw nigh and bear it even for a little while, no, not though his heart were forged of adamant. But me, God wot, doth necessity, cruel and insatiate, constrain to abide, and abiding to put such food in my miserable belly. Them 'tis heaven's decree that the sons of Boreas

ἀθανάτων. οὐδ' ἂν πρὶν ἐρητύσαιμεν ἰούσας
Ἁρπυίας, μάλα περ λελιημένοι, ἔστ' ἂν ὀμόσσῃς,
μὴ μὲν τοῖό γ' ἕκητι θεοῖς ἀπὸ θυμοῦ ἔσεσθαι.'
Ὣς φάτο· τοῦ δ' ἰθὺς κενεὰς ὁ γεραιὸς ἀνέσχεν
γλήνας ἀμπετάσας, καὶ ἀμείψατο τοῖσδ' ἐπέεσσιν·
Σῖγα· μή μοι ταῦτα νόῳ ἔνι βάλλεο, τέκνον.
ἴστω Λητοῦς υἱός, ὅ με πρόφρων ἐδίδαξεν
μαντοσύνας· ἴστω δὲ δυσώνυμος, ἥ μ' ἔλαχεν, κὴρ
καὶ τόδ' ἐπ' ὀφθαλμῶν ἀλαὸν νέφος, οἵ θ' ὑπένερθεν
δαίμονες, οἳ μηδ' ὧδε θανόντι περ εὐμενέοιεν,
ὡς οὔ τις θεόθεν χόλος ἔσσεται εἵνεκ' ἀρωγῆς.'
Τὼ μὲν ἔπειθ' ὅρκοισιν ἀλαλκέμεναι μενέαινον.
αἶψα δὲ κουρότεροι πεπονήατο δαῖτα γέροντι,
λοίσθιον Ἁρπυίῃσιν ἑλώριον· ἐγγύθι δ' ἄμφω
στῆσαν, ἵνα ξιφέεσσιν ἐπεσσυμένας ἐλάσειαν.
καὶ δὴ τὰ πρώτισθ' ὁ γέρων ἔψαυεν ἐδωδῆς·
αἱ δ' ἄφαρ ἠύτ' ἄελλαι ἀδευκέες, ἢ στεροπαὶ ὥς,
ἀπρόφατοι νεφέων ἐξάλμεναι ἐσσεύοντο
κλαγγῇ μαιμώωσαι ἐδητύος· οἱ δ' ἐσιδόντες
ἥρωες μεσσηγὺς ἀνίαχον· αἱ δ' ἅμ' ἀυτῇ
πάντα καταβρόξασαι ὑπὲρ πόντοιο φέροντο
τῆλε παρέξ· ὀδμὴ δὲ δυσάσχετος αὖθι λέλειπτο.
τάων δ' αὖ κατόπισθε δύω υἷες Βορέαο
φάσγαν' ἐπισχόμενοι ὀπίσω θέον. ἐν γὰρ ἔηκεν
Ζεὺς μένος ἀκάματόν σφιν· ἀτὰρ Διὸς οὔ κεν ἐπέσθην
νόσφιν, ἐπεὶ ζεφύροιο παραΐσσεσκον ἀέλλας
αἰέν, ὅτ' ἐς Φινῆα καὶ ἐκ Φινῆος ἴοιεν.
ὡς δ' ὅτ' ἐνὶ κνημοῖσι κύνες δεδαημένοι ἄγρης
ἢ αἶγας κεραοὺς ἠὲ πρόκας ἰχνεύοντες
θείωσιν, τυτθὸν δὲ τιταινόμενοι μετόπισθεν
ἄκρῃς ἐν γενύεσσι μάτην ἀράβησαν ὀδόντας·
ὣς Ζήτης Κάλαΐς τε μάλα σχεδὸν ἀίσσοντες
τάων ἀκροτάτῃσιν ἐπέχραον ἤλιθα χερσίν.
καί νύ κε δή σφ' ἀέκητι θεῶν διεδηλήσαντο
πολλὸν ἑκὰς νήσοισιν ἔπι Πλωτῇσι κιχόντες,
εἰ μὴ ἄρ' ὠκέα Ἶρις ἴδεν, κατὰ δ' αἰθέρος ἆλτο
οὐρανόθεν, καὶ τοῖα παραιφαμένη κατέρυκεν·
Οὐ θέμις, ὦ υἷες Βορέω, ξιφέεσσιν ἐλάσσαι
Ἁρπυίας, μεγάλοιο Διὸς κύνας· ὅρκια δ' αὐτὴ
δώσω ἐγών, ὡς οὔ οἱ ἔτι χρίμψουσιν ἰοῦσαι.'
Ὣς φαμένη λοιβὴν Στυγὸς ὤμοσεν, ἥ τε θεοῖσιν
ῥιγίστη πάντεσσιν ὀπιδνοτάτη τε τέτυκται,
μὴ μὲν Ἀγηνορίδαο δόμοις ἔτι τάσδε πελάσσαι
εἰσαῦτις Φινῆος, ἐπεὶ καὶ μόρσιμον ἦεν.
οἱ δ' ὅρκῳ εἴξαντες ὑπέστρεφον ἂψ ἐπὶ νῆα

88

shall check; and they shall ward them off, for they are my kinsmen, if indeed I am that Phineus, who in days gone by had a name amongst men for my wealth and divination, whom Agenor, my sire, begat; their sister Cleopatra did I bring to my house as wife with gifts of wooing, what time I ruled among the Thracians.»

So spake the son of Agenor; and deep sorrow took hold on each of the heroes, but specially on the two sons of Boreas. But they wiped away a tear and drew nigh, and thus spake Zetes, taking in his the hand of the suffering old man: «Ah! poor sufferer, methinks there is no other man more wretched than thee. Why is it that such woes have fastened on thee? Is it that thou hast sinned against the gods in deadly folly through thy skill in divination? Wherefore are they so greatly wroth against thee? Lo! our heart within us is sorely bewildered, though we yearn to help thee, if in very truth the god hath reserved for us twain this honour. For plain to see are the rebukes that the immortals send on us men of earth. Nor will we check the coming of the Harpies, for all our eagerness, till that thou swear that we shall not fall from heaven's favour in return for this.» So spake he, and straight that aged man opened his sightless eyes and lifted them up, and thus made answer: «Hush! remind me not of those things, my son. The son of Leto be my witness, who of his kindness taught me divination; be witness that ill-omened fate, that is my lot, and this dark cloud upon my eyes, and the gods below, whose favour may I never find if I die perjured thus, that there shall come no wrath from heaven on you by reason of your aid.»

Then were those twain eager to help him by reason of the oath, and quickly did the young men make ready a feast for the old man, a last booty for the Harpies; and the two stood near to strike them with their swords as they swooped down. Soon as ever that aged man did touch the food, down rushed those Harpies with whirr of wings at once, eager for the food, like grievous blasts, or like lightning darting suddenly from the clouds; but those heroes, when they saw them in mid air, shouted; and they at the noise sped off afar across the sea after they had devoured everything, but behind them was left an intolerable stench. And the two sons of Boreas started in pursuit of them with their swords drawn; for Zeus inspired them with tireless courage,

A
R
G
O
N
A
U
T
I
C
A

89

σώεσθαι. Στροφάδας δὲ μετακλείουσ' ἄνθρωποι
νήσους τοῖό γ' ἔκητι, πάρος Πλωτὰς καλέοντες.
῎Αρπυιαί τ' ῏Ιρίς τε διέτμαγεν. αἱ μὲν ἔδυσαν
κευθμῶνα Κρήτης Μινωίδος· ἡ δ' ἀνόρουσεν
Οὔλυμπόνδε, θοῇσι μεταχρονίη πτερύγεσσιν.

Τόφρα δ' ἀριστῆες πινόεν περὶ δέρμα γέροντος
πάντη φοιβήσαντες ἐπικριδὸν ἱρεύσαντο
μῆλα, τά τ' ἐξ ᾽Αμύκοιο λεηλασίης ἐκόμισσαν.
αὐτὰρ ἐπεὶ μέγα δόρπον ἐνὶ μεγάροισιν ἔθεντο,
δαίνυνθ' ἑζόμενοι· σὺν δέ σφισι δαίνυτο Φινεὺς

ἁρπαλέως, οἷόν τ' ἐν ὀνείρασι θυμὸν ἰαίνων.
ἔνθα δ', ἐπεὶ δόρποιο κορέσσαντ' ἠδὲ ποτῆτος,
παννύχιοι Βορέω μένον υἱέας ἐγρήσσοντες.
αὐτὸς δ' ἐν μέσσοισι παρ' ἐσχάρῃ ἧστο γεραιὸς

πείρατα ναυτιλίης ἐνέπων ἄνυσίν τε κελεύθου·
῾Κλῦτέ νυν. οὐ μὲν πάντα πέλει θέμις ὔμμι δαῆναι
ἀτρεκές· ὅσσα δ' ὄρωρε θεοῖς φίλον, οὐκ ἐπικεύσω.
ἀασάμην καὶ πρόσθε Διὸς νόον ἀφραδίῃσιν

χρείων ἑξείης τε καὶ ἐς τέλος. ὧδε γὰρ αὐτὸς
βούλεται ἀνθρώποις ἐπιδευέα θέσφατα φαίνειν
μαντοσύνης, ἵνα καί τι θεῶν χατέωσι νόοιο.
Πέτρας μὲν πάμπρωτον, ἀφορμηθέντες ἐμεῖο,

Κυανέας ὄψεσθε δύω ἁλὸς ἐν ξυνοχῇσιν,
τάων οὔτινά φημι διαμπερὲς ἐξαλέασθαι.
οὐ γάρ τε ῥίζῃσιν ἐρήρεινται νεάτῃσιν,
ἀλλὰ θαμὰ ξυνίασιν ἐναντίαι ἀλλήλῃσιν

εἰς ἕν, ὕπερθε δὲ πολλὸν ἁλὸς κορθύεται ὕδωρ
βρασσόμενον· στρηνὲς δὲ περὶ στυφελῇ βρέμει ἀκτῇ.
τῶ νῦν ἡμετέρῃσι παραιφασίῃσι πίθεσθε,
εἰ ἐτεὸν πυκινῷ τε νόῳ μακάρων τ' ἀλέγοντες

πείρετε· μηδ' αὔτως αὐτάγρετον οἶτον ὄλησθε
ἀφραδέως, ἠ θύνετ' ἐπισπόμενοι νεότητι.
οἰωνῷ δὴ πρόσθε πελειάδι πειρήσασθαι,
νηὸς ἄπο προμεθέντες ἐφιέμεν. ἢν δὲ δι' αὐτῶν

πετράων πόντονδε σόη πτερύγεσσι δίηται,
μηκέτι δὴν μηδ' αὐτοὶ ἐρητύεσθε κελεύθου,
ἀλλ' εὖ καρτύναντες ἑαῖς ἐνὶ χερσὶν ἐρετμὰ
τέμνεθ' ἁλὸς στεινωπόν· ἐπεὶ φάος οὔ νύ τι τόσσον
ἔσσετ' ἐν εὐχωλῇσιν, ὅσον τ' ἐνὶ κάρτεϊ χειρῶν.

τῶ καὶ τἆλλα μεθέντες ὀνήιστον πονέεσθαι
θαρσαλέως· πρὶν δ' οὔτι θεοὺς λίσσεσθαι ἐρύκω.
εἰ δέ κεν ἀντικρὺ πταμένη μεσσηγὺς ὄληται,
ἄψορροι στέλλεσθαι· ἐπεὶ πολὺ βέλτερον εἶξαι
ἀθανάτοις. οὐ γάρ κε κακὸν μόρον ἐξαλέαισθε

πετράων, οὐδ' εἴ κε σιδηρείη πέλοι ᾽Αργώ.

90

and 'twas not without the will of Zeus that they followed them, for they would dart past the breath of the west wind, what time they went to and from Phineus. As when upon the hill-tops dogs skilled in the chase run on the track of horned goats or deer, and, straining at full speed just behind, in vain do gnash their teeth upon their lips; even so Zetes and Calais, darting very nigh to them, in vain grazed them with their fingertips. And now, I trow, they would have torn them in pieces against the will of the gods on the floating islands, after they had come afar, had not swift Iris seen them, and darting down from the clear heaven above stayed them with this word of rebuke: « Ye sons of Boreas, 'tis not ordained that ye should slay the Harpies, the hounds of mighty Zeus, with your swords; but I, even I, will give you an oath they will come no more nigh him. »

Therewith she sware by the stream of Styx, most dire and awful oath for all the gods, that these should never again draw near unto the house of Phineus, son of Agenor, for even so was it fated. So they yielded to her oath and turned to hasten back to the ship. And so it is that men call those isles, «the isles of turning,» though aforetime they called them «the floating isles.» And the Harpies and Iris parted; they entered their lair in Crete, the land of Minos, but she sped up to Olympus, soaring on her swift pinions.

Meantime the chieftains carefully washed the old man's squalid skin, and chose out and sacrificed sheep, which they had brought from the booty of Amycus. Now when they had laid a great supper in his halls, they sat them down and feasted, and with them Phineus fell afeasting ravenously, cheering his heart as in a dream. Then when they had taken their fill of food and drink, they sat up all night awaiting the sons of Boreas. And in their midst beside the hearth sat that ancient one himself, telling them of the ends of their voyage and the fulfilment of their journey: «Hearken then. All ye may not learn of a surety, but as much as is heaven's will I will not hide. Aforetime I went astray in my folly by declaring the mind of Zeus in order to the end. For he willeth himself to make plain to men oracles that need divination, to the end that they may have some need of the mind of the gods.

«First of all, when ye have gone hence from me,

Ο ΦΙΝΕΥΣ ΠΡΟΛΕΓΕΙ ΤΗΝ
ΕΠΙΤΥΧΙΑΝ ΤΗΣ ΕΚΣΤΡΑΤΕΙΑΣ

PHINEUS FORETELLS THE
SUCCESS OF THE VOYAGE

ὦ μέλεοι, μὴ τλῆτε παρὲξ ἐμὰ θέσφατα βῆναι,
εἰ καί με τρὶς τόσσον ὀίεσθ' Οὐρανίδησιν,
ὅσσον ἀνάρσιός εἰμι, καὶ εἰ πλεῖον στυγέεσθαι·
μὴ τλῆτ' οἰωνοῖο πάρεξ ἔτι νηὶ περῆσαι.
καὶ τὰ μὲν ὥς κε πέλῃ, τὼς ἔσσεται. ἢν δὲ φύγητε
σύνδρομα πετράων ἀσκηθέες ἔνδοθι Πόντου,
αὐτίκα Βιθυνῶν ἐπὶ δεξιὰ γαῖαν ἔχοντες
πλώετε ῥηγμῖνας πεφυλαγμένοι, εἰσόκεν αὖτε
Ῥήβαν ὠκυρόην ποταμὸν ἄκρην τε Μέλαιναν
γνάμψαντες νήσου Θυνηίδος ὅρμον ἵκησθε.
κεῖθεν δ' οὐ μάλα πουλὺ διὲξ ἁλὸς ἀντιπέραιαν
γῆν Μαριανδυνῶν ἐπικέλσετε νοστήσαντες.
ἔνθα μὲν εἰς Ἀίδαο καταιβάτις ἐστὶ κέλευθος,
ἄκρη τε προβλὴς Ἀχερουσιὰς ὑψόθι τείνει,
δινήεις τ' Ἀχέρων αὐτὴν διὰ νειόθι τέμνων
ἄκρην ἐκ μεγάλης προχοὰς ἵησι φάραγγος.
ἀγχίμολον δ' ἐπὶ τῇ πολέας παρανεῖσθε κολωνοὺς
Παφλαγόνων, τοῖσίν τ' Ἐνετήιος ἐμβασίλευσεν
πρῶτα Πέλοψ, τοῦ καί περ ἀφ' αἵματος εὐχετόωνται.
ἔστι δέ τις ἄκρη Ἑλίκης κατεναντίον Ἄρκτου,
πάντοθεν ἠλίβατος, καί μιν καλέουσι Κάραμβιν,
τῆς καὶ ὑπὲρ βορέαο περισχίζονται ἄελλαι·
ὧδε μάλ' ἂμ πέλαγος τετραμμένη αἰθέρι κύρει.
τήνδε περιγνάμψαντι πολὺς παρακέκλιται ἤδη
Αἰγιαλός· πολέος δ' ἐπὶ πείρασιν Αἰγιαλοῖο
ἀκτῇ ἐπὶ προβλῆτι ῥοαὶ Ἅλυος ποταμοῖο
δεινὸν ἐρεύγονται· μετὰ τὸν δ' ἀγχίροος Ἶρις
μειότερος λευκῇσιν ἑλίσσεται εἰς ἅλα δίναις.
κεῖθεν δὲ προτέρωσε μέγας καὶ ὑπείροχος ἀγκὼν
ἐξανέχει γαίης· ἐπὶ δὲ στόμα Θερμώδοντος
κόλπῳ ἐν εὐδιόωντι Θεμισκύρειον ὑπ' ἄκρην
μύρεται, εὐρείης διαειμένος ἠπείροιο.
ἔνθα δὲ Δοίαντος πεδίον, σχεδόθεν δὲ πόληες
τρισσαὶ Ἀμαζονίδων, μετά τε σμυγερώτατοι ἀνδρῶν
τρηχείην Χάλυβες καὶ ἀτειρέα γαῖαν ἔχουσιν,
ἐργατίναι· τοὶ δ' ἀμφὶ σιδήρεα ἔργα μέλονται.
ἄγχι δὲ ναιετάουσι πολύρρηνες Τιβαρηνοὶ
Ζηνὸς Εὐξείνοιο Γενηταίην ὑπὲρ ἄκρην.
τῇ δ' ἐπὶ Μοσσύνοικοι ὁμούριοι ὑλήεσσαν
ἐξείης ἤπειρον, ὑπωρείας τε νέμονται,
δουρατέοις πύργοισιν ἐν οἰκία τεκτήναντες
κάλινα καὶ † πύργους † εὐπηγέας, οὓς καλέουσιν
μόσσυνας· καὶ δ' αὐτοὶ ἐπώνυμοι ἔνθεν ἔασιν.
τοὺς παραμειβόμενοι λισσῇ ἐπικέλσετε νήσῳ,
μήτι παντοίῃ μέγ' ἀναιδέας ἐξελάσαντες

94

ye shall see the two Cyanean rocks at the place where two seas meet. Through these, I trow, none can win a passage. For they are not fixed on foundations below, but oft they clash together upon each other, and much salt water boils up from beneath, rearing its crest, and loud is the roar round the bluff headland.

«Wherefore now give heed to my exhorting, if in sooth ye make this voyage with cautious mind and due regard for the blessed gods; perish not then senselessly by a death of your own choosing, nor rush on at the heels of youthful rashness. First I bid you let loose from the ship a dove, and send her forth before you to try the way. And if she fly safely on her wings through those rocks to the sea, no longer do ye delay your voyage for any time, but stoutly ply the oars in your hands and cleave through the strait of sea, for now your life will depend, not so much on your prayers, as on your stalwart arms. Wherefore leave all other things alone and exert yourselves bravely to the utmost; yet ere you start I do not forbid you to entreat the gods. But if the dove be slain right in mid passage, fare ye back again, for far better it is to yield to the deathless gods. For then could ye not escape an evil doom at the rocks, no, not if Argo were made of iron. Ah! hapless wights! dare not to go beyond my warning, although ye think me thrice as much the foe of the lords of heaven, aye and even more hateful to them than I really am; dare not to sail yet further against the omen. And these things shall be even as they may. But if ye escape the clashing of the rocks and come scatheless inside Pontus, forthwith keep the Bithynian land upon your right, and sail cautiously amid the breakers, till that ye round the swift current of the river Rhebas and the Black headland, and be come to a haven in the Thynian isle. Thence return a short stretch across the sea, and beach your ship on the opposite shore of the Mariandyni. There is a path down to Hades, and the headland of Acherusia juts out and stretches itself on high, and swirling Acheron, cutting through the foot of the cliff, pours itself forth from a mighty ravine. Very nigh to it shall ye pass by many hills of the Paphlagonians, over whom Pelops first held sway in Enete, of whose blood they avow them to be. Now there is a certain cliff that fronts the circling Bear, on all sides steep; men call it Carambis; above it the gusty north is

οἰωνούς, οἳ δῆθεν ἀπειρέσιοι ἐφέπουσιν
νῆσον ἐρημαίην. τῇ μέν τ' ἐνὶ νηὸν Ἄρηος
λαΐνεον ποίησαν Ἀμαζονίδων βασίλειαι
Ὀτρηρή τε καὶ Ἀντιόπη, ὁπότε στρατόωντο.
ἔνθα γὰρ ὔμμιν ὄνειαρ ἀδευκέος ἐξ ἁλὸς εἶσιν
ἄρρητον· τῶ καί τε φίλα φρονέων ἀγορεύω
ἰσχέμεν. ἀλλὰ τίη με πάλιν χρειὼ ἀλιτέσθαι
μαντοσύνῃ τὰ ἕκαστα διηνεκὲς ἐξενέποντα;
νήσου δὲ προτέρωσε καὶ ἠπείροιο περαίης
φέρβονται Φίλυρες· Φιλύρων δ' ἐφύπερθεν ἔασιν
Μάκρωνες· μετὰ δ' αὖ περιώσια φῦλα Βεχείρων.
ἐξείης δὲ Σάπειρες ἐπὶ σφίσι ναιετάουσιν·
Βύζηρες δ' ἐπὶ τοῖσιν ὁμώλακες, ὧν ὕπερ ἤδη
αὐτοὶ Κόλχοι ἔχονται ἀρήιοι. ἀλλ' ἐνὶ νηὶ
πείρεθ', ἕως μυχάτῃ κεν ἐνιχρίμψητε θαλάσσῃ.
ἔνθα δ' ἐπ' ἠπείροιο Κυταιίδος, ἠδ' Ἀμαραντῶν
τηλόθεν ἐξ ὀρέων πεδίοιό τε Κιρκαίοιο
Φᾶσις δινήεις εὐρὺν ῥόον εἰς ἅλα βάλλει.
κείνου νῆ' ἐλάοντες ἐπὶ προχοὰς ποταμοῖο
πύργους εἰσόψεσθε Κυταιέος Αἰήταο,
ἄλσος τε σκιόειν Ἄρεος, τόθι κῶας ἐπ' ἄκρης
πεπτάμενον φηγοῖο δράκων, τέρας αἰνὸν ἰδέσθαι,
ἀμφὶς ὀπιπτεύει δεδοκημένος· οὐδέ οἱ ἦμαρ,
οὐ κνέφας ἥδυμος ὕπνος ἀναιδέα δάμναται ὄσσε.'
Ὣς ἄρ' ἔφη· τοὺς δ' εἶθαρ ἕλεν δέος εἰσαΐοντας.
δὴν δ' ἔσαν ἀμφασίῃ βεβολημένοι· ὀψὲ δ' ἔειπεν
ἥρως Αἴσονος υἱὸς ἀμηχανέων κακότητι·
'Ὦ γέρον, ἤδη μέν τε διίκεο πείρατ' ἀέθλων
ναυτιλίης καὶ τέκμαρ, ὅτῳ στυγερὰς διὰ πέτρας
πειθόμενοι Πόντονδε περήσομεν· εἰ δέ κεν αὖτις
τάσδ' ἡμῖν προφυγοῦσιν ἐς Ἑλλάδα νόστος ὀπίσσω
ἔσσεται, ἀσπαστῶς κε παρὰ σέο καὶ τὸ δαείην.
πῶς ἔρδω, πῶς αὖτε τόσην ἁλὸς εἶμι κέλευθον,
νῆις ἐὼν ἑτάροις ἅμα νήισιν; Αἶα δὲ Κολχὶς
Πόντου καὶ γαίης ἐπικέκλιται ἐσχατιῇσιν.'
Ὣς φάτο· τὸν δ' ὁ γεραιὸς ἀμειβόμενος προσέειπεν·
'Ὦ τέκος, εὖτ' ἂν πρῶτα φύγῃς ὀλοὰς διὰ πέτρας,
θάρσει· ἐπεὶ δαίμων ἕτερον πλόον ἡγεμονεύσει
ἐξ Αἴης· μετὰ δ' Αἶαν ἅλις πομπῆες ἔσονται.
ἀλλά, φίλοι, φράζεσθε θεᾶς δολόεσσαν ἀρωγὴν
Κύπριδος. ἐκ γὰρ τῆς κλυτὰ πείρατα κεῖται ἀέθλων.
καὶ δέ με μηκέτι τῶνδε περαιτέρω ἐξερέεσθε.'
Ὣς φάτ' Ἀγηνορίδης· ἐπὶ δὲ σχεδὸν υἱέε δοιὼ
Θρηικίου Βορέαο κατ' αἰθέρος ἀΐξαντε
οὐδῷ ἔπι κραιπνοὺς ἔβαλον πόδας· οἱ δ' ἀνόρουσαν

parted in twain; in such wise is it turned toward the sea, towering to heaven. At once when a man hath rounded it a wide beach stretches before him, and at the end of that wide beach nigh to a jutting cliff the stream of the river Halys terribly discharges, and after him, but flowing near, the Iris rolls into the sea, a lesser stream with clear ripples. Here in front a great and towering bend stands out; next, Thermodon's mouth flows into a sleeping bay near the Themiscyrean headland, from its meandering through a wide continent. There is the plain of Doias, and hard by are the triple cities of the Amazons; and after them the Chalybes inhabit a rough and stubborn land, of all men most wretched, labourers they, busied with working of iron. Near them dwell the Tibareni, rich in sheep, beyond the Genetæan headland, where is a temple of Zeus, lord of hospitality. Next beyond this, but nigh thereto, the Mossynœci hold the woody mainland and the foot of the mountain, men that have builded houses of timber with wooden battlements and chambers deftly finished, which they call ‹Mossynæ,› and hence they have their name. Coast on past them, and anchor at a smooth isle, after ye have driven off with all the skill ye may those ravening birds, which, men say, do roost upon this desert isle in countless numbers. Therein the queens of the Amazons builded a temple of stone to Ares, even Otrere and Antiope, what time they went forth to battle. Now here shall there come to you from out the bitter sea a help ye looked not for, wherefore of good will I bid you there to stay. But hold; why should I once more offend by telling everything from beginning to end in my divining? In front of the island, on the mainland opposite, dwell the Philyres; higher up, beyond them, are the Macrones; and yet beyond these, the countless tribes of the Becheiri. Next to them dwell the Sapeires, and their neighbours are the Byzeres, and right beyond them come next the warlike Colchians themselves. But cleave on your way, until ye come nigh to the inmost sea. There across the Cytæan mainland, from the Amarantian hills afar, and the plain of Circe, the swirling Phasis rolls his broad stream into the sea. Drive your ship into the mouth of that river, and ye shall see the towers of Cytæan Æetes and the shady grove of Ares, where a dragon, dire monster to behold, watches from his ambush round the fleece as it hangs

ἐξ ἑδέων ἥρωες, ὅπως παρεόντας ἴδοντο.
Ζήτης δ' ἱεμένοισιν, ἔτ' ἄσπετον ἐκ καμάτοιο
ἆσθμ' ἀναφυσιόων, μετεφώνεεν, ὅσσον ἄπωθεν
ἤλασαν, ἠδ' ὡς Ἶρις ἐρύκακε τάσδε δαΐξαι,
ὅρκιά τ' εὐμενέουσα θεὰ πόρεν, αἱ δ' ὑπέδυσαν
δείματι Δικταίης περιώσιον ἄντρον ἐρίπνης.
γηθόσυνοι δή᾿πειτα δόμοις ἔνι πάντες ἑταῖροι
αὐτός τ' ἀγγελίῃ Φινεὺς πέλεν. ὦκα δὲ τόνγε
Αἰσονίδης περιπολλὸν εὐφρονέων προσέειπεν·
"Ἦ ἄρα δή τις ἔην, Φινεῦ, θεός, ὃς σέθεν ἄτης
κήδετο λευγαλέης, καὶ δ' ἡμέας αὖθι πέλασσεν
τηλόθεν, ὄφρα τοι υἷες ἀμύνειαν Βορέαο·
εἰ δὲ καὶ ὀφθαλμοῖσι φόως πόροι ἦ τ' ἂν ὀίω
γηθήσειν, ὅσον εἴπερ ὑπότροπος οἴκαδ' ἱκοίμην.'
Ὣς ἔφατ'· αὐτὰρ ὁ τόνγε κατηφήσας προσέειπεν·
'Αἰσονίδη, τὸ μὲν οὐ παλινάγρετον, οὐδέ τι μῆχος
ἔστ' ὀπίσω· κενεαὶ γὰρ ὑποσμύχονται ὀπωπαί.
ἀντὶ δὲ τοῦ θανάτον μοι ἄφαρ θεὸς ἐγγυαλίξαι,
καί τε θανὼν πάσῃσι μετέσσομαι ἀγλαΐησιν.'
Ὣς τώγ' ἀλλήλοισι παραβλήδην ἀγόρευον.
αὐτίκα δ' οὐ μετὰ δηρὸν ἀμειβομένων ἐφαάνθη
Ἠριγενής· τὸν δ' ἀμφὶ περικτίται ἠγερέθοντο
ἀνέρες, οἳ καὶ πρόσθεν ἐπ' ἤματι κεῖσε θάμιζον,
αἰὲν ὁμῶς φορέοντες ἑῆς ἀπὸ μοῖραν ἐδωδῆς.
τοῖς ὁ γέρων πάντεσσιν, ὅτις καὶ ἀφαυρὸς ἵκοιτο,
ἔχραεν ἐνδυκέως, πολέων δ' ἀπὸ πήματ' ἔλυσεν
μαντοσύνῃ· τῶ καί μιν ἐποιχόμενοι κομέεσκον.
σὺν τοῖσιν δ' ἵκανε Παραίβιος, ὅς ῥά οἱ ἦεν
φίλτατος· ἀσπάσιος δὲ δόμοις ἔνι τούσγ' ἐνόησεν.
πρὶν γὰρ δή νύ ποτ' αὐτὸς ἀριστήων στόλον ἀνδρῶν
Ἑλλάδος ἐξανιόντα μετὰ πτόλιν Αἰήταο
πείσματ' ἀνάψασθαι μυθήσατο Θυνίδι γαίῃ,
οἵ τέ οἱ Ἁρπυίας Διόθεν σχήσουσιν ἰούσας.
τοὺς μὲν ἔπειτ' ἐπέεσσιν ἀρεσσάμενος πυκινοῖσιν
πέμφ' ὁ γέρων· οἶον δὲ Παραίβιον αὐτόθι μίμνειν
κέκλετ' ἀριστήεσσι σὺν ἀνδράσιν· αἶψα δὲ τόνγε
σφωιτέρων ὀίων ὅτις ἔξοχος, εἰς ἓ κομίσσαι
ἧκεν ἐποτρύνας. τοῦ δ' ἐκ μεγάροιο κιόντος
μειλιχίως ἐρέτῃσιν ὁμηγερέεσσι μετηύδα·
"Ὦ φίλοι, οὐκ ἄρα πάντες ὑπέρβιοι ἄνδρες ἔασιν,
οὐδ' εὐεργεσίης ἀμνήμονες. ὡς καὶ ὅδ' ἀνὴρ
τοῖος ἐὼν δεῦρ' ἦλθεν, ἑὸν μόρον ὄφρα δαείη.
εὖτε γὰρ οὖν ὡς πλεῖστα κάμοι καὶ πλεῖστα μογήσαι,
δὴ τότε μιν περιπολλὸν ἐπασσυτέρη βιότοιο
χρησμοσύνη τρύχεσκεν· ἐπ' ἤματι δ' ἦμαρ ὀρώρει

on the top of an oak; nor night nor day doth sweet sleep o'ercome his restless eyes.»

So spake he; and as they hearkened, fear fell on them forthwith. Long were they struck with speechlessness; at last spake the hero, the son of Æson, sorely at a loss, «Old man, lo! now hast thou rehearsed the end of our toilsome voyage, and the sure sign, which if we obey we shall pass through those loathèd rocks to Pontus; but whether there shall be a return again to Hellas for us, if we do escape them, this too would I fain learn of thee. How am I to act, how shall I come again over so wide a path of sea, in ignorance myself and with a crew alike ignorant? for Colchian Æa lieth at the uttermost end of Pontus and the earth.»

So spake he, and to him did that old man make answer, «My child, as soon as thou hast escaped through those rocks of death, be of good cheer, for a god will guide thee on a different route from Æa; and toward Æa, there shall be plenty to guide thee. Yea, friends, bethink you of the crafty aid of the Cyprian goddess. For by her is prepared a glorious end to your toils. But question me no further of these matters.»

So spake the son of Agenor, and the two sons of Thracian Boreas came glancing down from heaven, and set their rushing feet upon the threshold beside them. Up sprang the heroes from their seats, when they saw them coming near. And among the eager throng Zetes made harangue, drawing great gasps for breath after his toil, and told them how far they had journeyed, and how Iris prevented them from slaying the Harpies, and how the goddess in her favour gave them an oath, and those others slunk away in terror 'neath the vast cavern of the cliff of Dicte. Glad then were all their comrades in the house, and Phineus himself, at the news. And quickly did the son of Æson address the old man with right good will: « It seems then, Phineus, some god there was who pitied thy grievous misery, and brought us, too, hither from afar, that the sons of Boreas might help thee; if but he would grant the light unto thine eyes, methinks I would be even as glad as if I were on my homeward way.»

So spake he; but the other, with downcast face, answered him: «Ah! son of Æson, that may never be recalled, nor is there any remedy for that hereafter; for blasted are my sightless eyes. Instead thereof God

κύντερον, οὐδέ τις ἦεν ἀνάπνευσις μογέοντι.
ἀλλ' ὅγε πατρὸς ἑοῖο κακὴν τίνεσκεν ἀμοιβὴν
ἀμπλακίης. ὁ γὰρ οἶος ἐν οὔρεσι δένδρεα τέμνων
δή πόθ' ἁμαδρυάδος νύμφης ἀθέριξε λιτάων,
ἥ μιν ὀδυρομένη ἀδινῷ μειλίσσετο μύθῳ,
μὴ ταμέειν πρέμνον δρυὸς ἥλικος, ᾗ ἔπι πουλὺν
αἰῶνα τρίβεσκε διηνεκές· αὐτὰρ ὁ τήνγε
ἀφραδέως ἔτμηξεν ἀγηνορίῃ νεότητος.
τῷ δ' ἄρα νηκερδῆ νύμφη πόρεν οἶτον ὀπίσσω
αὐτῷ καὶ τεκέεσσιν. ἔγωγε μέν, εὖτ' ἀφίκανεν,
ἀμπλακίην ἔγνων· βωμὸν δ' ἐκέλευσα καμόντα
Θυνιάδος νύμφης, λωφήια ῥέξαι ἐπ' αὐτῷ
ἱερά, πατρώην αἰτεύμενον αἶσαν ἀλύξαι.
ἔνθ' ἐπεὶ ἔκφυγε κῆρα θεήλατον, οὔποτ' ἐμεῖο
ἐκλάθετ', οὐδ' ἀθέριξε· μόλις δ' ἀέκοντα θύραζε
πέμπω, ἐπεὶ μέμονέν γε παρέμμεναι ἀσχαλόωντι.
Ὣς φάτ' Ἀγηνορίδης· ὁ δ' ἐπισχεδὸν αὐτίκα δοιὼ
ἦλθ' ἄγων ποίμνηθεν ὄις. ἀνὰ δ' ἵστατ' Ἰήσων,
ἂν δὲ Βορήιοι υἷες ἐφημοσύνῃσι γέροντος.
ὦκα δὲ κεκλόμενοι μαντήιον Ἀπόλλωνα
ῥέζον ἐπ' ἐσχαρόφιν νέον ἤματος ἀνομένοιο.
κουρότεροι δ' ἑτάρων μενοεικέα δαῖτ' ἀλέγυνον.
ἔνθ' εὖ δαισάμενοι, τοὶ μὲν παρὰ πείσμασι νηός,
τοὶ δ' αὐτοῦ κατὰ δώματ' ἀολλέες εὐνάζοντο.
ἦρι δ' ἐτήσιαι αὖραι ἐπέχραον, αἵ τ' ἀνὰ πᾶσαν
γαῖαν ὁμῶς τοιῇδε Διὸς πνείουσιν ἀνωγῇ.
Κυρήνη πέφαταί τις ἕλος πάρα Πηνειοῖο
μῆλα νέμειν προτέροισι παρ' ἀνδράσιν· εὔαδε γάρ οἱ
παρθενίη καὶ λέκτρον ἀκήρατον. αὐτὰρ Ἀπόλλων
τήνγ' ἀνερεψάμενος ποταμῷ ἔπι ποιμαίνουσαν
τηλόθεν Αἱμονίης, χθονίῃς παρακάτθετο νύμφαις,
αἳ Λιβύην ἐνέμοντο παραὶ Μυρτώσιον αἶπος.
ἔνθα δ' Ἀρισταῖον Φοίβῳ τέκεν, ὃν καλέουσιν
Ἀγρέα καὶ Νόμιον πολυλήιοι Αἱμονιῆες.
τὴν μὲν γὰρ φιλότητι θεὸς ποιήσατο νύμφην
αὐτοῦ μακραίωνα καὶ ἀγρότιν· υἷα δ' ἔνεικεν
νηπίαχον Χείρωνος ὑπ' ἄντροισιν κομέεσθαι.
τῷ καὶ ἀεξηθέντι θεαὶ γάμον ἐμνήστευσαν
Μοῦσαι, ἀκεστορίην τε θεοπροπίας τ' ἐδίδαξαν·
καί μιν ἑῶν μήλων θέσαν ἤρανον, ὅσσ' ἐνέμοντο
ἂμ πεδίον Φθίης Ἀθαμάντιον ἀμφί τ' ἐρυμνὴν
Ὄθρυν καὶ ποταμοῦ ἱερὸν ῥόον Ἀπιδανοῖο.
ἦμος δ' οὐρανόθεν Μινωίδας ἔφλεγε νήσους
Σείριος, οὐδ' ἐπὶ δηρὸν ἔην ἄκος ἐνναέτῃσιν,
τῆμος τόνγ' ἐκάλεσσαν ἐφημοσύναις Ἑκάτοιο

100

grant me death at once, and after death shall I share in all festive joys.»

Thus these twain held converse together. And anon, in no long space, as they talked, the dawn appeared; and the neighbouring folk came round Phineus, they who even aforetime gathered thither day by day, ever bringing a portion of food for him in spite of all. And unto all of them that aged man with good will gave oracles, whatso feeble man might come; and he loosed many of their woes by his divination; wherefore they would visit and care for him. With these came Paræbius, the man most dear to him, and glad was he to hear them in his house. For long before had he himself declared that an expedition of chieftains, on its way from Hellas to the city of Æetes, should fasten its cables to the Thynian land, and they should restrain by Zeus's will the Harpies from coming to him. So then that old man sent these men forth, winning them with words of wisdom; only Paræbius he bade stay there with the chieftains; and quickly he sent him forth, bidding him bring thither the pick of all his sheep; and as he went out from the hall, Phineus made harangue graciously amongst the throng of rowers: «Friends, all men, I trow, are not overweening, nor forgetful of a kindness. Thus yonder man, brave soul as he is, came hither that he might learn his fate. For when he toiled his best and worked his hardest, even then above all repeated want of food would waste him, and day on day was ever more miserable, nor was there any respite from his suffering. But he was paying a sad return for his father's sin; for he, cutting trees alone on a day in the hills, slighted the prayer of a tree-nymph, who besought him with tears and earnest entreaty not to cut the trunk of an oak that had grown up with her, whereon she had passed many a long year together, but he, in the senseless pride of youth, cut it down. Wherefore did the nymph make her death unprofitable to him and his children afterwards. Now I knew the sin, when he came to me; so I bade him build an altar to the Thynian nymph and offer upon it sacrifice to cleanse the guilt, praying for an escape from his father's doom. Then when he escaped the doom sent by the goddess, he never forgat nor ceased to care for me; and scarce can I send him to the door, unwilling to depart, for he is fain to abide even here with me in my distress.»

λοιμοῦ ἀλεξητῆρα. λίπεν δ' ὅγε πατρὸς ἐφετμῇ
Φθίην, ἐν δὲ Κέῳ κατενάσσατο, λαὸν ἀγείρας
Παρράσιον, τοίπερ τε Λυκάονός εἰσι γενέθλης,
καὶ βωμὸν ποίησε μέγαν Διὸς Ἰκμαίοιο,
ἱερά τ' εὖ ἔρρεξεν ἐν οὔρεσιν ἀστέρι κείνῳ
Σειρίῳ αὐτῷ τε Κρονίδῃ Διί. τοῖο δ' ἕκητι
γαῖαν ἐπιψύχουσιν ἐτήσιαι ἐκ Διὸς αὖραι
ἤματα τεσσαράκοντα· Κέῳ δ' ἔτι νῦν ἱερῆες
ἀντολέων προπάροιθε Κυνὸς ῥέζουσι θυηλάς.
Καὶ τὰ μὲν ὧς ὑδέονται· ἀριστῆες δὲ καταῦθι
μίμνον ἐρυκόμενοι· ξεινήια δ' ἄσπετα Θυνοὶ
πᾶν ἦμαρ Φινῆι χαριζόμενοι προΐαλλον.
ἐκ δὲ τόθεν μακάρεσσι δυώδεκα δωμήσαντες
βωμὸν ἁλὸς ῥηγμῖνι πέρην καὶ ἐφ' ἱερὰ θέντες,
νῆα θοὴν εἴσβαινον ἐρεσσέμεν, οὐδὲ πελείης
τρήρωνος λήθοντο μετὰ σφίσιν· ἀλλ' ἄρα τήνγε
δείματι πεπτηυῖαν ἑῇ φέρε χειρὶ μεμαρπὼς
Εὔφημος, γαίης δ' ἀπὸ διπλόα πείσματ' ἔλυσαν.
Οὐδ' ἄρ' Ἀθηναίην προτέρω λάθον ὁρμηθέντες·
αὐτίκα δ' ἐσσυμένως νεφέλης ἐπιβᾶσα πόδεσσι
κούφης, ἥ κε φέροι μιν ἄφαρ βριαρήν περ ἐοῦσαν,
σεύατ' ἴμεν πόντονδε, φίλα φρονέουσ' ἐρέτῃσιν.
ὡς δ' ὅτε τις πάτρηθεν ἀλώμενος, οἶά τε πολλὰ
πλαζόμεθ' ἄνθρωποι τετληότες, οὐδέ τις αἶα
τηλουρός, πᾶσαι δὲ κατόψιοί εἰσι κέλευθοι,
σφωιτέρους δ' ἐνόησε δόμους, ἄμυδις δὲ κέλευθος
ὑγρή τε τραφερή τ' ἰνδάλλεται, ἄλλοτε δ' ἄλλῃ
ὀξέα πορφύρων ἐπιμαίεται ὀφθαλμοῖσιν·
ὣς ἄρα καρπαλίμως κούρη Διὸς ἀίξασα
θῆκεν ἐπ' ἀξείνοιο πόδας Θυνηίδος ἀκτῆς.
Οἱ δ' ὅτε δὴ σκολιοῖο πόρου στεινωπὸν ἵκοντο
τρηχείης σπιλάδεσσιν ἐεργμένον ἀμφοτέρωθεν,
δινήεις δ' ὑπένερθεν ἀνακλύζεσκεν ἰοῦσαν
νῆα ῥόος, πολλὸν δὲ φόβῳ προτέρωσε νέοντο,
ἤδη δέ σφισι δοῦπος ἀρασσομένων πετράων
νωλεμὲς οὔατ' ἔβαλλε, βόων δ' ἁλιμυρέες ἀκταί,
δὴ τότ' ἔπειθ' ὁ μὲν ὦρτο πελειάδα χειρὶ μεμαρπὼς
Εὔφημος πρῴρης ἐπιβήμεναι· οἱ δ' ὑπ' ἀνωγῇ
Τίφυος Ἀγνιάδαο θελήμονα ποιήσαντο
εἰρεσίην, ἵν' ἔπειτα διὲκ πέτρας ἐλάσειαν,
κάρτεϊ ᾧ πίσυνοι. τὰς δ' αὐτίκα λοίσθιον ἄλλων
οἰγομένας ἀγκῶνα περιγνάμψαντες ἴδοντο.
σὺν δέ σφιν χύτο θυμός· ὁ δ' ἀίξαι πτερύγεσσιν
Εὔφημος προέηκε πελειάδα· τοὶ δ' ἅμα πάντες
ἤειραν κεφαλὰς ἐσορώμενοι· ἡ δὲ δι' αὐτῶν

102

So spake the son of Agenor; and the other anon drew nigh, driving two sheep from the fold. Then up stood Jason, and up stood the sons of Boreas as the old man bade them. Quickly they called on the name of prophetic Apollo, and did sacrifice upon the hearth just as the day was waning, and the young men of the crew made ready a plenteous feast. Then when they had well feasted, some laid them to rest by the cables of the ship, and some in knots there in the house. At morn the steady summer winds began to blow, which breathe o'er the whole earth equally, for such is the command of Zeus.

There runs a legend that Cyrene once was herding sheep along the marsh of the Peneus amongst the men of former times, for her heart rejoiced in her maidenhood and virgin couch. But Apollo caught her up from her shepherding by the river far from Hæmonia, and set her down among the maidens of the country who dwelt in Libya beside the Myrtosian height. There she bare Aristæus unto Phœbus, whom the Hæmonians, with their rich corn-lands, call «the Hunter» and «the Shepherd.» For the god, for the love of the nymph, granted her length of days and a home in the country there, and brought her infant son to be reared 'neath the cave of Chiron. And when he was grown, the divine Muses found for him a wife, and taught him the arts of healing and prophecy; and they made him the keeper of their flocks, all that feed along the plain of Athamas in Phthia, and around steep Othrys, and the sacred stream of the river Apidanus. Now when the Dogstar from heaven scorched up the islands of Minos, and for a long space the inhabitants found no relief, then by the advice of Hecatus they called him in to stay the plague. So he left Phthia at the bidding of his father, and came to dwell in Cos, having gathered thither the Parrhasian folk, who are of the lineage of Lycaon; and he builded a mighty altar to Zeus, the god of rain, and did fair sacrifice upon the mountains to Sirius, that baleful star, and to Zeus himself, the son of Cronos. Wherefore it is that the Etesian winds blow cool across the earth for forty days from Zeus; and even now in Cos priests offer sacrifices before the rising of the Dog.

So runs this legend; and the chiefs abode there by constraint; and every day the Thynians sent forth good store of gifts for the strangers, out of favour for Phineus.

103

ἔπτατο· ταὶ δ' ἄμυδις πάλιν ἀντίαι ἀλλήλῃσιν
ἄμφω ὁμοῦ ξυνιοῦσαι ἐπέκτυπον. ὦρτο δὲ πολλὴ
ἅλμη ἀναβρασθεῖσα, νέφος ὥς· αὖε δὲ πόντος
σμερδαλέον· πάντῃ δὲ περὶ μέγας ἔβρεμεν αἰθήρ.
κοῖλαι δὲ σπήλυγγες ὑπὸ σπιλάδας τρηχείας
κλυζούσης ἁλὸς ἔνδον ἐβόμβεον· ὑψόθι δ' ὄχθης
λευκὴ καχλάζοντος ἀνέπτυε κύματος ἄχνη.
νῆα δ' ἔπειτα πέριξ εἴλει ῥόος. ἄκρα δ' ἔκοψαν
οὐραῖα πτερὰ ταίγε πελειάδος· ἡ δ' ἀπόρουσεν
ἀσκηθής. ἐρέται δὲ μέγ' ἴαχον· ἔβραχε δ' αὐτὸς

104

After this, when they had builded an altar to the twelve blessed gods on the edge of the sea opposite, and had offered sacrifice upon it, they went aboard their swift ship to row away, nor did they forget to take with them a timorous dove, but Euphemus clutched her in his hand, cowering with terror, and carried her along, and they loosed their double cables from the shore.

Nor, I ween, had they started, ere Athene was ware of them, and forthwith and hastily she stepped upon a light cloud, which should bear her at once for all her weight; and she hasted on her way seaward, with kindly intent to the rowers. As when a man goes wandering from his country, as oft we men do wander in our hardihood, and there is no land too far away, for every path lies open before his eyes, when lo ! he seeth in his mind his own home, and withal there appeareth a way to it over land or over sea, and keenly he pondereth this way and that, and searcheth it out with his eyes; even so the daughter of Zeus, swiftly darting on, set foot upon the cheerless strand of Thynia.

Now they, when they came to the strait of the winding passage, walled in with beetling crags on either side, while an eddying current from below washed up against the ship as it went on its way; and on they went in grievous fear, and already on their ears the thud of clashing rocks smote unceasingly, and the dripping cliffs roared; in that very hour the hero Euphemus clutched the dove in his hand, and went to take his stand upon the prow, while they, at the bidding of Tiphys, son of Hagnias, rowed with a will, that they might drive right through the rocks, trusting in their might. And as they rounded a bend, they saw those rocks opening for the last time of all. And their spirit melted at the sight; but the hero Euphemus sent forth the dove to dart through on her wings, and they, one and all, lifted up their heads to see and she sped through them, but at once the two rocks met again with a clash; and the foam leapt up in a seething mass like a cloud, and grimly roared the sea, and all around the great firmament bellowed. And the hollow caves echoed beneath the rugged rocks as the sea went surging in, and high on the cliffs was the white spray vomited as the billow dashed upon them. Then did the current spin the ship round. And the rocks cut off just the tail-feathers of the dove, but she darted away unhurt. And loudly the rowers cheered, but Tiphys himself shouted

ARGONAUTICA

105

Τῖφυς ἐρεσσέμεναι κρατερῶς. οἴγοντο γὰρ αὖτις
ἄνδιχα. τοὺς δ᾽ ἐλάοντας ἔχεν τρόμος, ὄφρα μιν αὐτὴ
πλημμυρὶς παλίνορσος ἀνερχομένη κατένεικεν
εἴσω πετράων. τότε δ᾽ αἰνότατον δέος εἷλεν
πάντας· ὑπὲρ κεφαλῆς γὰρ ἀμήχανος ἦεν ὄλεθρος.
ἤδη δ᾽ ἔνθα καὶ ἔνθα διὰ πλατὺς εἴδετο Πόντος,
καί σφισιν ἀπροφάτως ἀνέδυ μέγα κῦμα πάροιθεν
κυρτόν, ἀποτμῆγι σκοπιῇ ἴσον· οἱ δ᾽ ἐσιδόντες
ἤμυσαν λοξοῖσι καρήασιν. εἴσατο γάρ ῥα
νηὸς ὑπὲρ πάσης κατεπάλμενον ἀμφικαλύψειν.
ἀλλά μιν ἔφθη Τῖφυς ὑπ᾽ εἰρεσίῃ βαρύθουσαν
ἀγχαλάσας· τὸ δὲ πολλὸν ὑπὸ τρόπιν ἐξεκυλίσθη,
ἐκ δ᾽ αὐτὴν πρύμνηθεν ἀνείρυσε τηλόθι νῆα
πετράων· ὑψοῦ δὲ μεταχρονίη πεφόρητο.
Εὔφημος δ᾽ ἀνὰ πάντας ἰὼν βοάασκεν ἑταίρους,
ἐμβαλέειν κώπῃσιν ὅσον σθένος· οἱ δ᾽ ἀλαλητῷ
κόπτον ὕδωρ. ὅσσον δ᾽ ἂν ὑπείκαθε νηῦς ἐρέτῃσιν,
δὶς τόσον ἂψ ἀπόρουσεν· ἐπεγνάμπτοντο δὲ κῶπαι
ἠύτε καμπύλα τόξα, βιαζομένων ἡρώων.
ἔνθεν δ᾽ αὐτίκ᾽ ἔπειτα κατηρεφὲς ἔσσυτο κῦμα,
ἡ δ᾽ ἄφαρ ὥστε κύλινδρος ἐπέτρεχε κύματι λάβρῳ
προπροκαταΐγδην κοίλης ἁλός. ἐν δ᾽ ἄρα μέσσαις
Πληγάσι δινήεις εἶχεν ῥόος· αἱ δ᾽ ἑκάτερθεν
σειόμεναι βρόμεον· πεπέδητο δὲ νήια δοῦρα.
καὶ τότ᾽ Ἀθηναίη στιβαρῆς ἀντέσπασε πέτρης
σκαιῇ, δεξιτερῇ δὲ διαμπερὲς ὦσε φέρεσθαι.
ἡ δ᾽ ἰκέλη πτερόεντι μετήορος ἔσσυτ᾽ ὀιστῷ.
ἔμπης δ᾽ ἀφλάστοιο παρέθρισαν ἄκρα κόρυμβα
νωλεμὲς ἐμπλήξασαι ἐναντίαι. αὐτὰρ Ἀθήνη
Οὔλυμπόνδ᾽ ἀνόρουσεν, ὅτ᾽ ἀσκηθεῖς ὑπάλυξαν.
πέτραι δ᾽ εἰς ἕνα χῶρον ἐπισχεδὸν ἀλλήλῃσιν
νωλεμὲς ἐρρίζωθεν, ὃ δὴ καὶ μόρσιμον ἦεν
ἐκ μακάρων, εὖτ᾽ ἄν τις ἰδὼν διὰ νηὶ περήσῃ.
οἱ δέ που ὀκρυόεντος ἀνέπνεον ἄρτι φόβοιο
ἠέρα παπταίνοντες ὁμοῦ πέλαγός τε θαλάσσης
τῆλ᾽ ἀναπεπτάμενον. δὴ γὰρ φάσαν ἐξ Ἀίδαο
σώεσθαι· Τῖφυς δὲ παροίτατος ἤρχετο μύθων·
"Ἔλπομαι αὐτῇ νηὶ τόγ᾽ ἔμπεδον ἐξαλέασθαι
ἡμέας· οὐδέ τις ἄλλος ἐπαίτιος, ὅσσον Ἀθήνη,
ἥ οἱ ἐνέπνευσεν θεῖον μένος, εὖτέ μιν Ἄργος
γόμφοισιν συνάρασσε· θέμις δ᾽ οὐκ ἔστιν ἁλῶναι.
Αἰσονίδη, τύνη δὲ τεοῦ βασιλῆος ἐφετμήν,
εὖτε διὲκ πέτρας φυγέειν θεὸς ἧμιν ὄπασσεν,
μηκέτι δείδιθι τοῖον· ἐπεὶ μετόπισθεν ἀέθλους
εὐπαλέας τελέεσθαι Ἀγηνορίδης φάτο Φινεύς."

to them to row lustily, for once more the rocks were opening. Then came trembling on them as they rowed, until the wave with its returning wash came and bore the ship within the rocks. Thereon most awful fear seized on all, for above their head was death with no escape; and now on this side and on that lay broad Pontus to their view, when suddenly in front rose up a mighty arching wave, like to a steep hill, and they bowed down their heads at the sight. For it seemed as if it must indeed leap down and whelm the ship entirely. But Tiphys was quick to ease her as she laboured to the rowing, and the wave rolled with all his force beneath the keel, and lifted up the ship herself from underneath, far from the rocks, and high on the crest of the billow she was borne. Then did Euphemus go amongst all the crew, and call to them to lay on to their oars with all their might, and they smote the water at his cry. So she sprang forward twice as far as any other ship would have yielded to rowers, and the oars bent like curved bows as the heroes strained. In that instant the vaulted wave was past them, and she at once was riding over the furious billow like a roller, plunging headlong forward o'er the trough of the sea. But the eddying current stayed the ship in the midst of «the Clashers,» and they quaked on either side, and thundered, and the ship-timbers throbbed. Then did Athene with her left hand hold the stubborn rock apart, while with her right she thrust them through upon their course; and the ship shot through the air like a winged arrow. Yet the rocks, ceaselessly dashing together, crushed off, in passing, the tip of the carvèd stern. And Athene sped back to Olympus, when they were escaped unhurt. But the rocks closed up together, rooted firm for ever; even so was it decreed by the blessed gods, whenso a man should have passed through alive in his ship. And they, I trow, drew breath again after their chilling fear, as they gazed out upon the sky, and the expanse of sea spreading far and wide. For verily they deemed that they were saved from Hades, and Tiphys first made harangue: «Methinks we have escaped this danger sure enough, we and the ship, and there is no other we have to thank so much as Athene, who inspired the ship with divine courage, when Argus fastened her together with bolts; and it is not right that she should be caught. Wherefore, son of Æson, no more fear at all the bidding of thy king, since God hath granted us to escape through the rocks, for Phineus, son of Agenor,

Ἦ ῥ' ἅμα, καὶ προτέρωσε παραὶ Βιθυνίδα γαῖαν
νῆα διὲκ πέλαγος σεῦεν μέσον. αὐτὰρ ὁ τόνγε
μειλιχίοις ἐπέεσσι παραβλήδην προσέειπεν·
'Τῖφυ, τίη μοι ταῦτα παρηγορέεις ἀχέοντι;
ἤμβροτον ἀασάμην τε κακὴν καὶ ἀμήχανον ἄτην.
χρῆν γὰρ ἐφιεμένοιο καταντικρὺ Πελίαο
αὐτίκ' ἀνήνασθαι τόνδε στόλον, εἰ καὶ ἔμελλον
νηλειῶς μελεϊστὶ κεδαιόμενος θανέεσθαι·
νῦν δὲ περισσὸν δεῖμα καὶ ἀτλήτους μελεδῶνας
ἄγκειμαι, στυγέων μὲν ἁλὸς κρυόεντα κέλευθα
νηὶ διαπλώειν, στυγέων δ', ὅτ' ἐπ' ἠπείροιο
βαίνωμεν. πάντη γὰρ ἀνάρσιοι ἄνδρες ἔασιν.
αἰεὶ δὲ στονόεσσαν ἐπ' ἤματι νύκτα φυλάσσω,
ἐξότε τὸ πρώτιστον ἐμὴν χάριν ἠγερέθεσθε,
φραζόμενος τὰ ἕκαστα· σὺ δ' εὐμαρέως ἀγορεύεις
οἶον ἑῆς ψυχῆς ἀλέγων ὕπερ· αὐτὰρ ἔγωγε
εἷο μὲν οὐδ' ἠβαιὸν ἀτύζομαι· ἀμφὶ δὲ τοῖο
καὶ τοῦ ὁμῶς, καὶ σεῖο, καὶ ἄλλων δείδι' ἑταίρων
εἰ μὴ ἐς Ἑλλάδα γαῖαν ἀπήμονας ὔμμε κομίσσω.'
Ὣς φάτ' ἀριστήων πειρώμενος· οἱ δ' ὁμάδησαν
θαρσαλέοις ἐπέεσσιν. ὁ δὲ φρένας ἔνδον ἰάνθη
κεκλομένων, καὶ ῥ' αὖτις ἐπιρρήδην μετέειπεν·
'Ὦ φίλοι, ὑμετέρῃ ἀρετῇ ἔνι θάρσος ἀέξω.
τούνεκα νῦν οὐδ' εἴ κε διὲξ Ἀίδαο βερέθρων
στελλοίμην, ἔτι τάρβος ἀνάψομαι, εὖτε πέλεσθε
ἔμπεδοι ἀργαλέοις ἐνὶ δείμασιν. ἀλλ' ὅτε πέτρας
Πληγάδας ἐξέπλωμεν, ὀίομαι οὐκ ἔτ' ὀπίσσω
ἔσσεσθαι τοιόνδ' ἕτερον φόβον, εἰ ἐτεόν γε
φραδμοσύνῃ Φινῆος ἐπισπόμενοι νεόμεσθα.'
Ὣς φάτο, καὶ τοίων μὲν ἐλώφεον αὐτίκα μύθων,
εἰρεσίῃ δ' ἀλίαστον ἔχον πόνον· αἶψα δὲ τοίγε
Ῥήβαν ὠκυρόην ποταμὸν σκόπελόν τε Κολώνης,
ἄκρην δ' οὐ μετὰ δηθὰ παρεξενέοντο Μέλαιναν,
τῇ δ' ἄρ' ἐπὶ προχοὰς Φυλληίδας, ἔνθα πάροιθεν
Δίψακος υἷ' Ἀθάμαντος ἑοῖς ὑπέδεκτο δόμοισιν,
ὁππόθ' ἅμα κριῷ φεῦγεν πόλιν Ὀρχομενοῖο·
τίκτε δέ μιν νύμφη λειμωνιάς· οὐδέ οἱ ὕβρις
ἥνδανεν, ἀλλ' ἐθελημὸς ἐφ' ὕδασι πατρὸς ἑοῖο
μητέρι συνναίεσκεν ἐπάκτια πώεα φέρβων.
τοῦ μὲν θ' ἱερὸν αἶψα, καὶ εὐρείας ποταμοῖο
ἠιόνας πεδίον τε, βαθυρρείοντά τε Κάλπην
δερκόμενοι παράμειβον, ὁμῶς δ' ἐπὶ ἤματι νύκτα
νήνεμον ἀκαμάτῃσιν ἐπερρώοντ' ἐλάτῃσιν.
οἷον δὲ πλαδόωσαν ἐπισχίζοντες ἄρουραν
ἐργατίναι μογέουσι βόες, περὶ δ' ἄσπετος ἱδρὼς

108

declared that, after this, toils, easy to master, should be ours.»

Therewith he made the ship speed past the Bithynian coast across the sea. But the other answered him with gentle words: «Ah! Tiphys, why comfort my heavy heart thus? I have sinned, and upon me has come a grievous blindness I may not cope with; for I should have refused this journey outright at once when Pelias ordained it, even though I was to have died, torn ruthlessly limb from limb; but now do I endure exceeding terror, and troubles past bearing, in deadly dread to sail across the chill paths of the deep, in deadly dread whene'er we land. For on all sides are enemies. And ever as the days go by, I watch through the dreary night, and think of all, since first ye mustered for my sake; and lightly dost thou speak, caring only for thine own life, while I fear never so little for myself, but for this man and for that, for thee and the rest of my comrades do I fear, if I bring you not safe and sound to Hellas.»

So spake he, making trial of the chieftains; but they cried out with words of cheer. And his heart was glad within him at their exhorting, and once more he spake to them outright, «My friends, your bravery makes me more bold. Wherefore now no more will I let fear fasten on me, even though I must voyage across the gulf of Hades, since ye stand firm amid cruel terrors. Nay, since we have sailed from out the clashing rocks, I trow there will be no other horror in store such as this, if we surely go our way, following the counsel of Phineus.»

So spake he, and forthwith they ceased from such words and toiled in rowing unceasingly, and soon they passed by Rhebas, that swiftly-rushing river, and the rock of Colone, and, not long after, the Black headland, and, next, the mouth of the river Phyllis, where aforetime Dipsacus received the son of Athamas in his house what time he was flying, together with the ram, from the city of Orchomenus; his mother was a meadow-nymph, and he loved not wanton deeds, but gladly dwelt with his mother by the waters of his father, feeding flocks upon the shore. And quickly they sighted and passed by his shrine, and the river's broad banks and the plain and Calpe with its deep stream; and day by day, the calm night through, they bent to their unresting oars. As ploughing oxen do toil in cleaving a moist fallow-field, and the sweat trickles in great drops from their flanks and neck, and they keep

109

εἴβεται ἐκ λαγόνων τε καὶ αὐχένος· ὄμματα δέ σφιν
λοξὰ παραστρωφῶνται ὑπὸ ζυγοῦ· αὐτὰρ ἀυτμὴ
αὐαλέη στομάτων ἄμοτον βρέμει· οἱ δ' ἐνὶ γαίῃ
χηλὰς σκηρίπτοντε πανημέριοι πονέονται·
τοῖς ἴκελοι ἥρωες ὑπὲξ ἁλὸς εἷλκον ἐρετμά.
Ἦμος δ' οὔτ' ἄρ πω φάος ἄμβροτον, οὔτ' ἔτι λίην
ὀρφναίη πέλεται, λεπτὸν δ' ἐπιδέδρομε νυκτὶ
φέγγος, ὅτ' ἀμφιλύκην μιν ἀνεγρόμενοι καλέουσιν,
τῆμος ἐρημαίης νήσου λιμέν' εἰσελάσαντες
Θυνιάδος, καμάτῳ πολυπήμονι βαῖνον ἔραζε.
τοῖσι δὲ Λητοῦς υἱός, ἀνερχόμενος Λυκίηθεν
τῆλ' ἐπ' ἀπείρονα δῆμον Ὑπερβορέων ἀνθρώπων,
ἐξεφάνη· χρύσεοι δὲ παρειάων ἑκάτερθεν
πλοχμοὶ βοτρυόεντες ἐπερρώοντο κιόντι·
λαιῇ δ' ἀργύρεον νώμα βιόν, ἀμφὶ δὲ νώτοις
ἰοδόκη τετάνυστο κατωμαδόν· ἡ δ' ὑπὸ ποσσὶν
σείετο νῆσος ὅλη, κλύζεν δ' ἐπὶ κύματα χέρσῳ.
τοὺς δ' ἕλε θάμβος ἰδόντας ἀμήχανον· οὐδέ τις ἔτλη
ἀντίον αὐγάσσασθαι ἐς ὄμματα καλὰ θεοῖο.
στὰν δὲ κάτω νεύσαντες ἐπὶ χθονός· αὐτὰρ ὁ τηλοῦ
βῆ ῥ' ἴμεναι πόντονδε δι' ἠέρος· ὀψὲ δὲ τοῖον
Ὀρφεὺς ἔκφατο μῦθον ἀριστήεσσι πιφαύσκων·
Εἰ δ' ἄγε δὴ νῆσον μὲν Ἑωίου Ἀπόλλωνος
τήνδ' ἱερὴν κλείωμεν, ἐπεὶ πάντεσσι φαάνθη
ἠῷος μετιών· τὰ δὲ ῥέξομεν οἷα πάρεστιν,
βωμὸν ἀναστήσαντες ἐπάκτιον· εἰ δ' ἂν ὀπίσσω
γαῖαν ἐς Αἱμονίην ἀσκηθέα νόστον ὀπάσσῃ,
δὴ τότε οἱ κεραῶν ἐπὶ μηρία θήσομεν αἰγῶν.
νῦν δ' αὔτως κνίσῃ λοιβῇσί τε μειλίξασθαι
κέκλομαι. ἀλλ' ἵληθι ἄναξ, ἵληθι φαανθείς.'
Ὣς ἄρ' ἔφη· καὶ τοὶ μὲν ἄφαρ βωμὸν τετύκοντο
χερμάσιν· οἱ δ' ἀνὰ νῆσον ἐδίνεον, ἐξερέοντες
εἴ κέ τιν' ἢ κεμάδων, ἢ ἀγροτέρων ἐσίδοιεν
αἰγῶν, οἷά τε πολλὰ βαθείῃ βόσκεται ὕλῃ.
τοῖσι δὲ Λητοΐδης ἄγρην πόρεν· ἐκ δέ νυ πάντων
εὐαγέως ἱερῷ ἀνὰ διπλόα μηρία βωμῷ
καῖον, ἐπικλείοντες Ἑώιον Ἀπόλλωνα.
ἀμφὶ δὲ δαιομένοις εὐρὺν χορὸν ἐστήσαντο,
καλὸν Ἰηπαιῆον' Ἰηπαιήονα Φοῖβον
μελπόμενοι· σὺν δέ σφιν ἐὺς πάις Οἰάγροιο
Βιστονίῃ φόρμιγγι λιγείης ἦρχεν ἀοιδῆς·
ὥς ποτε πετραίῃ ὑπὸ δειράδι Παρνησσοῖο
Δελφύνην τόξοισι πελώριον ἐξενάριξεν,
κοῦρος ἐὼν ἔτι γυμνός, ἔτι πλοκάμοισι γεγηθώς.
ἱλήκοις· αἰεί τοι, ἄναξ, ἄτμητοι ἔθειραι,

110

turning their eyes askance from under the yoke, while the parched breath from their mouths comes ever snorting forth, and they planting their hoofs firmly in the ground go toiling on the livelong day; like unto them the heroes tugged their oars through the brine.

Now when the dawn divine was not yet come, nor yet was it exceeding dark, but o'er the night was spread a streak of light, the hour when men arise and call it twilight; in that hour they rowed into the harbour of the desert Thynian isle with laboured toil, and went ashore. And to them appeared the son of Leto, coming up from far Lycia, on his way to the countless race of the Hyperboreans; and clustering locks of gold streamed down his cheeks as he came; and in his left hand he held his silver bow, while about his back was slung his quiver from his shoulders; beneath his feet the island quaked throughout, and on the shore the waves surged up. And they were filled with wild alarm when they caught sight of him, and none dare gaze into the god's fair eyes. But there they stood with heads bowed low upon the ground, till he was far on his way to sea through the air; then at last spake Orpheus, thus declaring his word to the chieftains, «Come now, let us call this island the sacred isle of Apollo, god of dawn, for that he was seen by all passing over it at dawn, and let us sacrifice such things as we may, when we have raised an altar on the strand; but if hereafter he grant us a safe return to the land of Hæmonia, then surely will we lay upon his altar the thighs of hornèd goats. And now, as ye may, I bid you win his favour with the steam of sacrifice. Be gracious, O be gracious in thy appearing, prince!»

So spake he; and some at once made an altar of shingle, while others roamed the island in quest of fawns or wild goats if haply they might see aught of either, such beasts as oft do seek their food in a wood's depths. And for them the son of Leto found a quarry; then with pious rites they wrapped the thigh bones of them all in a roll of fat and burned them on the sacred altar, calling on the name of Apollo, god of dawn. And they stood in a wide ring around the burning sacrifice, chanting this hymn to Phœbus, «Hail, all hail! fair healing god;» while the goodly son of Œager led for them their clear song on his Bistonian lyre, telling how on a day beneath Parnassus' rocky ridge he slew the monster snake Delphine with his bow, while yet a beardless youth, proud of his

111

αἰὲν ἀδήλητοι· τὼς γὰρ θέμις. οἰόθι δ' αὐτὴ
Λητὼ Κοιογένεια φίλαις ἐν χερσὶν ἀφάσσει.
πολλὰ δὲ Κωρύκιαι νύμφαι, Πλείστοιο θύγατρες,
θαρσύνεσκον ἔπεσσιν, Ἰήιε κεκληγυῖαι·
ἔνθεν δὴ τόδε καλὸν ἐφύμνιον ἔπλετο Φοίβῳ.
Αὐτὰρ ἐπειδὴ τόνγε χορείῃ μέλψαν ἀοιδῇ,
λοιβαῖς εὐαγέεσσιν ἐπώμοσαν, ἦ μὲν ἀρήξειν
ἀλλήλοις εἰσαιὲν ὁμοφροσύνῃσι νόοιο,
ἁπτόμενοι θυέων· καὶ τ' εἰσέτι νῦν γε τέτυκται
κεῖσ' Ὁμονοίης ἱρὸν ἐύφρονος, ὅ ῥ' ἐκάμοντο
αὐτοὶ κυδίστην τότε δαίμονα πορσαίνοντες.
Ἦμος δὲ τρίτατον φάος ἤλυθε, δὴ τότ' ἔπειτα
ἀκραεῖ ζεφύρῳ νῆσον λίπον αἰπήεσσαν.
ἔνθεν δ' ἀντιπέρην ποταμοῦ στόμα Σαγγαρίοιο
καὶ Μαριανδυνῶν ἀνδρῶν ἐριθηλέα γαῖαν
ἠδὲ Λύκοιο ῥέεθρα καὶ Ἀνθεμοεισίδα λίμνην
δερκόμενοι παράμειβον· ὑπὸ πνοιῇ δὲ κάλωες
ὅπλα τε νήια πάντα τινάσσετο νισσομένοισιν.
ἠῶθεν δ' ἀνέμοιο διὰ κνέφας εὐνηθέντος
ἀσπασίως ἄκρης Ἀχερουσίδος ὅρμον ἵκοντο.
ἡ μέν τε κρημνοῖσιν ἀνίσχεται ἠλιβάτοισιν,
εἰς ἅλα δερκομένη Βιθυνίδα· τῇ δ' ὑπὸ πέτραι
λισσάδες ἐρρίζωνται ἁλίβροχοι· ἀμφὶ δὲ τῇσιν
κῦμα κυλινδόμενον μεγάλα βρέμει· αὐτὰρ ὕπερθεν
ἀμφιλαφεῖς πλατάνιστοι ἐπ' ἀκροτάτῃ πεφύασιν.
ἐκ δ' αὐτῆς εἴσω κατακέκλιται ἤπειρόνδε
κοίλη ὕπαιθα νάπη, ἵνα τε σπέος ἔστ' Ἀίδαο
ὕλῃ καὶ πέτρῃσιν ἐπηρεφές, ἔνθεν ἀυτμὴ
πηγυλίς, ὀκρυόεντος ἀναπνείουσα μυχοῖο
συνεχές, ἀργινόεσσαν ἀεὶ περιτέτροφε πάχνην,
ἥ τε μεσημβριόωντος ἰαίνεται ἠελίοιο.
σιγὴ δ' οὔποτε τήνγε κατὰ βλοσυρὴν ἔχει ἄκρην,
ἀλλ' ἄμυδις πόντοιό θ' ὑπὸ στένει ἠχήεντος,
φύλλων τε πνοιῇσι τινασσομένων μυχίῃσιν.
ἔνθα δὲ καὶ προχοαὶ ποταμοῦ Ἀχέροντος ἔασιν,
ὅς τε διὲξ ἄκρης ἀνερεύγεται εἰς ἅλα βάλλων
ἠώην· κοίλη δὲ φάραγξ κατάγει μιν ἄνωθεν.
τὸν μὲν ἐν ὀψιγόνοισι Σοωναύτην ὀνόμηναν
Νισαῖοι Μεγαρῆες, ὅτε νάσσεσθαι ἔμελλον
γῆν Μαριανδυνῶν. δὴ γάρ σφεας ἐξεσάωσεν
αὐτῇσιν νήεσσι, κακῇ χρίμψαντας ἀέλλῃ.
τῇ ῥ' οἵγ' αὐτίκα νηὶ διὲξ Ἀχερουσίδος ἄκρης
εἰσωποὶ ἀνέμοιο νέον λήγοντος ἔκελσαν.
Οὐδ' ἄρα δηθὰ Λύκον, κείνης πρόμον ἠπείροιο,
καὶ Μαριανδυνοὺς λάθον ἀνέρας ὁρμηθέντες

112

long locks. «O be gracious, ever be thy hair uncut, my prince, ever free from hurt, for thus 'tis right. Only Leto herself, daughter of Cœus, fondles it in her hands.» And the Corycian nymphs, daughters of Pleistus, oft took up the cheering strain, crying, «Hail, all hail!» This then was the fair refrain they chanted to Phœbus.

Now when they had celebrated him with song and dance, they took an oath by the holy drink-offering, that verily they would help one another for ever in unity of purpose, laying their hand upon the sacrifice; and still to this day there stands a temple there to cheerful Unity, the temple their own hands then built to the honour of a deity most potent.

Now when the third day was come, then did they leave that steep isle with a fresh west wind. Thence they sighted over against them the mouth of the river Sangarius, and the fruitful land of the Mariandyni and the streams of Lycus and the lake of Anthemoisia, and by them they passed. And as they ran before the breeze, the ropes and tackling throughout the ship were shaken; at dawn, for the wind dropped during the night, they were glad to reach the haven of the Acherusian headland, which rises up with steep beetling crags, facing the Bithynian sea; beneath it are rooted smooth sea-washed rocks, and round them the billow rolls and thunders loud, but above, upon the top, grow spreading plane trees. Further inland from this lieth a glen in the hollow, where is the cave of Hades, roofed in with trees and rocks, whence an icy blast, breathing always from the chill den within, ever freezeth the sparkling rime, that thaws again beneath the noonday sun. Never spreads silence o'er that grim headland, but there is a confused murmur of the booming sea, and of leaves rustling in the wind within. There too is the mouth of the river Acheron, which discharges through the headland and falleth into the sea eastward; a hollow chasm brings it down from above. The Megarians of Nisæa called it in after-times «Saviour of Mariners,» when they were about to settle in the land of the Mariandyni. For lo! it saved them and their ships when they were caught by a foul tempest. So now at once the heroes passed through the Acherusian headland and anchored inside, just as the wind was dropping.

No long time, I trow, could the slayers of Amycus, as report had told, anchor without the knowledge of Lycus, lord of that mainland, or of the Mariandyni; but they

A
R
G
O
N
A
U
T
I
C
A

113

αὐθένται Ἀμύκοιο κατὰ κλέος, ὃ πρὶν ἄκουον·
ἀλλὰ καὶ ἀρθμὸν ἔθεντο μετὰ σφίσι τοῖο ἕκητι.
αὐτὸν δ' ὥστε θεὸν Πολυδεύκεα δεξιόωντο
πάντοθεν ἀγρόμενοι· ἐπεὶ ἦ μάλα τοίγ' ἐπὶ δηρὸν
ἀντιβίην Βέβρυξιν ὑπερφιάλοις πολέμιζον.

καὶ δὴ πασσυδίῃ μεγάρων ἔντοσθε Λύκοιο
κεῖν' ἦμαρ φιλότητι, μετὰ πτολίεθρον ἰόντες,
δαίτην ἀμφίεπον, τέρποντό τε θυμὸν ἔπεσσιν.
Αἰσονίδης μέν οἱ γενεὴν καὶ οὔνομ' ἑκάστου

σφωιτέρων μυθεῖθ' ἑτάρων, Πελίαό τ' ἐφετμάς,
ἠδ' ὡς Λημνιάδεσσιν ἐπεξεινοῦντο γυναιξίν,
ὅσσα τε Κύζικον ἀμφὶ Δολιονίην ἐτέλεσσαν·
Μυσίδα δ' ὡς ἀφίκοντο Κίον θ', ὅθι κάλλιπον ἥρω

Ἡρακλέην ἀέκοντι νόῳ, Γλαύκοιό τε βάξιν
πέφραδε, καὶ Βέβρυκας ὅπως Ἄμυκόν τ' ἐδάιξαν,
καὶ Φινῆος ἔειπε θεοπροπίας τε δύην τε,
ἠδ' ὡς Κυανέας πέτρας φύγον, ὥς τ' ἀβόλησαν

Λητοΐδῃ κατὰ νῆσον. ὁ δ' ἐξείης ἐνέποντος
θέλγετ' ἀκουῇ θυμόν· ἄχος δ' ἕλεν Ἡρακλῆι
λειπομένῳ, καὶ τοῖον ἔπος πάντεσσι μετηύδα·
'Ὦ φίλοι, οἷον φωτὸς ἀποπλαγχθέντες ἀρωγῆς

πείρετ' ἐς Αἰήτην τόσσον πλόον. εὖ γὰρ ἐγώ μιν
Δασκύλου ἐν μεγάροισι καταυτόθι πατρὸς ἐμοῖο
οἶδ' ἐσιδών, ὅτε δεῦρο δι' Ἀσίδος ἠπείροιο
πεζὸς ἔβη ζωστῆρα φιλοπτολέμοιο κομίζων
Ἱππολύτης· ἐμὲ δ' εὗρε νέον χνοάοντα ἰούλους.

ἔνθα δ' ἐπὶ Πριόλαο κασιγνήτοιο θανόντος
ἡμετέρου Μυσοῖσιν ὑπ' ἀνδράσιν, ὅντινα λαὸς
οἰκτίστοις ἐλέγοισιν ὀδύρεται ἐξέτι κείνου,
ἀθλεύων Τιτίην ἀπεκαίνυτο πυγμαχέοντα

καρτερόν, ὃς πάντεσσι μετέτρεπεν ἠιθέοισιν
εἶδός τ' ἠδὲ βίην· χαμάδις δέ οἱ ἤλασ' ὀδόντας.
αὐτὰρ ὁμοῦ Μυσοῖσιν ἐμῷ ὑπὸ πατρὶ δάμασσεν
καὶ Φρύγας, οἳ ναίουσιν ὁμώλακας ἧμιν ἀρούρας,
φῦλά τε Βιθυνῶν αὐτῇ κτεατίσσατο γαίῃ,

ἔστ' ἐπὶ Ῥηβαίου προχοὰς σκόπελόν τε Κολώνης·
Παφλαγόνες τ' ἐπὶ τοῖς Πελοπήιοι εἴκαθον αὔτως,
ὅσσους Βιλλαίοιο μέλαν περιάγνυται ὕδωρ.
ἀλλά με νῦν Βέβρυκες ὑπερβασίῃ τ' Ἀμύκοιο

τηλόθι ναιετάοντος, ἐνόσφισαν, Ἡρακλῆος,
δὴν ἀποτεμνόμενοι γαίης ἅλις, ὄφρ' ἐβάλοντο
οὖρα βαθυρρείοντος ὑφ' εἱαμεναῖς Ὑπίοιο.
ἔμπης δ' ἐξ ὑμέων ἔδοσαν τίσιν· οὐδέ ἕ φημι
ἤματι τῷδ' ἀέκητι θεῶν ἐπελάσσαι ἄρεα,

Τυνδαρίδην Βέβρυξιν, ὅτ' ἀνέρα κεῖνον ἔπεφνεν.

made even a league with them on that account. And they welcomed Polydeuces himself as he had been a god, gathering from all sides, for long time had they warred bitterly against the overweening Bebryces. And so it was that at once within the halls of Lycus they made ready a feast that day with all good will, going to the city, and rejoiced their hearts with converse.

And the son of Æson declared his lineage and the name of each of his crew, and the commands of Pelias, and how they were entertained by the women of Lemnos, and all that they did in Cyzicus, city of the Doliones, and how they came to Mysia and Chios, where they left the hero Heracles against their will; also he declared the message of Glaucus, and told how they smote the Bebryces and Amycus, and of the prophecies and misery of Phineus, and how they escaped the Cyanean rocks, and met the son of Leto at the island. And the heart of Lycus was charmed at listening to his tale, and thus spake he amongst them all : «My friends, what a man is he whose aid ye have lost in your long, long voyage to Æetes! For well I mind seeing him here in the halls of my father Dascylus, what time he came hither afoot through the mainland of Asia, bringing the girdle of Hippolyte, the warrior queen; but me he found with the down just sprouting on my chin. Then when our brother Priolaus was slain by the Mysians, whom from that day forth the people mourn in piteous elegies, he entered the list with Titias the mighty, and vanquished him in boxing, a man who excelled all our young men in build and might; and he dashed his teeth upon the ground. Moreover he subdued to my father Phrygians and Mysians together, who inhabit the lands nigh to us, and took for his own the tribes of the Bithynians with their land, as far as the mouth of the Rhebas and the rock of Colone; next the Paphlagonians, sprung from Pelops, yielded without fight, all whom the black water of Billæus breaks around. But now the Bebryces and the violence of Amycus did separate me from Heracles, who dwells afar, for they have long cut great slices from my land, till they set their boundaries at the water-meadows of the Hypius. Yet have they paid the penalty to you, and I trow that he, the son of Tyndarus, brought not death this day upon the Bebryces without the will of heaven, what time he slew yon man. Wherefore now whatso thanks I can return, that will I right gladly. For that is right for weaklings, when others that be stronger than them begin

115

τῶ νῦν ἥντιν' ἐγὼ τῖσαι χάριν ἄρκιός εἰμι,
τίσω προφρονέως. ἦ γὰρ θέμις ἠπεδανοῖσιν
ἀνδράσιν, εὖτ' ἄρξωσιν ἀρείονες ἄλλοι ὀφέλλειν.
ξυνῇ μὲν πάντεσσιν ὁμόστολον ὔμμιν ἕπεσθαι
Δάσκυλον ὀτρυνέω, ἐμὸν υἱέα· τοῖο δ' ἰόντος,
ἦ τ' ἂν ἐυξείνοισι διὲξ ἁλὸς ἀντιάοιτε
ἀνδράσιν, ὄφρ' αὐτοῖο ποτὶ στόμα Θερμώδοντος.
νόσφι δὲ Τυνδαρίδαις Ἀχερουσίδος ὑψόθεν ἄκρης
εἴσομαι ἱερὸν αἰπύ· τὸ μὲν μάλα τηλόθι πάντες
ναυτίλοι ἂμ πέλαγος θηεύμενοι ἱλάξονται·
καί κέ σφιν μετέπειτα πρὸ ἄστεος, οἷα θεοῖσιν,
πίονας εὐαρότοιο γύας πεδίοιο ταμοίμην.'
Ὣς τότε μὲν δαῖτ' ἀμφὶ πανήμεροι ἐψιόωντο.
ἦρί γε μὴν ἐπὶ νῆα κατήισαν ἐγκονέοντες·
καὶ δ' αὐτὸς σὺν τοῖσι Λύκος κίε, μυρί' ὀπάσσας
δῶρα φέρειν· ἅμα δ' υἷα δόμων ἔκπεμπε νέεσθαι.
Ἔνθα δ' Ἀβαντιάδην πεπρωμένη ἤλασε μοῖρα
Ἴδμονα, μαντοσύνῃσι κεκασμένον· ἀλλά μιν οὔτι
μαντοσύναι ἐσάωσαν, ἐπεὶ χρεὼ ἦγε δαμῆναι·
κεῖτο γὰρ εἰαμενῇ δονακώδεος ἐν ποταμοῖο
ψυχόμενος λαγόνας τε καὶ ἄσπετον ἰλύι νηδὺν
κάπριος ἀργιόδων, ὀλοὸν τέρας, ὅν ῥα καὶ αὐταὶ
νύμφαι ἑλειονόμοι ὑπεδείδισαν· οὐδέ τις ἀνδρῶν
ἠείδει· οἶος δὲ κατὰ πλατὺ βόσκετο τῖφος.
αὐτὰρ ὅγ' ἰλυόεντος ἀνὰ θρωσμοὺς ποταμοῖο
νίσσετ' Ἀβαντιάδης· ὁ δ' ἄρ' ἔκποθεν ἀφράστοιο
ὕψι μάλ' ἐκ δονάκων ἀνεπάλμενος ἤλασε μηρὸν
ἄιγδην, μέσσας δὲ σὺν ὀστέῳ ἶνας ἔκερσεν.
ὀξὺ δ' ὅγε κλάγξας οὔδει πέσεν· οἱ δὲ τυπέντος
ἀθρόοι ἀντιάχησαν. ὀρέξατο δ' αἶψ' ὀλοοῖο
Πηλεὺς αἰγανέῃ φύγαδ' εἰς ἕλος ὁρμηθέντος
καπρίου· ἔσσυτο δ' αὖτις ἐναντίος· ἀλλά μιν Ἴδας
οὔτασε, βεβρυχὼς δὲ θοῷ περικάππεσε δουρί.
καὶ τὸν μὲν χαμάδις λίπον αὐτόθι πεπτηῶτα·
τὸν δ' ἕταροι ἐπὶ νῆα φέρον ψυχορραγέοντα,
ἀχνύμενοι, χείρεσσι δ' ἑῶν ἐνικάτθαν' ἑταίρων.
Ἔνθα δὲ ναυτιλίης μὲν ἐρητύοντο μέλεσθαι,
ἀμφὶ δὲ κηδείῃ νέκυος μένον ἀσχαλόωντες.
ἤματα δὲ τρία πάντα γόων· ἑτέρῳ δέ μιν ἤδη
τάρχυον μεγαλωστί· συνεκτερέιζε δὲ λαὸς
αὐτῷ ὁμοῦ βασιλῆι Λύκῳ· παρὰ δ' ἄσπετα μῆλα,
ἦ θέμις οἰχομένοισι, ταφήια λαιμοτόμησαν.
καὶ δή τοι κέχυται τοῦδ' ἀνέρος ἐν χθονὶ κείνῃ
τύμβος· σῆμα δ' ἔπεστι καὶ ὀψιγόνοισιν ἰδέσθαι,
νήιον ἐκ κοτίνοιο φάλαγξ· θαλέθει δέ τε φύλλοις

to help them; so with you all and in your company I charge Dascylus my son to follow; and if he go, verily ye shall meet with friends on your voyage as far as the mouth of Thermodon itself. Moreover I will dedicate to the sons of Tyndarus a temple high upon the Acherusian hill; to it shall all sailors seek when they see it in the far distance o'er the sea; yea, and hereafter will I set apart for them before the city, as for gods, fat lands on the well-tilled plain.»

So then, the livelong day, they took their pastime at the feast, but at dawn they went down in haste unto the ship, yea, and with them went Lycus too, bringing countless gifts to bear away, for with them was he sending from his house his son to fare.

There the doom of his fate smote Idmon, son of Abas, most excellent seer; yet could not his divining save him, for fate led him on to die. For within the water - mead beside the reedy river lay a boar, with white tusks, cooling his flanks and huge belly in the mud, a deadly monster, whereof even the nymphs that haunt the meads were afraid; and no man knew of his being there, for all alone along the broad marsh he browsed. Now he, the son of Abas, was passing by the springs of that muddy river, when lo! the boar leapt up from some unseen lair among the reeds and charged and smote him on the thigh, cutting sinews and bone right in twain. And with one bitter cry down fell he upon the ground, and his comrades flocking round cried o'er their smitten fellow. But Peleus made one quick lunge with his hunting-spear at the boar as he darted in flight into the marsh, and out he rushed again to charge them, but Idas smote him, and with one grunt he fell grovelling about the sharp spear. And there they left him on the ground where he fell, and sorrowfully bare their swooning comrade to the ship, but he died in his companions' arms.

So they stayed them from all thought of sailing, and abode in bitter grief for the burial of the dead man. Three full days they mourned, and on the fourth made him a splendid funeral; and the people, with Lycus their king as well, joined in the funeral rites; and at the grave-side they cut the throats of countless sheep, as is the meed of the departed. So in that land this warrior's cairn was heaped, and upon it is a sign for those who may yet be born to see, a log of wild olive such as ships are builded of, which putteth forth her leaf a little below the Acheru-

117

ΟΙ ΑΡΓΟΝΑΥΤΑΙ ΠΕΝΘΟΥΝ ΤΟΝ
ΕΤΟΙΜΟΘΑΝΑΤΟΝ ΙΔΜΟΝΑ

THE ARGONAUTS MOURN
OVER THE DYING IDMON

ἄκρης τυτθὸν ἔνερθ' Ἀχερουσίδος. εἰ δέ με καὶ τὸ
χρειὼ ἀπηλεγέως Μουσέων ὕπο γηρύσασθαι,
τόνδε πολισσοῦχον διεπέφραδε Βοιωτοῖσιν
Νισαίοισί τε Φοῖβος ἐπιρρήδην ἱλάεσθαι,
ἀμφὶ δὲ τήνγε φάλαγγα παλαιγενέος κοτίνοιο
ἄστυ βαλεῖν· οἱ δ' ἀντὶ θεουδέος Αἰολίδαο
Ἴδμονος εἰσέτι νῦν Ἀγαμήστορα κυδαίνουσιν.
Τίς γὰρ δὴ θάνεν ἄλλος; ἐπεὶ καὶ ἔτ' αὖτις ἔχευαν
ἥρωες τότε τύμβον ἀποφθιμένου ἑτάροιο.
δοιὰ γὰρ οὖν κείνων ἔτι σήματα φαίνεται ἀνδρῶν.
Ἀγνιάδην Τῖφυν θανέειν φάτις· οὐδέ οἱ ἦεν
μοῖρ' ἔτι ναυτίλλεσθαι ἑκαστέρω. ἀλλά νυ καὶ τὸν
αὖθι μινυνθαδίη πάτρης ἑκὰς εὔνασε νοῦσος,
εἰσότ' Ἀβαντιάδαο νέκυν κτερέιξεν ὅμιλος.
ἄτλητον δ' ὀλοῷ ἐπὶ πήματι κῆδος ἕλοντο.
δὴ γὰρ ἐπεὶ καὶ τόνδε παρασχεδὸν ἐκτερέιξαν
αὐτοῦ, ἀμηχανίησιν ἁλὸς προπάροιθε πεσόντες,
ἐντυπὰς εὐκήλως εἰλυμένοι οὔτε τι σίτου
μνώοντ' οὔτε ποτοῖο· κατήμυσαν δ' ἀχέεσσιν
θυμόν, ἐπεὶ μάλα πολλὸν ἀπ' ἐλπίδος ἔπλετο νόστος.
καί νύ κ' ἔτι προτέρω τετιημένοι ἰσχανόωντο,
εἰ μὴ ἄρ' Ἀγκαίῳ περιώσιον ἔμβαλεν Ἥρη
θάρσος, ὃν Ἰμβρασίοισι παρ' ὕδασιν Ἀστυπάλαια
τίκτε Ποσειδάωνι· περιπρὸ γὰρ εὖ ἐκέκαστο
ἰθύνειν, Πηλῆα δ' ἐπεσσύμενος προσέειπεν·
Αἰακίδη, πῶς καλὸν ἀφειδήσαντας ἀέθλων
γαίη ἐν ἀλλοδαπῇ δὴν ἔμμεναι; οὐ μὲν ἄρηος
ἴδριν ἐόντά με τόσσον ἄγει μετὰ κῶας Ἰήσων
Παρθενίης ἀπάνευθεν, ὅσον τ' ἐπιίστορα νηῶν.
τῶ μή μοι τυτθόν γε δέος περὶ νηὶ πελέσθω.
ὣς δὲ καὶ ὧλλοι δεῦρο δαήμονες ἄνδρες ἔασιν,
τῶν ὅτινα πρύμνης ἐπιβήσομεν, οὔτις ἰάψει
ναυτιλίην. ἀλλ' ὦκα, παραιφάμενος τάδε πάντα,
θαρσαλέως ὀρόθυνον ἐπιμνήσασθαι ἀέθλου.'
Ὣς φάτο· τοῖο δὲ θυμὸς ὀρέξατο γηθοσύνῃσιν.
αὐτίκα δ' οὐ μετὰ δηρὸν ἐνὶ μέσσοις ἀγόρευσεν·
Δαιμόνιοι, τί νυ πένθος ἐτώσιον ἴσχομεν αὔτως;
οἱ μὲν γάρ ποθι τοῦτον, ὃν ἔλλαχον, οἶτον ὄλοντο·
ἡμῖν δ' ἐν γὰρ ἔασι κυβερνητῆρες ὁμίλῳ,
καὶ πολέες. τῶ μή τι διατριβώμεθα πείρης·
ἀλλ' ἔγρεσθ' εἰς ἔργον, ἀπορρίψαντες ἀνίας.'
Τὸν δ' αὖτ' Αἴσονος υἱὸς ἀμηχανέων προσέειπεν·
Αἰακίδη, πῇ δ' οἵδε κυβερνητῆρες ἔασιν;
οὓς μὲν γὰρ τὸ πάροιθε δαήμονας εὐχόμεθ' εἶναι,
οἵδε κατηφήσαντες ἐμεῦ πλέον ἀσχαλόωσιν.

120

sian headland. Yea, and if I must needs declare this also clearly in my song, Phœbus bade the Bœotians, who came from Nisæa, worship him, nothing doubting, as the protector of their city, and found a town about that log of ancient olive; but these to-day do honour to Agamestor instead of Idmon, god-like son of Æolus.

Who next did die? that must I tell; for yet again the heroes piled a barrow for a comrade dead. For verily there are yet two tombs of those two men to be seen. 'Tis said that Tiphys, son of Hagnias, died, for it was not appointed him to voyage further. Nay, a short illness closed there his eyes far from his fatherland, while his company were burying the dead son of Abas. And bitter was the grief they felt at this cruel woe. For when they had buried him too beside the other there, they threw themselves down in their distress before the sea, closely wrapped from head to foot, and never a word they spake nor had they any thought for meat or drink, but sorrow made their spirit droop; for very far from their hopes was their return, and in their anguish would they have stopped from going any further, had not Hera put exceeding courage in the breast of Ancæus, whom Astypalæa bare to Poseidon by the waters of Imbrasus; for a right good steersman was he. So he did up anon, and spake to Peleus, «Son of Æacus, how can this be well to linger on in a strange land, neglectful of our enterprise? Jason hath in me, whom he is leading from Parthenie away to fetch the fleece, a man whose skill in war is only second to his knowledge of ships; wherefore I pray you, let this fear for the ship be short-lived. Yea, and there be others here, men of skill; and whomso of these we shall set over the helm, none shall harm our voyaging. But quickly tell all this comfort out; then boldly rouse them to a remembrance of their labour.»

So spake he, and the heart of the other went out to him in gladness; and anon, without delay, he made harangue in their midst. «God help us, sirs! why nurse we thus our grief in vain? The dead, I trow, have died the death that fell to their lot, but there are amongst us, methinks, helmsmen in our company, aye, plenty of them. Wherefore delay we no more our attempt, but up to your work, casting sorrow to the winds.»

To him the son of Æson made answer, much perplexed: «Son of Æacus, where then be these steersmen? For they whom aforetime we boasted were men of skill, hang down

121

τῶ καὶ ὁμοῦ φθιμένοισι κακὴν προτιόσσομαι ἄτην,
εἰ δὴ μήτ' ὀλοοῖο μετὰ πτόλιν Αἰήταο
ἔσσεται, ἠὲ καὶ αὖτις ἐς Ἑλλάδα γαῖαν ἱκέσθαι
πετράων ἔκτοσθε, καταυτόθι δ' ἄμμε καλύψει
ἀκλειῶς κακὸς οἶτος, ἐτώσια γηράσκοντας.'
ᾯς ἔφατ'· Ἀγκαῖος δὲ μάλ' ἐσσυμένως ὑπέδεκτο
νῆα θοὴν ἄξειν· δὴ γὰρ θεοῦ ἐτράπεθ' ὁρμῇ.
τὸν δὲ μετ' Ἐργῖνος καὶ Ναύπλιος Εὔφημός τε
ὤρνυντ', ἰθύνειν λελιημένοι. ἀλλ' ἄρα τούσγε
ἔσχεθον· Ἀγκαίῳ δὲ πολεῖς ἤνησαν ἑταίρων.
Ἠῶοι δήπειτα δυωδεκάτῳ ἐπέβαινον
ἤματι· δὴ γάρ σφιν ζεφύρου μέγας οὖρος ἄητο.
καρπαλίμως δ' Ἀχέροντα διεξεπέρησαν ἐρετμοῖς,
ἐκ δ' ἔχεαν πίσυνοι ἀνέμῳ λίνα, πουλὺ δ' ἐπιπρὸ
λαιφέων πεπταμένων τέμνον πλόον εὐδιόωντες.
ὦκα δὲ Καλλιχόροιο παρὰ προχοὰς ποταμοῖο
ἤλυθον, ἔνθ' ἐνέπουσι Διὸς Νυσήιον υἷα,
Ἰνδῶν ἡνίκα φῦλα λιπὼν κατενάσσατο Θήβας,
ὀργιάσαι, στῆσαί τε χοροὺς ἄντροιο πάροιθεν,
ᾧ ἐν ἀμειδήτους ἁγίας ηὐλίζετο νύκτας
ἐξ οὗ Καλλίχορον ποταμὸν περιναιετάοντες
ἠδὲ καὶ Αὔλιον ἄντρον ἐπωνυμίην καλέουσιν.
Ἔνθεν δὲ Σθενέλου τάφον ἔδρακον Ἀκτορίδαο,
ὅς ῥά τ' Ἀμαζονίδων πολυθαρσέος ἐκ πολέμοιο
ἂψ ἀνιὼν—δὴ γὰρ συνανήλυθεν Ἡρακλῆι—
βλήμενος ἰῷ κεῖθεν ἐπ' ἀγχιάλου θάνεν ἀκτῆς.
οὐ μέν θην προτέρω ἔτ' ἐμέτρεον. ἧκε γὰρ αὐτὴ
Φερσεφόνη ψυχὴν πολυδάκρυον Ἀκτορίδαο
λισσομένην τυτθόν περ ὁμήθεας ἄνδρας ἰδέσθαι.
τύμβου δὲ στεφάνης ἐπιβὰς σκοπιάζετο νῆα
τοῖος ἐών, οἷος πόλεμόνδ' ἴεν· ἀμφὶ δὲ καλὴ
τετράφαλος φοίνικι λόφῳ ἐπελάμπετο πήληξ.
καί ῥ' ὁ μὲν αὖτις ἔδυνε μέγαν ζόφον· οἱ δ' ἐσιδόντες
θάμβησαν· τοὺς δ' ὦρσε θεοπροπέων ἐπικέλσαι
Ἀμπυκίδης Μόψος λοιβῇσί τε μειλίξασθαι.
οἱ δ' ἀνὰ μὲν κραιπνῶς λαῖφος σπάσαν, ἐκ δὲ βαλόντες
πείσματ' ἐν αἰγιαλῷ Σθενέλου τάφον ἀμφεπένοντο,
χύτλα τέ οἱ χεύοντο, καὶ ἤγνισαν ἔντομα μήλων.
ἄνδιχα δ' αὖ χύτλων νηοσσόῳ Ἀπόλλωνι
βωμὸν δειμάμενοι μῆρ' ἔφλεγον· ἂν δὲ καὶ Ὀρφεὺς
θῆκε λύρην· ἐκ τοῦ δὲ Λύρη πέλει οὔνομα χώρῳ.
Αὐτίκα δ' οἵγ' ἀνέμοιο κατασπέρχοντος ἔβησαν
νῆ' ἔπι· κὰδ δ' ἄρα λαῖφος ἐρυσσάμενοι τανύοντο
ἐς πόδας ἀμφοτέρους· ἡ δ' ἐς πέλαγος πεφόρητο
ἐντενές, ἠύτε τίς τε δι' ἠέρος ὑψόθι κίρκος

122

*their heads, more vexed at me than ever. Wherefore I
foresee a sorry fate for us as well as for the dead, if indeed
it be our lot neither to come to the city of baleful Æetes,
nor ever again to pass the rocks and reach the land of
Hellas; for here will a miserable doom hide us without
fame, till we grow old for nought.» So spake he; but
right speedily Ancæus took upon him to steer the swift
ship, for verily he was turned thereto by the prompting
of the goddess. And after him arose Erginus and Nau-
plius and Euphemus, all eager for to steer. But these did
they hold therefrom, for many of the crew would have
Ancæus.*

*So they went aboard on the twelfth day at dawn; for
lo! a strong west wind did blow for them, and quickly
they passed through the Acheron with rowing; and,
trusting to the wind, they shook out their sails, and so
sped calmly on a goodly stretch under canvas. Quickly
came they past the mouth of the river Callichorus, where,
men say, the Nysean son of Zeus, what time he left the
tribes of India and came to dwell in Thebes, held his
revels and led the dance before the cave, wherein he would
sleep away the gloomy hours of sacred night, wherefore
they who dwell around do call that river «Stream of fair
dancing,» and that cave «the Bedchamber,» after him.*

*Sailing thence they saw the tomb of Sthenelus, son of
Actor, who on his way back from the bold fight with the
Amazons—for thither had he gone with Heracles—died
there upon the beach, of an arrow wound. So then they
sailed on no further. For Persephone herself sent forth
the spirit of the son of Actor, at his piteous prayer, to
gaze a little on men of like passions with himself. So
he took his stand on the summit of his tomb and watched
for the ship, in form even as when he went to the war,
and on his head shone his four-plumed helmet with the
blood-red crest. And then he passed once more beneath
the mighty gloom; but they marvelled at the sight, and
Mopsus, son of Ampycus, did prophesy, and bade them
anchor there and appease the spirit with drink-offerings.
So they quickly furled the sails, and making fast the
cables on the strand were busied about the tomb of Sthe-
nelus, pouring libations to him, and offering sheep as
victims. Moreover they did build, besides pouring liba-
tions, an altar to Apollo, protector of ships, and burnt
sheep thereon; and there Orpheus dedicated his lyre,
whence that place is called «the Lyre.»*

123

ταρσὸν ἐφεὶς πνοιῇ φέρεται ταχύς, οὐδὲ τινάσσει
ῥιπήν, εὐκήλοισιν ἐνευδιόων πτερύγεσσιν.
καὶ δὴ Παρθενίοιο ῥοὰς ἁλιμυρήεντος,
πρηυτάτου ποταμοῦ, παρεμέτρεον, ᾧ ἔνι κούρη
Λητωίς, ἄγρηθεν ὅτ' οὐρανὸν εἰσαναβαίνῃ,
ὃν δέμας ἱμερτοῖσιν ἀναψύχει ὑδάτεσσιν.
νυκτὶ δ' ἔπειτ' ἄλληκτον ἐπιπροτέρωσε θέοντες
Σήσαμον αἰπεινούς τε παρεξενέοντ' Ἐρυθίνους,
Κρωβίαλον, Κρώμναν τε καὶ ὑλήεντα Κύτωρον.
ἔνθεν δ' αὖτε Κάραμβιν ἅμ' ἠελίοιο βολῇσιν
γνάμψαντες παρὰ πουλὺν ἔπειτ' ἤλαυνον ἐρετμοῖς
Αἰγιαλὸν πρόπαν ἦμαρ ὁμῶς καὶ ἐπ' ἤματι νύκτα.
Αὐτίκα δ' Ἀσσυρίης ἐπέβαν χθονός, ἔνθα Σινώπην,
θυγατέρ' Ἀσωποῖο, καθίσσατο, καί οἱ ὄπασσεν
παρθενίην Ζεὺς αὐτός, ὑποσχεσίῃσι δολωθείς.
δὴ γὰρ ὁ μὲν φιλότητος ἐέλδετο· νεῦσε δ' ὅγ' αὐτῇ
δωσέμεναι, ὅ κεν ᾖσι μετὰ φρεσὶν ἰθύσειεν.
ἡ δέ ἑ παρθενίην ᾐτήσατο κερδοσύνῃσιν.
ὣς δὲ καὶ Ἀπόλλωνα παρήπαφεν εὐνηθῆναι
ἱέμενον, ποταμόν τ' ἐπὶ τοῖς Ἅλυν· οὐδὲ μὲν ἀνδρῶν
τήνγε τις ἱμερτῇσιν ἐν ἀγκοίνῃσι δάμασσεν.
ἔνθα δὲ Τρικκαίοιο ἀγαυοῦ Δηιμάχοιο
υἷες, Δηιλέων τε καὶ Αὐτόλυκος Φλογίος τε
τῆμος ἔθ', Ἡρακλῆος ἀποπλαγχθέντες, ἔναιον·
οἵ ῥα τόθ', ὡς ἐνόησαν ἀριστήων στόλον ἀνδρῶν,
σφᾶς αὐτοὺς νημερτὲς ἐπέφραδον ἀντιάσαντες·
οὐδ' ἔτι μιμνάζειν θέλον ἔμπεδον, ἀλλ' ἐνὶ νηί,
Ἀργέσταο παρᾶσσον ἐπιπνείοντες, ἔβησαν.
τοῖσι δ' ὁμοῦ μετέπειτα θοῇ πεφορημένοι αὔρῃ
λεῖπον Ἅλυν ποταμόν, λεῖπον δ' ἀγχίρροον Ἶριν,
ἠδὲ καὶ Ἀσσυρίης πρόχυσιν χθονός· ἤματι δ' αὐτῷ
γνάμψαν Ἀμαζονίδων ἕκαθεν λιμενήοχον ἄκρην.
Ἔνθα ποτὲ προμολοῦσαν Ἀρητιάδα Μελανίππην
ἥρως Ἡρακλέης ἐλοχήσατο, καί οἱ ἄποινα
Ἱππολύτη ζωστῆρα παναίολον ἐγγυάλιξεν
ἀμφὶ κασιγνήτης· ὁ δ' ἀπήμονα πέμψεν ὀπίσσω.
τῆς οἵγ' ἐν κόλπῳ, προχοαῖς ἔπι Θερμώδοντος,
κέλσαν, ἐπεὶ καὶ πόντος ὀρίνετο νισσομένοισιν.
τῷ δ' οὔτις ποταμῶν ἐναλίγκιος, οὐδὲ ῥέεθρα
τόσσ' ἐπὶ γαῖαν ἵησι παρὲξ ἔθεν ἄνδιχα βάλλων.
τετράκις εἰς ἑκατὸν δεύοιτό κεν, εἴ τις ἕκαστα
πεμπάζοι· μία δ' οἴη ἐτήτυμος ἔπλετο πηγή.
ἡ μέν τ' ἐξ ὀρέων κατανίσσεται ἤπειρόνδε
ὑψηλῶν, ἅ τέ φασιν Ἀμαζόνια κλείεσθαι.
ἔνθεν δ' αἰπυτέρην ἐπικίδναται ἔνδοθι γαῖαν

124

Anon, as the wind blew strong, they went aboard;
and set the sail and made it taut to either sheet; and
Argo was carried at full speed to sea, even as when a
falcon aloft through the air spreading his wings to the
blast goes swiftly on his way, swerving not in his swoop,
as he poises on steady pinions. And so they passed by
the streams of Parthenius, murmuring to the sea, gentlest
of rivers, wherein the virgin child of Leto doth cool her
limbs in its lovely waters, whenso she ascendeth to heaven
from the chase. Then speeding ever onward through the
night they sailed out past Sesamus and the steep Erythi-
nian hills, Crobialus, and Cromne, and wooded Cytorus.
Next after doubling Carambis, as the sun was rising, they
rowed all day and all night too along a vast stretch of
sand.

Anon they set foot on the soil of Assyria, where Zeus,
tricked by his own promise, set down Sinope, daughter of
Asopus, and granted her her virgin state. For verily he
longed for her love; so the great god promised to give her
whatsoever her heart desired; and she in her cunning
asked her maidenhood. So too did she beguile Apollo,
eager for her love, and after them the river Halys; nor did
any man ever subdue her in love's embrace. There were
dwelling even yet at that day the sons of noble Deimachus,
prince of Triccæ, Deileon and Autolycus and Phlogius,
after they had wandered away from Heracles. Now these,
when they marked the expedition of the chieftains, came
forth to meet them, and told them truly who they were;
for they had no wish to abide there any longer, but went
aboard the ship, soon as ever the clear south-wind blew.
So in their company they sped before the swift breeze, and
left the river Halys, and Iris, that flows hard by, yea, and
that part of Syria that these have formed; and on that
day they rounded the distant headland of the Amazons,
that shutteth in their harbour.

There on a day the hero Heracles laid in ambush for
Melanippe, daughter of Aretius, as she came forth; and,
in ransom for her sister, Hippolyte gave him her dazzling
girdle; so he set her free unhurt.

They then anchored in a bay behind the headland, at
the mouth of the Thermodon, for the sea was rising against
their going. This river hath no counterpart, nor is there
any other that sendeth forth from itself upon the earth so
many streams. If a man should count each up, there
would lack but four of a hundred. Yet is there only one

ἀντικρύ· τῷ καί οἱ ἐπίστροφοί εἰσι κέλευθοι·
αἰεὶ δ' ἄλλυδις ἄλλη, ὅπῃ κύρσειε μάλιστα
ἠπείρου χθαμαλῆς, εἱλίσσεται. ἡ μὲν ἄπωθεν,
ἡ δὲ πέλας· πολέες δὲ πόροι νώνυμνοι ἔασιν,
ὅππῃ ὑπεξαφύονται· ὁ δ' ἀμφαδὸν ἄμμιγα παύροις
Πόντον ἐς Ἄξεινον κυρτὴν ὑπερεύγεται ἄκρην.
καί νύ κε δηθύνοντες Ἀμαζονίδεσσιν ἔμιξαν
ὑσμίνην, καὶ δ' οὔ κεν ἀναιμωτί γ' ἐρίδηναν—
οὐ γὰρ Ἀμαζονίδες μάλ' ἐπήτιδες, οὐδὲ θέμιστας
τίουσαι πεδίον Δοιάντιον ἀμφενέμοντο·
ἀλλ' ὕβρις στονόεσσα καὶ Ἄρεος ἔργα μεμήλει·
δὴ γὰρ καὶ γενεὴν ἔσαν Ἄρεος Ἁρμονίης τε
νύμφης, ἥ τ' Ἄρηϊ φιλοπτολέμους τέκε κούρας,
ἄλσεος Ἀκμονίοιο κατὰ πτύχας εὐνηθεῖσα—
εἰ μὴ ἄρ' ἐκ Διόθεν πνοιαὶ πάλιν Ἀργέσταο
ἤλυθον· οἱ δ' ἀνέμῳ περιηγέα κάλλιπον ἀκτήν,
ἔνθα Θεμισκύρειαι Ἀμαζόνες ὡπλίζοντο.
οὐ γὰρ ὁμηγερέες μίαν ἂμ πόλιν, ἀλλ' ἀνὰ γαῖαν
κεκριμέναι κατὰ φῦλα διάτριχα ναιετάασκον·
νόσφι μὲν αἵδ' αὐταί, τῇσιν τότε κοιρανέεσκεν
Ἱππολύτη, νόσφιν δὲ Λυκάστιαι ἀμφενέμοντο,
νόσφι δ' ἀκοντοβόλοι Χαδήσιαι. ἤματι δ' ἄλλῳ
νυκτί τ' ἐπιπλομένῃ Χαλύβων παρὰ γαῖαν ἵκοντο.
Τοῖσι μὲν οὔτε βοῶν ἄροτος μέλει, οὔτε τις ἄλλη
φυταλιὴ καρποῖο μελίφρονος· οὐδὲ μὲν οἵγε
ποίμνας ἑρσήεντι νομῷ ἔνι ποιμαίνουσιν.
ἀλλὰ σιδηροφόρον στυφελὴν χθόνα γατομέοντες
ὦνον ἀμείβονται βιοτήσιον, οὐδέ ποτέ σφιν
ἠὼς ἀντέλλει καμάτων ἄτερ, ἀλλὰ κελαινῇ
λιγνύϊ καὶ καπνῷ κάματον βαρὺν ὀτλεύουσιν.
Τοὺς δὲ μετ' αὐτίκ' ἔπειτα Γενηταίου Διὸς ἄκρην
γνάμψαντες σώοντο παρὲξ Τιβαρηνίδα γαῖαν.
ἔνθ' ἐπεὶ ἄρ κε τέκωνται ὑπ' ἀνδράσι τέκνα γυναῖκες,
αὐτοὶ μὲν στενάχουσιν ἐνὶ λεχέεσσι πεσόντες,
κράατα δησάμενοι· ταὶ δ' εὖ κομέουσιν ἐδωδῇ
ἀνέρας, ἠδὲ λοετρὰ λεχώϊα τοῖσι πένονται.
Ἱρὸν δ' αὖτ' ἐπὶ τοῖσιν ὄρος καὶ γαῖαν ἄμειβον,
ᾗ ἔνι Μοσσύνοικοι ἀν' οὔρεα ναιετάουσιν
μόσσυνας, καὶ δ' αὐτοὶ ἐπώνυμοι ἔνθεν ἔασιν.
ἀλλοίη δὲ δίκη καὶ θέσμια τοῖσι τέτυκται.
ὅσσα μὲν ἀμφαδίην ῥέζειν θέμις, ἢ ἐνὶ δήμῳ,
ἢ ἀγορῇ, τάδε πάντα δόμοις ἔνι μηχανόωνται·
ὅσσα δ' ἐνὶ μεγάροις πεπονήμεθα, κεῖνα θύραζε
ἀψεγέως μέσσῃσιν ἐνὶ ῥέζουσιν ἀγυιαῖς.
οὐδ' εὐνῆς αἰδὼς ἐπιδήμιος, ἀλλά, σύες ὣς

126

real spring, which cometh down from high mountains unto the land. Men say these are called the Amazonian mountains. Thence it spreads straight over a somewhat hilly country far inland, wherefore it hath a winding course, and ever it twists in different directions, wheresoever it can best find a flat country; one branch far away, another near at hand; and there be many of them, of which no man knoweth, where they lose themselves in the sand; but it, mingling with a few openly, discharges its arching flood of foam into cheerless Pontus. And now would they have stayed to do battle with the Amazons; nor would they, I trow, have striven without bloodshed, for the Amazons are no gentle folk, and cared not for justice in their dwellings on the plain of Doias; nay, their thoughts were set on deeds of grievous violence, and the works of Ares; for they, indeed, drew their stock from Ares and the nymph Harmonia, who bare these warrior daughters unto him, what time she won his love in the dells of the Acmonian grove; but once more, from Zeus mayhap, came the breath of the clear south-wind. And Argo left the round headland before the wind, where the Themiscyrean Amazons were doing on their harness.

These dwelt not all together on one city, but were scattered over the land by tribes in three bodies; apart were those over whom Hippolyte was then queen; and apart dwelt the Lycastiæ, and apart the Chadesiæ, who hurl the spear. On the next day, as night drew on, they came unto the land of the Chalybes. These take no thought for ploughing with oxen, nor for any planting of luscious fruit; neither do they, strange folk, herd cattle in the dewy pasture. But cleaving open the stubborn earth with her store of iron, they do take therefrom a wage to barter for food; for them dawn never riseth without toil, but mid soot and flame and smoke they endure their heavy labour.

Anon, after these, they doubled the headland of Zeus, the great father, and sailed safely by the land of the Tibareni. Here it is that when the women bear children to the men, 'tis the men that throw themselves upon their beds and groan, with their heads veiled, while the women tend them carefully with food, and get ready for them the bath they use after child-birth.

Next they passed the Holy mountain and land, wherein upon the hills dwell the Mossynœci in wooden houses, and hence they have their name. Strange is their justice;

127

φορβάδες, οὐδ' ἠβαιὸν ἀτυζόμενοι παρεόντας,
μίσγονται χαμάδις ξυνῇ φιλότητι γυναικῶν.
αὐτὰρ ἐν ὑψίστῳ βασιλεὺς μόσσυνι θαάσσων
ἰθείας πολέεσσι δίκας λαοῖσι δικάζει,
σχέτλιος. ἢν γάρ πού τι θεμιστεύων ἀλίτηται,
λιμῷ μιν κεῖν' ἦμαρ ἐνικλίσαντες ἔχουσιν.
Τοὺς παρανισσόμενοι καὶ δὴ σχεδὸν ἀντιπέρηθεν
νήσου Ἀρητιάδος τέμνον πλόον εἰρεσίῃσιν
ἠμάτιοι· λιαρὴ γὰρ ὑπὸ κνέφας ἔλλιπεν αὔρη.
ἤδη καί τιν' ὕπερθεν Ἀρήιον ἀίσσοντα
ἐνναέτην νήσοιο δι' ἠέρος ὄρνιν ἴδοντο,
ὅς ῥα τιναξάμενος πτέρυγας κατὰ νῆα θέουσαν
ἧκ' ἐπὶ οἷ πτερὸν ὀξύ· τὸ δ' ἐν λαιῷ πέσεν ὤμῳ
δίου Ὀιλῆος· μεθέηκε δὲ χερσὶν ἐρετμὸν
βλήμενος· οἱ δὲ τάφον πτερόεν βέλος εἰσορόωντες.
καὶ τὸ μὲν ἐξείρυσσε παρεδριόων Ἐρυβώτης,
ἕλκος δὲ ξυνέδησεν, ἀπὸ σφετέρου κολεοῖο
λυσάμενος τελαμῶνα κατήορον· ἐκ δ' ἐφαάνθη
ἄλλος ἐπὶ προτέρῳ πεποτημένος· ἀλλά μιν ἥρως
Εὐρυτίδης Κλυτίος—πρὸ γὰρ ἀγκύλα τείνατο τόξα,
ἧκε δ' ἐπ' οἰωνὸν ταχινὸν βέλος—αὐτὰρ ἔπειτα
πλῆξεν· δινηθεὶς δὲ θοῆς πέσεν ἀγχόθι νηός.
τοῖσιν δ' Ἀμφιδάμας μυθήσατο, παῖς Ἀλεοῖο·
'Νῆσος μὲν πέλας ἧμιν Ἀρητιάς· ἴστε καὶ αὐτοὶ
τούσδ' ὄρνιθας ἰδόντες. ἐγὼ δ' οὐκ ἔλπομαι ἰοὺς
τόσσον ἐπαρκέσσειν εἰς ἔκβασιν. ἀλλά τιν' ἄλλην
μῆτιν πορσύνωμεν ἐπίρροθον, εἴ γ' ἐπικέλσαι
μέλλετε, Φινῆος μεμνημένοι, ὡς ἐπέτελλεν.
οὐδὲ γὰρ Ἡρακλέης, ὁπότ' ἤλυθεν Ἀρκαδίηνδε,
πλωίδας ὄρνιθας Στυμφαλίδας ἔσθενε λίμνης
ὤσασθαι τόξοισι, τὸ μέν τ' ἐγὼ αὐτὸς ὄπωπα.
ἀλλ' ὅγε χαλκείην πλατάγην ἐνὶ χερσὶ τινάσσων
δούπει ἐπὶ σκοπιῆς περιμήκεος· αἱ δ' ἐφέβοντο
τηλοῦ, ἀτυζηλῷ ὑπὸ δείματι κεκληγυῖαι.
τῷ καὶ νῦν τοίην τιν' ἐπιφραζώμεθα μῆτιν·
αὐτὸς δ' ἂν τὸ πάροιθεν ἐπιφρασθεὶς ἐνέποιμι.
ἀνθέμενοι κεφαλῇσιν ἀερσιλόφους τρυφαλείας,
ἡμίσεες μὲν ἐρέσσετ' ἀμοιβαδίς, ἡμίσεες δὲ
δούρασί τε ξυστοῖσι καὶ ἀσπίσιν ἄρσετε νῆα.
αὐτὰρ πασσυδίῃ περιώσιον ὄρνυτ' ἀυτὴν
ἀθρόοι, ὄφρα κολῳὸν ἀηθείῃ φοβέωνται
νεύοντάς τε λόφους καὶ ἐπήορα δούραθ' ὕπερθεν.
εἰ δέ κεν αὐτὴν νῆσον ἱκώμεθα, δὴ τότ' ἔπειτα
σὺν κελάδῳ σακέεσσι πελώριον ὄρσετε δοῦπον.'
Ὣς ἄρ' ἔφη· πάντεσσι δ' ἐπίρροθος ἥνδανε μῆτις.

*strange their ordinances. All that men may do openly,
either among the people or in the market-place, all this
they perform at home; but all that we do in our houses,
that do they out of doors in the midst of the streets, with
none to blame. In love is there no modesty among this
people, but like swine that feed in herds, caring not a jot
for the presence of any, they lie with their women upon
the ground. Now their king sitteth in a house of wood,
high above the rest, and declareth just judgment to the
throng of folk. Poor wretch! for if haply he do err at all
in his judging, they keep him shut up that day without
food.*

*By these they passed, and rowing all day long, cleft
their way, till they were almost opposite to the isle of Ares,
for towards dusk the light breeze failed. Already they saw
one of those birds of Ares that haunt the isle come swoop-
ing through the air from above, which did stretch his
pinions o'er the speeding ship and shoot against her a
sharp feather, and it fell on the left shoulder of goodly
Oileus; and he let his oar fall from his hands, for he was
wounded; but they marvelled to see the feathered shaft.
And Eribotes from his seat hard by drew forth the feather
and bound up the wound, having loosed the baldric
hanging from his own scabbard; and lo! there appeared
another swooping down after the former, but the hero
Clytius, the son of Eurytus, slew it, for he had ere this
stretched his bended bow, and he shot a swift arrow at the
bird, even as it flew above; and it fell with a rush hard
by the swift ship; then amongst them spake Amphidamas,
the son of Aleus: «Nigh to us is the isle of Ares; be sure
of that from seeing these birds with your own eyes. And
I think that arrows will not help us much to disembark;
but let us provide some other counsel for our help, if haply
ye mean to anchor here, mindful of the bidding of Phineus.
For not even Heracles, when he came to Arcadia, was able
to drive away with his arrows the birds that swam on the
Stymphalian mere; that saw I with mine own eyes. But
he, shaking his rattling bronze armour in his hands, did
raise a din upon a lofty height, and they were scared afar,
screaming in frightful terror. Wherefore now let us too
devise some such plan, and I will tell you myself, since I
have ere this thought upon it. Put on your heads your
high-crested helmets, and half of you take turns at rowing,
and the other half guard the ship with polished spears and
bucklers. And at once raise a mighty shout all together,*

129

ἀμφὶ δὲ χαλκείας κόρυθας κεφαλῇσιν ἔθεντο
δεινὸν λαμπομένας, ἐπὶ δὲ λόφοι ἐσσείοντο
φοινίκεοι. καὶ τοὶ μὲν ἀμοιβήδην ἐλάασκον·
τοὶ δ' αὖτ' ἐγχείῃσι καὶ ἀσπίσι νῆ' ἐκάλυψαν.
ὡς δ' ὅτε τις κεράμῳ κατερέψεται ἕρκιον ἀνήρ,
δώματος ἀγλαΐην τε καὶ ὑετοῦ ἔμμεναι ἄλκαρ,
ἄλλῳ δ' ἔμπεδον ἄλλος ὁμῶς ἐπαμοιβὸς ἄρηρεν·
ὣς οἵγ' ἀσπίσι νῆα συναρτύναντες ἔρεψαν.
οἵη δὲ κλαγγὴ δῄου πέλει ἐξ ὁμάδοιο
ἀνδρῶν κινυμένων, ὁπότε ξυνίωσι φάλαγγες,
τοίη ἄρ' ὑψόθι νηὸς ἐς ἠέρα κίδνατ' ἀϋτή.
οὐδέ τιν' οἰωνῶν ἔτ' ἐσέδρακον, ἀλλ' ὅτε νήσῳ
χρίμψαντες σακέεσσιν ἐπέκτυπον, αὐτίκ' ἄρ' οἵγε
μυρίοι ἔνθα καὶ ἔνθα πεφυζότες ἠρέθοντο.
ὡς δ' ὁπότε Κρονίδης πυκινὴν ἐφέηκε χάλαζαν
ἐκ νεφέων ἀνά τ' ἄστυ καὶ οἰκία, τοὶ δ' ὑπὸ τοῖσιν
ἐνναέται κόναβον τεγέων ὕπερ εἰσαΐοντες
ἧνται ἀκήν, ἐπεὶ οὔ σφε κατέλλαβε χείματος ὥρη
ἀπροφάτως, ἀλλὰ πρὶν ἐκαρτύναντο μέλαθρον·
ὣς πυκινὰ πτερὰ τοῖσιν ἐφίεσαν ἀΐσσοντες
ὕψι μάλ' ἂμ πέλαγος περάτης εἰς οὔρεα γαίης.
Τίς γὰρ δὴ Φινῆος ἔην νόος, ἐνθάδε κέλσαι
ἀνδρῶν ἡρώων θεῖον στόλον; ἢ καὶ ἔπειτα
ποῖον ὄνειαρ ἔμελλεν ἐελδομένοισιν ἱκέσθαι;
Υἱῆες Φρίξοιο μετὰ πτόλιν Ὀρχομενοῖο
ἐξ Αἴης ἐνέοντο παρ' Αἰήταο Κυταίου,
Κολχίδα νῆ' ἐπιβάντες, ἵν' ἄσπετον ὄλβον ἄρωνται
πατρός· ὁ γὰρ θνήσκων ἐπετείλατο τήνδε κέλευθον.
καὶ δὴ ἔσαν νήσοιο μάλα σχεδὸν ἤματι κείνῳ.
Ζεὺς δ' ἀνέμου βορέαο μένος κίνησεν ἄῆναι,
ὕδατι σημαίνων διερὴν ὁδὸν Ἀρκτούροιο·
αὐτὰρ ὅγ' ἡμάτιος μὲν ἐν οὔρεσι φύλλ' ἐτίνασσεν
τυτθὸν ἐπ' ἀκροτάτοισιν ἀήσυρος ἀκρεμόνεσσιν·
νυκτὶ δ' ἔβη πόντονδε πελώριος, ὦρσε δὲ κῦμα
κεκληγὼς πνοιῇσι· κελαινὴ δ' οὐρανὸν ἀχλὺς
ἄμπεχεν, οὐδέ πῃ ἄστρα διαυγέα φαίνετ' ἰδέσθαι
ἐκ νεφέων, σκοτόεις δὲ περὶ ζόφος ἠρήρειστο.
οἱ δ' ἄρα μυδαλέοι, στυγερὸν τρομέοντες ὄλεθρον,
υἱῆες Φρίξοιο φέρονθ' ὑπὸ κύμασιν αὔτως.
ἱστία δ' ἐξήρπαξ' ἀνέμου μένος, ἠδὲ καὶ αὐτὴν
νῆα διάνδιχ' ἔαξε τινασσομένην ῥοθίοισιν.
ἔνθα δ' ὑπ' ἐννεσίῃσι θεῶν πίσυρές περ ἐόντες
δούρατος ὠρέξαντο πελωρίου, οἷά τε πολλὰ
ῥαισθείσης κεκέδαστο θοοῖς συναρηρότα γόμφοις.
καὶ τοὺς μὲν νῆσόνδε, παρὲξ ὀλίγον θανάτοιο,

130

that they may be scared by the uproar, from being unused thereto, and the nodding plumes and uplifted spears. And if we reach the island itself, then shout and raise a hideous din by smiting on your shields.»

So spake he; and his helpful counsel pleased them all; so about their heads they put their brazen helmets, dreadfully flashing, and upon them waved the blood-red plumes. And part took turns at rowing, while the rest with sword and shield did guard the ship. As when a man doth roof a house with tiles, an ornament to his house and a defence against the rain, as one tile is fitted firmly on another; so they covered in the ship with a pent-house of shields. And as the clash that goeth up from a warlike throng of men in motion, what time the lines of battle meet, even such was the sound that rose into the air on high from the ship. Nor could they see any of the birds the while, but when they drew nigh the island and smote upon their bucklers, forthwith those birds rose in thousands, flying this way and that. As when the son of Cronos sends a heavy hailstorm from the clouds on city and houses, and they who dwell beneath them hear the rattle on their roofs and sit in silence, for the wintry season is not come upon them unawares, but ere its coming have they made fast the roof; even so the birds let loose on them a thick shower of shafts, as they darted high o'er the sea to the hills on the farther shore.

What did Phineus mean, (that must I tell,) in bidding the divine company of heroes anchor here? or what help was to come to them at their desire? The sons of Phrixus had gone on board a Colchian ship, and were faring to the city of Orchomenus from Æa, at the direction of Cytæan Æetes, that they might take unto themselves the boundless wealth of their father, for he, as he lay a-dying, laid this journey on them. And very nigh were they to the island on that day. But Zeus stirred up the mighty north-wind to blow, marking the wet path of Arcturus in the waves; so all day long he shook the leaves upon the mountains a little, blowing lightly on the topmost branches, but at night came he seaward in his giant strength, roaring and stirring the billow with his breath; and a dark mist veiled the sky, nor were the bright stars to be seen from the clouds, but a curtain of gloom settled over all. And they, the sons of Phrixus, dripping and in terror of a fearsome death, were drifting thus before the waves. And the furious wind rent their sails, yea, and brake

131

κύματα καὶ ῥιπαὶ ἀνέμου φέρον ἀσχαλόωντας.
αὐτίκα δ' ἐρράγη ὄμβρος ἀθέσφατος, ὗε δὲ πόντον
καὶ νῆσον καὶ πᾶσαν ὅσην κατεναντία νήσου
χώρην Μοσσύνοικοι ὑπέρβιοι ἀμφενέμοντο.
τοὺς δ' ἄμυδις κρατερῷ σὺν δούρατι κύματος ὁρμὴ
υἷας Φρίξοιο μετ' ἠιόνας βάλε νήσου
νύχθ' ὕπο λυγαίην· τὸ δὲ μυρίον ἐκ Διὸς ὕδωρ
λῆξεν ἅμ' ἠελίῳ· τάχα δ' ἐγγύθεν ἀντεβόλησαν
ἀλλήλοις, Ἄργος δὲ παροίτατος ἔκφατο μῦθον·
"Ἀντόμεθα πρὸς Ζηνὸς Ἐποψίου, οἵτινές ἐστε
ἀνδρῶν, εὐμενέειν τε καὶ ἀρκέσσαι χατέουσιν.
πόντῳ γὰρ τρηχεῖαι ἐπιβρίσασαι ἄελλαι
νηὸς ἀεικελίης διὰ δούρατα πάντ' ἐκέδασσαν
† ᾗ ἔνι τειρόμενοι ἅμ' ἐπὶ χρέος ἐμβεβαῶτες. †
τούνεκα νῦν ὑμέας γουναζόμεθ', αἴ κε πίθησθε,
δοῦναι ὅσον τ' εἴλυμα περὶ χροός, ἠδὲ κομίσσαι
ἀνέρας οἰκτείραντας ὁμήλικας ἐν κακότητι.
ἀλλ' ἱκέτας ξείνους Διὸς εἴνεκεν αἰδέσσασθε
Ξεινίου Ἱκεσίου τε· Διὸς δ' ἄμφω ἱκέται τε
καὶ ξεῖνοι· ὁ δέ που καὶ ἐπόψιος ἄμμι τέτυκται.'
Τὸν δ' αὖτ' Αἴσονος υἱὸς ἐπιφραδέως ἐρέεινεν,
μαντοσύνας Φινῆος ὀισσάμενος τελέεσθαι·
'Ταῦτα μὲν αὐτίκα πάντα παρέξομεν εὐμενέοντες.
ἀλλ' ἄγε μοι κατάλεξον ἐτήτυμον, ὁππόθι γαίης
ναίετε, καὶ χρέος οἷον ὑπεὶρ ἅλα νεῖσθαι ἀνώγει,
αὐτῶν θ' ὑμείων ὄνομα κλυτόν, ἠδὲ γενέθλην.'
Τὸν δ' Ἄργος προσέειπεν ἀμηχανέων κακότητι·
'Αἰολίδην Φρίξον τιν' ἀφ' Ἑλλάδος Αἶαν ἱκέσθαι
ἀτρεκέως δοκέω που ἀκούετε καὶ πάρος αὐτοί,
Φρίξον, ὅτις πτολίεθρον ἀνήλυθεν Αἰήταο,
κριοῦ ἐπεμβεβαώς, τόν ῥα χρύσειον ἔθηκεν
Ἑρμείας· κῶας δὲ καὶ εἰσέτι νῦν κεν ἴδοισθε.
τὸν μὲν ἔπειτ' ἔρρεξεν ἑῆς ὑποθημοσύνῃσιν
Φυξίῳ ἐκ πάντων Κρονίδῃ Διί. καί μιν ἔδεκτο
Αἰήτης μεγάρῳ, κούρην τέ οἱ ἐγγυάλιξεν
Χαλκιόπην ἀνάεδνον ἐυφροσύνῃσι νόοιο.
τῶν ἐξ ἀμφοτέρων εἰμὲν γένος. ἀλλ' ὁ μὲν ἤδη
γηραιὸς θάνε Φρίξος ἐν Αἰήταο δόμοισιν·
ἡμεῖς δ' αὐτίκα πατρὸς ἐφετμάων ἀλέγοντες
νεύμεθ' ἐς Ὀρχομενὸν κτεάνων Ἀθάμαντος ἕκητι.
εἰ δὲ καὶ οὔνομα δῆθεν ἐπιθύεις δεδαῆσθαι,
τῷδε Κυτίσσωρος πέλει οὔνομα, τῷ δέ τε Φρόντις,
τῷ δὲ Μέλας· ἐμὲ δ' αὐτὸν ἐπικλείοιτέ κεν Ἄργον.'
Ὣς φάτ'· ἀριστῆες δὲ συνηβολίῃ κεχάροντο,
καί σφεας ἀμφίεπον περιθαμβέες. αὐτὰρ Ἰήσων

132

*their ship in pieces, shaken as it was by the breakers.
Then by heaven's guidance those four men seized hold
upon a mighty beam, such as were scattered in plenty,
after the wreck, held together by sharp bolts. And them
did the waves and the breath of the wind drive in sore
distress unto the island, within a little of death. Anon
there burst on them a wondrous storm of rain, and it
rained over the sea and the island, and all the coast over
against the island, where dwelt the haughty Mossynœci.
And the onset of the wave hurled them, the sons of Phrix-
us, together with the stout beam, upon the beach of the
island in the gloom of night; but at sunrise it ceased,
that heaven-sent torrent, and quickly they drew nigh
and met one another, and Argus first made harangue :—*

*« By Zeus, who seeth all, we do entreat you, whosoever
ye be, to be favourable and help us at our need. For rough
tempests, grievously buffeting the sea, have scattered
piece-meal the timbers of our shameful barque, wherein
we were cleaving our way, on business bent. Wherefore
now we implore you, if ye will hearken, give us some
rag to wrap around our skin and take us hence, in pity
for companions in adversity. Yea, reverence suppliant
strangers for the sake of Zeus, the god of strangers and
suppliants; for we are both suppliants of Zeus and
strangers. And, I trow, he hath his eye even upon us. »*

*Him in answer did the son of Æson question carefully,
for he thought that the prophecies of Phineus were being
accomplished, « Anon will we provide all these things with
good will. But come now, tell me truly, in what country
ye dwell, and the business that bids you fare across the
sea, and your own famous name and lineage. »*

*And Argus answered him in helpless misery, « Haply
ye have heard yourselves even aforetime, I deem, and of
a surety, how one Phrixus, son of Æolus, came from
Hellas unto Æa,—that Phrixus, who came to the town
of Æetes, sitting astride a ram, the ram that Hermes
made of gold; yea, and even now might ye see the fleece
fluttering on the rough branches of an oak. For after-
wards, by the ram's own counsel, Phrixus sacrificed him
to Zeus, the son of Cronos, who helpeth fugitives, before
all other gods. Him did Æetes receive into his house and
gave to him his daughter Chalciope without gifts of
wooing in the gladness of his heart. From these twain
are we sprung. But he, even Phrixus, died long ago,
full of years, in the halls of Æetes; and we, obeying our*

133

ἐξαῦτις κατὰ μοῖραν ἀμείψατο τοῖσδ' ἐπέεσσιν·
"Η ἄρα δὴ γνωτοὶ πατρώιοι ἄμμιν ἐόντες
λίσσεσθ' εὐμενέοντας ἐπαρκέσσαι κακότητα.
Κρηθεὺς γὰρ ῥ' Ἀθάμας τε κασίγνητοι γεγάασιν.
Κρηθῆος δ' υἱωνὸς ἐγὼ σὺν τοισίδ' ἑταίροις
Ἑλλάδος ἐξ αὐτῆς νέομ' ἐς πόλιν Αἰήταο.
ἀλλὰ τὰ μὲν καὶ ἐσαῦτις ἐνίψομεν ἀλλήλοισιν.
νῦν δ' ἔσσασθε πάροιθεν· ὑπ' ἐννεσίῃσι δ' ὀίω
ἀθανάτων ἐς χεῖρας ἐμὰς χατέοντας ἱκέσθαι.'
"Η ῥα, καὶ ἐκ νηὸς δῶκέ σφισιν εἵματα δῦναι.

134

father's command, set out at once to Orchomenus to take the possessions of Athamas. And if, as thou sayest, thou hast a mind to learn our name, lo! this man is called Cytisorus, and this Phrontis, and that Melas, and me myself shall ye call Argus.»

So spake he; and the chieftains were glad at the meeting, and they crowded round them in wonder. But Jason again made answer thus, as was fitting: «Why, lo! ye come as kinsmen of my father and beg our kindly aid in your wretchedness. For Cretheus and Athamas were

brothers; and I, the grandson of Cretheus, am on my way with these my comrades from Hellas itself into the city of Æetes. But we will speak of these matters yet again to each other; but first put on raiment; for by heaven's guidance, I ween, have ye come to my hands in your need.»

Therewith he gave them raiment from the ship to put on. And at once thereafter made they for the temple of Ares, to offer sacrifice of sheep, and right eagerly they set themselves about the altar, which stood outside the roof-

πασσυδίῃ δἤπειτα κίον μετὰ νηὸν Ἄρηος,
μῆλ' ἱερευσόμενοι· περὶ δ' ἐσχάρῃ ἐστήσαντο
ἐσσυμένως, ἥ τ' ἐκτὸς ἀνηρεφέος πέλε νηοῦ
στιάων· εἴσω δὲ μέγας λίθος ἠρήρειστο
ἱερός, ᾧ ποτε πᾶσαι Ἀμαζόνες εὐχετόωντο.
οὐδέ σφιν θέμις ἦεν, ὅτ' ἀντιπέρηθεν ἵκοιντο,
μήλων τ' ἠδὲ βοῶν τῇδ' ἐσχάρῃ ἱερὰ καίειν·
ἀλλ' ἵππους δαίτρευον, ἐπηετανὸν κομέουσαι.
αὐτὰρ ἐπεὶ ῥέξαντες ἐπαρτέα δαῖτ' ἐπάσαντο,
δὴ τότ' ἄρ' Αἰσονίδης μετεφώνεεν, ἦρχέ τε μύθων·
'Ζεὺς αὐτὸς τὰ ἕκαστ' ἐπιδέρκεται· οὐδέ μιν ἄνδρες
λήθομεν ἔμπεδον, οἵ τε θεουδέες ἠδὲ δίκαιοι.
ὡς μὲν γὰρ πατέρ' ὑμὸν ὑπεξείρυτο φόνοιο
μητρυιῆς, καὶ νόσφιν ἀπειρέσιον πόρεν ὄλβον·
ὣς δὲ καὶ ὑμέας αὖτις ἀπήμονας ἐξεσάωσεν
χείματος οὐλομένοιο. πάρεστι δὲ τῆσδ' ἐπὶ νηὸς
ἔνθα καὶ ἔνθα νέεσθαι, ὅπῃ φίλον, εἴτε μετ' Αἶαν,
εἴτε μετ' ἀφνειὴν θείου πόλιν Ὀρχομενοῖο.
τὴν γὰρ Ἀθηναίη τεχνήσατο, καὶ τάμε χαλκῷ
δούρατα Πηλιάδος κορυφῆς πέρι· σὺν δὲ οἱ Ἄργος
τεῦξεν. ἀτὰρ κείνην γε κακὸν διὰ κῦμ' ἐκέδασσεν,
πρὶν καὶ πετράων σχεδὸν ἐλθεῖν, αἵ τ' ἐνὶ πόντῳ
στεινωπῷ συνίασι πανήμεροι ἀλλήλῃσιν.
ἀλλ' ἄγεθ' ὧδε καὶ αὐτοὶ ἐς Ἑλλάδα μαιομένοισιν
κῶας ἄγειν χρύσειον ἐπίρροθοι ἄμμι πέλεσθε
καὶ πλόου ἡγεμονῆες, ἐπεὶ Φρίξοιο θυηλὰς
στέλλομαι ἀμπλήσων, Ζηνὸς χόλον Αἰολίδῃσιν.'
Ἴσκε παρηγορέων· οἱ δ' ἔστυγον εἰσαΐοντες.
οὐ γὰρ ἔφαν τεύξεσθαι ἐνηέος Αἰήταο
κῶας ἄγειν κριοῖο μεμαότας, ὧδε δ' ἔειπεν
Ἄργος, ἀτεμβόμενος τοῖον στόλον ἀμφιπένεσθαι·
'Ὦ φίλοι, ἡμέτερον μὲν ὅσον σθένος, οὔποτ' ἀρωγῆς
σχήσεται, οὐδ' ἠβαιόν, ὅτε χρειώ τις ἵκηται.
ἀλλ' αἰνῶς ὀλοῇσιν ἀπηνείῃσιν ἄρηρεν
Αἰήτης· τῷ καὶ περιδείδια ναυτίλλεσθαι.
στεῦται δ' Ἠελίου γόνος ἔμμεναι· ἀμφὶ δὲ Κόλχων
ἔθνεα ναιετάουσιν ἀπείρονα· καὶ δέ κεν Ἄρει
σμερδαλέην ἐνοπὴν μέγα τε σθένος ἰσοφαρίζοι.
οὐ μὰν οὐδ' ἀπάνευθεν ἑλεῖν δέρος Αἰήταο
ῥηίδιον, τοῖός μιν ὄφις περί τ' ἀμφί τ' ἔρυται
ἀθάνατος καὶ ἄυπνος, ὃν αὐτὴ Γαῖ' ἀνέφυσεν
Καυκάσου ἐν κνημοῖσι, Τυφαονίῃ ὅθι πέτρῃ,
ἔνθα Τυφάονά φασι Διὸς Κρονίδαο κεραυνῷ
βλήμενον, ὁππότε οἱ στιβαρὰς ἐπορέξατο χεῖρας,
θερμὸν ἀπὸ κρατὸς στάξαι φόνον· ἵκετο δ' αὔτως

136

*less temple, built of pebbles; within is a black stone planted,
the holy stone whereto in days gone by all the Amazons
did pray, nor was it lawful, when these did come from the
mainland opposite, to burn sacrifices of oxen and sheep
upon this altar, but they kept great herds of horses and
sacrificed them. Now when the heroes had done sacrifice
and eaten the feast they had prepared, then did the son of
Æson take up his parable and begin to speak: « Zeus hath
still his eye on all things, I trow; and of a surety we men
escape not his ken, those of us who be god-fearing, nor yet
those who be just; for even so he rescued your father from
a murderous step-mother, and gave him boundless wealth
away from her; and even so hath he also rescued you
unhurt from the destroying storm. And ye may fare upon
this ship this way or that, whither ye list, either to Æa, or
to the rich city of goodly Orchomenus. For 'twas Athene
that built this ship and cut with brazen axe her timbers
about the peak of Pelion; and with the goddess worked
Argus. But that ship of yours hath the angry wave riven
asunder, or ever she came nigh to the rocks which clash
together the livelong day in the sea's narrow channel. But
come now, even ye, and help us in our struggle to bring
the fleece of gold to Hellas, and be our pilots, for I am
sent to make full atonement for the attempted sacrifice
of Phrixus, that stirred the wrath of Zeus against the
sons of Æolus. »*

*So spake he to comfort them, but they would none of it
when they heard; for they thought they would find Æetes
no gentle host, if they desired to take the ram's fleece. Thus
spake Argus, sore vexed that they were bent on such a
quest, « My friends, the strength that is in us shall never
be withheld from helping you, no, not one jot, when any
need arise. But terribly is Æetes furnished with deadly
cruelty. Wherefore I do greatly fear to voyage thither. He
avows him to be the son of Helios, and around him dwell
countless tribes of Colchians, and he might match even
with Ares his dread war cry and mighty strength. Yea,
and 'twere no easy task to take the fleece away from Æetes;
so huge a serpent keepeth guard around and about it, a
deathless, sleepless snake, which earth herself did rear in
the wolds of Caucasus, by the rock of Typhon, where they
say Typhon, smitten by the bolt of Zeus, the son of Cronos,
what time he stretched out his strong hands against him,
did drop warm gore from his head; and he came with this
wound to the mountains and plain of Nysa; where to this*

137

οὔρεα καὶ πεδίον Νυσήιον, ἔνθ' ἔτι νῦν περ
κεῖται ὑποβρύχιος Σερβωνίδος ὕδασι λίμνης.'
Ὣς ἄρ' ἔφη· πολέεσσι δ' ἐπὶ χλόος εἷλε παρειὰς
αὐτίκα, τοῖον ἄεθλον ὅτ' ἔκλυον. αἶψα δὲ Πηλεὺς
θαρσαλέοις ἐπέεσσιν ἀμείψατο, φώνησέν τε·
' Μηδ' οὕτως, ἠθεῖε, λίην δειδίσσεο θυμῷ.
οὔτε γὰρ ὧδ' ἀλκὴν ἐπιδευόμεθ', ὥστε χερείους
ἔμμεναι Αἰήταο σὺν ἔντεσι πειρηθῆναι.
ἀλλὰ καὶ ἡμέας οἴω ἐπισταμένους πολέμοιο
κεῖσε μολεῖν, μακάρων σχεδὸν αἵματος ἐκγεγαῶτας.
τῷ εἰ μὴ φιλότητι δέρος χρύσειον ὀπάσσει,
οὔ οἱ χραισμήσειν ἐπιέλπομαι ἔθνεα Κόλχων.'
Ὣς οἵγ' ἀλλήλοισιν ἀμοιβαδὸν ἠγορόωντο,
μέσφ' αὖτις δόρποιο κορεσσάμενοι κατέδαρθεν.
ἦρι δ' ἀνεγρομένοισιν ἐυκραὴς ἄεν οὖρος·
ἱστία δ' ἤειραν, τὰ δ' ὑπαὶ ῥιπῆς ἀνέμοιο
τείνετο· ῥίμφα δὲ νῆσον ἀποπροέλειπον Ἄρηος.
Νυκτὶ δ' ἐπιπλομένῃ Φιλυρηίδα νῆσον ἄμειβον·
ἔνθα μὲν Οὐρανίδης Φιλύρῃ Κρόνος, εὖτ' ἐν Ὀλύμπῳ
Τιτήνων ἤνασσεν, ὁ δὲ Κρηταῖον ὑπ' ἄντρον
Ζεὺς ἔτι Κουρήτεσσι μετετρέφετ' Ἰδαίοισιν,
Ῥείην ἐξαπαφών, παρελέξατο· τοὺς δ' ἐνὶ λέκτροις
τέτμε θεὰ μεσσηγύς· ὁ δ' ἐξ εὐνῆς ἀνορούσας
ἔσσυτο χαιτήεντι φυὴν ἐναλίγκιος ἵππῳ·
ἡ δ' αἰδοῖ χῶρόν τε καὶ ἤθεα κεῖνα λιποῦσα
Ὠκεανὶς Φιλύρη εἰς οὔρεα μακρὰ Πελασγῶν
ἦλθ', ἵνα δὴ Χείρωνα πελώριον, ἄλλα μὲν ἵππῳ,
ἄλλα θεῷ ἀτάλαντον, ἀμοιβαίῃ τέκεν εὐνῇ.
Κεῖθεν δ' αὖ Μάκρωνας ἀπειρεσίην τε Βεχείρων
γαῖαν ὑπερφιάλους τε παρεξενέοντο Σάπειρας,
Βύζηράς τ' ἐπὶ τοῖσιν· ἐπιπρὸ γὰρ αἰὲν ἔτεμνον
ἐσσυμένως, λιαροῖο φορεύμενοι ἐξ ἀνέμοιο.
καὶ δὴ νισσομένοισι μυχὸς διεφαίνετο πόντου.
καὶ δὴ Καυκασίων ὀρέων ἀνέτελλον ἐρίπναι
ἠλίβατοι, τόθι γυῖα περὶ στυφελοῖσι πάγοισιν
ἰλλόμενος χαλκέῃσιν ἀλυκτοπέδῃσι Προμηθεὺς
αἰετὸν ἥπατι φέρβε παλιμπετὲς ἀίσσοντα.
τὸν μὲν ἐπ' ἀκροτάτης ἴδον ἕσπερον ὀξέι ῥοίζῳ
νηὸς ὑπερπτάμενον νεφέων σχεδόν· ἀλλὰ καὶ ἔμπης
λαίφεα πάντ' ἐτίναξε, παραιθύξας πτερύγεσσιν.
οὐ γὰρ ὅγ' αἰθερίοιο φυὴν ἔχεν οἰωνοῖο,
ἶσα δ' ἐυξέστοις ὠκύπτερα πάλλεν ἐρετμοῖς.
δηρὸν δ' οὐ μετέπειτα πολύστονον ἄιον αὐδὴν
ἧπαρ ἀνελκομένοιο Προμηθέος· ἔκτυπε δ' αἰθὴρ
οἰμωγῇ, μέσφ' αὖτις ἀπ' οὔρεος ἀίσσοντα

138

day he lies, deep beneath the waters of the Serbonian mere.»

So spake he; and o'er the cheek of many did paleness spread at once, when they heard the greatness of their labour. But Peleus quickly answered and said, with brave words, «Be not so exceeding fearful at heart, my trusty friend. For we are not so wanting in valiancy, as to be no match for a bout in arms with Æetes; nay, methinks we too came hither knowing somewhat of war, for we are near in blood to the blessed gods. Wherefore if he give us not the fleece of gold for love, I trow his tribes of Colchians shall not much avail him.»

Thus did they hold converse together, until, satisfied with food, they fell asleep. And when they woke at dawn, a gentle breeze was blowing; so they set the sails, which did strain before the rushing wind; and swiftly they left the isle of Ares on the lee.

On the following night they passed the isle of Philyra, where Cronos, son of Uranus, lay with Philyra, having deceived Rhea, when he ruled the Titans on Olympus, and that other, Zeus, was yet being reared in a cave in Crete by the Idæan Curetes; but the goddess caught them in the midst of their dalliance; and he sprang up and sped away in the semblance of a horse with flowing mane, but she, that child of Oceanus, Philyra, left that country and those haunts in shame, and came to the distant hills of the Pelasgi, where she bare to him in return for his love huge Chiron, half horse, half god in appearance.

Thence they sailed on past the Macrones and the boundless coast of the Becheiri, and the lawless Sapeiræ, and the Byzeræ next to them; for ever onward they cleft their way in haste, borne forward by the gentle wind. And as they sailed, there came in sight a bay of the sea, and before them rose up the steep cliffs of the Caucasian mountains, where Prometheus was feeding with his liver an eagle, swooping back again and again, his limbs fast bound to the hard rocks with bands of brass, unbreakable; that eagle did they see at eve skimming right above the ship with loud rush of wings nigh to the clouds, and yet he made all the sails to shake as he flapped his pinions. For he had not the form of a bird of the air, but, when he moved his swift feathers, they were like to polished oars. And no long time after, they heard a bitter cry, as the liver of Prometheus was torn, and the welkin rang with his screams, until again they marked the savage eagle

αἰετὸν ὠμηστὴν αὐτὴν ὁδὸν εἰσενόησαν.
ἐννύχιοι δ' Ἄργοιο δαημοσύνῃσιν ἵκοντο
Φᾶσίν τ' εὐρὺ ῥέοντα καὶ ἔσχατα πείρατα πόντου.
Αὐτίκα δ' ἱστία μὲν καὶ ἐπίκριον ἔνδοθι κοίλης
ἱστοδόκης στείλαντες ἐκόσμεον· ἐν δὲ καὶ αὐτὸν
ἱστὸν ἄφαρ χαλάσαντο παρακλιδόν· ὦκα δ' ἐρετμοῖς
εἰσέλασαν ποταμοῖο μέγαν ῥόον· αὐτὰρ ὁ πάντῃ
καχλάζων ὑπόεικεν. ἔχον δ' ἐπ' ἀριστερὰ χειρῶν
Καύκασον αἰπήεντα Κυταιίδα τε πτόλιν Αἴης,
ἔνθεν δ' αὖ πεδίον τὸ Ἀρήιον ἱερά τ' ἄλση
τοῖο θεοῦ, τόθι κῶας ὄφις εἴρυτο δοκεύων
πεπτάμενον λασίοισιν ἐπὶ δρυὸς ἀκρεμόνεσσιν.
αὐτὸς δ' Αἰσονίδης χρυσέῳ ποταμόνδε κυπέλλῳ
οἴνου ἀκηρασίοιο μελισταγέας χέε λοιβὰς
Γαίῃ τ' ἐνναέταις τε θεοῖς ψυχαῖς τε καμόντων
ἡρώων· γουνοῦτο δ' ἀπήμονας εἶναι ἀρωγοὺς
εὐμενέως, καὶ νηὸς ἐναίσιμα πείσματα δέχθαι.
αὐτίκα δ' Ἀγκαῖος τοῖον μετὰ μῦθον ἔειπεν·
'Κολχίδα μὲν δὴ γαῖαν ἱκάνομεν ἠδὲ ῥέεθρα
Φάσιδος· ὥρη δ' ἡμιν ἐνὶ σφίσι μητιάασθαι,
εἴτ' οὖν μειλιχίῃ πειρησόμεθ' Αἰήταο,
εἴτε καὶ ἀλλοίη τις ἐπήβολος ἔσσεται ὁρμή.'
Ὣς ἔφατ'. Ἄργου δ' αὖτε παρηγορίῃσιν Ἰήσων
ὑψόθι νῆ' ἐκέλευσεν ἐπ' εὐναίῃσιν ἐρύσσαι
δάσκιον εἰσελάσαντας ἕλος· τὸ δ' ἐπισχεδὸν ἦεν
νισσομένων, ἔνθ' οἵγε διὰ κνέφας ηὐλίζοντο.
ἠὼς δ' οὐ μετὰ δηρὸν ἐελδομένοις ἐφαάνθη.

140

soaring on his way from the mountain; and at night, by the skill of Argus, came they to the broad stream of the Phasis, and the uttermost ends of the sea.

Anon they furled and put away the sails and the yard-arm within the hollow mast-hold, and they let down the mast too along the deck, and quickly rowed into the river's broad current; and he dashed all round them, yet gave way. Upon their left hand they kept steep Caucasus and the Cytæan town of Æa, and next the plain of Ares and that god's sacred grove, where the serpent keepeth watch and ward o'er the fleece as it hangs on the oak's rough branches. Then did the son of Æson with his own hand pour a libation sweet as honey, of unmixed wine, from a golden chalice into the river to Earth and the gods of that land, and the spirits of heroes dead and gone; and he besought them to be his kindly helpers graciously, and to allow a fair anchoring of the ship. And forthwith Ancæus spake this word amongst them, « Lo! we are come to the Colchian land and the stream of Phasis; 'tis high time to make plans for ourselves, whether indeed we will try Æetes with gentleness, or whether haply some different attempt shall win the day.»

So spake he; and Jason, by the advice of Argus, bade them row the ship into a shaded backwater and let her ride at anchor in deep water, and that they found close by; so there they bivouacked for the night; and no long time after appeared the dawn to their longing eyes.

ΒΙΒΛΙΟΝ ΤΡΙΤΟΝ

BOOK THREE

Εἰ δ' ἄγε νῦν, Ἐρατώ, παρά θ' ἴστασο, καί μοι ἔνισπε,
ἔνθεν ὅπως ἐς Ἰωλκὸν ἀνήγαγε κῶας Ἰήσων
Μηδείης ὑπ' ἔρωτι. σὺ γὰρ καὶ Κύπριδος αἶσαν
ἔμμορες, ἀδμῆτας δὲ τεοῖς μελεδήμασι θέλγεις
παρθενικάς· τῶ καί τοι ἐπήρατον οὔνομ' ἀνῆπται.
Ὣς οἱ μὲν πυκινοῖσιν ἀνωίστως δονάκεσσιν
μίμνον ἀριστῆες λελοχημένοι· αἱ δ' ἐνόησαν
Ἥρη Ἀθηναίη τε, Διὸς δ' αὐτοῖο καὶ ἄλλων
ἀθανάτων ἀπονόσφι θεῶν θάλαμόνδε κιοῦσαι
βούλευον· πείραζε δ' Ἀθηναίην πάρος Ἥρη·
Αὐτὴ νῦν προτέρη, θύγατερ Διός, ἄρχεο βουλῆς.
τί χρέος; ἠὲ δόλον τινὰ μήσεαι, ᾧ κεν ἑλόντες
χρύσεον Αἰήταο μεθ' Ἑλλάδα κῶας ἄγοιντο,
ἦ καὶ τόν γ' ἐπέεσσι παραιφάμενοι πεπίθοιεν
μειλιχίοις; ἦ γὰρ ὅ γ' ὑπερφίαλος πέλει αἰνῶς.
ἔμπης δ' οὔτινα πεῖραν ἀποτρωπᾶσθαι ἔοικεν.'
Ὣς φάτο· τὴν δὲ παρᾶσσον Ἀθηναίη προσέειπεν·
'Καὶ δ' αὐτὴν ἐμὲ τοῖα μετὰ φρεσὶν ὁρμαίνουσαν,
Ἥρη, ἀπηλεγέως ἐξείρεαι. Ἀλλά τοι οὔπω
φράσσασθαι νοέω τοῦτον δόλον, ὅστις ὀνήσει
θυμὸν ἀριστήων· πολέας δ' ἐπεδοίασα βουλάς.'
Ἦ, καὶ ἐπ' οὔδεος αἴγε ποδῶν πάρος ὄμματ' ἔπηξαν,
ἄνδιχα πορφύρουσαι ἐνὶ σφίσιν· αὐτίκα δ' Ἥρη
τοῖον μητιόωσα παροιτέρη ἔκφατο μῦθον·
'Δεῦρ' ἴομεν μετὰ Κύπριν· ἐπιπλόμεναι δέ μιν ἄμφω

Come now, Erato, stand at my side and tell, how Jason brought the fleece hence to Iolchos by the love of Medea. For thou too hast a share in all that the Cyprian queen decrees, and by thy cares dost charm maidens yet unwed; wherefore is joined to thee a name that tells of love.

Thus those chieftains abode in their ambush, unseen among the thick reeds, and the goddesses, Hera and Athene, were ware of them; so they came unto a chamber, apart from Zeus himself and the other immortal gods, and took counsel together; and first did Hera make trial of Athene: «Do thou now first begin with thy plan, daughter of Zeus. What is to be done? wilt thou devise some crafty wile, whereby they shall take the golden fleece from Æetes and carry it to Hellas, or shall they haply persuade him with gentle words and so prevail? For surely he is terribly haughty. And yet it is not right that any attempt of ours should be turned aside.»

So spake she; and Athene answered her at once: «I was even pondering these very things myself, Hera, when thou didst question me outright; but not yet, methinks, have I devised a plan to help those chieftains brave, though many are the schemes my mind revolves.»

Therewith those goddesses fixed their eyes upon the ground before them, pondering separately in their hearts.

145

παιδὶ ἑῷ εἰπεῖν ὀτρύνομεν, αἴ κε πίθηται
κούρην Αἰήτεω πολυφάρμακον οἷσι βέλεσσιν
θέλξαι ὀιστεύσας ἐπ' Ἰήσονι, τὸν δ' ἂν ὀίω
κείνης ἐννεσίῃσιν ἐς Ἑλλάδα κῶας ἀνάξειν.'
Ὣς ἄρ' ἔφη· πυκινὴ δὲ συνεύαδε μῆτις Ἀθήνη,
καί μιν ἔπειτ' ἐξαῦτις ἀμείβετο μειλιχίοισιν·
'Ἥρη, νήιδα μέν με πατὴρ τέκε τοῖο βολάων,
οὐδέ τινα χρειὼ θελκτήριον οἶδα πόθοιο.
εἰ δέ σοι αὐτῇ μῦθος ἐφανδάνει, ἦ τ' ἂν ἔγωγε
ἑσποίμην· σὺ δέ κεν φαίης ἔπος ἀντιόωσα.'
Ἦ, καὶ ἀναΐξασαι ἐπὶ μέγα δῶμα νέοντο
Κύπριδος, ὅ ῥά τέ οἱ δεῖμεν πόσις ἀμφιγυήεις,
ὁππότε μιν τὰ πρῶτα παραὶ Διὸς ἦγεν ἄκοιτιν.
ἕρκεα δ' εἰσελθοῦσαι ὑπ' αἰθούσῃ θαλάμοιο
ἔσταν, ἵν' ἐντύνεσκε θεὰ λέχος Ἡφαίστοιο.
ἀλλ' ὁ μὲν ἐς χαλκεῶνα καὶ ἄκμονας ἦρι βεβήκει,
νήσοιο πλαγκτῆς εὐρὺν μυχόν, ᾧ ἔνι πάντα
δαίδαλα χάλκευεν ῥιπῇ πυρός· ἡ δ' ἄρα μούνη
ἧστο δόμῳ δινωτὸν ἀνὰ θρόνον, ἄντα θυράων.
λευκοῖσιν δ' ἑκάτερθε κόμας ἐπιειμένη ὤμοις
κόσμει χρυσείῃ διὰ κερκίδι, μέλλε δὲ μακροὺς
πλέξασθαι πλοκάμους· τὰς δὲ προπάροιθεν ἰδοῦσα
ἔσχεθεν, εἴσω τέ σφ' ἐκάλει, καὶ ἀπὸ θρόνου ὦρτο,
εἷσέ τ' ἐνὶ κλισμοῖσιν· ἀτὰρ μετέπειτα καὶ αὐτὴ
ἵζανεν, ἀψήκτους δὲ χεροῖν ἀνεδήσατο χαίτας.
τοῖα δὲ μειδιόωσα προσέννεπεν αἱμυλίοισιν·
'Ἠθεῖαι, τίς δεῦρο νόος χρειώ τε κομίζει
δηναιὰς αὔτως; τί δ' ἱκάνετον, οὔτι πάρος γε
λίην φοιτίζουσαι, ἐπεὶ περίεστε θεάων;'
Τὴν δ' Ἥρη τοίοισιν ἀμειβομένη προσέειπεν·
'Κερτομέεις· νῶιν δὲ κέαρ συνορίνεται ἄτῃ.
ἤδη γὰρ ποταμῷ ἐνὶ Φάσιδι νῆα κατίσχει
Αἰσονίδης, ἠδ' ἄλλοι ὅσοι μετὰ κῶας ἕπονται.
τῶν ἤτοι πάντων μέν, ἐπεὶ πέλας ἔργον ὄρωρεν,
δείδιμεν ἐκπάγλως, περὶ δ' Αἰσονίδαο μάλιστα.
τὸν μὲν ἐγών, εἰ καί περ ἐς Ἀίδα ναυτίλληται
λυσόμενος χαλκέων Ἰξίονα νειόθι δεσμῶν,
ῥύσομαι, ὅσσον ἐμοῖσιν ἐνὶ σθένος ἔπλετο γυίοις,
ὄφρα μὴ ἐγγελάσῃ Πελίης κακὸν οἶτον ἀλύξας,
ὅς μ' ὑπερηνορέῃ θυέων ἀγέραστον ἔθηκεν.
καὶ δ' ἄλλως ἔτι καὶ πρὶν ἐμοὶ μέγα φίλατ' Ἰήσων
ἐξότ' ἐπὶ προχοῇσιν ἅλις πλήθοντος Ἀναύρου
ἀνδρῶν εὐνομίης πειρωμένη ἀντεβόλησεν
θήρης ἐξανιών· νιφετῷ δ' ἐπαλύνετο πάντα
οὔρεα καὶ σκοπιαὶ περιμήκεες, οἱ δὲ κατ' αὐτῶν

Anon, when she had thought thus awhile, Hera broke the silence: «Let us hence to Cypris; and, when we are come, let us both urge her to speak unto her boy, if haply he can be persuaded to shoot an arrow at the daughter of Æetes, mighty sorceress, and bewitch her with love of Jason. For, methinks, he would by her helping counsel bear the fleece to Hellas.»

So spake she; and her sage plan pleased Athene, and once more she answered her with winning words: «Ah! Hera, my sire begat me to know nought of the darts of love, nor wot I of any magic spell of desire. But if this word pleaseth thee thyself, surely I will follow; but thou must speak when thou comest before her.»

Therewith went they darting to the great house of Cypris, the house which her lord of the strong arms had builded for her, when first he brought her from Zeus to be his bride. So they entered the courtyard and stood beneath the corridor that led to her chamber, where the goddess used to make ready the couch of Hephæstus. But he had gone to his smithy and anvils at dawn, a cavern vast within a floating island, wherein he would forge all manner of cunning work with the blast of fire; so she was sitting alone in her house on her rounded chair, facing the door, and she was combing her hair with a golden comb, letting it cover her white shoulders on either side, and she was in the act of plaiting her long tresses when she saw them before her, and stopped; and she bade them enter, and arose from her throne and made them sit on seats; then sat she down herself and bound up her uncombed hair with her two hands. And thus with a smile she spake to them in wheedling words, «Fair ladies, what purpose or business doth bring you hither after so long a time? and why are ye twain come that came not very often aforetime to visit me? for ye are far above all other goddesses.»

Thus then did Hera answer her in turn: «Thou dost mock us; but the heart of us twain is stirred by sore mischance. For even now in the river Phasis the son of Æson stays his ship, and those others who come with him to fetch the fleece. Verily for them all do we fear exceedingly, since their work is nigh, but most of all for the son of Æson. Him will I save, though he sail even to Hades, to free Ixion there below from his fetters of brass, so far as there is any strength in my limbs, that Pelias may not mock if he escape his evil doom; he who in his haughtiness left me without my meed of sacrifice. Yea, and, beyond all

147

χείμαρροι καναχηδὰ κυλινδόμενοι φορέοντο.
γρηὶ δέ μ' εἰσαμένην ὀλοφύρατο, καί μ' ἀναείρας
αὐτὸς ἑοῖς ὤμοισι διὲκ προαλὲς φέρεν ὕδωρ.
τῶ νύ μοι ἄλληκτον περιτίεται· οὐδέ κε λώβην
τίσειεν Πελίης, εἰ μή σύ γε νόστον ὀπάσσεις.'
Ὣς ηὔδα· Κύπριν δ' ἐνεοστασίη λάβε μύθων.
ἅζετο δ' ἀντομένην Ἥρην ἕθεν εἰσορόωσα,
καί μιν ἔπειτ' ἀγανοῖσι προσέννεπεν ἤγ' ἐπέεσσιν·
'Πότνα θεά, μή τοί τι κακώτερον ἄλλο πέλοιτο
Κύπριδος, εἰ δὴ σεῖο λιλαιομένης ἀθερίζω
ἢ ἔπος ἠέ τι ἔργον, ὅ κεν χέρες αἴγε κάμοιεν
ἠπεδαναί· καὶ μή τις ἀμοιβαίη χάρις ἔστω.'
Ὣς ἔφαθ'. Ἥρη δ' αὖτις ἐπιφραδέως ἀγόρευσεν·
'Οὔτι βίης χατέουσαι ἱκάνομεν, οὐδέ τι χειρῶν.
ἀλλ' αὔτως ἀκέουσα τεῷ ἐπικέκλεο παιδὶ
παρθένον Αἰήτεω θέλξαι πόθῳ Αἰσονίδαο.
εἰ γάρ οἱ κείνη συμφράσσεται εὐμενέουσα,
ῥηιδίως μιν ἑλόντα δέρος χρύσειον ὀίω
νοστήσειν ἐς Ἰωλκόν, ἐπεὶ δολόεσσα τέτυκται.'
Ὣς ἄρ' ἔφη· Κύπρις δὲ μετ' ἀμφοτέρῃσιν ἔειπεν·
'Ἥρη, Ἀθηναίη τε, πίθοιτό κεν ὔμμι μάλιστα,
ἢ ἐμοί. ὑμείων γὰρ ἀναιδήτῳ περ ἐόντι
τυτθή γ' αἰδὼς ἔσσετ' ἐν ὄμμασιν· αὐτὰρ ἐμεῖο
οὐκ ὄθεται, μάλα δ' αἰὲν ἐριδμαίνων ἀθερίζει.
καὶ δή οἱ μενέηνα, περισχομένη κακότητι,
αὐτοῖσιν τόξοισι δυσηχέας ἆξαι ὀιστοὺς
ἀμφαδίην. τοῖον γὰρ ἐπηπείλησε χαλεφθείς,
εἰ μὴ τηλόθι χεῖρας, ἕως ἔτι θυμὸν ἐρύκει,
ἕξω ἐμάς, μετέπειτά γ' ἀτεμβοίμην ἑοῖ αὐτῇ.'
Ὣς φάτο· μείδησαν δὲ θεαί, καὶ ἐσέδρακον ἄντην
ἀλλήλαις. ἡ δ' αὖτις ἀκηχεμένη προσέειπεν·
'Ἄλλοις ἄλγεα τἀμὰ γέλως πέλει· οὐδέ τί με χρὴ
μυθεῖσθαι πάντεσσιν· ἅλις εἰδυῖα καὶ αὐτή.
νῦν δ' ἐπεὶ ὔμμι φίλον τόδε δὴ πέλει ἀμφοτέρῃσιν,
πειρήσω, καί μιν μειλίξομαι, οὐδ' ἀπιθήσει.'
Ὣς φάτο· τὴν δ' Ἥρη ῥαδινῆς ἐπεμάσσατο χειρός,
ἦκα δὲ μειδιόωσα παραβλήδην προσέειπεν·
'Οὕτω νῦν, Κυθέρεια, τόδε χρέος, ὡς ἀγορεύεις,
ἔρξον ἄφαρ· καὶ μή τι χαλέπτεο, μηδ' ἐρίδαινε
χωομένη σῷ παιδί· μεταλλήξει γὰρ ὀπίσσω.'
Ἦ ῥα, καὶ ἔλλιπε θῶκον· ἐφωμάρτησε δ' Ἀθήνη·
ἐκ δ' ἴσαν ἄμφω ταίγε παλίσσυτοι. ἡ δὲ καὶ αὐτὴ
βῆ ῥ' ἴμεν Οὐλύμποιο κατὰ πτύχας, εἴ μιν ἐφεύροι.
εὗρε δὲ τόνγ' ἀπάνευθε Διὸς θαλερῇ ἐν ἀλωῇ,
οὐκ οἶον, μετὰ καὶ Γανυμήδεα, τόν ῥά ποτε Ζεὺς

148

that, Jason was ever dear to me aforetime, from that day when he met me at the mouth of the swollen Anaurus, as he came up from hunting, and I did test the righteousness of men; and all the hills and towering crags were coated with snow, and their torrents came rushing down from them with loud roar. But he had compassion on me in the likeness of an old hag, and took me up upon his shoulders and bore me through the headlong flood. Wherefore he hath honour of me unceasingly, nor shall Pelias work outrage upon him, even though thou grant him not his return.»

So spake she; but speechlessness seized Cypris. For she was awe-struck at seeing Hera ask a favour of her, and she answered her with kindly words, «Dread goddess, may nought worse than Cypris ever come to thee, if I neglect thy desire in word or deed, so far as these weak hands can effect aught; and let me have no thanks in return.»

So spake she; and Hera once again made prudent speech: «We come not to thee through lack of might or strength at all. But, as thou canst, softly bid thy boy bewitch the daughter of Æetes with passion for the son of Æson. For if she do help him with friendly counsel, lightly, I trow, will he take the golden fleece and return to Iolchos; for she is very crafty.»

So spake she; and Cypris said unto them both, «Hera, and Athene, he will obey you rather than me. For shameless as he is, haply will he have some little reverence at sight of you, but me he regardeth not, but ever and aye he slighteth me, and striveth with me. And lo! overcome by his naughtiness, I have a mind to break his bow and illsounding arrows before his eyes; for in a burst of anger he threatened me on this wise, that if I would not keep my hands off him, whilst he was mastering his temper, I would have only myself to blame hereafter.»

So spake she; and the goddesses smiled, and looked at one another; but Cypris answered with a sigh, «Others can laugh at my sorrows, nor ought I to tell them to every one; enough that my own heart knows them. But now since this is the will of both of you, I will try and coax him, nor will he disobey.»

So spake she; and Hera stroked her dainty hand, and with a soft smile spake to her in answer, «Yes, even so accomplish this business now at once, as thou sayest, O Cytherea, and distress not thyself at all, nor wrathfully strive with thy child, for he shall cease tormenting thee

149

οὐρανῷ ἐγκατένασσεν ἐφέστιον ἀθανάτοισιν,
κάλλεος ἱμερθείς. ἀμφ' ἀστραγάλοισι δὲ τώγε
χρυσείοις, ἅ τε κοῦροι ὁμήθεες, ἑψιόωντο.
καί ῥ' ὁ μὲν ἤδη πάμπαν ἐνίπλεον ᾧ ὑπὸ μαζῷ
μάργος Ἔρως λαιῆς ὑποΐσχανε χειρὸς ἀγοστόν,
ὀρθὸς ἐφεστηώς· γλυκερὸν δέ οἱ ἀμφὶ παρειὰς
χροιῇ θάλλεν ἔρευθος. ὁ δ' ἐγγύθεν ὀκλαδὸν ἧστο
σῖγα κατηφιόων· δοιὼ δ' ἔχεν, ἄλλον ἔτ' αὔτως
ἄλλῳ ἐπιπροϊείς, κεχόλωτο δὲ καγχαλόωντι.
καὶ μὴν τούσγε παρᾶσσον ἐπὶ προτέροισιν ὀλέσσας
βῆ κενεαῖς σὺν χερσὶν ἀμήχανος, οὐδ' ἐνόησεν
Κύπριν ἐπιπλομένην. ἡ δ' ἀντίη ἵστατο παιδός,
καί μιν ἄφαρ γναθμοῖο κατασχομένη προσέειπεν·
'Τίπτ' ἐπιμειδιάᾳς, ἄφατον κακόν; ἦέ μιν αὔτως
ἤπαφες, οὐδὲ δίκῃ περιέπλεο νῆιν ἐόντα;
εἰ δ' ἄγε μοι πρόφρων τέλεσον χρέος, ὅττι κεν εἴπω·
καί κέν τοι ὀπάσαιμι Διὸς περικαλλὲς ἄθυρμα
κεῖνο, τό οἱ ποίησε φίλη τροφὸς Ἀδρήστεια
ἄντρῳ ἐν Ἰδαίῳ ἔτι νήπια κουρίζοντι,
σφαῖραν ἐυτρόχαλον, τῆς οὔ σύγε μείλιον ἄλλο
χειρῶν Ἡφαίστοιο κατακτεατίσσῃ ἄρειον.
χρύσεα μέν οἱ κύκλα τετεύχαται· ἀμφὶ δ' ἑκάστῳ
διπλόαι ἁψῖδες περιηγέες εἰλίσσονται·
κρυπταὶ δὲ ῥαφαί εἰσιν· ἕλιξ δ' ἐπιδέδρομε πάσαις
κυανέη. ἀτὰρ εἴ μιν ἑαῖς ἐνὶ χερσὶ βάλοιο,
ἀστὴρ ὥς, φλεγέθοντα δι' ἠέρος ὁλκὸν ἵησιν.
τήν τοι ἐγὼν ὀπάσω· σὺ δὲ παρθένον Αἰήταο
θέλξον ὀιστεύσας ἐπ' Ἰήσονι· μηδέ τις ἔστω
ἀμβολίη. δὴ γάρ κεν ἀφαυροτέρη χάρις εἴη.'
'Ὣς φάτο· τῷ δ' ἀσπαστὸν ἔπος γένετ' εἰσαΐοντι.
μείλια δ' ἔκβαλε πάντα, καὶ ἀμφοτέρῃσι χιτῶνος
νωλεμὲς ἔνθα καὶ ἔνθα θεᾶς ἔχεν ἀμφιμεμαρπώς.
λίσσετο δ' αἶψα πορεῖν αὐτοσχεδόν· ἡ δ' ἀγανοῖσιν
ἀντομένη μύθοισιν, ἐπειρύσσασα παρειάς,
κύσσε ποτισχομένη, καὶ ἀμείβετο μειδιόωσα·
'Ἴστω νῦν τόδε σεῖο φίλον κάρη ἠδ' ἐμὸν αὐτῆς,
ἦ μέν τοι δῶρόν γε παρέξομαι, οὐδ' ἀπατήσω,
εἴ κεν ἐνισκίμψῃς κούρῃ βέλος Αἰήταο.'
Φῆ· ὁ δ' ἄρ' ἀστραγάλους συναμήσατο, κὰδ δὲ φαεινῷ
μητρὸς ἑῆς εὖ πάντας ἀριθμήσας βάλε κόλπῳ.
αὐτίκα δ' ἰοδόκην χρυσέῃ περικάτθετο μίτρῃ
πρέμνῳ κεκλιμένην· ἀνὰ δ' ἀγκύλον εἵλετο τόξον.
βῆ δὲ διὲκ μεγάροιο Διὸς πάγκαρπον ἀλωήν.
αὐτὰρ ἔπειτα πύλας ἐξήλυθεν Οὐλύμποιο
αἰθερίας· ἔνθεν δὲ καταιβάτις ἐστὶ κέλευθος

150

hereafter.» Therewith she left her seat, and Athene went with her. So they twain went back again, and Cypris too went on her way through the wolds of Olympus, to see if she could find her son. And she found him far away in a blooming orchard of Zeus, not alone, but Ganymede was with him; he it was whom Zeus on a day brought to dwell in heaven with the immortals, eager for his beauty. And those twain were sporting with golden dice, as youths alike in habits will. Now the one, even greedy Eros, held the palm of his left hand quite full already beneath his breast as he stood there upright; and a sweet blush was mantling on the skin of his cheeks; but the other sat crouching near in moody silence, and he held two dice, casting one forth upon the other, where he sat, and he was angered at the loud laughter of Eros. Now when he had lost these at once as well as the first, away he went with empty hands, helpless, and he was not ware of Cypris as she drew nigh; so she stood facing her child, and at once, laying her hand upon his mouth, she spake to him : «Thou monstrous rogue, why laughest thou? surely thou didst cheat him, poor dupe, at that game, and thou didst not fairly get the better of him. But come now, accomplish readily the business I shall tell thee of, and verily I will give thee that fair plaything, which his fond nurse, Adresteia, made for Zeus, in the cave of Ida, while he was yet a little child, a ball well-rounded, than which thou canst get no fairer toy from the hands of Hephæstus. Of gold are his circles fashioned, and round each runneth a double fastening, holding them together, but the seams thereof are hidden, for a blue spiral runneth over them all. And if thou toss it in thy hands, it sends a track of flame through the air, like a star. Yea, this will I give thee, but do thou shoot at the daughter of Æetes and bewitch her with love for Jason, and let there be no delay, for then would the gratitude be fainter.»

So spake she; and 'twas a welcome word to him when he heard. Down he threw all his toys, and caught hold of the goddess's robe with both hands eagerly on either side. And he besought her instantly to give it him at once; but she met him with gentle words, and drew his cheek to hers and put her arms round him and kissed him, answering : «Be witness now thine own darling head and mine, that I will surely give it thee, and will not deceive thee, if thou fix thy shaft in the heart of the daughter of Æetes.»

Thus she; and he gathered his dice together, and, after

151

οὐρανίη· δοιὼ δὲ πόλοι ἀνέχουσι κάρηνα
οὐρέων ἠλιβάτων, κορυφαὶ χθονός, ἧχί τ᾽ ἀερθεὶς
ἠέλιος πρώτῃσιν ἐρεύθεται ἀκτίνεσσιν.
νειόθι δ᾽ ἄλλοτε γαῖα φερέσβιος ἄστεά τ᾽ ἀνδρῶν
φαίνετο καὶ ποταμῶν ἱεροὶ ῥόοι, ἄλλοτε δ᾽ αὖτε
ἄκριες, ἀμφὶ δὲ πόντος ἀν᾽ αἰθέρα πολλὸν ἰόντι.
Ἥρωες δ᾽ ἀπάνευθεν ἑῆς ἐπὶ σέλμασι νηὸς
ἐν ποταμῷ καθ᾽ ἕλος λελοχημένοι ἠγορόωντο.
αὐτὸς δ᾽ Αἰσονίδης μετεφώνεεν· οἱ δ᾽ ὑπάκουον
ἠρέμας ᾗ ἐνὶ χώρῃ ἐπισχερὼ ἑδριόωντες·
᾽ Ὦ φίλοι, ἤτοι ἐγὼ μὲν ὅ μοι ἐπιανδάνει αὐτῷ
ἐξερέω· τοῦ δ᾽ ὔμμι τέλος κρηῆναι ἔοικεν.
ξυνὴ γὰρ χρειώ, ξυνοὶ δέ τε μῦθοι ἔασιν
πᾶσιν ὁμῶς· ὁ δὲ σῖγα νόον βουλήν τ᾽ ἀπερύκων
ἴστω καὶ νόστου τόνδε στόλον οἶος ἀπούρας.
ὧλλοι μὲν κατὰ νῆα σὺν ἔντεσι μίμνεθ᾽ ἕκηλοι·
αὐτὰρ ἐγὼν ἐς δώματ᾽ ἐλεύσομαι Αἰήταο,
υἷας ἑλὼν Φρίξοιο δύω δ᾽ ἐπὶ τοῖσιν ἑταίρους.
πειρήσω δ᾽ ἐπέεσσι παροίτερον ἀντιβολήσας,
εἴ κ᾽ ἐθέλοι φιλότητι δέρος χρύσειον ὀπάσσαι,
ἦε καὶ οὔ, πίσυνος δὲ βίῃ μετιόντας ἀτίσσει.
ὧδε γὰρ ἐξ αὐτοῖο πάρος κακότητα δαέντες
φρασσόμεθ᾽, εἴτ᾽ ἄρηι συνοισόμεθ᾽, εἴτε τις ἄλλη
μῆτις ἐπίρροθος ἔσται ἐεργομένοισιν αὐτῆς.
μηδ᾽ αὔτως ἀλκῇ, πρὶν ἔπεσσί γε πειρηθῆναι,
τόνδ᾽ ἀπαμείρωμεν σφέτερον κτέρας. ἀλλὰ πάροιθεν
λωίτερον μύθῳ μιν ἀρέσσασθαι μετιόντας.
πολλάκι τοι ῥέα μῦθος, ὅ κεν μόλις ἐξανύσειεν
ἠνορέη, τόδ᾽ ἔρεξε κατὰ χρέος, ᾗπερ ἐῴκει
πρηῦνας. ὁ δὲ καί ποτ᾽ ἀμύμονα Φρίξον ἔδεκτο
μητρυιῆς φεύγοντα δόλον πατρός τε θυηλάς.
πάντες ἐπεὶ πάντῃ καὶ ὅτις μάλα κύντατος ἀνδρῶν,
Ξεινίου αἰδεῖται Ζηνὸς θέμιν ἠδ᾽ ἀλεγίζει.᾽
Ὣς φάτ᾽. ἐπήνησαν δὲ νέοι ἔπος Αἰσονίδαο
πασσυδίῃ, οὐδ᾽ ἔσκε παρὲξ ὅτις ἄλλο κελεύοι.
καὶ τότ᾽ ἄρ᾽ υἷας Φρίξου Τελαμῶνά θ᾽ ἕπεσθαι
ὦρσε καὶ Αὐγείην· αὐτὸς δ᾽ ἕλεν Ἑρμείαο
σκῆπτρον· ἄφαρ δ᾽ ἄρα νηὸς ὑπὲρ δόνακάς τε καὶ ὕδωρ
χέρσονδ᾽ ἐξαπέβησαν ἐπὶ θρωσμοῦ πεδίοιο.
Κιρκαῖον τόδε που κικλήσκεται· ἔνθα δὲ πολλαὶ
ἑξείης πρόμαλοί τε καὶ ἰτέαι ἐκπεφύασιν,
τῶν καὶ ἐπ᾽ ἀκροτάτων νέκυες σειρῇσι κρέμανται
δέσμιοι. εἰσέτι νῦν γὰρ ἄγος Κόλχοισιν ὄρωρεν
ἀνέρας οἰχομένους πυρὶ καιέμεν· οὐδ᾽ ἐνὶ γαίῃ
ἔστι θέμις στείλαντας ὕπερθ᾽ ἐπὶ σῆμα χέεσθαι,

counting them all carefully, cast them into the fold of his mother's bright robe. Next he slung about him with a belt of gold his quiver, which was hanging on a tree-trunk, and he took up his bended bow, and went on his way from the halls of Zeus through the fruitful orchard. Then came he forth from the heavenly gates of Olympus, where is a path down from heaven; for the world's two poles, the highest points on earth, whereon the sun at his rising rests with his earliest rays, uphold steep mountain-tops; while below, on the one side, Earth, the life-giver, and the cities of men, and sacred river-streams, and, on the other, hills and sea all round appeared to him, as he passed through the wide upper air.

Now the heroes sat in council on the ship's benches, in their ambush apart, in a backwater of the river. And amongst them the son of Æson himself was speaking, while they, sitting quietly in their place in order, did listen: «My friends, surely I will tell you what seems good to me myself; but 'tis for you to bring it to pass. For all alike share this quest, and all alike can speak; and he who silently withholds his purpose and counsel, let him know, that 'tis he and he alone who robbeth this expedition of its return. Do ye others abide here quietly in the ship with your arms; but I will go to the halls of Æetes, taking the sons of Phrixus and two comrades as well. And when I meet him, I will first see what words may do, whether he be willing to give us the golden fleece for love, or, if he will not, but, trusting to his might, will not heed our quest. For thus of himself shall we learn his ill-will afore and devise, whether to meet him in the field, or whether there shall be some other plan to help us, if we restrain our battle-cry. But let us not deprive him of his possession thus by force, till we have tried what words can do. Nay, 'twere better first to go and conciliate him with words. Full oft, I wis, hath a word easily accomplished at need, what might would scarce have won, by duly soothing. Yea, and this man too once welcomed gallant Phrixus as he fled from the wiles of a step-mother and the sacrifice his father had prepared. For all men in all lands, even the most shameless, do reverence and regard the ordinance of Zeus, the god of strangers.»

So spake he; and forthwith the young men agreed to the word of the son of Æson, and there was not one who could bid him do otherwise. So then he roused the sons of Phrixus and Telamon and Augeas to go with him; and in

153

ἀλλ' ἐν ἀδεψήτοισι κατειλύσαντε βοείαις
δενδρέων ἐξάπτειν ἑκὰς ἄστεος. ἠέρι δ' ἴσην
καὶ χθὼν ἔμμορεν αἶσαν, ἐπεὶ χθονὶ ταρχύουσιν
θηλυτέρας· ἡ γάρ τε δίκη θεσμοῖο τέτυκται.
Τοῖσι δὲ νισσομένοις Ἥρη φίλα μητιόωσα
ἠέρα πουλὺν ἐφῆκε δι' ἄστεος, ὄφρα λάθοιεν
Κόλχων μυρίον ἔθνος ἐς Αἰήταο κιόντες.
ὦκα δ' ὅτ' ἐκ πεδίοιο πόλιν καὶ δώμαθ' ἵκοντο
Αἰήτεω, τότε δ' αὖτις ἀπεσκέδασεν νέφος Ἥρη.
ἔσταν δ' ἐν προμολῇσι τεθηπότες ἕρκε' ἄνακτος
εὐρείας τε πύλας καὶ κίονας, οἳ περὶ τοίχους
ἑξείης ἄνεχον· θριγκὸς δ' ἐφύπερθε δόμοιο
λαΐνεος χαλκέῃσιν ἐπὶ γλυφίδεσσιν ἀρήρει.
εὔκηλοι δ' ὑπὲρ οὐδὸν ἔπειτ' ἔβαν. ἄγχι δὲ τοῖο
ἡμερίδες χλοεροῖσι καταστεφέες πετάλοισιν
ὑψοῦ ἀειρόμεναι μέγ' ἐθήλεον. αἱ δ' ὑπὸ τῇσιν
ἀέναοι κρῆναι πίσυρες ῥέον, ἃς ἐλάχηνεν
Ἥφαιστος. καί ῥ' ἡ μὲν ἀναβλύεσκε γάλακτι,
ἡ δ' οἴνῳ, τριτάτη δὲ θυώδεϊ νᾶεν ἀλοιφῇ·
ἡ δ' ἄρ' ὕδωρ προρέεσκε, τὸ μέν ποθι δυομένῃσιν
θέρμετο Πληϊάδεσσιν, ἀμοιβηδὶς δ' ἀνιούσαις
κρυστάλλῳ ἴκελον κοίλης ἀνεκήκιε πέτρης.
τοῖ' ἄρ' ἐνὶ μεγάροισι Κυταιέος Αἰήταο
τεχνήεις Ἥφαιστος ἐμήσατο θέσκελα ἔργα.
καί οἱ χαλκόποδας ταύρους κάμε, χάλκεα δέ σφεων
ἦν στόματ', ἐκ δὲ πυρὸς δεινὸν σέλας ἀμπνείεσκον·
πρὸς δὲ καὶ αὐτόγυον στιβαροῦ ἀδάμαντος ἄροτρον
ἤλασεν, Ἡελίῳ τίνων χάριν, ὅς ῥά μιν ἵπποις
δέξατο, Φλεγραίῃ κεκμηότα δηιοτῆτι.
ἔνθα δὲ καὶ μέσσαυλος ἐλήλατο· τῇ δ' ἔπι πολλαὶ
δικλίδες εὐπηγεῖς θάλαμοί τ' ἔσαν ἔνθα καὶ ἔνθα·
δαιδαλέη δ' αἴθουσα παρὲξ ἑκάτερθε τέτυκτο.
λέχρις δ' αἰπύτεροι δόμοι ἕστασαν ἀμφοτέρωθεν.
τῶν ἤτοι ἄλλῳ μέν, ὅτις καὶ ὑπείροχος ἦεν,
κρείων Αἰήτης σὺν ἑῇ ναίεσκε δάμαρτι·
ἄλλῳ δ' Ἄψυρτος ναῖεν πάις Αἰήταο.
τὸν μὲν Καυκασίη νύμφη τέκεν Ἀστερόδεια
πρίν περ κουριδίην θέσθαι Εἰδυῖαν ἄκοιτιν,
Τηθύος Ὠκεανοῦ τε πανοπλοτάτην γεγαυῖαν.
καί μιν Κόλχων υἷες ἐπωνυμίην Φαέθοντα
ἔκλεον, οὕνεκα πᾶσι μετέπρεπεν ἠιθέοισιν.
τοὺς δ' ἔχον ἀμφίπολοί τε καὶ Αἰήταο θύγατρες
ἄμφω, Χαλκιόπη Μήδειά τε. τὴν μὲν ἄρ' οἴγε
ἐκ θαλάμου θαλαμόνδε κασιγνήτην μετιοῦσαν —
Ἥρη γάρ μιν ἔρυκε δόμῳ· πρὶν δ' οὔτι θάμιζεν

154

his hand he took the wand of Hermes; and anon forth they went from the ship, beyond the reeds and water, toward the country over a rising plain. This, they say, is called the plain of Circe, and on it were growing in rows many willows and osiers, on whose branches hang dead men, bound with cords. For to this day 'tis an abomination to Colchians to burn the corpses of men with fire; nor is it lawful to lay them in the earth, and heap a cairn above them; but two men must roll them up in hides untanned, and fasten them to trees afar from the town. And yet the earth getteth an equal share with the air, for they bury their women folk in the ground; for such is the custom they have ordained.

Now as the heroes went through the city, Hera, with friendly intent, shed a thick mist on them, that they might reach the house of Æetes, unseen by the countless Colchian folk; but straight when they were come from the plain to the city and house of Æetes, then again did Hera disperse the cloud. And they stood at the entrance, astonied at the king's fenced walls and wide gates and columns, which stood in rows upholding the walls; and above the house was a coping of stone resting upon triglyphs of bronze. Then went they quietly over the threshold. And nigh thereto were garden-vines in full blossom, shooting on high, and covered with green young foliage. Beneath them flowed those four eternal springs, which Hephæstus digged, whereof the one did gush with milk, another with wine, while a third flowed with fragrant unguents, and the last gave a stream of water, which was warm at the setting of the Pleiads, and in turn at their rising spouted up cold as ice from the hollow rock. These were the wondrous works that crafty Hephæstus did devise in the halls of Cytæan Æetes. And he fashioned for him bulls with brazen feet, and mouths of brass, wherefrom they breathed the fearful blaze of fire; yea, and he forged for him besides a plough of stout adamant, all of one piece, in return for the kindness of Helios, for he had taken him up in his chariot, when he was weary at the battle on Phlegra's plain.

Next was builded the inner court; and in the walls thereof on either side were close-folding doors and rooms; and all along both walls ran a corridor of carved work; and across at either end stood higher buildings; in one of these, which towered over all, dwelt king Æetes with his wife, and in the other lived Absyrtus, son of Æetes, whom

155

ἐν μεγάροις, Ἑκάτης δὲ πανήμερος ἀμφεπονεῖτο
νηόν, ἐπεί ῥα θεᾶς αὐτὴ πέλεν ἀρήτειρα —
καί σφεας ὡς ἴδεν ἆσσον, ἀνίαχεν· ὀξὺ δ' ἄκουσεν
Χαλκιόπη· δμωαὶ δὲ ποδῶν προπάροιθε βαλοῦσαι
νήματα καὶ κλωστῆρας ἀολλέες ἔκτοθι πᾶσαι
ἔδραμον. ἡ δ' ἅμα τοῖσιν ἑοὺς υἷας ἰδοῦσα
ὑψοῦ χάρματι χεῖρας ἀνέσχεθεν· ὣς δὲ καὶ αὐτοὶ
μητέρα δεξιόωντο, καὶ ἀμφαγάπαζον ἰδόντες
γηθόσυνοι· τοῖον δὲ κινυρομένη φάτο μῦθον·
‘ Ἔμπης οὐκ ἄρ' ἐμέλλετ' ἀκηδείῃ με λιπόντες
τηλόθι πλάγξασθαι· μετὰ δ' ὑμέας ἔτραπεν αἶσα.
δειλὴ ἐγώ, οἷον πόθον Ἑλλάδος ἔκποθεν ἄτης
λευγαλέης Φρίξοιο ἐφημοσύνῃσιν ἔλεσθε
πατρός. ὁ μὲν θνήσκων στυγερὰς ἐπετείλατ' ἀνίας
ἡμετέρῃ κραδίῃ. τί δέ κεν πόλιν Ὀρχομενοῖο,
ὅστις ὅδ' Ὀρχομενός, κτεάνων Ἀθάμαντος ἕκητι
μητέρ' ἐὴν ἀχέουσαν ἀποπρολιπόντες, ἵκοισθε;’
Ὣς ἔφατ'. Αἰήτης δὲ πανύστατος ὦρτο θύραζε,
ἐκ δ' αὐτὴ Εἰδυῖα δάμαρ κίεν Αἰήταο,
Χαλκιόπης ἀίουσα· τὸ δ' αὐτίκα πᾶν ὁμάδοιο
ἕρκος ἐπεπλήθει. τοὶ μὲν μέγαν ἀμφιπένοντο
ταῦρον ἅλις δμῶες· τοὶ δὲ ξύλα κάγκανα χαλκῷ
κόπτον· τοὶ δὲ λοετρὰ πυρὶ ζέον· οὐδέ τις ἦεν,
ὃς καμάτου μεθίεσκεν, ὑποδρήσσων βασιλῆι.
Τόφρα δ' Ἔρως πολιοῖο δι' ἠέρος ἷξεν ἄφαντος,
τετρηχώς, οἷόν τε νέαις ἐπὶ φορβάσιν οἶστρος
τέλλεται, ὅν τε μύωπα βοῶν κλείουσι νομῆες.
ὦκα δ' ὑπὸ φλιὴν προδόμῳ ἔνι τόξα τανύσσας
ἰοδόκης ἀβλῆτα πολύστονον ἐξέλετ' ἰόν.
ἐκ δ' ὅγε καρπαλίμοισι λαθὼν ποσὶν οὐδὸν ἄμειψεν
ὀξέα δενδίλλων· αὐτῷ δ' ὑπὸ βαιὸς ἐλυσθεὶς
Αἰσονίδῃ γλυφίδας μέσσῃ ἐνικάτθετο νευρῇ,
ἰθὺς δ' ἀμφοτέρῃσι διασχόμενος παλάμῃσιν
ἧκ' ἐπὶ Μηδείῃ· τὴν δ' ἀμφασίη λάβε θυμόν.
αὐτὸς δ' ὑψορόφοιο παλιμπετὲς ἐκ μεγάροιο
καγχαλόων ἤιξε· βέλος δ' ἐνεδαίετο κούρῃ
νέρθεν ὑπὸ κραδίῃ, φλογὶ εἴκελον· ἀντία δ' αἰεὶ
βάλλεν ὑπ' Αἰσονίδην ἀμαρύγματα, καί οἱ ἄηντο
στηθέων ἐκ πυκιναὶ καμάτῳ φρένες, οὐδέ τιν' ἄλλην
μνῆστιν ἔχεν, γλυκερῇ δὲ κατείβετο θυμὸν ἀνίῃ.
ὡς δὲ γυνὴ μαλερῷ περὶ κάρφεα χεύατο δαλῷ
χερνῆτις, τῇπερ ταλάσια ἔργα μέμηλεν,
ὥς κεν ὑπωρόφιον νύκτωρ σέλας ἐντύναιτο,
ἄγχι μάλ' ἐγρομένη· τὸ δ' ἀθέσφατον ἐξ ὀλίγοιο
δαλοῦ ἀνεγρόμενον σὺν κάρφεα πάντ' ἀμαθύνει·

Asterodia, nymph of Caucasus, bare, ere that Eidyia became his wedded wife, last-born child of Tethys and Oceanus; him the sons of the Colchians did call by the name of Phaethon, for he outshone all the young men. But the servants and the two daughters of Æetes, Chalciope and Medea, had the other rooms. Now they found Medea going from chamber to chamber in quest of her sister; for Hera had kept her at home, though aforetime she came not very often into the house, but all day long was busied at the temple of Hecate, for 'twas she that was priestess of the goddess. And when she saw them near, she cried out, and quickly did Chalciope hear, and the maid-servants threw down at their feet their yarn and thread, and came running out all together. But Chalciope, when she saw her sons with those others, lifted up her hands for joy, and so too did they greet their mother, and embraced her for joy when they saw her. And thus spake she through her sobs : « So then, after all, ye were not to wander very far, leaving me in my anguish; but fate hath turned you back. Ah! woe is me! what a desire for Hellas did ye feel, prompted by some pitiful infatuation, at the bidding of your father Phrixus! who dying did ordain bitter sorrow for my heart. Why should ye go to the city of Orchomenus, whoever this Orchomenus is, for the sake of the goods of Athamas, leaving your mother behind in her sorrow?»

So spake she; and last of all came Æetes forth to the door, and forth came Eidyia in person, wife of Æetes, when she heard Chalciope; and anon that whole court-yard was filled with a throng. Thralls in crowds were busy now, some about a mighty bull, while others were cleaving dry wood with the axe, and others were heating at the fire water for baths, and there was none who ceased from toil, in obedience to the king.

Meantime Eros went through the clear air unseen, confusing them, as when the gad-fly ariseth against grazing heifers, the fly which herdsmen call the goad of cattle. Quickly within the porch, beneath the lintel, he stretched his bow and drew from his quiver a shaft of sorrow never yet used. Then did he pass unseen across the threshold with hasty steps, glancing quickly round, and gliding close past the son of Æson himself, he laid the notch of the arrow on the middle of the bow-string, and drawing it to the head with both hands he let it fly straight against Medea; and speechless amaze took hold upon

...ΚΑΙ Η ΨΥΧΗ ΤΗΣ ΓΕΜΙΖΕ
ΜΕ ΜΙΑ ΠΙΚΡΑ ΓΛΥΚΕΙΑ

...AND HER SOUL WAS MELT-
ING WITH SWEET SORROW

τοῖος ὑπὸ κραδίῃ εἰλυμένος αἴθετο λάθρῃ
οὖλος Ἔρως· ἁπαλὰς δὲ μετετρωπᾶτο παρειὰς
ἐς χλόον, ἄλλοτ' ἔρευθος, ἀκηδείῃσι νόοιο.
Δμῶες δ' ὁππότε δή σφιν ἐπαρτέα θῆκαν ἐδωδήν,
αὐτοί τε λιαροῖσιν ἐφαιδρύναντο λοετροῖς,
ἀσπασίως δόρπῳ τε ποτῆτί τε θυμὸν ἄρεσσαν.
ἐκ δὲ τοῦ Αἰήτης σφετέρης ἐρέεινε θυγατρὸς
υἷας τοίοισι παρηγορέων ἐπέεσσιν·
῾Παιδὸς ἐμῆς κοῦροι Φρίξοιό τε, τὸν περὶ πάντων
ξείνων ἡμετέροισιν ἐνὶ μεγάροισιν ἔτισα,
πῶς Αἶάνδε νέεσθε παλίσσυτοι; ἦε τίς ἄτη
σωομένους μεσσηγὺς ἐνέκλασεν; οὐ μὲν ἐμεῖο
πείθεσθε προφέροντος ἀπείρονα μέτρα κελεύθου.
ᾔδειν γάρ ποτε πατρὸς ἐν ἅρμασιν Ἠελίοιο
δινεύσας, ὅτ' ἐμεῖο κασιγνήτην ἐκόμιζεν
Κίρκην ἑσπερίης εἴσω χθονός, ἐκ δ' ἱκόμεσθα
ἀκτὴν ἠπείρου Τυρσηνίδος, ἔνθ' ἔτι νῦν περ
ναιετάει, μάλα πολλὸν ἀπόπροθι Κολχίδος αἴης.
ἀλλὰ τί μύθων ἦδος; ἃ δ' ἐν ποσὶν ὕμιν ὄρωρεν,
εἴπατ' ἀριφραδέως, ἠδ' οἵτινες οἵδ' ἐφέπονται
ἀνέρες, ὅππῃ τε γλαφυρῆς ἐκ νηὸς ἔβητε.᾽
Τοῖά μιν ἐξερέοντα κασιγνήτων προπάροιθεν
Ἄργος ὑποδδείσας ἀμφὶ στόλῳ Αἰσονίδαο
μειλιχίως προσέειπεν, ἐπεὶ προγενέστερος ἦεν·
῾Αἰήτη, κείνην μὲν ἄφαρ διέχευαν ἄελλαι
ζαχρηεῖς· αὐτοὺς δ' ὑπὸ δούρασι πεπτηῶτας
νήσου Ἐνυαλίοιο ποτὶ ξερὸν ἔκβαλε κῦμα
λυγαίῃ ὑπὸ νυκτί· θεὸς δέ τις ἄμμ' ἐσάωσεν.
οὐδὲ γὰρ αἳ τὸ πάροιθεν ἐρημαίην κατὰ νῆσον
ηὐλίζοντ' ὄρνιθες Ἀρήιαι, οὐδ' ἔτι κείνας
εὕρομεν. ἀλλ' οἵγ' ἄνδρες ἀπήλασαν, ἐξαποβάντες
νηὸς ἑῆς προτέρῳ ἐνὶ ἤματι· καί σφ' ἀπέρυκεν
ἡμέας οἰκτείρων Ζηνὸς νόος, ἠέ τις αἶσα,
αὐτίκ' ἐπεὶ καὶ βρῶσιν ἅλις καὶ εἵματ' ἔδωκαν,
οὔνομά τε Φρίξοιο περικλεὲς εἰσαΐοντες
ἠδ' αὐτοῖο σέθεν· μετὰ γὰρ τεὸν ἄστυ νέονται.
χρειὼ δ' ἢν ἐθέλῃς ἐξίδμεναι, οὔ σ' ἐπικεύσω.
τόνδε τις ἱέμενος πάτρης ἀπάνευθεν ἐλάσσαι
καὶ κτεάνων βασιλεὺς περιώσιον, οὕνεκεν ἀλκῇ
σφωιτέρῃ πάντεσσι μετέτρεπεν Αἰολίδῃσιν,
πέμπει δεῦρο νέεσθαι ἀμήχανον· οὐδ' ὑπαλύξειν
στεῦται ἀμειλίκτοιο Διὸς θυμαλγέα μῆνιν
καὶ χόλον, οὐδ' ἄτλητον ἄγος Φρίξοιό τε ποινὰς
Αἰολιδέων γενεήν, πρὶν ἐς Ἑλλάδα κῶας ἱκέσθαι.
νῆα δ' Ἀθηναίη Παλλὰς κάμεν, οὐ μάλα τοίην,

160

her. But he sped away again from the high-roofed hall, laughing loudly. And the shaft burnt beneath the maiden's heart, like a flame, and ever she kept darting glances toward the son of Æson, and her heart was wildly beating in her breast in distress, and she remembered nought but him, and her soul was melting with sweet sorrow. As when some poor workwoman hath strewn dry chips about a blazing brand — one whose business is to spin wool — that she may make a blaze at night beneath her roof, waking exceeding early; which darting up wondrously from the tiny brand doth consume all the chips with itself; even so love in his might, couched beneath her heart, was burning secretly; and her soft cheeks would pale and blush by turns, in the anguish of her soul.

Now when the thralls had made ready food for them, and they had washed themselves in warm baths, gladly did they take their fill of food and drink. Then did Æetes question the sons of his daughter, addressing them with these words: «Sons of my daughter and of Phrixus, whom I honoured above all strangers in our halls, how came ye back again to Æa? did some misfortune come betwixt you and your safety, preventing you? Ye hearkened not to me when I set before you the measure of the voyage. For I knew it that day I whirled along in the car of Helios, my father, when he was bringing my sister Circe into the land of the west, and we came to a headland of the Tyrsenian mainland, where she dwelleth even now, very far from the Colchian land. What pleasure, though, have I in telling hereof? Come tell me plainly what befell you, or who these are who bear you company, and whence ye have come from your hollow ship.»

Somewhat afeard was Argus for the expedition of the son of Æson when he questioned so straitly, but he before his brethren made a gentle answer, for he was the eldest: «Æetes, that ship of ours did raging winds soon wreck; but the wave cast us up, as we crouched on timbers, on the dry land of the isle of Enyalius, in the dead of night, for some god saved us. For not even were the birds of Ares roosting on that desert isle, which were there aforetime, nor did we find them any more. But these men had driven them away, when they came forth from their ship on the previous day, and the mind of Zeus or some chance kept them there, in pity for us; for at once they gave us food and raiment in plenty, after hearing the famous name of Phrixus and of thee thyself, for to thy city were

161

οἵαί περ Κόλχοισι μετ' ἀνδράσι νῆες ἔασιν,
τάων αἰνοτάτης ἐπεκύρσαμεν. ἤλιθα γάρ μιν
λάβρον ὕδωρ πνοιή τε διέτμαγεν· ἡ δ' ἐνὶ γόμφοις
ἴσχεται, ἢν καὶ πᾶσαι ἐπιβρίσωσιν ἄελλαι.
ἶσον δ' ἐξ ἀνέμοιο θέει καὶ ὅτ' ἀνέρες αὐτοὶ
νωλεμέως χείρεσσιν ἐπισπέρχωσιν ἐρετμοῖς.
τῇ δ' ἐναγειράμενος Παναχαιίδος εἴ τι φέριστον
ἡρώων, τεὸν ἄστυ μετήλυθε, πόλλ' ἐπαληθεὶς
ἄστεα καὶ πελάγη στυγερῆς ἁλός, εἴ οἱ ὀπάσσαις.
αὐτῷ δ' ὥς κεν ἅδῃ, τὼς ἔσσεται· οὐ γὰρ ἱκάνει
χερσὶ βιησόμενος· μέμονεν δέ τοι ἄξια τίσειν
δωτίνης, ἀίων ἐμέθεν μέγα δυσμενέοντας
Σαυρομάτας, τοὺς σοῖσιν ὑπὸ σκήπτροισι δαμάσσει.
εἰ δὲ καὶ οὔνομα δῆθεν ἐπιθύεις γενεήν τε
ἴδμεναι, οἵτινές εἰσιν, ἕκαστά γε μυθησαίμην.
τόνδε μέν, οἷό περ οὕνεκ' ἀφ' Ἑλλάδος ὦλλοι ἄγερθεν,
κλείουσ' Αἴσονος υἱὸν Ἰήσονα Κρηθεΐδαο.
εἰ δ' αὐτοῦ Κρηθῆος ἐτήτυμόν ἐστι γενέθλης,
οὕτω κεν γνωτὸς πατρώιος ἄμμι πέλοιτο.
ἄμφω γὰρ Κρηθεὺς Ἀθάμας τ' ἔσαν Αἰόλου υἷες·
Φρίξος δ' αὖτ' Ἀθάμαντος ἔην πάις Αἰολίδαο.
τόνδε δ' ἄρ', Ἠελίου γόνον ἔμμεναι εἴ τιν' ἀκούεις,
δέρκεαι Αὐγείην· Τελαμὼν δ' ὅγε, κυδίστοιο
Αἰακοῦ ἐκγεγαώς· Ζεὺς δ' Αἰακὸν αὐτὸς ἔτικτεν.
ὣς δὲ καὶ ὦλλοι πάντες, ὅσοι συνέπονται ἑταῖροι,
ἀθανάτων υἷές τε καὶ υἱωνοὶ γεγάασιν.'
Τοῖα παρέννεπεν Ἄργος· ἄναξ δ' ἐπεχώσατο μύθοις
εἰσαΐων· ὑψοῦ δὲ χόλῳ φρένες ἠερέθοντο.
φῆ δ' ἐπαλαστήσας· μενέαινε δὲ παισὶ μάλιστα
Χαλκιόπης· τῶν γάρ σφε μετελθέμεν οὕνεκ' ἐώλπει·
ἐκ δέ οἱ ὄμματ' ἔλαμψεν ὑπ' ὀφρύσιν ἱεμένοιο·
'Οὐκ ἄφαρ ὀφθαλμῶν μοι ἀπόπροθι, λωβητῆρες,
νεῖσθ' αὐτοῖσι δόλοισι παλίσσυτοι ἔκτοθι γαίης,
πρίν τινα λευγαλέον τε δέρος καὶ Φρίξον ἰδέσθαι;
αὐτίχ' ὁμαρτήσαντες ἀφ' Ἑλλάδος, οὐκ ἐπὶ κῶας,
σκῆπτρα δὲ καὶ τιμὴν βασιληίδα δεῦρο νέεσθε.
εἰ δέ κε μὴ προπάροιθεν ἐμῆς ἥψασθε τραπέζης,
ἦ τ' ἂν ἀπὸ γλώσσας τε ταμὼν καὶ χεῖρε κεάσσας
ἀμφοτέρας, οἵοισιν ἐπιπροέηκα πόδεσσιν,
ὥς κεν ἐρητύοισθε καὶ ὕστερον ὁρμηθῆναι,
οἷα δὲ καὶ μακάρεσσιν ἐπεψεύσασθε θεοῖσιν.'
Φῆ ῥα χαλεψάμενος· μέγα δὲ φρένες Αἰακίδαο
νειόθεν οἰδαίνεσκον· ἐέλδετο δ' ἔνδοθι θυμὸς
ἀντιβίην ὀλοὸν φάσθαι ἔπος· ἀλλ' ἀπέρυκεν
Αἰσονίδης· πρὸ γὰρ αὐτὸς ἀμείψατο μειλιχίοισιν·

162

*they faring. If thou wouldst surely know their business,
I will not hide it from thee. A certain king, eager to
drive yonder man far from his country and his goods,
for that he excelled very greatly in his might all the sons
of Æolus, is sending him hither on a difficult voyage;
for it is ordained that the race of Æeolus shall not escape
the grievous wrath and fury of implacable Zeus, nor
the awful pollution and the punishment for the sake of
Phrixus, until the fleece come to Hellas. And Pallas
Athene hath builded his ship, in no wise like the ships
amongst the Colchian folk, whereof we chanced upon
the vilest; for furious winds and waves tore it in pieces
enow. But that other holds fast unto her bolts, even though
all the winds fall heavy on her. And swift as the wind she
speeds, whenso her crew bend to their oars with a will.
And Jason hath gathered together in her the chosen
heroes from all Achæa, and is come to thy city, after
wandering to many towns, and over the face of the loathly
sea, to see if thou wilt give him the fleece. And as it is
pleasing to thee, so shall it be; for he is not come to use
violence, but 'tis his desire to pay thee fair quittance for
the gift; for he heareth from me that the Sauromatæ
are thy grievous foes; so he will subdue these to thy rule.
And if, as thou sayest, thou art anxious to know too their
name and lineage, who they be, verily let me tell thee all.
Him, for sake of whom the rest mustered from Hellas,
men call Jason, son of Æson, whom Cretheus begat.
Now if he is really of the stock of Cretheus himself, so
must he be a kinsman on his father's side to us. For
both Cretheus and Athamas were sons of Æolus; and
Phrixus again was son of Athamas, who was son of
Æolus. Lo! here dost thou see Augeas, if ever thou dost
hear of this son of Helios, and this is Telamon, sprung
from famous Æacus, whom Zeus himself begat. So too
all the rest, who follow in his crew, are sons or scions
of immortal gods.»*

*This was the tale that Argus told. And the king was
angered at his word, as he listened. And his heart swelled
high with rage, and he spake with a troubled mind, but
most of all was he wroth with the sons of Chalciope, for
he thought that Jason had come on this quest by reason
of them; and his eyes flashed beneath his brows in his
fury: «Away, ye caitiff wretches, at once from my sight;
depart from my land with your trickery, ere some of you
see the fleece and Phrixus to your sorrow. 'Twas not to*

163

῾ Αἰήτη, σχέο μοι τῷδε στόλῳ. οὔτι γὰρ αὔτως
ἄστυ τεὸν καὶ δώμαθ᾽ ἱκάνομεν, ὥς που ἔολπας,
οὐδὲ μὲν ἱέμενοι. τίς δ᾽ ἂν τόσον οἶδμα περῆσαι
τλαίη ἑκὼν ὀθνεῖον ἐπὶ κτέρας; ἀλλά με δαίμων
καὶ κρυερὴ βασιλῆος ἀτασθάλου ὦρσεν ἐφετμή.
δὸς χάριν ἀντομένοισι· σέθεν δ᾽ ἐγὼ Ἑλλάδι πάσῃ
θεσπεσίην οἴσω κληηδόνα· καὶ δέ τοι ἤδη
πρόφρονές εἰμεν ἄρηι θοὴν ἀποτῖσαι ἀμοιβήν,
εἴτ᾽ οὖν Σαυρομάτας γε λιλαίεαι, εἴτε τιν᾽ ἄλλον
δῆμον σφωιτέροισιν ὑπὸ σκήπτροισι δαμάσσαι.᾽
῎Ισκεν ὑποσσαίνων ἀγανῇ ὀπί· τοῖο δὲ θυμὸς
διχθαδίην πόρφυρεν ἐνὶ στήθεσσι μενοινήν,
ἤ σφεας ὁρμηθεὶς αὐτοσχεδὸν ἐξεναρίζοι,
ἦ ὅγε πειρήσαιτο βίης. τό οἱ εἴσατ᾽ ἄρειον
φραζομένῳ· καὶ δή μιν ὑποβλήδην προσέειπεν·
῾ Ξεῖνε, τί κεν τὰ ἕκαστα διηνεκέως ἀγορεύοις;
εἰ γὰρ ἐτήτυμόν ἐστε θεῶν γένος, ἠὲ καὶ ἄλλως
οὐδὲν ἐμεῖο χέρηες ἐπ᾽ ὀθνείοισιν ἔβητε,
δώσω τοι χρύσειον ἄγειν δέρος, αἴ κ᾽ ἐθέλησθα,
πειρηθείς. ἐσθλοῖς γὰρ ἐπ᾽ ἀνδράσιν οὔτι μεγαίρω,
ὡς αὐτοὶ μυθεῖσθε τὸν Ἑλλάδι κοιρανέοντα.
πεῖρα δέ τοι μενεός τε καὶ ἀλκῆς ἔσσετ᾽ ἄεθλος,
τὸν ῥ᾽ αὐτὸς περίειμι χεροῖν ὀλοόν περ ἐόντα.
δοιώ μοι πεδίον τὸ ᾽Αρήιον ἀμφινέμονται
ταύρω χαλκόποδε, στόματι φλόγα φυσιόωντες·
τοὺς ἐλάω ζεύξας στυφελὴν κατὰ νειὸν ῎Αρηος
τετράγυον, τὴν αἶψα ταμὼν ἐπὶ τέλσον ἀρότρῳ
οὐ σπόρον ὁλκοῖσιν Δηοῦς ἐνιβάλλομαι ἀκτήν,
ἀλλ᾽ ὄφιος δεινοῖο μεταλδήσκοντας ὀδόντας
ἀνδράσι τευχηστῇσι δέμας· τοὺς δ᾽ αὖθι δαΐζων
κείρω ἐμῷ ὑπὸ δουρὶ περισταδὸν ἀντιόωντας.
ἠέριος ζεύγνυμι βόας, καὶ δείελον ὥρην
παύομαι ἀμήτοιο. σὺ δ᾽, εἰ τάδε τοῖα τελέσσεις,
αὐτῆμαρ τόδε κῶας ἀποίσεαι εἰς βασιλῆος·
πρὶν δέ κεν οὐ δοίην, μηδ᾽ ἔλπεο. δὴ γὰρ ἀεικὲς
ἄνδρ᾽ ἀγαθὸν γεγαῶτα κακωτέρῳ ἀνέρι εἶξαι.᾽
῝Ως ἄρ᾽ ἔφη· ὁ δὲ σῖγα ποδῶν πάρος ὄμματα πήξας
ἧστ᾽ αὔτως ἄφθογγος, ἀμηχανέων κακότητι.
βουλὴν δ᾽ ἀμφὶ πολὺν στρώφα χρόνον, οὐδέ πῃ εἶχεν
θαρσαλέως ὑποδέχθαι, ἐπεὶ μέγα φαίνετο ἔργον·
ὀψὲ δ᾽ ἀμειβόμενος προσελέξατο κερδαλέοισιν·
῾ Αἰήτη, μάλα τοί με δίκῃ περιπολλὸν ἐέργεις.
τῶ καὶ ἐγὼ τὸν ἄεθλον ὑπερφίαλόν περ ἐόντα
τλήσομαι, εἰ καί μοι θανέειν μόρος. οὐ γὰρ ἔτ᾽ ἄλλο
ῥίγιον ἀνθρώποισι κακῆς ἐπικείσετ᾽ ἀνάγκης,

164

fetch the fleece, but to take my sceptre and my kingly power, that ye banded together and came hither at once from Hellas. But if ye had not tasted first of my board, of a truth I would have cut out your tongues and chopped off both your hands and sent you forth with feet alone, that ye might be stayed from setting forth thereafter; what lies too have ye told about the blessed gods!»

So spake he in his fury; and mightily was the heart of the son of Æacus swelling in his breast; and his spirit within him longed to give him back a fatal answer, but the son of Æson checked him; and, before he could speak, himself made gentle answer: «Æetes, bear with me anent this my coming. For we are in no wise come unto thy town and home, as thou belike dost think, nor with any such desire. For who would willingly venture to cross so wide a gulf for the goods of another? Nay, 'twas a god and the chilling hest of a presumptuous king that sent us forth. Grant thy favour to our prayer; and I will carry throughout Hellas a wondrous report of thee; yea, and we are ready even now to make thee quick recompense in thy wars, if haply thou desirest to bring beneath thy sway even the Sauromatæ or some other folk.»

So spake he, trying to win him with gentle speech. But that other's heart was pondering a double design, either to set upon them and slay them out of hand, or, strong king as he was, to make trial of their might. And as he thought thereon, this seemed the better plan; and so he caught him up and said, «Stranger, why shouldst thou tell me all to the end? For if ye are really of the race of gods, or have set foot upon a foreign shore no ways my inferiors, I will give thee the golden fleece to carry hence, if so thou wilt, after trying thee. For in the case of good men I grudge it noways, as yourselves declare he doth who is king in Hellas. But to test your spirit and strength there shall be a task, which I myself can compass with my hands, hard though it be. Two bulls with brazen hoofs, breathing flame from their mouths, do browse upon yon plain of Ares; these do I yoke and drive over the rough fallow of Ares of four plough-gates, and when I have speedily turned it up with the plough to the end I sow for seed in the furrows, not the corn of Demeter, but the teeth of a dread serpent, which grow into the form of armed men. These do I next utterly destroy with my spear as they stand round to meet me. At early dawn I yoke my oxen, and at eventide I

ἤ με καὶ ἐνθάδε νεῖσθαι ἐπέχραεν ἐκ βασιλῆος.'
Ὣς φάτ' ἀμηχανίῃ βεβολημένος· αὐτὰρ ὃ τόνγε
σμερδαλέοις ἐπέεσσι προσέννεπεν ἀσχαλόωντα·
'Ἔρχεο νῦν μεθ' ὅμιλον, ἐπεὶ μέμονάς γε πόνοιο·
εἰ δὲ σύγε ζυγὰ βουσὶν ὑποδδείσαις ἐπαεῖραι,
ἠὲ καὶ οὐλομένου μεταχάσσεαι ἀμήτοιο,
αὐτῷ κεν τὰ ἕκαστα μέλοιτό μοι, ὄφρα καὶ ἄλλος
ἀνὴρ ἐρρίγῃσιν ἀρείονα φῶτα μετελθεῖν.'
Ἴσκεν ἀπηλεγέως· ὁ δ' ἀπὸ θρόνου ὦρνυτ' Ἰήσων,
Αὐγείης Τελαμών τε παρασχεδόν· εἵπετο δ' Ἄργος
οἶος, ἐπεὶ μεσσηγὺς ἔτ' αὐτόθι νεῦσε λιπέσθαι
αὐτοκασιγνήτοις· οἱ δ' ἤισαν ἐκ μεγάροιο.
θεσπέσιον δ' ἐν πᾶσι μετέπρεπεν Αἴσονος υἱὸς
κάλλεϊ καὶ χαρίτεσσιν· ἐπ' αὐτῷ δ' ὄμματα κούρη
λοξὰ παρὰ λιπαρὴν σχομένη θηεῖτο καλύπτρην,
κῆρ ἄχεϊ σμύχουσα· νόος δέ οἱ ἠύτ' ὄνειρος
ἑρπύζων πεπότητο μετ' ἴχνια νισσομένοιο.
καί ῥ' οἱ μέν ῥα δόμων ἐξήλυθον ἀσχαλόωντες.
Χαλκιόπη δὲ χόλον πεφυλαγμένη Αἰήταο
καρπαλίμως θάλαμόνδε σὺν υἱάσιν οἷσι βεβήκει.
αὕτως δ' αὖ Μήδεια μετέστιχε· πολλὰ δὲ θυμῷ
ὥρμαιν', ὅσσα τ' Ἔρωτες ἐποτρύνουσι μέλεσθαι.
προπρὸ δ' ἄρ' ὀφθαλμῶν ἔτι οἱ ἰνδάλλετο πάντα,
αὐτός θ' οἷος ἔην, οἵοισί τε φάρεσιν ἕστο,
οἷά τ' ἔειφ', ὥς θ' ἕζετ' ἐπὶ θρόνου, ὥς τε θύραζε
ἤιεν· οὐδέ τιν' ἄλλον ὀίσσατο πορφύρουσα
ἔμμεναι ἀνέρα τοῖον· ἐν οὔασι δ' αἰὲν ὀρώρει
αὐδή τε μῦθοί τε μελίφρονες, οὓς ἀγόρευσεν.
τάρβει δ' ἀμφ' αὐτῷ, μή μιν βόες ἠὲ καὶ αὐτὸς
Αἰήτης φθίσειεν· ὀδύρετο δ' ἠύτε πάμπαν
ἤδη τεθνειῶτα, τέρεν δέ οἱ ἀμφὶ παρειὰς
δάκρυον αἰνοτάτῳ ἐλέῳ ῥέε κηδοσύνῃσιν·
ἦκα δὲ μυρομένη λιγέως ἀνενείκατο μῦθον·
'Τίπτε με δειλαίην τόδ' ἔχει ἄχος; εἴθ' ὅγε πάντων
φθίσεται ἡρώων προφερέστατος, εἴτε χερείων,
ἐρρέτω. ἦ μὲν ὄφελλεν ἀκήριος ἐξαλέασθαι.
ναὶ δὴ τοῦτό γε, πότνα θεὰ Περσηί, πέλοιτο,
οἴκαδε νοστήσειε φυγὼν μόρον· εἰ δέ μιν αἶσα
δμηθῆναι ὑπὸ βουσί, τόδε προπάροιθε δαείη,
οὕνεκεν οὔ οἱ ἔγωγε κακῇ ἐπαγαίομαι ἄτῃ.'
Ἡ μὲν ἄρ' ὣς ἐόλητο νόον μελεδήμασι κούρη.
οἱ δ' ἐπεὶ οὖν δήμου τε καὶ ἄστεος ἐκτὸς ἔβησαν
τὴν ὁδόν, ἣν τὸ πάροιθεν ἀνήλυθον ἐκ πεδίοιο,
δὴ τότ' Ἰήσονα τοῖσδε προσέννεπεν Ἄργος ἔπεσσιν·
'Αἰσονίδη, μῆτιν μὲν ὀνόσσεαι, ἥντιν' ἐνίψω·

cease from my harvesting. Now, if thou wilt accomplish the like, thou shalt bear away to the king's palace the fleece upon the self same day. Ere that I will not give it thee; so hope not so. For it were shameful indeed for a good man born to yield unto a worse.»

So spake he; but Jason fixed his eyes in front of him and sat speechless, as he was, at a sore loss. Long time turned he the plan over, and no way could he find to accept the challenge courageously, for the task seemed a great one; but at last he made answer with crafty words: «Æetes, very straitly dost thou shut me up within thy right. Wherefore I will even endure that toil, passing hard though it be; yea, though it be my lot to die. For there is nothing worse that cometh on men than dire necessity, and 'twas it that forced me to come hither at the king's command.»

So spake he, smitten with dismay; and the other answered him in his distress with grim words: «Come now unto the gathering, since thou art even eager for the toil; but if thou art afraid to put the yoke upon the oxen's neck, or if haply thou shrink from the deadly harvesting, these things severally shall be my care, that so any other may fear to come to a man that is better than he.»

So spake he bluntly; but the other, even Jason, leapt up from his seat, and Augeas and Telamon by his side, but only Argus went with him, for he signed to his brothers, whilst they were yet there, that they should stay behind. But they went forth from the hall. And the son of Æson shone out wondrously amongst them all for beauty and grace, and the maiden cast shy glances at him, holding her bright veil aside, consuming her heart with woe; and her thoughts stole after him like a dream, and flitted in his footsteps as he went. So they went forth from the house, sore at heart. And Chalciope, avoiding the wrath of Æetes, had gone swiftly to her chamber with her sons. And in like manner came Medea after her; and much she brooded in her heart, even all the cares that love doth urge. For before her eyes everything yet seemed to be, her lover's very form, the raiment that he wore, the words he said, the way he sat upon his seat, and how he went unto the door; and, as she thought thereon, she dreamed there never was such another man; and ever in her ears his voice was ringing and the sweet words he spake. And she feared for him, that the oxen or haply

167

πείρης δ' οὐ μάλ' ἔοικε μεθιέμεν ἐν κακότητι.
κούρην δή τινα πρόσθεν ὑπέκλυες αὐτὸς ἐμεῖο
φαρμάσσειν Ἑκάτης Περσηίδος ἐννεσίῃσιν.
τὴν εἴ κεν πεπίθοιμεν, ὀίομαι, οὐκέτι τάρβος
ἔσσετ' ἀεθλεύοντι δαμήμεναι· ἀλλὰ μάλ' αἰνῶς
δείδω, μή πως οὔ μοι ὑποσταίη τόγε μήτηρ.
ἔμπης δ' ἐξαῦτις μετελεύσομαι ἀντιβολήσων,
ξυνὸς ἐπεὶ πάντεσσιν ἐπικρέμαθ' ἧμιν ὄλεθρος.'
Ἴσκεν ἐυφρονέων· ὁ δ' ἀμείβετο τοῖσδ' ἐπέεσσιν·
' Ὦ πέπον, εἴ νύ τοι αὐτῷ ἐφανδάνει, οὔτι μεγαίρω.
βάσκ' ἴθι καὶ πυκινοῖσι τεὴν παρὰ μητέρα μύθοις
ὄρνυθι λισσόμενος· μελέη γε μὲν ἧμιν ὄρωρεν
ἐλπωρή, ὅτε νόστον ἐπετραπόμεσθα γυναιξίν.'
ὣς ἔφατ'· ὦκα δ' ἕλος μετεκίαθον. αὐτὰρ ἑταῖροι
γηθόσυνοι ἐρέεινον, ὅπως παρεόντας ἴδοντο·
τοῖσιν δ' Αἰσονίδης τετιημένος ἔκφατο μῦθον·
' Ὦ φίλοι, Αἰήταο ἀπηνέος ἄμμι φίλον κῆρ
ἀντικρὺ κεχόλωται, ἕκαστα γὰρ οὔ νύ τι τέκμωρ
οὔτ' ἐμοί, οὔτε κεν ὔμμι διειρομένοισι πέλοιτο.
φῆ δὲ δύω πεδίον τὸ Ἀρήιον ἀμφινέμεσθαι
ταύρω χαλκόποδε, στόματι φλόγα φυσιόωντας.
τετράγυον δ' ἐπὶ τοῖσιν ἐφίετο νειὸν ἀρόσσαι·
δώσειν δ' ἐξ ὄφιος γενύων σπόρον, ὅς ῥ' ἀνίῃσιν
γηγενέας χαλκέοις σὺν τεύχεσιν· ἤματι δ' αὐτῷ
χρειὼ τούσγε δαῖξαι. ὁ δή νύ οἱ—οὔτι γὰρ ἄλλο
βέλτερον ἦν φράσσασθαι—ἀπηλεγέως ὑπόεστην.'
Ὣς ἄρ' ἔφη· πάντεσσι δ' ἀνήνυτος εἴσατ' ἄεθλος,
δὴν δ' ἄνεω καὶ ἄναυδοι ἐς ἀλλήλους ὁρόωντο,
ἄτῃ ἀμηχανίῃ τε κατηφέες· ὀψὲ δὲ Πηλεὺς
θαρσαλέως μετὰ πᾶσιν ἀριστήεσσιν ἔειπεν·
' Ὥρη μητιάασθαι ὅ κ' ἔρξομεν. οὐ μὲν ἔολπα
βουλῆς εἶναι ὄνειαρ, ὅσον τ' ἐπὶ κάρτεϊ χειρῶν.
εἰ μέν νυν τύνη ζεῦξαι βόας Αἰήταο,
ἥρως Αἰσονίδη, φρονέεις, μέμονάς τε πόνοιο,
ἦ τ' ἂν ὑποσχεσίην πεφυλαγμένος ἐντύναιο·
εἰ δ' οὔ τοι μάλα θυμὸς ἑῇ ἐπὶ πάγχυ πέποιθεν
ἠνορέῃ, μήτ' αὐτὸς ἐπείγεο, μήτε τιν' ἄλλον
τῶνδ' ἀνδρῶν πάπταινε παρήμενος. οὐ γὰρ ἔγωγε
σχήσομ', ἐπεὶ θάνατός γε τὸ κύντατον ἔσσεται ἄλγος.'
Ὣς ἔφατ' Αἰακίδης· Τελαμῶνι δὲ θυμὸς ὀρίνθη·
σπερχόμενος δ' ἀνόρουσε θοῶς· ἐπὶ δὲ τρίτος Ἴδας
ὦρτο μέγα φρονέων, ἐπὶ δ' υἱέε Τυνδαρέοιο·
σὺν δὲ καὶ Οἰνεΐδης ἐναρίθμιος αἰζηοῖσιν
ἀνδράσιν, οὐδέ περ ὅσσον ἐπανθιόωντας ἰούλους
ἀντέλλων· τοίῳ οἱ ἀείρετο κάρτεϊ θυμός.

Æetes with his own hands might slay him; and she mourned for him as though he were already slain outright, and the tears ran softly down her cheeks in her affliction from her exceeding pity; and, softly weeping, she uttered her voice aloud: — «Why doth this sorrow come o'er me to my grief? Whether he be the best or worst of heroes that is now to perish, let him die. Ah! would that he might escape unhurt. Yea, let that even come to pass, O dread goddess, daughter of Perses; let him escape death and return home. But if 'tis fated that he be slain by the oxen, let him learn ere his doom, that I at least exult not in his cruel fate.»

Even thus was that maiden weighed down with care. Now when those others had gone outside the crowd and the city along the path, which aforetime they had taken from the plain; in that hour did Argus speak to Jason

169

οἱ δ' ἄλλοι εἴξαντες ἀκὴν ἔχον. αὐτίκα δ' Ἄργος
τοῖον ἔπος μετέειπεν ἐελδομένοισιν ἀέθλου·
" Ὦ φίλοι, ἤτοι μὲν τόδε λοίσθιον. ἀλλά τιν' οἴω
μητρὸς ἐμῆς ἔσσεσθαι ἐναίσιμον ὔμμιν ἀρωγήν.
τῶ καί περ μεμαῶτες, ἐρητύοισθ' ἐνὶ νηὶ
τυτθὸν ἔθ', ὡς τὸ πάροιθεν, ἐπεὶ καὶ ἐπισχέμεν ἔμπης
λώιον, ἢ κακὸν οἶτον ἀφειδήσαντας ἑλέσθαι.
κούρη τις μεγάροισιν ἐνιτρέφετ' Αἰήταο,
τὴν Ἑκάτη περίαλλα θεὰ δάε τεχνήσασθαι
φάρμαχ', ὅσ' ἤπειρός τε φύει καὶ νήχυτον ὕδωρ,
τοῖσι καὶ ἀκαμάτοιο πυρὸς μειλίσσετ' ἀυτμή,
καὶ ποταμοὺς ἵστησιν ἄφαρ κελαδεινὰ ῥέοντας,
ἄστρα τε καὶ μήνης ἱερῆς ἐπέδησε κελεύθους.
τῆς μὲν ἀπὸ μεγάροιο κατὰ στίβον ἐνθάδ' ἰόντες
μνησάμεθ', εἴ κε δύναιτο, κασιγνήτη γεγαυῖα,
μήτηρ ὑμετέρη πεπιθεῖν ἐπαρῆξαι ἀέθλῳ.
εἰ δὲ καὶ αὐτοῖσιν τόδ' ἐφανδάνει, ἦ τ' ἂν ἱκοίμην
ἤματι τῷδ' αὐτῷ πάλιν εἰς δόμον Αἰήταο
πειρήσων· τάχα δ' ἂν σὺν δαίμονι πειρηθείην.'
Ὡς φάτο· τοῖσι δὲ σῆμα θεοὶ δόσαν εὐμενέοντες.
τρήρων μὲν φεύγουσα βίην κίρκοιο πελειὰς
ὑψόθεν Αἰσονίδεω πεφοβημένη ἔμπεσε κόλποις·
κίρκος δ' ἀφλάστῳ περικάππεσεν. ὦκα δὲ Μόψος
τοῖον ἔπος μετὰ πᾶσι θεοπροπέων ἀγόρευσεν·
" Υ̓́μμι, φίλοι, τόδε σῆμα θεῶν ἰότητι τέτυκται·
οὐδέ πῃ ἄλλως ἐστὶν ὑποκρίνασθαι ἄρειον,
παρθενικὴν δ' ἐπέεσσι μετελθέμεν ἀμφιέποντας
μήτι παντοίῃ. δοκέω δέ μιν οὐκ ἀθερίζειν,
εἰ ἐτεὸν Φινεύς γε θεᾷ ἐνὶ Κύπριδι νόστον
πέφραδεν ἔσσεσθαι. κείνης δ' ὅγε μείλιχος ὄρνις
πότμον ὑπεξήλυξε· κέαρ δέ μοι ὡς ἐνὶ θυμῷ
τόνδε κατ' οἰωνὸν προτιόσσεται, ὡς δὲ πέλοιτο.
ἀλλά, φίλοι, Κυθέρειαν ἐπικλείοντες ἀμύνειν,
ἤδη νῦν Ἄργοιο παραιφασίῃσι πίθεσθε.'
Ἴσκεν· ἐπήνησαν δὲ νέοι, Φινῆος ἐφετμὰς
μνησάμενοι· μοῦνος δ' Ἀφαρήιος ἄνθορεν Ἴδας,
δείν' ἐπαλαστήσας μεγάλῃ ὀπί, φώνησέν τε·
" Ὦ πόποι, ἦ ῥα γυναιξὶν ὁμόστολοι ἐνθάδ' ἔβημεν,
οἳ Κύπριν καλέουσιν ἐπίρροθον ἄμμι πέλεσθαι,
οὐκέτ' Ἐνναλίοιο μέγα σθένος; ἐς δὲ πελείας
καὶ κίρκους λεύσσοντες ἐρητύεσθε ἀέθλων;
ἔρρετε, μηδ' ὔμμιν πολεμήια ἔργα μέλοιτο,
παρθενικὰς δὲ λιτῇσιν ἀνάλκιδας ἠπεροπεύειν.'
Ὡς ηὔδα μεμαώς· πολέες δ' ὁμάδησαν ἑταῖροι
ἦκα μάλ', οὐδ' ἄρα τίς οἱ ἐναντίον ἔκφατο μῦθον.

170

with these words, «Son of Æson, thou wilt scorn the counsel I shall tell thee; and yet it is not right at all to desist from any attempt in trouble. Haply thou too hast somewhat heard before that one of my sisters useth sorcery by the prompting of Hecate, daughter of Perses; if we can persuade her, no longer, methinks, shall there be any fear that thou be foiled in thy emprise; but terribly I fear, that my mother will not undertake this for me. Yet will I go to her again to entreat her; for o'er the heads of all of us hangeth joint destruction.»

So spake he in kindliness, and the other thus made answer: «Good friend, if now this finds favour in thine own eyes, I have nought against it. Speed thee then and hasten to implore thy mother with words of wisdom. Yet wretched indeed is our hope, when we have entrusted our return to women.»

So spake he; and quickly they came unto the backwater. And their comrades questioned them with joy when they saw them drawing near. But sorrowfully did the son of Æson tell out his tale to them, «Friends, the heart of cruel Æetes is angered at us outright. For never will the goal be reached by me, nor yet by you who question me on every point. Now he saith there are two bulls, with hoofs of bronze, that range the plain of Ares, breathing flame from their mouths. And he hath bidden me plough with these a fallow-field of four plough-gates; then, he says he will give me seed of the jaws of a serpent, which maketh earth-born men to rise in their bronze harness, and on that very day must I slay them. Which thing I did promise him outright, for no better plan could I devise.»

So spake he, and it seemed to them all a toil not to be accomplished; long time looked they on one another in speechless silence, bowed down with anguish and dismay; but at the last spake Peleus bravely amongst all the chieftains: «'Tis time to devise what we are to do. I deem there is not so much help in counsel as in strong arms. If then, hero son of Æson, thou art minded thyself to yoke the oxen of Æetes, and art eager for the labour, lo! keep now thy promise and make thee ready; but if thy spirit hath no sure trust in thy valiancy, hasten not thyself, nor sitting here look round for some other amongst these men. For I myself will not hold back, for the worst grief that can come will be but death.»

So spake the son of Æacus; and the spirit of Tela-

χωόμενος δ' ὅγ' ἔπειτα καθέζετο· τοῖσι δ' Ἰήσων
αὐτίκ' ἐποτρύνων τὸν ἑὸν νόον ὧδ' ἀγόρευεν·
' "Αργος μὲν παρὰ νηός, ἐπεὶ τόδε πᾶσιν ἔαδεν,
στελλέσθω· ἀτὰρ αὐτοὶ ἐπὶ χθονὸς ἐκ ποταμοῖο
ἀμφαδὸν ἤδη πείσματ' ἀνάψομεν. ἦ γὰρ ἔοικεν
μηκέτι δὴν κρύπτεσθαι ὑποπτήσσοντας αὐτήν.'
῟Ως ἄρ' ἔφη· καὶ τὸν μὲν ἄφαρ προΐαλλε νέεσθαι
καρπαλίμως ἐξαῦτις ἀνὰ πτόλιν· οἱ δ' ἐπὶ νηὸς
εὐναίας ἐρύσαντες ἐφετμαῖς Αἰσονίδαο
τυτθὸν ὑπὲξ ἕλεος χέρσῳ ἐπέκελσαν ἐρετμοῖς.
Αὐτίκα δ' Αἰήτης ἀγορὴν ποιήσατο Κόλχων
νόσφιν ἑοῖο δόμου, τόθι περ καὶ πρόσθε κάθιζον,
ἀτλήτους Μινύῃσι δόλους καὶ κήδεα τεύχων.
στεῦτο δ', ἐπεί κεν πρῶτα βόες διαδηλήσωνται
ἄνδρα τόν, ὅς ῥ' ὑπέδεκτο βαρὺν καμέεσθαι ἄεθλον,
δρυμὸν ἀναρρήξας λασίης καθύπερθε κολώνης
αὔτανδρον φλέξειν δόρυ νήιον, ὄφρ' ἀλεγεινὴν
ὕβριν ἀποφλύξωσιν ὑπέρβια μηχανόωντες.
οὐδὲ γὰρ Αἰολίδην Φρίξον μάλα περ χατέοντα
δέχθαι ἐνὶ μεγάροισιν ἐφέστιον, ὃς περὶ πάντων
ξείνων μειλιχίῃ τε θεουδείῃ τ' ἐκέκαστο,
εἰ μή οἱ Ζεὺς αὐτὸς ἀπ' οὐρανοῦ ἄγγελον ἧκεν
Ἑρμείαν, ὥς κεν προσκηδέος ἀντιάσειεν·
μὴ καὶ ληιστῆρας ἑὴν ἐς γαῖαν ἰόντας
ἔσσεσθαι δηναιὸν ἀπήμονας, οἷσι μέμηλεν
ὀθνείοις ἐπὶ χεῖρα ἑὴν κτεάτεσσιν ἀείρειν,
κρυπταδίους τε δόλους τεκταινέμεν, ἠδὲ βοτήρων
αὔλια δυσκελάδοισιν ἐπιδρομίῃσι δαΐξαι.
νόσφι δὲ οἷ αὐτῷ φάτ' ἐοικότα μείλια τίσειν
υἷας Φρίξοιο, κακορρέκτῃσιν ὀπηδοὺς
ἀνδράσι νοστήσαντας ὁμιλαδόν, ὄφρα ἑ τιμῆς
καὶ σκήπτρων ἐλάσειαν ἀκηδέες· ὥς ποτε βάξιν
λευγαλέην οὗ πατρὸς ἐπέκλυεν Ἡελίοιο,
χρειώ μιν πυκινόν τε δόλον βουλάς τε γενέθλης
σφωιτέρης ἄτην τε πολύτροπον ἐξαλέασθαι·
τῶ καὶ ἐελδομένους πέμπειν ἐς Ἀχαιίδα γαῖαν
πατρὸς ἐφημοσύνῃ, δολιχὴν ὁδόν. οὐδὲ θυγατρῶν
εἶναί οἱ τυτθόν γε δέος, μή πού τινα μῆτιν
φράσσωνται στυγερήν, οὐδ' υἱέος Ἀψύρτοιο·
ἀλλ' ἐνὶ Χαλκιόπης γενεῇ τάδε λυγρὰ τετύχθαι.
καί ῥ' ὁ μὲν ἄσχετα ἔργα πιφαύσκετο δημοτέροισιν
χωόμενος· μέγα δέ σφιν ἀπείλεε νῆά τ' ἔρυσθαι
ἠδ' αὐτούς, ἵνα μήτις ὑπὲκ κακότητος ἀλύξῃ.
Τόφρα δὲ μητέρ' ἑήν, μετιὼν δόμον Αἰήταο,
"Αργος παντοίοισι παρηγορέεσκ' ἐπέεσσιν,

172

mon was stirred; and he sprang up in hot haste, and
with him uprose *Idas* in his pride, and the two sons
of *Tyndarus* as well; and with them the son of *Œneus*,
ranked among men of prowess, albeit the soft down scarce
showed upon his face; so high rose the courage of his
heart. But those others gave way and kept silence. And
anon spake Argus this word to them in their eagerness
for the enterprise, « My friends, lo! this is left us at the
last. But, methinks, there shall come to us from my
mother a very present help. Wherefore, for all your eager-
ness, restrain yourselves a little space in the ship, as
heretofore; for 'tis better to hold back withal than reckless-
ly to choose an evil doom. There dwells a maid in
Æetes' halls, whom Hecate hath taught exceeding skill
in all simples, that the land and flowing water do pro-
duce. By them is quenched even the blast of tireless flame;
and in a moment she stays the rush of roaring streams,
and she can bind the stars and the courses of the holy
moon. Of her we bethought us as we came hither along
the path from the house, if haply our mother, own sister
to her, can persuade her to aid our labour. Now if this
finds favour in your sight too, verily I will go this very
day back to the house of Æetes to make essay; and per-
haps some god will be with me in my attempt. »

So spake he; and the gods of their good will gave
unto them a sign. A trembling dove, flying from a strong
hawk, came down and settled in her terror in the bosom
of the son of Æson; but the hawk transfixed himself upon
the pointed stern. At once Mopsus took up his parable
and spake this word amongst them all, « My friends, here
is a sign for you by the will of the gods; no otherwise
could they more clearly bid us go speak with the maiden
and seek to her with all our skill. And methinks she will
not slight us, if, that is, Phineus said truly, that our
return should depend on the Cyprian goddess. Yon gentle
bird just 'scaped her fate; and even as my heart within
me foresees according to this omen, so shall it surely be.
But come, friends, call on Cytherea to help you, and in
this very hour hearken to the persuasion of Argus. »

So spake he; and the young men approved his words,
for they remembered the bidding of Phineus; only Idas,
son of Aphareus, sprang up; sore troubled was he, and
he cried aloud, « How now, pray, did we come hither in
company with women, that our men call on Cypris to
come and help us, and no longer on the great War-god?

Μήδειαν λίσσεσθαι ἀμυνέμεν· ἡ δὲ καὶ αὐτὴ
πρόσθεν μητιάασκε· δέος δέ μιν ἴσχανε θυμόν,
μή πως ἠὲ παρ' αἶσαν ἐτώσια μειλίξαιτο
πατρὸς ἀτυζομένην ὀλοὸν χόλον, ἠὲ λιτῇσιν
ἑσπομένης ἀρίδηλα καὶ ἀμφαδὰ ἔργα πέλοιτο.
Κούρην δ' ἐξ ἀχέων ἀδινὸς κατελώφεεν ὕπνος
λέκτρῳ ἀνακλινθεῖσαν. ἄφαρ δέ μιν ἠπεροπῆες,
οἷά τ' ἀκηχεμένην, ὀλοοὶ ἐρέθεσκον ὄνειροι.
τὸν ξεῖνον δ' ἐδόκησεν ὑφεστάμεναι τὸν ἄεθλον,
οὔτι μάλ' ὁρμαίνοντα δέρος κριοῖο κομίσσαι,
οὐδέ τι τοῖο ἕκητι μετὰ πτόλιν Αἰήταο
ἐλθέμεν, ὄφρα δέ μιν σφέτερον δόμον εἰσαγάγοιτο
κουριδίην παράκοιτιν· ὀίετο δ' ἀμφὶ βόεσσιν
αὐτὴ ἀεθλεύουσα μάλ' εὐμαρέως πονέεσθαι·
σφωιτέρους δὲ τοκῆας ὑποσχεσίης ἀθερίζειν,
οὕνεκεν οὐ κούρῃ ζεῦξαι βόας, ἀλλά οἱ αὐτῷ
προύθεσαν· ἐκ δ' ἄρα τοῦ νεῖκος πέλεν ἀμφήριστον
πατρί τε καὶ ξείνοις· αὐτῇ δ' ἐπιέτρεπον ἄμφω
τὼς ἔμεν, ὥς κεν ἑῇσι μετὰ φρεσὶν ἰθύσειεν.
ἡ δ' ἄφνω τὸν ξεῖνον, ἀφειδήσασα τοκήων,
εἵλετο· τοὺς δ' ἀμέγαρτον ἄχος λάβεν, ἐκ δ' ἐβόησαν
χωόμενοι· τὴν δ' ὕπνος ἅμα κλαγγῇ μεθέηκεν.
παλλομένη δ' ἀνόρουσε φόβῳ, περί τ' ἀμφί τε τοίχους
πάπτηνεν θαλάμοιο· μόλις δ' ἐσαγείρατο θυμὸν
ὡς πάρος ἐν στέρνοις, ἀδινὴν δ' ἀνενείκατο φωνήν·
‘Δειλὴ ἐγών, οἷόν με βαρεῖς ἐφόβησαν ὄνειροι.
δείδια, μὴ μέγα δή τι φέρῃ κακὸν ἥδε κέλευθος
ἡρώων. περί μοι ξείνῳ φρένες ἠερέθονται.
μνάσθω ἑὸν κατὰ δῆμον Ἀχαιίδα τηλόθι κούρην·
ἄμμι δὲ παρθενίη τε μέλοι καὶ δῶμα τοκήων.
ἔμπα γε μὴν θεμένη κύνεον κέαρ, οὐκέτ' ἄνευθεν
αὐτοκασιγνήτης πειρήσομαι, εἴ κέ μ' ἀέθλῳ
χραισμεῖν ἀντιάσῃσιν, ἐπὶ σφετέροις ἀχέουσα
παισί· τό κέν μοι λυγρὸν ἐνὶ κραδίῃ σβέσαι ἄλγος.’
Ἦ ῥα, καὶ ὀρθωθεῖσα θύρας ὦιξε δόμοιο,
νήλιπος, οἰέανος· καὶ δὴ λελίητο νέεσθαι
αὐτοκασιγνήτηνδε, καὶ ἕρκεος οὐδὸν ἄμειψεν.
δὴν δὲ κατ' αὐτόθι μίμνεν ἐνὶ προδόμῳ θαλάμοιο,
αἰδοῖ ἐεργομένη· μετὰ δ' ἐτράπετ' αὖτις ὀπίσσω
στρεφθεῖσ'· ἐκ δὲ πάλιν κίεν ἔνδοθεν, ἄψ τ' ἀλέεινεν
εἴσω· τηΰσιοι δὲ πόδες φέρον ἔνθα καὶ ἔνθα·
ἤτοι ὅτ' ἰθύσειεν, ἔρυκέ μιν ἔνδοθεν αἰδώς·
αἰδοῖ δ' ἐργομένην θρασὺς ἵμερος ὀτρύνεσκεν.
τρὶς μὲν ἐπειρήθη, τρὶς δ' ἔσχετο, τέτρατον αὖτις
λέκτροισιν πρηνὴς ἐνικάππεσεν εἰλιχθεῖσα.

174

Will ye, for the sight of doves and hawks, stay you from your enterprise ? get you gone, and take no thought for deeds of war, but how to cajole weak girls by prayers.»

So cried he in his hot anger; and many of his comrades muttered low, but there was none, I trow, that gave him answer back. So down he sat much in wrath; but Jason forthwith cheered them, and declared his mind thus, «Let Argus go forth from the ship, since this finds favour with all, while we will now fasten our cables openly ashore out from the river. For assuredly 'tis well to lie hid no longer, crouching in fear from the battle-cry.»

Therewith, sent he Argus forth at once to go swiftly a second time unto the city; but they hauled their anchors aboard at the bidding of the son of Æson, and rowed the ship a little space from out the backwater, and moored her to the shore.

Anon Æetes held a gathering of the Colchians apart from his house, where they sat aforetime, devising against the Minyæ treachery intolerable and troubles. For he threatened that, so soon as the oxen should have torn that fellow in pieces, who had taken upon him the performance of the grievous labour, he would then cut down an oak-thicket upon the wooded hill-top and burn their ship, men and all, that they, with their over-weening schemes, may splutter out their grievous insolence. For he would never have received Phrixus, son of Æolus, as a guest within his halls, for all his craving,—Phrixus who exceeded all strangers in gentleness and holiness,—had not Zeus sent to him his own messenger Hermes, that so Phrixus might meet with a kindly host. Verily were pirates to come to his land, they would not long be without sorrows of their own, folk who make it their business to stretch out their hand upon the goods of strangers, and to weave secret plots, and to harry the steadings of herdsmen in forays, heralded by their dreaded shout. Moreover he said that the sons of Phrixus, apart from this, should pay him a proper penalty for returning in the company of evil-doers as their guides, that they might drive him from his honour and his kingdom heedlessly; for once on a time he had heard a dismal warning from his father Helios, that he must avoid the deep guile and plotting and the wily mischief of his own race. Wherefore he sent them, according to their father's bidding, eager as they were, to the land of Achæa, a long journey. But small fear had he of his daughters, or of his son

ARGONAUTICA

175

ὡς δ' ὅτε τις νύμφη θαλερὸν πόσιν ἐν θαλάμοισιν
μύρεται, ᾧ μιν ὄπασσαν ἀδελφεοὶ ἠδὲ τοκῆες,
οὐδέ τί πω πάσαις ἐπιμίσγεται ἀμφιπόλοισιν
αἰδοῖ ἐπιφροσύνη τε· μυχῷ δ' ἀχέουσα θαάσσει·
τὸν δέ τις ὤλεσε μοῖρα, πάρος ταρπήμεναι ἄμφω
δήνεσιν ἀλλήλων· ἡ δ' ἔνδοθι δαιομένη περ
σῖγα μάλα κλαίει χῆρον λέχος εἰσορόωσα,
μή μιν κερτομέουσαι ἐπιστοβέωσι γυναῖκες·
τῇ ἰκέλη Μήδεια κινύρετο. τὴν δέ τις ἄφνω
μυρομένην μεσσηγὺς ἐπιπρομολοῦσ' ἐνόησεν
δμωάων, ἥ οἱ ἐπέτις πέλε κουρίζουσα·
Χαλκιόπῃ δ' ἤγγειλε παρασχεδόν· ἡ δ' ἐνὶ παισὶν
ἧστ' ἐπιμητιόωσα κασιγνήτην ἀρέσασθαι.
ἀλλ' οὐδ' ὣς ἀπίθησεν, ὅτ' ἔκλυεν ἀμφιπόλοιο
μῦθον ἀνώιστον· διὰ δ' ἔσσυτο θαμβήσασα
ἐκ θαλάμου θαλαμόνδε διαμπερές, ᾧ ἔνι κούρη
κέκλιτ' ἀκηχεμένη, δρύψεν δ' ἑκάτερθε παρειάς·
ὡς δ' ἴδε δάκρυσιν ὄσσε πεφυρμένα, φώνησέν μιν·
᾿Ώι μοι ἐγώ, Μήδεια, τί δὴ τάδε δάκρυα λείβεις;
τίπτ' ἔπαθες; τί τοι αἰνὸν ὑπὸ φρένας ἵκετο πένθος;
ἦ νύ σε θευμορίη περιδέδρομεν ἄψεα νοῦσος,
ἠέ τιν' οὐλομένην ἐδάης ἐκ πατρὸς ἐνιπὴν
ἀμφί τ' ἐμοὶ καὶ παισίν; ὄφελλέ με μήτε τοκήων
δῶμα τόδ' εἰσοράαν, μηδὲ πτόλιν, ἀλλ' ἐπὶ γαίης
πείρασι ναιετάειν, ἵνα μηδέ περ οὔνομα Κόλχων.'
῞Ως φάτο· τῆς δ' ἐρύθηνε παρήια· δὴν δέ μιν αἰδὼς
παρθενίη κατέρυκεν ἀμείψασθαι μεμαυῖαν.
μῦθος δ' ἄλλοτε μέν οἱ ἐπ' ἀκροτάτης ἀνέτελλεν
γλώσσης, ἄλλοτ' ἔνερθε κατὰ στῆθος πεπότητο.
πολλάκι δ' ἱμερόεν μὲν ἀνὰ στόμα θυῖεν ἐνισπεῖν·
φθογγῇ δ' οὐ προύβαινε παροιτέρω· ὀψὲ δ' ἔειπεν
τοῖα δόλῳ· θρασέες γὰρ ἐπεκλονέεσκον ῎Ερωτες·
῾Χαλκιόπη, περί μοι παίδων σέο θυμὸς ἄηται,
μή σφε πατὴρ ξείνοισι σὺν ἀνδράσιν αὐτίκ' ὀλέσσῃ.
τοῖα κατακνώσσουσα μινυνθαδίῳ νέον ὕπνῳ
λεύσσω ὀνείρατα λυγρά, τά τις θεὸς ἀκράαντα
θείη, μηδ' ἀλεγεινὸν ἐφ' υἱάσι κῆδος ἕλοιο.'
Φῆ ῥα, κασιγνήτης πειρωμένη, εἴ κέ μιν αὐτὴ
ἀντιάσειε πάροιθεν ἑοῖς τεκέεσσιν ἀμύνειν.
τὴν δ' αἰνῶς ἄτλητος ἐπέκλυσε θυμὸν ἀνίη
δείματι, τοῖ' ἐσάκουσεν· ἀμείβετο δ' ὧδ' ἐπέεσσιν·
῾Καὶ δ' αὐτὴ τάδε πάντα μετήλυθον ὁρμαίνουσα,
εἴ τινα συμφράσσαιο καὶ ἀρτύνειας ἀρωγήν.
ἀλλ' ὄμοσον Γαῖάν τε καὶ Οὐρανόν, ὅττι τοι εἴπω
σχήσειν ἐν θυμῷ, σύν τε δρήστειρα πέλεσθαι.

176

*Absyrtus, that they would ever devise any baleful plan;
but he thought these fell deeds were to be accomplished
among the race of Chalciope; and so it was that terrible
things did he pronounce in his wrath against those other
folk; and he made a mighty threat that he would keep
them from the ship and their comrades, that none might
escape destruction.*

*Meantime Argus came unto the house of Æetes, and
strove to win his mother with every argument he knew,
that she might entreat Medea's aid; but she pondered the
matter first herself. For fear held her back, lest haply he
should win her over in vain, and contrary to fate; so
fearful was she of her father's deadly anger, or lest, if
she consented to his prayer, her deed might get abroad
and be clearly known.*

*Now deep sleep relieved the maid Medea from her
troubles, as she lay upon her bed. But anon fearsome
cheating dreams assailed her, as they will a maiden in
her woe. She thought yon stranger had taken that toil
upon him, not because he greatly desired to carry off the
ram's fleece, nor at all, for its sake, had he come to the
city of Æetes, but that he might lead her to his home to
be his own true wife; and she dreamed that she herself
strove with the oxen, and did the toil right easily; but
her parents made light of their promise; for they had
set the yoking of the oxen, not before their daughter, but
before the stranger. Then arose a strife of doubtful issue
betwixt her father and the strangers; and both did entrust
it unto her to be even as she should direct. At once she
chose that stranger, and forgat her parents, and grievous
was their anguish, and they cried out in anger; then did
sleep forsake her, and she awoke with a cry. And she
arose quivering with terror, and peered all round the
walls of her chamber, and scarce could she regain her
courage as before in her breast, and she uttered her voice
aloud, «Ah! woe is me! how have fearful dreams af-
frighted me! I fear that this voyage of the heroes is bringing
some awful calamity. My heart is in suspense for the
stranger. Let him woo some Achæan maiden, far away
among his own people, and let my virgin state and my
parents' home be my care. Verily, though I have cast
shame out of my heart, I will not yet make any attempt
without the advice of my sister, if haply she entreat me
to help their enterprise, in sorrow for her sons; that
would assuage the bitter grief in my heart.»*

177

λίσσομ' ὑπὲρ μακάρων σέο τ' αὐτῆς ἠδὲ τοκήων,
μή σφε κακῇ ὑπὸ κηρὶ διαρραισθέντας ἰδέσθαι
λευγαλέως· ἢ σοίγε φίλοις σὺν παισὶ θανοῦσα
εἴην ἐξ Ἀίδεω στυγερὴ μετόπισθεν Ἐρινύς.'
Ὣς ἄρ' ἔφη, τὸ δὲ πολλὸν ὑπεξέχυτ' αὐτίκα δάκρυ·
νειόθι θ' ἀμφοτέρῃσι περίσχετο γούνατα χερσίν,
σὺν δὲ κάρη κόλποις περικάββαλεν. ἔνθ' ἐλεεινὸν
ἄμφω ἐπ' ἀλλήλῃσι θέσαν γόον· ὦρτο δ' ἰωὴ
λεπταλέη διὰ δώματ' ὀδυρομένων ἀχέεσσιν.
τὴν δὲ πάρος Μήδεια προσέννεπεν ἀσχαλόωσα·
'Δαιμονίη, τί νύ τοι ῥέξω ἄκος, οἷ' ἀγορεύεις,
ἀράς τε στυγερὰς καὶ Ἐρινύας; αἲ γὰρ ὄφελλεν
ἔμπεδον εἶναι ἐπ' ἄμμι τεοὺς υἷας ἔρυσθαι.
ἴστω Κόλχων ὅρκος ὑπέρβιος ὅντιν' ὀμόσσαι
αὐτὴ ἐποτρύνεις, μέγας Οὐρανός, ἥ θ' ὑπένερθεν
Γαῖα, θεῶν μήτηρ, ὅσσον σθένος ἐστὶν ἐμεῖο,
μή σ' ἐπιδευήσεσθαι, ἀνυστά περ ἀντιόωσαν.'
Φῆ ἄρα· Χαλκιόπη δ' ἠμείβετο τοῖσδ' ἐπέεσσιν·
'Οὐκ ἂν δὴ ξείνῳ τλαίης χατέοντι καὶ αὐτῷ
ἢ δόλον, ἤ τινα μῆτιν ἐπιφράσσασθαι ἀέθλου,
παίδων εἵνεκ' ἐμεῖο; καὶ ἐκ κείνοιο δ' ἱκάνει
Ἄργος, ἐποτρύνων με τεῆς πειρῆσαι ἀρωγῆς·
μεσσηγὺς μὲν τόνγε δόμῳ λίπον ἐνθάδ' ἰοῦσα.'
Ὣς φάτο· τῇ δ' ἔντοσθεν ἀνέπτατο χάρματι θυμός,
φοινίχθη δ' ἄμυδις καλὸν χρόα, κὰδ δέ μιν ἀχλὺς
εἷλεν ἰαινομένην, τοῖον δ' ἐπὶ μῦθον ἔειπεν·
'Χαλκιόπη, ὡς ὔμμι φίλον τερπνόν τε τέτυκται,
ὣς ἔρξω. μὴ γάρ μοι ἐν ὀφθαλμοῖσι φαείνοι
ἠώς, μηδέ με δηρὸν ἔτι ζώουσαν ἴδοιο,
εἴ γέ τι σῆς ψυχῆς προφερέστερον, ἠέ τι παίδων
σῶν θείην, οἳ δή μοι ἀδελφειοὶ γεγάασιν,
κηδεμόνες τε φίλοι καὶ ὁμήλικες. ὣς δὲ καὶ αὐτὴ
φημὶ κασιγνήτη τε σέθεν κούρη τε πέλεσθαι,
ἶσον ἐπεὶ κείνοις με τεῷ ἐπαείραο μαζῷ
νηπυτίην, ὡς αἰὲν ἐγώ ποτε μητρὸς ἄκουον.
ἀλλ' ἴθι, κεῦθε δ' ἐμὴν σιγῇ χάριν, ὄφρα τοκῆας
λήσομαι ἐντύνουσα ὑπόσχεσιν· ἦρι δὲ νηὸν
οἴσομαι εἰς Ἑκάτης θελκτήρια φάρμακα ταύρων.'
Ὣς ἥγ' ἐκ θαλάμοιο πάλιν κίε, παισί τ' ἀρωγὴν
αὐτοκασιγνήτης διεπέφραδε. † τὴν δέ μιν † αὖτις
αἰδώς τε στυγερόν τε δέος λάβε μουνωθεῖσαν,
τοῖα παρὲξ οὗ πατρὸς ἐπ' ἀνέρι μητιάασθαι.
Νὺξ μὲν ἔπειτ' ἐπὶ γαῖαν ἄγεν κνέφας· οἱ δ' ἐνὶ πόντῳ
ναῦται εἰς Ἑλίκην τε καὶ ἀστέρας Ὠρίωνος
ἔδρακον ἐκ νηῶν· ὕπνοιο δὲ καί τις ὁδίτης

178

Therewith she rose and opened the door of her chamber, barefoot, in her shift alone; and lo! she longed to go to her sister, and she passed over the threshold of her room. And long time she waited there at the entrance of her chamber, held back by shame, and she turned her back once more; and yet again she went from her room, and again stole back; for her feet bore her in vain this way and that; yea, and oft as she was going straight on, modesty kept her within; then would bold desire urge her against the curb of modesty. Thrice she tried, and thrice she held back; the fourth time she turned and threw herself face down upon the bed. As when a bride doth mourn within her chamber a strong young husband, to whom her brethren and parents have given her, and she holds no converse with all her attendants for very shame and thinking of him; but sitteth in a corner lamenting, but him hath some doom destroyed, ere they twain have had any joy each of the other's counsels; while she, with burning heart, looks on her widowed bed and sheds the silent tear, that the women may not mock and scoff at her; like to her was Medea in her lamentation. Now on a sudden, while she wept, a maid-servant coming forth did hear her, one that had waited on her in her girlhood; and forthwith she told Chalciope; now she was sitting amongst her sons, devising how to win her sister to their side. Yet not even so did she make light of it, when she heard the maid's strange story, but she hasted in amaze from room to room throughout the house to the chamber wherein the maiden lay in her anguish, and tore her cheeks; and when she saw her eyes all dimmed with tears, she said to her, «Ah, woe is me! Medea, and wherefore dost thou shed these tears? What has happened to thee? what awful grief hath come into thy heart? Has some disease of heaven's sending fastened on thy limbs, or hast thou learnt some deadly threat of my father concerning me and my sons? Would that I no longer beheld this house of my parents, nor their city, but dwelt in the uttermost parts of the earth, where is not so much as heard the name of Colchians.»

So spake she, but a blush rose to her sister's cheeks, and long time maiden modesty stayed her from answering, fain as she was. At one moment the word would rise to the tip of her tongue, at another it would speed back deep within her breast. Oft her eager lips yearned to tell their tale, but the words came no farther. At the last she made

ἤδη καὶ πυλαωρὸς ἐέλδετο· καί τινα παίδων
μητέρα τεθνεώτων ἀδινὸν περὶ κῶμ᾽ ἐκάλυπτεν·
οὐδὲ κυνῶν ὑλακὴ ἔτ᾽ ἀνὰ πτόλιν, οὐ θρόος ἦεν
ἠχήεις· σιγὴ δὲ μελαινομένην ἔχεν ὄρφνην.
ἀλλὰ μάλ᾽ οὐ Μήδειαν ἐπὶ γλυκερὸς λάβεν ὕπνος.
πολλὰ γὰρ Αἰσονίδαο πόθῳ μελεδήματ᾽ ἔγειρεν
δειδυῖαν ταύρων κρατερὸν μένος, οἷσιν ἔμελλεν
φθίσθαι ἀεικελίῃ μοίρῃ κατὰ νειὸν Ἄρηος.
πυκνὰ δέ οἱ κραδίη στηθέων ἔντοσθεν ἔθυιεν,
ἠελίου ὥς τίς τε δόμοις ἐνιπάλλεται αἴγλη
ὕδατος ἐξανιοῦσα, τὸ δὴ νέον ἠὲ λέβητι
ἠέ που ἐν γαυλῷ κέχυται· ἡ δ᾽ ἔνθα καὶ ἔνθα
ὠκείῃ στροφάλιγγι τινάσσεται ἀίσσουσα·
ὣς δὲ καὶ ἐν στήθεσσι κέαρ ἐλελίζετο κούρης.
δάκρυ δ᾽ ἀπ᾽ ὀφθαλμῶν ἐλέῳ ῥέεν· ἔνδοθι δ᾽ αἰεὶ
τεῖρ᾽ ὀδύνη σμύχουσα διὰ χροός, ἀμφί τ᾽ ἀραιὰς

180

*this subtle speech, for love's bold hand was heavy on her,
«Chalciope, my heart is in sore suspense for thy sons,
for fear lest our father slay them outright with the stran-
gers. For as I fell asleep just now and slumbered for a
little space, I saw a fearful vision. May some god make
it of none effect, and mayest thou get no bitter grief for
thy sons!»*

*So spake she, making trial of her sister; and the
other thus answered: «Lo! I came to thee myself bent
upon this business entirely, to see if thou couldst help
me with counsel and devise some aid. Come, swear by
heaven and earth that thou wilt keep in thy heart what
I shall say to thee, and will help me in the work. I pray
thee by the blessed gods, by thyself, and by our parents,
do not see them piteously destroyed by some evil fate;
or else will I die with my dear sons and be to thee
hereafter a fearful spirit of vengeance from Hades.»*

*So spake she, and forthwith her tears gushed forth
in streams, and she clasped her hands below her knees,
and let her head sink on her bosom. Then did the two
sisters make piteous lament over each other, and there
arose through the house a faint sound of women weeping
in their sorrow.*

*But Medea first addressed the other, sore distressed:
«God help us, sister! what cure can I work for thee?
what a word is thine, with thy dread curses and spirits
of vengeance! Would that it were surely in my power to
save thy sons! Witness now that awful oath of the Col-
chians, which thyself wouldst have me swear; great
heaven and earth beneath, mother of gods! as far as
in me lies I will not fail thee, so thou ask aught I can
perform.»*

*So spake she, and Chalciope thus made answer:
«Canst thou then devise no trick, no help for the enter-
prise of the stranger, even if his own lips ask it, for the
sake of my children? lo! Argus is come from him, urg-
ing me to try and gain thy help; him did I leave within
the house the while I came hither.»*

*So she; and the other's heart within her leapt for
joy, and a deep blush withal mantled o'er her fair skin,
and a mist came o'er her eyes as her heart melted, and
thus she answered: «Chalciope, I will do even as is dear
and pleasing to you. May the dawn shine no more upon
mine eyes; mayst thou no longer see me in the land of the
living, if I hold aught before thy soul, or before thy sons,*

181

ἶνας καὶ κεφαλῆς ὑπὸ νείατον ἰνίον ἄχρις,
ἔνθ' ἀλεγεινότατον δύνει ἄχος, ὁππότ' ἀνίας
ἀκάματοι πραπίδεσσιν ἐνισκίμψωσιν Ἔρωτες.
φῆ δέ οἱ ἄλλοτε μὲν θελκτήρια φάρμακα ταύρων
δωσέμεν, ἄλλοτε δ' οὔτι· καταφθίσθαι δὲ καὶ αὐτή·
αὐτίκα δ' οὔτ' αὐτὴ θανέειν, οὐ φάρμακα δώσειν,
ἀλλ' αὔτως εὔκηλος ἑὴν ὀτλησέμεν ἄτην.
ἑζομένη δἤπειτα δοάσσατο, φώνησέν τε·
᾿ Δειλὴ ἐγώ, νῦν ἔνθα κακῶν ἢ ἔνθα γένωμαι;
πάντῃ μοι φρένες εἰσὶν ἀμήχανοι· οὐδέ τις ἀλκὴ
πήματος· ἀλλ' αὔτως φλέγει ἔμπεδον. ὡς ὄφελόν γε
Ἀρτέμιδος κραιπνοῖσι πάρος βελέεσσι δαμῆναι,
πρὶν τόνγ' εἰσιδέειν, πρὶν Ἀχαιίδα γαῖαν ἱκέσθαι
Χαλκιόπης υἶας. τοὺς μὲν θεὸς ἤ τις Ἐρινὺς
ἄμμι πολυκλαύτους δεῦρ' ἤγαγε κεῖθεν ἀνίας.
φθίσθω ἀεθλεύων, εἴ οἱ κατὰ νειὸν ὀλέσθαι
μοῖρα πέλει. πῶς γάρ κεν ἐμοὺς λελάθοιμι τοκῆας
φάρμακα μησαμένη; ποῖον δ' ἐπὶ μῦθον ἐνίψω;
τίς δὲ δόλος, τίς μῆτις ἐπίκλοπος ἔσσετ' ἀρωγῆς;
ἦ μιν ἄνευθ' ἑτάρων προσπτύξομαι οἶον ἰδοῦσα;
δύσμορος· οὐ μὲν ἔολπα καταφθιμένοιό περ ἔμπης
λωφήσειν ἀχέων· τότε δ' ἂν κακὸν ἄμμι πέλοιτο,
κεῖνος ὅτε ζωῆς ἀπαμείρεται. ἐρρέτω αἰδώς,
ἐρρέτω ἀγλαΐη· ὁ δ' ἐμῇ ἰότητι σαωθεὶς
ἀσκηθής, ἵνα οἱ θυμῷ φίλον, ἔνθα νέοιτο.
αὐτὰρ ἐγὼν αὐτῆμαρ, ὅτ' ἐξανύσειεν ἄεθλον,
τεθναίην, ἢ λαιμὸν ἀναρτήσασα μελάθρῳ,
ἢ καὶ πασσαμένη ῥαιστήρια φάρμακα θυμοῦ.
ἀλλὰ καὶ ὣς φθιμένῃ μοι ἐπιλλίξουσιν ὀπίσσω
κερτομίας· τηλοῦ δὲ πόλις περὶ πᾶσα βοήσει
πότμον ἐμόν· καί κέν με διὰ στόματος φορέουσαι
Κολχίδες ἄλλυδις ἄλλαι ἀεικέα μωμήσονται·
ἥτις κηδομένη τόσον ἀνέρος ἀλλοδαποῖο
κάτθανεν, ἥτις δῶμα καὶ οὓς ᾔσχυνε τοκῆας,
μαργοσύνῃ εἴξασα. τί δ' οὐκ ἐμὸν ἔσσεται αἶσχος;
ὤ μοι ἐμῆς ἄτης. ἦ τ' ἂν πολὺ κέρδιον εἴη
τῇδ' αὐτῇ ἐν νυκτὶ λιπεῖν βίον ἐν θαλάμοισιν
πότμῳ ἀνωίστῳ, κάκ' ἐλέγχεα πάντα φυγοῦσαν,
πρὶν τάδε λωβήεντα καὶ οὐκ ὀνομαστὰ τελέσσαι.'
Ἦ, καὶ φωριαμὸν μετεκίαθεν, ᾗ ἔνι πολλὰ
φάρμακά οἱ, τὰ μὲν ἐσθλά, τὰ δὲ ῥαιστήρι', ἔκειτο.
ἐνθεμένη δ' ἐπὶ γούνατ' ὀδύρετο. δεῦε δὲ κόλπους
ἄλληκτον δακρύοισι, τὰ δ' ἔρρεεν ἀσταγὲς αὔτως,
αἴν' ὀλοφυρομένης τὸν ἑὸν μόρον. ἵετο δ' ἥγε
φάρμακα λέξασθαι θυμοφθόρα, τόφρα πάσαιτο.

182

*who verily are my cousins, my kinsmen dear, and of
mine own age. Even so I do declare I am thy sister and
thy daughter too, for thou didst hold me to thy breast
while yet a babe, equally with those thy sons, as ever I
heard in days gone by from my mother. But go now, hide
my service in silence that I may make good my promise
without the knowledge of my parents, and at dawn will
I carry to the temple of Hecate drugs to charm the bulls.»*

*So Chalciope went back again from the chamber;
while she set to devising some help for her sister's sons.
But once more did shame and an horrible dread seize her
when she was alone, to think that she was devising such
things for a man, without her father's knowledge.*

*Then did night spread darkness o'er the earth, and
they who were at sea, the mariners, looked forth from their
ships toward the Bear and the stars of Orion; and now
did every wayfarer and gatekeeper long for sleep; and
o'er every mother, weeping for children dead, fell the pall
of deep slumber; no more did dogs howl through the
town; no more was heard the noise of men, but silence
wrapped the darkling gloom. Yet not at all did sleep shed
its sweetness o'er Medea; for in her love for the son of
Æson many a care kept her awake, terrified at the mighty
strength of the bulls, before whom he was to die a shame-
ful death on Ares' acre. And her heart was wildly
stirred within her breast; as when a sun-beam reflected
from water plays upon the wall of a house, water
just poured into a basin or a pail maybe; hither and
thither it darts and dances on the quick eddy; even so
the maiden's heart was fluttering in her breast, and tears
of pity flowed from her eyes; and, ever within, the pain
was wasting her, smouldering through her body, and
about her weakened nerves, and right beneath the back
of her head, where the keenest pain doth enter in, when
the tireless love-god lets loose his tortures on the heart.
At one time she thought she would give him drugs to
charm the bulls, at another she thought nay, but that she
would die herself; anon she would not die herself, nor
would she give him the drugs, but quietly even so would
endure her sorrow. So she sat halting between two
opinions, then spake, «Ah, woe is me! am I now to toss
hither and thither in woe? my mind is wholly at a loss;
there is no help for my suffering, but it burneth ever
thus. Oh! would that I had died by the swift arrows of
Artemis, or ever I had seen him, or ever the sons of Chal-*

183

ἤδη καὶ δεσμοὺς ἀνελύετο φωριαμοῖο,
ἐξελέειν μεμαυῖα, δυσάμμορος. ἀλλά οἱ ἄφνω
δεῖμ᾽ ὀλοὸν στυγεροῖο κατὰ φρένας ἦλθ᾽ Ἀίδαο.
ἔσχετο δ᾽ ἀμφασίῃ δηρὸν χρόνον, ἀμφὶ δὲ πᾶσαι
θυμηδεῖς βιότοιο μελῃδόνες ἰνδάλλοντο.
μνήσατο μὲν τερπνῶν, ὅσ᾽ ἐνὶ ζωοῖσι πέλονται,
μνήσαθ᾽ ὁμηλικίης περιγηθέος, οἷά τε κούρη·
καί τέ οἱ ἠέλιος γλυκίων γένετ᾽ εἰσοράασθαι,
ἢ πάρος, εἰ ἐτεόν γε νόῳ ἐπεμαίεθ᾽ ἕκαστα.
καὶ τὴν μὲν ῥα πάλιν σφετέρων ἀποκάτθετο γούνων,
Ἥρης ἐννεσίῃσι μετάτροπος, οὐδ᾽ ἔτι βουλὰς
ἄλλῃ δοιάζεσκεν· ἐέλδετο δ᾽ αἶψα φανῆναι
ἠῶ τελλομένην, ἵνα οἱ θελκτήρια δοίη
φάρμακα συνθεσίῃσι, καὶ ἀντήσειεν ἐς ὠπήν.
πυκνὰ δ᾽ ἀνὰ κληῖδας ἑῶν λύεσκε θυράων,
αἴγλην σκεπτομένη· τῇ δ᾽ ἀσπάσιον βάλε φέγγος
Ἠριγενής, κίνυντο δ᾽ ἀνὰ πτολίεθρον ἕκαστοι.
Ἔνθα κασιγνήτους μὲν ἔτ᾽ αὐτόθι μεῖναι ἀνώγει
Ἄργος, ἵνα φράζοιντο νόον καὶ μήδεα κούρης·
αὐτὸς δ᾽ αὖτ᾽ ἐπὶ νῆα κίεν προπάροιθε λιασθείς.
Ἡ δ᾽ ἐπεὶ οὖν τὰ πρῶτα φαεινομένην ἴδεν ἠῶ
παρθενική, ξανθὰς μὲν ἀνήψατο χερσὶν ἐθείρας,
αἵ οἱ ἀτημελίῃ καταειμέναι ἠερέθοντο,
αὐσταλέας δ᾽ ἔψησε παρηίδας· αὐτὰρ ἀλοιφῇ
νεκταρέῃ φαιδρύνετ᾽ ἐπὶ χρόα· δῦνε δὲ πέπλον
καλόν, ἐϋγνάμπτοισιν ἀρηρέμενον περόνῃσιν·
ἀμβροσίῳ δ᾽ ἐφύπερθε καρήατι βάλλε καλύπτρην
ἀργυφέην. αὐτοῦ δὲ δόμοις ἔνι δινεύουσα
στεῖβε πέδον λήθῃ ἀχέων, τά οἱ ἐν ποσὶν ἦεν
θεσπέσι᾽, ἄλλα τ᾽ ἔμελλεν ἀεξήσεσθαι ὀπίσσω.
κέκλετο δ᾽ ἀμφιπόλοις, αἵ οἱ δυοκαίδεκα πᾶσαι
ἐν προδόμῳ θαλάμοιο θυώδεος ηὐλίζοντο
ἥλικες, οὔπω λέκτρα σὺν ἀνδράσι πορσύνουσαι,
ἐσσυμένως οὐρῆας ὑποζεύξασθαι ἀπήνῃ,
οἵ κέ μιν εἰς Ἑκάτης περικαλλέα νηὸν ἄγοιεν.
ἔνθ᾽ αὖτ᾽ ἀμφίπολοι μὲν ἐφοπλίζεσκον ἀπήνην·
ἡ δὲ τέως γλαφυρῆς ἐξείλετο φωριαμοῖο
φάρμακον, ὅ ῥά τέ φασι Προμήθειον καλέεσθαι.
τῷ εἴ κ᾽ ἐννυχίοισιν ἀρεσσάμενος θυέεσσιν
Κούρην μουνογένειαν ἑὸν δέμας ἰκμαίνοιτο,
ἦ τ᾽ ἂν ὅγ᾽ οὔτε ῥηκτὸς ἔοι χαλκοῖο τυπῇσιν,
οὔτε κεν αἰθομένῳ πυρὶ εἰκάθοι· ἀλλὰ καὶ ἀλκῇ
λωίτερος κεῖν᾽ ἦμαρ ὁμῶς κάρτεΐ τε πέλοιτο.
πρωτοφυὲς τόγ᾽ ἀνέσχε καταστάξαντος ἔραζε
αἰετοῦ ὠμηστέω κνημοῖς ἔνι Καυκασίοισιν

ciope started for the Achæan land; some god or some spirit of vengeance hath brought them hither from thence to cause us tears and woe enow. Well, let him perish in his attempt, if 'tis his lot to die upon the fallow. For how can I contrive the drugs, and my parents know it not? What tale am I to tell about them? What cunning, what crafty scheme shall there be for their aid? Shall I greet him kindly if I see him alone apart from his comrades? Unhappy maid am I; methinks I would not be quit of sorrow even though he were dead and gone. For sorrow will come upon me in the hour that he is bereft of life. Away with shame, perish beauty! he shall be saved, unhurt, and by my help; then let him go whithersoever his heart listeth. But may I die the self-same day that he fulfilleth his enterprise, either hanging by my neck from the roof-tree, or tasting of drugs that rive body and soul asunder. But, if I die thus, every eye will wink and mock at me, and every city far away will ring with the tale of my death, and the Colchian women will make a byword of me for their unseemly gibes; the maid who cared so dearly for a stranger that she died for him, who shamed her home and parents by yielding to her mad passion. What disgrace is there that will not be mine? Ah me! for my infatuation! Far better will it be this very night to leave life behind in my chamber by an unseen fate, avoiding all ill reproaches, or ever I complete this infamous disgrace!»

Therewith she went to fetch a casket, wherein were laid many drugs for her use, some healing, others very deadly. And she laid it on her lap, and wept. And her bosom was wet with her ceaseless weeping, for the tears flowed in streams as she sat there, making piteous lament for her fate. Then she hasted to choose a deadly drug, that she might taste thereof. And lo! she was just loosing the fastenings of the casket, eager to draw them forth, poor unhappy lady, when in an instant passed across her mind an awful horror of loathly Hades; and long time she stayed her hand in speechless fear, and life with all its cares seemed sweet to her. For she thought of all the joyous things there are amongst the living, and of her happy band of companions, as a maiden will; and the sun grew sweeter to her than before to look upon, just to see if really in her heart of hearts she longed for each of them. So she laid the casket down again from off her knees, changing her mind by the prompting of Hera,

185

αἱματόεντ᾽ ἰχῶρα Προμηθῆος μογεροῖο.
τοῦ δ᾽ ἤτοι ἄνθος μὲν ὅσον πήχυιον ὕπερθεν
χροιῇ Κωρυκίῳ ἴκελον κρόκῳ ἐξεφαάνθη,
καυλοῖσιν διδύμοισιν ἐπήορον· ἡ δ᾽ ἐνὶ γαίῃ
σαρκὶ νεοτμήτῳ ἐναλιγκίη ἔπλετο ῥίζα.
τῆς οἵην τ᾽ ἐν ὄρεσσι κελαινὴν ἰκμάδα φηγοῦ
Κασπίῃ ἐν κόχλῳ ἀμήσατο φαρμάσσεσθαι,
ἑπτὰ μὲν ἀενάοισι λοεσσαμένη ὑδάτεσσιν,
ἑπτάκι δὲ Βριμὼ κουροτρόφον ἀγκαλέσασα,
Βριμὼ νυκτιπόλον, χθονίην, ἐνέροισιν ἄνασσαν,
λυγαίῃ ἐνὶ νυκτί, σὺν ὀρφναίοις φαρέεσσιν.
μυκηθμῷ δ᾽ ὑπένερθεν ἐρεμνὴ σείετο γαῖα,
ῥίζης τεμνομένης Τιτηνίδος· ἔστενε δ᾽ αὐτὸς
Ἰαπετοῖο πάις ὀδύνῃ πέρι θυμὸν ἀλύων.
τό ῥ᾽ ἥγ᾽ ἐξανελοῦσα θυώδεϊ κάτθετο μίτρῃ,
ἥ τέ οἱ ἀμβροσίοισι περὶ στήθεσσιν ἔερτο.
ἐκ δὲ θύραζε κιοῦσα θοῆς ἐπεβήσατ᾽ ἀπήνης·
σὺν δέ οἱ ἀμφίπολοι δοιαὶ ἑκάτερθεν ἔβησαν.
αὐτὴ δ᾽ ἡνί᾽ ἔδεκτο καὶ εὐποίητον ἱμάσθλην
δεξιτερῇ, ἔλαεν δὲ δι᾽ ἄστεος· αἱ δὲ δὴ ἄλλαι
ἀμφίπολοι, πείρινθος ἐφαπτόμεναι μετόπισθεν,
τρώχων εὐρεῖαν κατ᾽ ἀμαξιτόν· ἂν δὲ χιτῶνας
λεπταλέους λευκῆς ἐπιγουνίδος ἄχρις ἄειρον.
οἵη δὲ λιαροῖσιν ἐφ᾽ ὕδασι Παρθενίοιο,
ἠὲ καὶ Ἀμνισοῖο λοεσσαμένη ποταμοῖο
χρυσείοις Λητωὶς ἐφ᾽ ἅρμασιν ἑστηυῖα
ὠκείαις κεμάδεσσι διεξελάσῃσι κολώνας,
τηλόθεν ἀντιόωσα πολυκνίσου ἑκατόμβης·
τῇ δ᾽ ἅμα νύμφαι ἕπονται ἀμορβάδες, αἱ μὲν ἐπ᾽ αὐτῆς
ἀγρόμεναι πηγῆς Ἀμνισίδος, ἂν δὲ δὴ ἄλλαι
ἄλσεα καὶ σκοπιὰς πολυπίδακας· ἀμφὶ δὲ θῆρες
κνυζηθμῷ σαίνουσιν ὑποτρομέοντες ἰοῦσαν·
ὣς αἵγ᾽ ἐσσεύοντο δι᾽ ἄστεος· ἀμφὶ δὲ λαοὶ
εἶκον, ἀλευάμενοι βασιληίδος ὄμματα κούρης.
αὐτὰρ ἐπεὶ πόλιος μὲν ἐυδμήτους λίπ᾽ ἀγυιάς,
νηὸν δ᾽ εἰσαφίκανε διὲκ πεδίων ἐλάουσα,
δὴ τότ᾽ ἐυτροχάλοιο κατ᾽ αὐτόθι βῆσατ᾽ ἀπήνης
ἱεμένη, καὶ τοῖα μετὰ δμωῇσιν ἔειπεν·
Ὦ φίλαι, ἦ μέγα δή τι παρήλιτον, οὐδ᾽ ἐνόησα
† μὴ ἴμεν † ἀλλοδαποῖσι μετ᾽ ἀνδράσιν, οἵ τ᾽ ἐπὶ γαῖαν
ἡμετέρην στρωφῶσιν. ἀμηχανίῃ βεβόληται
πᾶσα πόλις· τὸ καὶ οὔτις ἀνήλυθε δεῦρο γυναικῶν
τάων, αἳ τὸ πάροιθεν ἐπημάτιαι ἀγέρονται.
ἀλλ᾽ ἐπεὶ οὖν ἱκόμεσθα, καὶ οὔ νύ τις ἄλλος ἔπεισιν,
εἰ δ᾽ ἄγε μολπῇ θυμὸν ἀφειδείως κορέσωμεν

and no more did her purpose waver otherwhither; but she longed for the dawn to rise and come at once, that she might give Jason her magic drugs as she had covenanted, and meet him face to face. And oft would she loose the bolts of her door, as she watched for the daylight; and welcome to her was the light, when Dawn sent it forth, and each man went on his way through the city.

Now Argus bade his brethren abide there yet, that they might learn the mind and plans of the maiden, but himself went forth and came unto the ship again.

But the maid Medea, soon as ever she saw the light of dawn, caught up her golden tresses in her hands, which she had let hang about her in careless disarray, and wiped clean her tear-stained cheeks; and she cleansed her skin with ointment of heavenly fragrance, and put on a fair robe, fastened with brooches deftly turned; and upon her head, divinely fair, she cast a shining veil. Then she passed forth from her chamber there, treading the ground firmly, in forgetfulness of her sorrows, which were close upon her in their countless legions, while others were yet to follow afterward. And she bade her handmaids, who passed the night in the entering in of her fragrant bower, —twelve maids in all of her own age who had not yet found a mate,—quickly to yoke mules to the wain, to bear her to the lovely shrine of Hecate. Then did the maidens make ready the wain; but she, the while, chose from the depth of her casket a drug, which men say is called the drug of Prometheus. If a man should anoint his body therewith, after appeasing Persephone, that maiden only-begotten, with midnight sacrifice; verily that man could not be wounded by the blows of bronze weapons, nor would he yield to blazing fire, but on that day should his valiancy and might master theirs. This first had its birth, when the ravening eagle let drip to earth upon the wolds of Caucasus the bleeding life-stream of hapless Prometheus. The flower thereof, as it were a cubit high, appeareth in colour like the saffron of Corycus, growing upon a double stalk, but its root within the ground resembleth flesh just cut. Now she had gathered for her drugs the dark juice thereof, like to the sap of a mountain oak, in a Caspian shell, after she had washed herself in seven eternal springs, and seven times had called on Brimo, good nursing-mother, who roams by night, goddess of the nether world, and queen of the dead, in the murk of night, in sable raiment clad. And, from

187

μειλιχίη, τὰ δὲ καλὰ τερείνης ἄνθεα ποίης
λεξάμεναι τότ' ἔπειτ' αὐτὴν ἀπονισσόμεθ' ὥρην.
καὶ δέ κε σὺν πολέεσσιν ὀνείασιν οἴκαδ' ἵκοισθε
ἤματι τῷ, εἴ μοι συναρέσσετε τήνδε μενοινήν.
Ἄργος γάρ μ' ἐπέεσσι παρατρέπει, ὣς δὲ καὶ αὐτὴ
Χαλκιόπη· τὰ δὲ σῖγα νόῳ ἔχετ' εἰσαΐουσαι
ἐξ ἐμέθεν, μὴ πατρὸς ἐς οὔατα μῦθος ἵκηται.
τὸν ξεῖνόν με κέλονται, ὅτις περὶ βουσὶν ὑπέστη,
δῶρ' ἀποδεξαμένην ὀλοῶν ῥύσασθαι ἀέθλων.
αὐτὰρ ἐγὼ τὸν μῦθον ἐπήνεον, ἠδὲ καὶ αὐτὸν
κέκλομαι εἰς ὠπὴν ἑτάρων ἄπο μοῦνον ἱκέσθαι,
ὄφρα τὰ μὲν δασόμεσθα μετὰ σφίσιν, εἴ κεν ὀπάσσῃ
δῶρα φέρων, τῷ δ' αὖτε κακώτερον ἄλλο πόρωμεν
φάρμακον. ἀλλ' ἀπονόσφι πέλεσθέ μοι, εὖτ' ἂν ἵκηται.'
Ὣς ηὔδα· πάσῃσι δ' ἐπίκλοπος ἥνδανε μῆτις.
αὐτίκα δ' Αἰσονίδην ἑτάρων ἄπο μοῦνον ἐρύσσας
Ἄργος, ὅτ' ἤδη τήνδε κασιγνήτων ἐσάκουσεν
ἠερίην Ἑκάτης ἱερὸν μετὰ νηὸν ἰοῦσαν,
ἦγε διὲκ πεδίου· ἅμα δέ σφισιν εἴπετο Μόψος
Ἀμπυκίδης, ἐσθλὸς μὲν ἐπιπροφανέντας ἐνισπεῖν
οἰωνούς, ἐσθλὸς δὲ σὺν εὖ φράσσασθαι ἰοῦσιν.
Ἔνθ' οὔπω τις τοῖος ἐπὶ προτέρων γένετ' ἀνδρῶν,
οὔθ' ὅσοι ἐξ αὐτοῖο Διὸς γένος, οὔθ' ὅσοι ἄλλων
ἀθανάτων ἥρωες ἀφ' αἵματος ἐβλάστησαν,
οἷον Ἰήσονα θῆκε Διὸς δάμαρ ἤματι κείνῳ
ἠμὲν ἐσάντα ἰδεῖν, ἠδὲ προτιμυθήσασθαι.
τὸν καὶ παπταίνοντες ἐθάμβεον αὐτοὶ ἑταῖροι
λαμπόμενον χαρίτεσσιν· ἐγήθησεν δὲ κελεύθῳ
Ἀμπυκίδης, ἤδη που ὀισσάμενος τὰ ἕκαστα.
Ἔστι δέ τις πεδίοιο κατὰ στίβον ἐγγύθι νηοῦ
αἴγειρος φύλλοισιν ἀπειρεσίοις κομόωσα,
τῇ θαμὰ δὴ λακέρυζαι ἐπηυλίζοντο κορῶναι.
τάων τις μεσσηγὺς ἀνὰ πτερὰ κινήσασα
ὑψοῦ ἐπ' ἀκρεμόνων Ἥρης ἠνίπαπε βουλάς·
'Ἀκλειὴς ὅδε μάντις, ὃς οὐδ' ὅσα παῖδες ἴσασιν
οἶδε νόῳ φράσσασθαι, ὁθούνεκεν οὔτε τι λαρὸν
οὔτ' ἐρατὸν κούρη κεν ἔπος προτιμυθήσαιτο
ἠιθέῳ, εὖτ' ἄν σφιν ἐπήλυδες ἄλλοι ἕπωνται.
ἔρροις, ὦ κακόμαντι, κακοφραδές· οὔτε σε Κύπρις,
οὔτ' ἀγανοὶ φιλέοντες ἐπιπνείουσιν Ἔρωτες.'
Ἴσκεν ἀτεμβομένη· μείδησε δὲ Μόψος ἀκούσας
ὀμφὴν οἰωνοῖο θεήλατον, ὧδέ τ' ἔειπεν·
'Τύνη μὲν νηόνδε θεᾶς ἴθι, τῷ ἔνι κούρην
δήεις, Αἰσονίδη· μάλα δ' ἠπίῃ ἀντιβολήσεις
Κύπριδος ἐννεσίῃς, ἥ τοι συνέριθος ἀέθλων

188

beneath, the dark earth quaked and bellowed, as the Titan root was cut, and the son of Iapetus too did groan, frantic with pain. That simple drew she forth and placed within her fragrant girdle, that was fastened about her fair waist. And forth to the door she came and mounted the swift car, and with her on either side went two handmaids; so she took the reins and the shapely whip in her right hand, and drove through the town; while those others, her handmaids, holding to the body of the wain behind, ran along the broad high-road, having kilted their fine robes up to their white knees. Fair as the daughter of Leto, when she mounts her golden car, and drives her fleet fawns o'er the downs across the calm waters of Parthenius, or haply from her bath in Amnisus' stream, as she cometh from far to the rich steam of a hecatomb; and with her come the nymphs, that bear her company, some gathering by the brink of the Amnisian spring, others about the groves and rocks with their countless rills; and around her wild creatures fawn and whimper, trembling at her aproach. Even so the maidens hasted through the city, and the people made way on either side, shunning the eye of the princess. Now when she had left the streets of the town, with their fair buildings, and had come in her driving across the plain unto the temple, then she lighted down quickly from the smooth-running wain and spake thus amongst her maidens: «Friends, verily I have sinned an awful sin, for I find no cause to be wroth with yon strangers, who are roaming about our land. The whole city is smitten with dismay; wherefore also none of the women hath come hither, who aforetime did gather here day by day. Yet since we are here, and none other comes forth against us, let us with soothing song and dance satisfy our souls without stint, and after we have plucked these fair blossoms of the tender field, then in that very hour will we return. Yea, and ye this day shall go unto your homes with many a rich gift, an ye will grant me this my desire; for Argus is urgent with me, and so too is Chalciope;—keep what ye hear of me silent in your hearts, lest my words come to my father's ears;—lo! they bid me take yon stranger's gifts, who hath taken on him to strive with the oxen, and save him from his fell emprise. So I agreed unto their words, and I bade him meet me here alone, apart from his comrades, that we may divide amongst ourselves those gifts, if haply he bring them with him, and we may

189

ARGONAUTICA

ἔσσεται, ὡς δὴ καὶ πρὶν Ἀγηνορίδης φάτο Φινεύς.
νῶι δ', ἐγὼν Ἄργος τε, δεδεγμένοι, εὖτ' ἂν ἵκηαι,
τῷδ' αὐτῷ ἐνὶ χώρῳ ἀπεσσόμεθ'· οἰόθι δ' αὐτὸς
λίσσεό μιν πυκινοῖσι παρατροπέων ἐπέεσσιν.'
Ἦ ῥα περιφραδέως, ἐπὶ δὲ σχεδὸν ᾔνεον ἄμφω.
οὐδ' ἄρα Μηδείης θυμὸς τράπετ' ἄλλα νοῆσαι,
μελπομένης περ ὅμως· πᾶσαι δέ οἱ, ἥντιν' ἀθύροι
μολπήν, οὐκ ἐπὶ δηρὸν ἐφήνδανεν ἐψιάασθαι.
ἀλλὰ μεταλλήγεσκεν ἀμήχανος, οὐδέ ποτ' ὄσσε
ἀμφιπόλων μεθ' ὅμιλον ἔχ' ἀτρέμας· ἐς δὲ κελεύθους
τηλόσε παπταίνεσκε, παρακλίνουσα παρειάς.
ἦ θαμὰ δὴ στηθέων ἐάγη κέαρ, ὁππότε δοῦπον
ἢ ποδὸς ἢ ἀνέμοιο παραθρέξαντα δοάσσαι.
αὐτὰρ ὅγ' οὐ μετὰ δηρὸν ἐελδομένῃ ἐφαάνθη
ὑψόσ' ἀναθρῴσκων ἅ τε Σείριος Ὠκεανοῖο,
ὃς δή τοι καλὸς μὲν ἀρίζηλός τ' ἐσιδέσθαι
ἀντέλλει, μήλοισι δ' ἐν ἄσπετον ἧκεν ὀιζύν·
ὣς ἄρα τῇ καλὸς μὲν ἐπήλυθεν εἰσοράασθαι
Αἰσονίδης, κάματον δὲ δυσίμερον ὦρσε φαανθείς.
ἐκ δ' ἄρα οἱ κραδίη στηθέων πέσεν, ὄμματα δ' αὔτως
ἤχλυσαν· θερμὸν δὲ παρηίδας εἷλεν ἔρευθος.
γούνατα δ' οὔτ' ὀπίσω οὔτε προπάροιθεν ἀεῖραι
ἔσθενεν, ἀλλ' ὑπένερθε πάγη πόδας. αἱ δ' ἄρα τείως
ἀμφίπολοι μάλα πᾶσαι ἀπὸ σφείων ἐλίασθεν.
τὼ δ' ἄνεῳ καὶ ἄναυδοι ἐφέστασαν ἀλλήλοισιν,
ἢ δρυσίν, ἢ μακρῇσιν ἐειδόμενοι ἐλάτῃσιν,
αἵ τε παρᾶσσον ἔκηλοι ἐν οὔρεσιν ἐρρίζωνται,
νηνεμίῃ· μετὰ δ' αὖτις ὑπὸ ῥιπῆς ἀνέμοιο
κινύμεναι ὁμάδησαν ἀπείριτον· ὣς ἄρα τώγε
μέλλον ἅλις φθέγξασθαι ὑπὸ πνοιῇσιν Ἔρωτος.
γνῶ δέ μιν Αἰσονίδης ἄτῃ ἐνιπεπτηυῖαν
θευμορίῃ, καὶ τοῖον ὑποσσαίνων φάτο μῦθον·
'Τίπτε με, παρθενική, τόσον ἅζεαι, οἷον ἐόντα;
οὔ τοι ἐγών, οἷοί τε δυσαυχέες ἄλλοι ἔασιν
ἀνέρες, οὐδ' ὅτε περ πάτρῃ ἔνι ναιετάασκον,
ἦα πάρος. τῶ μή με λίην ὑπεραίδεο, κούρη,
ἤ τι παρεξερέεσθαι, ὅ τοι φίλον, ἠέ τι φάσθai.
ἀλλ' ἐπεὶ ἀλλήλοισιν ἱκάνομεν εὐμενέοντες,
χώρῳ ἐν ἠγαθέῳ, ἵνα τ' οὐ θέμις ἔστ' ἀλιτέσθαι,
ἀμφαδίην ἀγόρευε καὶ εἴρεο· μηδέ με τερπνοῖς
φηλώσῃς ἐπέεσσιν, ἐπεὶ τὸ πρῶτον ὑπέστης
αὐτοκασιγνήτῃ μενοεικέα φάρμακα δώσειν.
πρός σ' αὐτῆς Ἑκάτης μειλίσσομαι ἠδὲ τοκήων
καὶ Διός, ὃς ξείνοις ἱκέτῃσί τε χεῖρ' ὑπερίσχει·
ἀμφότερον δ', ἱκέτης ξεῖνός τέ τοι ἐνθάδ' ἱκάνω,

give him in return a drug more baleful than he knows. But do ye stand aloof from me against his coming.»

So spake she, and her cunning counsel pleased them all. Anon Argus drew the son of Æson apart from the crew, as soon as he heard from his brothers, that she had gone at daybreak to the holy temple of Hecate, and across the plain he led him; and with them went Mopsus, son of Ampycus, skilled in interpreting omens from birds when they appeared, and skilled in giving the right advice when they were gone.

Never was there such a man amongst the men of bygone days, neither among all the heroes who sprang from Zeus himself, nor among those who were of the blood of other immortal gods, as the wife of Zeus made Jason on that day, either to see face to face or to talk with. Even his comrades marvelled, as they gazed at him resplendent with grace; and the son of Ampycus was glad as they went, for already, I trow, he boded, how each thing would be.

Now there is by the path along the plain, nigh to the temple, a black poplar with a crown of countless leaves, whereon, full oft, chattering crows would roost. And one of these, as she flapped her wings aloft on the branches, declared the will of Hera: «Here is a sorry seer, that hath not so much knowing as children have; for no sweet word of love will the maid speak to yon youth, so long as there be other strangers with him. Begone, thou sorry prophet, dull-witted seer, for 'tis not thou, whom Cypris and her gentle Loves inspire, in their kindness.»

So spake the chiding crow, and Mopsus smiled to hear the bird's inspired utterance, and thus spake he: «Son of Æson, get thee now to the temple of the goddess, wherein thou wilt find the maiden; very kindly shall her greeting be to thee, thanks to Cypris, who will help thee in thy labours, even as Phineus, son of Agenor, did say before. But we twain, Argus and I, will stand in this very spot aloof, awaiting thy coming; and do thou thyself alone entreat her, turning her heart by words of wisdom.»

So spake he very sagely; and nigh at hand they both agreed to wait. Nor, I trow, had Medea any thought but this, for all her play; for none of all the games she played would serve for her amusement long. But she kept changing them in confusion, nor could she keep her eyes at rest towards her group of maids, but earnestly she

R

G

O

N

A

U

T

I

C

A

Η ΠΡΩΤΗ ΣΥΝΑΝΤΗΣΙΣ ΤΗΣ
ΜΗΔΕΙΑΣ ΜΕ ΤΟΝ ΙΑΣΟΝΑ

MEDEA AND JASON AT
THEIR FIRST MEETING

χρειοῖ ἀναγκαίῃ γουνούμενος. οὐ γὰρ ἄνευθεν
ὑμείων στονόεντος ὑπέρτερος ἔσσομ' ἀέθλου.
σοὶ δ' ἂν ἐγὼ τίσαιμι χάριν μετόπισθεν ἀρωγῆς,
ἣ θέμις, ὡς ἐπέοικε διάνδιχα ναιετάοντας,
οὔνομα καὶ καλὸν τεύχων κλέος· ὣς δὲ καὶ ὧλλοι
ἥρωες κλήσουσιν ἐς Ἑλλάδα νοστήσαντες
ἡρώων τ' ἄλοχοι καὶ μητέρες, αἳ νύ που ἤδη
ἡμέας ἠιόνεσσιν ἐφεζόμεναι γοάουσιν·
τάων ἀργαλέας κεν ἀποσκεδάσειας ἀνίας.
δή ποτε καὶ Θησῆα κακῶν ὑπελύσατ' ἀέθλων
παρθενικὴ Μινωὶς ἐυφρονέουσ' Ἀριάδνη,
ἥν ῥά τε Πασιφάη κούρη τέκεν Ἠελίοιο.
ἀλλ' ἣ μὲν καὶ νηός, ἐπεὶ χόλον εὔνασε Μίνως,
σὺν τῷ ἐφεζομένη πάτρην λίπε· τὴν δὲ καὶ αὐτοὶ
ἀθάνατοι φίλαντο, μέσῳ δέ οἱ αἰθέρι τέκμαρ
ἀστερόεις στέφανος, τόν τε κλείουσ' Ἀριάδνης,
πάννυχος οὐρανίοισιν ἑλίσσεται εἰδώλοισιν.
ὣς καὶ σοὶ θεόθεν χάρις ἔσσεται, εἴ κε σαώσῃς
τόσσον ἀριστήων ἀνδρῶν στόλον. ἦ γὰρ ἔοικας
ἐκ μορφῆς ἀγανῇσιν ἐπητείῃσι κεκάσθαι.'
Ὣς φάτο κυδαίνων· ἣ δ' ἐγκλιδὸν ὄσσε βαλοῦσα
νεκτάρεον μείδησ'· ἐχύθη δέ οἱ ἔνδοθι θυμὸς
αἴνῳ ἀειρομένης, καὶ ἀνέδρακεν ὄμμασιν ἄντην·
οὐδ' ἔχεν ὅττι πάροιθεν ἔπος προτιμυθήσαιτο,
ἀλλ' ἄμυδις μενέαινεν ἀολλέα πάντ' ἀγορεῦσαι.
προπρὸ δ' ἀφειδήσασα θυώδεος ἔξελε μίτρης
φάρμακον· αὐτὰρ ὅγ' αἶψα χεροῖν ὑπέδεκτο γεγηθώς.
καί νύ κέ οἱ καὶ πᾶσαν ἀπὸ στηθέων ἀρύσασα
ψυχὴν ἐγγυάλιξεν ἀγαιομένη χατέοντι·
τοῖος ἀπὸ ξανθοῖο καρήατος Αἰσονίδαο
στράπτεν Ἔρως ἡδεῖαν ἀπὸ φλόγα· τῆς δ' ἀμαρυγὰς
ὀφθαλμῶν ἥρπαζεν· ἰαίνετο δὲ φρένας εἴσω
τηκομένη, οἷόν τε περὶ ῥοδέῃσιν ἐέρση
τήκεται ἠῴοισιν ἰαινομένη φαέεσσιν.
ἄμφω δ' ἄλλοτε μέν τε κατ' οὔδεος ὄμματ' ἔρειδον
αἰδόμενοι, ὁτὲ δ' αὖτις ἐπὶ σφίσι βάλλον ὀπωπάς,
ἱμερόεν φαιδρῇσιν ὑπ' ὀφρύσι μειδιόωντες.
ὀψὲ δὲ δὴ τοίοισι μόλις προσπτύξατο κούρη·
'Φράζεο νῦν, ὥς κέν τοι ἐγὼ μητίσομ' ἀρωγήν.
εὖτ' ἂν δὴ μετιόντι πατὴρ ἐμὸς ἐγγυαλίξῃ
ἐξ ὄφιος γενύων ὀλοοὺς σπείρασθαι ὀδόντας,
δὴ τότε μέσσην νύκτα διαμμοιρηδὰ φυλάξας,
ἀκαμάτοιο ῥοῇσι λοεσσάμενος ποταμοῖο,
οἶος ἄνευθ' ἄλλων ἐνὶ φάρεσι κυανέοισιν
βόθρον ὀρύξασθαι περιηγέα· τῷ δ' ἔνι θῆλυν

194

would gaze o'er the paths afar, turning her cheeks aside.
Oft her heart sank broken within her breast, whenever she
fancied a footfall or a breath of wind was hurrying by.
But very soon came Jason in sight before her longing
eyes, striding high o'er the plain, like Sirius when he
rises from ocean, very fair and clear to see, but bringing
woe unspeakable to flocks; so fair was the son of Æson
to see as he came nigh, but the sight of him brought
hateful faintness upon her. Her heart sank within her
breast, and her eyes grew dim withal, and o'er her cheeks
rushed the hot blush; and her knees had no strength
to move backward or forward, but her feet were rooted to
the ground under her. Now her handmaids, the while,
had withdrawn from them, one and all; so they twain
stood facing one another without word or sound, like
oaks or lofty pines, which stand rooted side by side in
peace upon the mountains, when winds are still; but
lo! there comes a breath of wind to rustle them, and
sighs, that none can number, steal therefrom; even so
those twain were soon to tell out all their tale before
the breath of Love. But the son of Æson perceived that
she was scared by some bewilderment from heaven, and
with a kindly smile he thus hailed her, «Why, maiden,
art thou so fearful of me when I come alone? Verily I
was never aforetime, not even when I dwelt in mine own
country, one of those braggart fellows. Wherefore fear
not exceedingly, maiden, either to question me or say
what is in thine heart. Nay, but since we are met together
as friends in this most holy place, where to sin were
wrong, speak openly and tell me all; and deceive me
not with comfortable words, for at first thou didst pro-
mise thine own sister to give me the drugs my heart
desired. By Hecate herself, by thy parents, and by Zeus,
whose hand is over strangers and suppliants, I entreat
thee. As stranger and as suppliant both, am I come
hither to thee to implore thee in my sore need. For without
thee never shall I achieve my dismal task. And I will
make thee recompense hereafter for thy help, as is right,
making thy name and fame glorious, as becometh those
who dwell apart; yea, and in like manner shall the other
heroes spread thy fame through Hellas on their return;
and so shall the heroes' wives and mothers, who now
belike are sitting on the shore and mourning for us, whose
grievous sufferings thou wilt scatter to the winds. In days
gone by, Ariadne, daughter of Minos, did, of her good

195

ἀρνειὸν σφάζειν, καὶ ἀδαίετον ὠμοθετῆσαι,
αὐτῷ πυρκαϊὴν εὖ νηήσας ἐπὶ βόθρῳ.
μουνογενῆ δ' Ἑκάτην Περσηίδα μειλίσσοιο,
λείβων ἐκ δέπαος σιμβλήια ἔργα μελισσέων.
ἔνθα δ' ἐπεί κε θεὰν μεμνημένος ἱλάσσηαι,
ἂψ ἀπὸ πυρκαϊῆς ἀναχάζεο· μηδέ σε δοῦπος
ἠὲ ποδῶν ὄρσῃσι μεταστρεφθῆναι ὀπίσσω,
ἠὲ κυνῶν ὑλακή, μή πως τὰ ἕκαστα κολούσας
οὐδ' αὐτὸς κατὰ κόσμον ἑοῖς ἑτάροισι πελάσσῃς.
ἦρι δὲ μυδήνας τόδε φάρμακον, ἠύτ' ἀλοιφῇ
γυμνωθεὶς φαίδρυνε τεὸν δέμας· ἐν δέ οἱ ἀλκὴ
ἔσσετ' ἀπειρεσίη μέγα τε σθένος, οὐδέ κε φαίης
ἀνδράσιν, ἀλλὰ θεοῖσιν ἰσαζέμεν ἀθανάτοισιν.
πρὸς δὲ καὶ αὐτῷ δουρὶ σάκος πεπαλαγμένον ἔστω
καὶ ξίφος. ἔνθ' οὐκ ἄν σε διατμήξειαν ἀκωκαὶ
γηγενέων ἀνδρῶν, οὐδ' ἄσχετος ἀίσσουσα
φλὸξ ὀλοῶν ταύρων. τοῖός γε μὲν οὐκ ἐπὶ δηρὸν
ἔσσεαι, ἀλλ' αὐτῆμαρ· ὅμως σύγε μή ποτ' ἀέθλου
χάζεο. καὶ δέ τοι ἄλλο παρὲξ ὑποθήσομ' ὄνειαρ.
αὐτίκ' ἐπὴν κρατεροὺς ζεύξῃς βόας, ὦκα δὲ πᾶσαν
χερσὶ καὶ ἠνορέῃ στυφελὴν διὰ νειὸν ἀρόσσῃς,
οἱ δ' ἤδη κατὰ ὦλκας ἀνασταχύωσι Γίγαντες
σπειρομένων ὄφιος δνοφερὴν ἐπὶ βῶλον ὀδόντων,
αἴ κεν ὀρινομένους πολέας νειοῖο δοκεύσῃς,
λάθρῃ λᾶαν ἄφες στιβαρώτερον· οἱ δ' ἂν ἐπ' αὐτῷ,
καρχαλέοι κύνες ὥστε περὶ βρώμης, ὀλέκοιεν
ἀλλήλους· καὶ δ' αὐτὸς ἐπείγεο δηιοτῆτος
ἰθῦσαι. τὸ δὲ κῶας ἐς Ἑλλάδα τοῖό γ' ἕκητι
οἴσεαι ἐξ Αἴης τηλοῦ ποθί· νίσσεο δ' ἔμπης,
ᾗ φίλον, ἤ τοι ἕαδεν ἀφορμηθέντι νέεσθαι.'
Ὣς ἄρ' ἔφη, καὶ σῖγα ποδῶν πάρος ὄσσε βαλοῦσα
θεσπέσιον λιαροῖσι παρηίδα δάκρυσι δεῦεν
μυρομένη, ὅ τ' ἔμελλεν ἀπόπροθι πολλὸν ἑοῖο
πόντον ἐπιπλάγξεσθαι· ἀνιηρῷ δέ μιν ἄντην
ἐξαῦτις μύθῳ προσεφώνεεν, εἷλέ τε χειρὸς
δεξιτερῆς· δὴ γάρ οἱ ἀπ' ὀφθαλμοὺς λίπεν αἰδώς·
'Μνώεο δ', ἢν ἄρα δή ποθ' ὑπότροπος οἴκαδ' ἵκηαι,
οὔνομα Μηδείης· ὣς δ' αὖτ' ἐγὼ ἀμφὶς ἐόντος
μνήσομαι. εἰπὲ δέ μοι πρόφρων τόδε, πῇ τοι ἔασιν
δώματα, πῇ νῦν ἔνθεν ὑπεὶρ ἅλα νηὶ περήσεις·
ἦ νύ που ἀφνειοῦ σχεδὸν ἵξεαι Ὀρχομενοῖο,
ἦε καὶ Αἰαίης νήσου πέλας; εἰπὲ δὲ κούρην,
ἥντινα τήνδ' ὀνόμηνας ἀριγνώτην γεγαυῖαν
Πασιφάης, ἣ πατρὸς ὁμόγνιός ἐστιν ἐμεῖο.'
Ὣς φάτο· τὸν δὲ καὶ αὐτὸν ὑπήιε δάκρυσι κούρης

heart, free Theseus from his evil task; she it was whom Pasiphae, daughter of the Sun-god, bore. Yea, and she went aboard his ship with him and left her country, since Minos did lull his rage; and the immortal gods showed their love as well, for there in mid sky is her sign, a crown of stars, which men call Ariadne's crown, wheeling by night amid the heavenly constellations. Such thanks shalt thou too have from the gods, if thou wilt save this famous host of chieftains. For surely from thy form, methinks, thou shouldst excel in gentle acts of kindness.»

So spake he praising her; and she cast down her eyes with a sweet smile, and her heart within her melted, as he extolled her. And she looked straight into his eyes, and had no word to answer him withal at first, but longed to tell him all at once together. And forth from her fragrant girdle she drew the drug ungrudgingly, and he with joy took it in his hands at once. And now would she have drawn her whole soul forth from her breast and given it him at his desire eagerly; so mightily did love light up his sweet torch from the son of Æson's yellow locks, and snatched bright glances from her eyes; and her heart wasted and melted within her, as the dew upon roses melts and wastes away in the sun's beams at morn. But they would fix their eyes one time upon the ground in modesty, and then again would cast a glance at each other, with a smile of love in their glad eyes. At the last, and scarcely then, the maiden thus did greet him:

«Take heed now, that I may devise some help for thee. When my father hath given thee, at thy coming for them, the fell teeth from the snake's jaws to sow withal, then watch for the hour when the night is evenly divided in twain, and after washing thyself in the stream of the tireless river, dig a round hole, alone apart from the others, in sable garb; there slay a ewe and sacrifice her whole, having heaped high the fire above the hole itself. And propitiate Hecate, daughter of Perses, the only-begotten, pouring libations of honey from a chalice. Then when thou hast taken heed to appease the goddess, draw back again from the fire; and let no sound of feet or howling of dogs drive thee to turn round, lest haply thou cut all short and come not thyself back duly to thy companions. At dawn soak this drug; then strip and with it anoint thy body as it were with oil; and there shall be in it boundless valiancy and great strength, and

A

R

G

O

N

A

U

T

I

C

A

197

οὖλος Ἔρως, τοῖον δὲ παραβλήδην ἔπος ηὔδα·
ʻΚαὶ λίην οὐ νύκτας ὀΐομαι, οὐδέ ποτ' ἦμαρ
σεῦ ἐπιλήσεσθαι, προφυγὼν μόρον, εἰ ἐτεόν γε
φεύξομαι ἀσκηθὴς ἐς Ἀχαιίδα, μηδέ τιν' ἄλλον
Αἰήτης προβάλῃσι κακώτερον ἄμμιν ἄεθλον.
εἰ δέ τοι ἡμετέρην ἐξίδμεναι εὔαδε πάτρην
ἐξερέω· μάλα γάρ με καὶ αὐτὸν θυμὸς ἀνώγει.
ἔστι τις αἰπεινοῖσι περίδρομος οὔρεσι γαῖα,
πάμπαν ἐΰρρηνός τε καὶ εὔβοτος, ἔνθα Προμηθεὺς
Ἰαπετιονίδης ἀγαθὸν τέκε Δευκαλίωνα,
ὃς πρῶτος ποίησε πόλεις καὶ ἐδείματο νηοὺς
ἀθανάτοις, πρῶτος δὲ καὶ ἀνθρώπων βασίλευσεν.
Αἱμονίην δὴ τήνγε περικτίονες καλέουσιν.
ἐν δ' αὐτῇ Ἰαωλκός, ἐμὴ πόλις, ἐν δὲ καὶ ἄλλαι
πολλαὶ ναιετάουσιν, ἵν' οὐδέ περ οὔνομ' ἀκοῦσαι
Αἰαίης νήσου· Μινύην γε μὲν ὁρμηθέντα,
Αἰολίδην Μινύην ἔνθεν φάτις Ὀρχομενοῖο
δή ποτε Καδμείοισιν ὁμούριον ἄστυ πολίσσαι.
ἀλλὰ τίη τάδε τοι μεταμώνια πάντ' ἀγορεύω,
ἡμετέρους τε δόμους τηλεκλείτην τ' Ἀριάδνην,
κούρην Μίνωος, τόπερ ἀγλαὸν οὔνομα κείνην
παρθενικὴν καλέεσκον ἐπήρατον, ἥν μ' ἐρεείνεις;
αἴθε γάρ, ὡς Θησῆι τότε ξυναρέσσατο Μίνως
ἀμφ' αὐτῆς, ὡς ἄμμι πατὴρ τεὸς ἄρθμιος εἴη.'
Ὣς φάτο, μειλιχίοισι καταψήχων ὀάροισιν.
τῆς δ' ἀλεγεινόταται κραδίην ἐρέθεσκον ἀνῖαι,
καί μιν ἀκηχεμένη ἀδινῷ προσπτύξατο μύθῳ·
ʻἙλλάδι που τάδε καλά, συνημοσύνας ἀλεγύνειν·
Αἰήτης δ' οὐ τοῖος ἐν ἀνδράσιν, οἷον ἔειπας
Μίνω Πασιφάης πόσιν ἔμμεναι· οὐδ' Ἀριάδνῃ
ἰσοῦμαι· τῶ μήτι φιλοξενίην ἀγόρευε.
ἀλλ' οἷον τύνη μὲν ἐμεῦ, ὅτ' Ἰωλκὸν ἵκηαι,
μνώεο· σεῖο δ' ἐγὼ καὶ ἐμῶν ἀέκητι τοκήων
μνήσομαι. ἔλθοι δ' ἧμιν ἀπόπροθεν ἠέ τις ὄσσα,
ἠέ τις ἄγγελος ὄρνις, ὅτ' ἐκλελάθοιο ἐμεῖο·
ἢ αὐτήν με ταχεῖαι ὑπὲρ πόντοιο φέροιεν
ἐνθένδ' εἰς Ἰωλκὸν ἀναρπάξασαι ἄελλαι,
ὄφρα σ', ἐν ὀφθαλμοῖσιν ἐλεγχείας προφέρουσα,
μνήσω ἐμῇ ἰότητι πεφυγμένον. αἴθε γὰρ εἴην
ἀπροφάτως τότε σοῖσιν ἐφέστιος ἐν μεγάροισιν.'
Ὣς ἄρ' ἔφη, ἐλεεινὰ καταπροχέουσα παρειῶν
δάκρυα· τὴν δ' ὅγε δῆθεν ὑποβλήδην προσέειπεν·
ʻΔαιμονίη, κενεὰς μὲν ἔα πλάζεσθαι ἀέλλας,
ὡς δὲ καὶ ἄγγελον ὄρνιν, ἐπεὶ μεταμώνια βάζεις.
εἰ δέ κεν ἤθεα κεῖνα καὶ Ἑλλάδα γαῖαν ἵκηαι,

198

thou wilt think thyself a match for deathless gods, not for men. Moreover, let thy shield and sword and spear be sprinkled therewith. Then shall not the keen swords of the earth-born men cut thee, nor shall the flame of those deadly bulls dart forth resistlessly against thee. Yet shalt thou not be thus mighty for a long space, but for that day only; yet never shrink thou from thy enterprise. And I will supply thee yet another help. So soon as thou hast yoked the strong oxen, and by thy might and manhood hast quickly ploughed the hard fallow, and they, the giants, at once spring up along the furrows when the teeth of the snake are sown over the dark soil, if thou but watch them rising in crowds from the lea, then cast secretly at them a heavy rock; and they will destroy one another upon it, like fierce dogs about their food; but be not thyself eager for the fray. Hereby shalt thou carry yon fleece to Hellas, far from Æa, I trow. Yet go, whither thou listest, when thou art gone hence.»

So spake she, and dropping her eyes in silence before her did wet her cheek, divinely fair, with warm tears, mourning the day when he would wander far from her across the main. And once again she spake to him with sad words, taking hold on his right hand, for lo! shame had left her gaze: «Remember the name of Medea, if haply thou return one day to thy home; so will I remember thee when thou art gone. And tell me this in kindness, where is thy home, where wilt thou fare from hence in thy ship across the sea? Wilt thou go haply nigh to rich Orchomenus, or may-be toward the Ææan isle? And tell me of the maid thou didst speak of, the far-famed daughter of Pasiphae, who is of my father's kindred.»

So spake she, and, as the maiden wept, love in his might stole o'er him as well, and thus he answered her, «Yea, verily, if I escape my fate, methinks I will never forget thee by night, nor yet by day, if indeed I shall escape scatheless to Achæa, and Æetes set not before us some other toil yet worse than this. But if it please thee to learn of my country, I will tell thee, for much doth my heart bid me myself as well. There is a land, ringed round with steep hills, rich withal in sheep and pasture, where Prometheus, son of Iapetus, begat goodly Deucalion, who was the first to found cities and build temples for the immortal gods, and the first too to lord it over men. Hæmonia, the folk who dwell around, do call that land. Therein is Iolchos itself, my city, and in it too are

199

τιμήεσσα γυναιξὶ καὶ ἀνδράσιν αἰδοίη τε
ἔσσεαι· οἱ δέ σε πάγχυ θεὸν ὣς πορσανέουσιν,
οὕνεκα τῶν μὲν παῖδες ὑπότροποι οἴκαδ' ἵκοντο
σῇ βουλῇ, τῶν δ' αὖτε κασίγνητοί τε ἔται τε
καὶ θαλεροὶ κακότητος ἄδην ἐσάωθεν ἀκοῖται.
ἡμέτερον δὲ λέχος θαλάμοις ἔνι κουριδίοισιν
πορσυνέεις· οὐδ' ἄμμε διακρινέει φιλότητος
ἄλλο, πάρος θάνατόν γε μεμορμένον ἀμφικαλύψαι.'
Ὣς φάτο· τῇ δ' ἔντοσθε κατείβετο θυμὸς ἀκουῇ,
ἔμπης δ' ἔργ' ἀίδηλα κατερρίγησεν ἰδέσθαι.
σχετλίη· οὐ μὲν δηρὸν ἀπαρνήσεσθαι ἔμελλεν
Ἑλλάδα ναιετάειν· ὣς γὰρ τόδε μήδετο Ἥρη,
ὄφρα κακὸν Πελίῃ ἱερὴν ἐς Ἰωλκὸν ἵκοιτο
Αἰαίη Μήδεια, λιποῦσ' ἄπο πατρίδα γαῖαν.
Ἤδη δ' ἀμφίπολοι μὲν ὀπιπτεύουσαι ἄπωθεν
σιγῇ ἀνιάζεσκον· ἐδεύετο δ' ἤματος ὥρη
ἂψ οἰκόνδε νέεσθαι ἑὴν μετὰ μητέρα κούρην.
ἡ δ' οὔπω κομιδῆς μιμνήσκετο, τέρπετο γάρ οἱ
θυμὸς ὁμῶς μορφῇ τε καὶ αἱμυλίοισι λόγοισιν,
εἰ μὴ ἄρ' Αἰσονίδης πεφυλαγμένος ὀψέ περ ηὔδα.
' Ὥρη ἀποβλώσκειν, μὴ πρὶν φάος ἠελίοιο
δύῃ ὑποφθάμενον, καί τις τὰ ἕκαστα νοήσῃ
ὀθνείων· αὖτις δ' ἀβολήσομεν ἐνθάδ' ἰόντες.'
Ὣς τώγ' ἀλλήλων ἀγανοῖς ἐπὶ τόσσον ἔπεσσιν
πείρηθεν· μετὰ δ' αὖτε διέτμαγεν. ἤτοι Ἰήσων
εἰς ἑτάρους καὶ νῆα κεχαρμένος ὦρτο νέεσθαι·
ἡ δὲ μετ' ἀμφιπόλους· αἱ δὲ σχεδὸν ἀντεβόλησαν
πᾶσαι ὁμοῦ· τὰς δ' οὔτι περιπλομένας ἐνόησεν.
ψυχὴ γὰρ νεφέεσσι μεταχρονίη πεπότητο.
αὐτομάτοις δὲ πόδεσσι θοῆς ἐπεβήσατ' ἀπήνης,
καὶ ῥ' ἑτέρῃ μὲν χειρὶ λάβ' ἡνία, τῇ δ' ἄρ' ἱμάσθλην
δαιδαλέην, οὐρῆας ἐλαυνέμεν· οἱ δὲ πόλινδε
θῦνον ἐπειγόμενοι ποτὶ δώματα. τὴν δ' ἄρ' ἰοῦσαν
Χαλκιόπη περὶ παισὶν ἀκηχεμένη ἐρέεινεν·
ἡ δὲ παλιντροπίῃσιν ἀμήχανος οὔτε τι μύθων
ἔκλυεν, οὔτ' αὐδῆσαι ἀνειρομένῃ λελίητο.
ἷζε δ' ἐπὶ χθαμαλῷ σφέλαϊ κλιντῆρος ἔνερθεν
λέχρις ἐρεισαμένη λαιῇ ἐπὶ χειρὶ παρειήν·
ὑγρὰ δ' ἐνὶ βλεφάροις ἔχεν ὄμματα, πορφύρουσα
οἷον ἑῇ κακὸν ἔργον ἐπιξυνώσατο βουλῇ.
Αἰσονίδης δ' ὅτε δὴ ἑτάροις ἐξαῦτις ἔμικτο
ἐν χώρῃ, ὅθι τούσγε καταπρολιπὼν ἐλιάσθη,
ὦρτ' ἰέναι σὺν τοῖσι, πιφαυσκόμενος τὰ ἕκαστα,
ἡρώων ἐς ὅμιλον· ὁμοῦ δ' ἐπὶ νῆα πέλασσαν.
οἱ δέ μιν ἀμφαγάπαζον, ὅπως ἴδον, ἔκ τ' ἐρέοντο.

many other cities, where men have not so much as heard
the name of the Æaean isle; there is, indeed a legend that
Minyas, of the race of Æolus, once started from thence
and founded the town of Orchomenus, that borders on the
Cadmeans. But why do I tell thee all these idle tales,
and of our home and of famous Ariadne, daughter of
Minos, for that was the glorious name men gave the
lovely maiden, of whom thou askest me? Would that, as
Minos was then well pleased with Theseus for her sake,
so too thy father might be at one with us!»

So spake he, caressing her with fond and tender
words. But grief, most bitter, stirred her heart, and in her
distress she hailed him with earnest speech: «It may be
that in Hellas these things are fair, to heed the ties of kin;
but Æetes is not such another amongst men, as thou sayest
Minos, the husband of Pasiphae, was; nor can I com-
pare with Ariadne; wherefore tell me nought of hospi-
tality. Only do thou, when thou comest to Iolchos, remem-
ber me; and I will remember thee even in spite of my
parents. And may there come to me from a far-off land
some voice, or some bird with tidings, when thou hast
forgotten me; or may the swift winds catch me up and
bear me hence across the sea to Iolchos, that I may
remind thee that thou didst escape by my aid, reproach-
ing thee to thy face! Would I might then sit me down
openly in thy halls!»

So spake she, shedding piteous tears adown her cheeks,
but Jason caught her up there and said: «God help thee,
lady! leave the winds to wander emptily, and that bird
too to bring thee tidings, for thy words are light as wind.
For if thou ever come to those abodes and the land of
Hellas, thou shalt have honour and respect amongst
men and women, and they shall reverence thee even as
a goddess, since their sons did return home again by thy
counsel, yea, and many a brother of theirs and kins-
man, and strong young husband was saved. And in our
bridal bower shalt thou make ready our couch, and
nought shall come 'twixt love and us, ere the doom of death
o'ershadow us.»

So spake he, and her heart within her melted as she
heard, and yet she shuddered at the thought of that dark
enterprise, poor maiden; but she was not long to refuse
a home in Hellas. For such was the mind of Hera, that
Æaean Medea should come to sacred Iolchos, to the bane
of Pelias, leaving her own country. But now were her

αὐτὰρ ὁ τοῖς πάντεσσι μετέννεπε δήνεα κούρης,
δεῖξέ τε φάρμακον αἰνόν· ὁ δ' οἰόθεν οἶος ἑταίρων
Ἴδας ἦστ' ἀπάνευθε δακὼν χόλον· οἱ δὲ δὴ ἄλλοι
γηθόσυνοι τῆμος μέν, ἐπεὶ κνέφας ἔργαθε νυκτός,
εὔκηλοι ἐμέλοντο περὶ σφίσιν. αὐτὰρ ἅμ' ἠοῖ
πέμπον ἐς Αἰήτην ἰέναι σπόρον αἰτήσοντας
ἄνδρε δύω, πρὸ μὲν αὐτὸν ἀρηίφιλον Τελαμῶνα,
σὺν δὲ καὶ Αἰθαλίδην, υἷα κλυτὸν Ἑρμείαο.
βὰν δ' ἴμεν, οὐδ' ἁλίωσαν ὁδόν· πόρε δέ σφιν ἰοῦσιν
κρείων Αἰήτης χαλεποὺς ἐς ἄεθλον ὀδόντας
Ἀονίοιο δράκοντος, ὃν Ὠγυγίῃ ἐνὶ Θήβῃ
Κάδμος, ὅτ' Εὐρώπην διζήμενος εἰσαφίκανεν,
πέφνεν Ἀρητιάδι κρήνῃ ἐπίουρον ἐόντα·
ἔνθα καὶ ἐννάσθη πομπῇ βοός, ἥν οἱ Ἀπόλλων
ὤπασε μαντοσύνῃσι προηγήτειραν ὁδοῖο.
τοὺς δὲ θεὰ Τριτωνὶς ὑπὲκ γενύων ἐλάσασα
Αἰήτῃ πόρε δῶρον ὁμῶς αὐτῷ τε φονῆι.
καί ῥ' ὁ μὲν Ἀονίοισιν ἐνισπείρας πεδίοισιν
Κάδμος Ἀγηνορίδης γαιηγενῆ εἵσατο λαόν,
Ἄρεος ἀμώοντος ὅσοι ὑπὸ δουρὶ λίποντο·
τοὺς δὲ τότ' Αἰήτης ἔπορεν μετὰ νῆα φέρεσθαι
προφρονέως, ἐπεὶ οὔ μιν ὀίσσατο πείρατ' ἀέθλου
ἐξανύσειν, εἰ καί περ ἐπὶ ζυγὰ βουσὶ βάλοιτο.
Ἠέλιος μὲν ἄπωθεν ἐρεμνὴν δύετο γαῖαν
ἑσπέριος, νεάτας ὑπὲρ ἄκριας Αἰθιοπήων·
Νὺξ δ' ἵπποισιν ἔβαλλεν ἔπι ζυγά· τοὶ δὲ χαμεύνας
ἔντυον ἥρωες παρὰ πείσμασιν. αὐτὰρ Ἰήσων
αὐτίκ' ἐπεὶ ῥ' Ἑλίκης εὐφεγγέος ἀστέρες Ἄρκτου
ἔκλιθεν, οὐρανόθεν δὲ πανεύκηλος γένετ' αἰθήρ,
βῆ ῥ' ἐς ἐρημαίην, κλωπήιος ἠύτε τις φώρ,
σὺν πᾶσιν χρήεσσι· πρὸ γάρ τ' ἀλέγυνεν ἕκαστα
ἠμάτιος· θῆλυν μὲν ὄιν, γάλα τ' ἔκτοθι ποίμνης
Ἄργος ἰὼν ἤνεικε· τὰ δ' ἐξ αὐτῆς ἕλε νηός.
ἀλλ' ὅτε δὴ ἴδε χῶρον, ὅτις πάτου ἔκτοθεν ἦεν
ἀνθρώπων, καθαρῇσιν ὑπεύδιος εἰαμενῇσιν,
ἔνθ' ἤτοι πάμπρωτα λοέσσατο μὲν ποταμοῖο
εὐαγέως θείοιο τέρεν δέμας· ἀμφὶ δὲ φᾶρος
ἕσσατο κυάνεον, τό ῥά οἱ πάρος ἐγγυάλιξεν
Λημνιὰς Ὑψιπύλη, ἀδινῆς μνημήιον εὐνῆς.
πήχυιον δ' ἄρ' ἔπειτα πέδῳ ἔνι βόθρον ὀρύξας
νήησε σχίζας, ἐπὶ δ' ἀρνειοῦ τάμε λαιμόν,
αὐτόν τ' εὖ καθύπερθε τανύσσατο· δαῖε δὲ φιτροὺς
πῦρ ὑπένερθεν ἱείς, ἐπὶ δὲ μιγάδας χέε λοιβάς,
Βριμὼ κικλήσκων Ἑκάτην ἐπαρωγὸν ἀέθλων.
καί ῥ' ὁ μὲν ἀγκαλέσας πάλιν ἔστιχεν· ἡ δ' ἀίουσα

202

handmaidens looking about for her silently at a distance much distressed, for the time of day demanded the maiden's return home to her mother. But she thought not yet of going, for her heart rejoiced both in his beauty and his flattering words : but the son of Æson, seeing that it was now late, did say, «'Tis time to depart, lest the sun sink before we know it, and some stranger get to know all ; yet will we meet again at this tryst.»

Thus far those twain made trial of each other with gentle words ; and then again they parted ; Jason hasting back in joy to his comrades and the ship, and she to her handmaids ; and they came nigh to meet her in a body, but she heeded them not as they gathered about her, for her soul had winged its flight to soar amid the clouds. With random steps she mounted the swift wain, and in one hand took the reins and in the other the carven whip to drive the mules withal, and they dashed swiftly cityward to her home. Now when she was come thither, Chalciope, in agony for her sons, did question her ; but she, at a loss through fear and doubt, heard never a word, and made no haste to answer her questions. But she sat her down on a low stool at the foot of the couch, leaning her cheek on her left hand, and her eyes were wet with tears, as she darkly pondered what an evil work she was sharing by her counsels.

But when the son of Æson was again come among his comrades in the place where he had left them when he went away, he started to go with them unto the gathering of the heroes, telling them each thing ; and together they drew nigh the ship. And the others did warmly greet him, when they saw him, and questioned him. And he amongst them all did tell the maiden's counsels, showing them the awful drug ; only one sat alone apart from his comrades, nursing his rage, even Idas ; but the rest in gladness, with peaceful hearts, were busying themselves the while about their beds, for dark night had stayed their hands. But at dawn sent they to Æetes two men, to ask him for the seed, first of all Telamon, great warrior, and with him Æthalides, Hermes' famous child. Forth on their way went they, nor was their journey in vain, for Æetes, the prince, gave them, at their coming, the fell teeth for the task of that Aonian dragon, which Cadmus slew in Ogygian Thebes at its post by the Aretian spring, what time he came thither in quest of Europa ; there he dwelt, guided thither by a cow, which Apollo vouchsafed

203

κευθμῶν ἐξ ὑπάτων δεινὴ θεὸς ἀντεβόλησεν
ἱροῖς Αἰσονίδαο· πέριξ δέ μιν ἐστεφάνωντο
σμερδαλέοι δρυΐνοισι μετὰ πτόρθοισι δράκοντες·
στράπτε δ' ἀπειρέσιον δαΐδων σέλας· ἀμφὶ δὲ τήνγε
ὀξείῃ ὑλακῇ χθόνιοι κύνες ἐφθέγγοντο.

πίσεα δ' ἔτρεμε πάντα κατὰ στίβον· αἱ δ' ὀλόλυξαν
νύμφαι ἑλειονόμοι ποταμηΐδες, αἳ περὶ κείνην
Φάσιδος εἰαμενὴν 'Αμαραντίου εἰλίσσονται.

Αἰσονίδην δ' ἤτοι μὲν ἕλεν δέος, ἀλλά μιν οὐδ' ὣς

ἐντροπαλιζόμενον πόδες ἔκφερον, ὄφρ' ἑτάροισιν
μίκτο κιών· ἤδη δὲ φόως νιφόεντος ὕπερθεν

Καυκάσου ἠριγενὴς 'Ηὼς βάλεν ἀντέλλουσα.
Καὶ τότ' ἄρ' Αἰήτης περὶ μὲν στήθεσσιν ἕεστο
θώρηκα στάδιον, τόν οἱ πόρεν ἐξεναρίξας
σφωιτέραις Φλεγραῖον "Αρης ὑπὸ χερσὶ Μίμαντα·
χρυσείην δ' ἐπὶ κρατὶ κόρυν θέτο τετραφάληρον,
λαμπομένην οἷόν τε περίτροχον ἔπλετο φέγγος

ἠελίου, ὅτε πρῶτον ἀνέρχεται 'Ωκεανοῖο.
ἂν δὲ πολύρρινον νῶμα σάκος, ἂν δὲ καὶ ἔγχος
δεινόν, ἀμαιμάκετον· τὸ μὲν οὔ κέ τις ἄλλος ὑπέστη
ἀνδρῶν ἡρώων, ὅτε κάλλιπον 'Ηρακλῆα
τῆλε παρέξ, ὃ κεν οἶος ἐναντίβιον πολέμιξεν.

τῷ δὲ καὶ ὠκυπόδων ἵππων εὐπηγέα δίφρον
ἔσχε πέλας Φαέθων ἐπιβήμεναι· ἂν δὲ καὶ αὐτὸς
βήσατο, ῥυτῆρας δὲ χεροῖν ἔχεν. ἐκ δὲ πόληος
ἤλασεν εὐρεῖαν κατ' ἀμαξιτόν, ὥς κεν ἀέθλῳ
παρσταίη· σὺν δέ σφιν ἀπείριτος ἔσσυτο λαός.

οἷος δ' 'Ίσθμιον εἶσι Ποσειδάων ἐς ἀγῶνα
ἅρμασιν ἐμβεβαώς, ἢ Ταίναρον, ἢ ὅγε Λέρνης
ὕδωρ, ἠὲ κατ' ἄλσος 'Υαντίου 'Ογχηστοῖο,
καί τε Καλαύρειαν μετὰ δῆθ' ἅμα νίσσεται ἵπποις,

πέτρην θ' Αἱμονίην, ἢ δενδρήεντα Γεραιστόν·
τοῖος ἄρ' Αἰήτης Κόλχων ἀγὸς ἦεν ἰδέσθαι.
Τόφρα δὲ Μηδείης ὑποθημοσύνῃσιν 'Ιήσων
φάρμακα μυδήνας ἠμὲν σάκος ἀμφεπάλυνεν

ἠδὲ δόρυ βριαρόν, περὶ δὲ ξίφος· ἀμφὶ δ' ἑταῖροι
πείρησαν τευχέων βεβιημένοι, οὐδ' ἐδύναντο
κεῖνο δόρυ γνάμψαι τυτθόν γέ περ, ἀλλὰ μάλ' αὔτως
ἀαγὲς κρατερῇσιν ἐνεσκλήκει παλάμῃσιν.

αὐτὰρ ὁ τοῖς ἄμοτον κοτέων 'Αφαρήιος 'Ίδας
κόψε παρ' οὐρίαχον μεγάλῳ ξίφει· ἆλτο δ' ἀκωκὴ
ῥαιστὴρ ἄκμονος ὥστε, παλιντυπές· οἱ δ' ὁμάδησαν
γηθόσυνοι ἥρωες ἐπ' ἐλπωρῇσιν ἀέθλου.
καὶ δ' αὐτὸς μετέπειτα παλύνετο· δῦ δέ μιν ἀλκὴ

σμερδαλέη ἄφατός τε καὶ ἄτρομος· αἱ δ' ἑκάτερθεν

to go before him on his way according to his oracle. These teeth the goddess Tritonis had drawn from the serpent's jaws, and given equally to Æetes and to Cadmus, who himself slew the monster. Now he, even Cadmus, son of Agenor, sowed his share upon the plains of Bœotia, and founded a race of earth-born men from the remnant left after the harvesting of Ares' spear; but the rest Æetes at that time readily gave them to bear unto the ship, for he never thought that Jason would make an end of his toil, even if he should cast the yoke upon the oxen.

Far in the west the sun was sinking beneath the dark earth, beyond the farthest hills of the Æthiopians; and night was yoking his steeds; so those heroes made ready their beds upon the ground by the hawsers. But Jason, soon as ever the stars of Helice, the bright Bear, did set, and all the firmament of heaven grew still, gat him to the wilderness, like some stealthy thief, with all that was needful, for by day had he taken thought for everything; and Argus went with him bringing a ewe and milk from the flock, which things he took from the ship itself. But when he saw a spot, far from the tread of man, in a clear water-mead beneath the open sky, then first of all he washed his tender body devoutly in the sacred river, and then put on a sable robe, which Hypsipyle of Lemnos erst gave him, in memory of many a night of love. Next he dug a hole in the ground, a cubit deep, and piled therein cleft wood, and cut the throat of the sheep and laid it carefully thereupon; then did he kindle the logs by putting fire under, and he poured upon the sacrifice mixed libations, calling Hecate by her name Brimo to help him in his toil. So then he called upon her and then stept back, and she, that awful goddess, heard him and came to the sacrifice of the son of Æson from the nethermost hell, and about her on the branches of the oaks twined gruesome snakes, and there was the flash of countless torches, and the dogs of hell howled loudly round her. About her path all the meadows quaked, and those nymphs, that haunt marshes and rivers, and flit about that water-meadow of the Amarantian Phasis, cried out. Yea, and fear took hold upon the son of Æson, but his feet brought him for all that without one glance backward, till he was amongst his comrades; and already Dawn, the child of morning, was rising above snow-capped Caucasus and shedding his light abroad.

In that hour Æetes buckled on his stiff breast-plate,

A
R
G
O
N
A
U
T
I
C
A

χεῖρες ἐπερρώσαντο περὶ σθένεϊ σφριγόωσαι.
ὡς δ' ὅτ' ἀρήιος ἵππος ἐελδόμενος πολέμοιο
σκαρθμῷ ἐπιχρεμέθων κρούει πέδον, αὐτὰρ ὕπερθεν
κυδιόων ὀρθοῖσιν ἐπ' οὔασιν αὐχέν' ἀείρει·
τοῖος ἄρ' Αἰσονίδης ἐπαγαίετο κάρτεϊ γυίων.
πολλὰ δ' ἄρ' ἔνθα καὶ ἔνθα μετάρσιον ἴχνος ἔπαλλεν,
ἀσπίδα χαλκείην μελίην τ' ἐν χερσὶ τινάσσων.
φαίης κε ζοφεροῖο κατ' αἰθέρος ἀίσσουσαν
χειμερίην στεροπὴν θαμινὸν μεταπαιφάσσεσθαι

206

which Ares gave him, after he had slain with his own hand Phlegræan Mimas; and on his head he put a golden helmet, with four plumes, blazing like the sun's round ball of light, when he first rises from ocean. In one hand he wielded a buckler of many hides, in the other a sword, dreadful, irresistible; that blade could none of the heroes have withstood, now that they had left Heracles far behind; he alone could have stood up to battle against it. And Phaethon held his shapely chariot with the fleet steeds nigh for him to mount; so he went up thereon and took the reins in his hands. Forth from the town he drave along the broad high-road, to take his station in the lists, and with him a countless throng hasted forth. Like as when Poseidon, mounted on his car, goeth to the Isthmian games, or to Tænarus, or cometh in his might to the waters of Lerna or through the grove of Hyantian Onchestus, and with his steeds he cometh even to Calaurea, and the Hæmonian rock, or to wooded Geræstum; such was Æetes, captain of the Colchians, for to behold.

Meantime Jason, by the advice of Medea, soaked the drug, and sprinkled his shield and weighty spear and his sword all over; and his comrades around him tested his harness with might and main; but they were not able to bend that spear ever so little, but it remained hard and unbroken as before in their stalwart hands. Then did Idas, that son of Aphareus, in furious anger, hack the butt end thereof with his mighty sword, but the edge leapt from it like a hammer from an anvil, beaten back, and the others, the heroes, cheered in their joy, with good hope for his emprise. Next did he sprinkle himself as well, and into him there entered fearful valiancy, marvellous, dauntless, and his hands on either side grew stronger, swelling with might. As when a war-horse, eager for the battle, leaps and neighs and paws the ground, and in his pride pricks up his ears and rears his neck; in like manner the son of Æson exulted in the strength of his limbs. And oft he sprang into the air, hither and thither, brandishing his shield of bronze and his ashen spear in his hands. Thou wouldst have thought 'twas lightning in winter-time, darting from the gloomy sky, and leaping, flash on flash, from out the clouds, what time they hurry in their wake the blackest storm.

Now would they hold back no longer from their enterprise, but, sitting them in rows upon the benches, very quickly they rowed to yon plain of Ares. Now it lay

ἐκ νεφέων, ὅτ' ἔπειτα μελάντατον ὄμβρον ἄγωνται.
καὶ τότ' ἔπειτ' οὐ δηρὸν ἔτι σχήσεσθαι ἀέθλων
μέλλον· ἀτὰρ κληῖσιν ἐπισχερὼ ἱδρυνθέντες
ῥίμφα μάλ' ἐς πεδίον τὸ 'Αρήιον ἠπείγοντο.

τόσσον δὲ προτέρω πέλεν ἄστεος ἀντιπέρηθεν,
ὅσσον τ' ἐκ βαλβῖδος ἐπήβολος ἅρματι νύσσα
γίγνεται, ὁππότ' ἄεθλα καταφθιμένοιο ἄνακτος
κηδεμόνες πεζοῖσι καὶ ἱππήεσσι τίθενται.
τέτμον δ' Αἰήτην τε καὶ ἄλλων ἔθνεα Κόλχων,

τοὺς μὲν Καυκασίοισιν ἐφεσταότας σκοπέλοισιν,
τὸν δ' αὐτοῦ παρὰ χεῖλος ἑλισσόμενον ποταμοῖο.
Αἰσονίδης δ', ὅτε δὴ πρυμνήσια δῆσαν ἑταῖροι,
δή ῥα τότε ξὺν δουρὶ καὶ ἀσπίδι βαῖν' ἐς ἄεθλον,

νηὸς ἀποπροθορών· ἄμυδις δ' ἕλε παμφανόωσαν
χαλκείην πήληκα θοῶν ἔμπλειον ὀδόντων
καὶ ξίφος ἀμφ' ὤμοις, γυμνὸς δέμας, ἄλλα μὲν Ἄρει
εἴκελος, ἄλλα δέ που χρυσαόρῳ 'Απόλλωνι.
παπτήνας δ' ἀνὰ νειὸν ἴδε ζυγὰ χάλκεα ταύρων

αὐτόγυόν τ' ἐπὶ τοῖς στιβαροῦ ἀδάμαντος ἄροτρον.
χρίμψε δ' ἔπειτα κιών, παρὰ δ' ὄβριμον ἔγχος ἔπηξεν
ὀρθὸν ἐπ' οὐριάχῳ, κυνέην δ' ἀποκάτθετ' ἐρείσας.
βῆ δ' αὐτῇ προτέρωσε σὺν ἀσπίδι νήριτα ταύρων

ἴχνια μαστεύων· οἱ δ' ἔκποθεν ἀφράστοιο
κευθμῶνος χθονίου, ἵνα τέ σφισιν ἔσκε βόαυλα
καρτερὰ λιγνυόεντι πέριξ εἰλυμένα καπνῷ,
ἄμφω ὁμοῦ προγένοντο πυρὸς σέλας ἀμπνείοντες.
ἔδδεισαν δ' ἥρωες, ὅπως ἴδον. αὐτὰρ ὁ τούσγε,

εὖ διαβάς, ἐπιόντας, ἅ τε σπιλὰς εἰν ἁλὶ πέτρη
μίμνει ἀπειρεσίῃσι δονεύμενα κύματ' ἀέλλαις.
πρόσθε δέ οἱ σάκος ἔσχεν ἐναντίον· οἱ δέ μιν ἄμφω
μυκηθμῷ κρατεροῖσιν ἐνέπληξαν κεράεσσιν·

οὐδ' ἄρα μιν τυτθόν περ ἀνώχλισαν ἀντιόωντες.
ὡς δ' ὅτ' ἐνὶ τρητοῖσιν ἐΰρρινοι χοάνοισιν
φῦσαι χαλκήων ὁτὲ μέν τ' ἀναμαρμαίρουσιν,
πῦρ ὀλοὸν πιμπρᾶσαι, ὅτ' αὖ λήγουσιν ἀϋτμῆς,
δεινὸς δ' ἐξ αὐτοῦ πέλεται βρόμος, ὁππότ' ἀΐξῃ

νειόθεν· ὣς ἄρα τώγε θοὴν φλόγα φυσιόωντες
ἐκ στομάτων ὁμάδευν, τὸν δ' ἄμφεπε δήιον αἶθος
βάλλον ἅ τε στεροπή· κούρης δέ ἑ φάρμακ' ἔρυτο.
καί ῥ' ὅγε δεξιτεροῖο βοὸς κέρας ἄκρον ἐρύσσας

εἷλκεν ἐπικρατέως παντὶ σθένει, ὄφρα πελάσσῃ
ζεύγλῃ χαλκείῃ, τὸν δ' ἐν χθονὶ κάββαλεν ὀκλάξ,
ῥίμφα ποδὶ κρούσας πόδα χάλκεον. ὣς δὲ καὶ ἄλλον
σφῆλεν γνὺξ ἐπιόντα, μιῇ βεβολημένον ὁρμῇ.

εὐρὺ δ' ἀποπροβαλὼν χαμάδις σάκος, ἔνθα καὶ ἔνθα

*over against the entrance to the town, as far therefrom
as is the turning-post, which a chariot must win, from
the starting-place, when at a prince's death his friends
appoint contests for footmen and horsemen. There found
they Æetes and hosts of other Colchians; these were sta-
tioned on the Caucasian rocks, but he beside the river's
winding bank.*

*Forth leapt the son of Æson from the ship, with spear
and shield, unto his task, so soon as his crew had fastened
the cables; and with him he took a gleaming bronze
helmet, full of the sharp teeth, and his sword slung about
his shoulders, with naked body, somewhat resembling
Ares, and haply somewhat Apollo with his sword of gold.
One glance he took along the lea, and saw the bulls'
brazen yoke and the plough, made of one piece of pon-
derous adamant, upon it. So he drew nigh, and fixed his
strong sword upright to the hilt hard by, and set the
helmet down resting against it. Then he set forward with
shield alone, tracking the countless traces of the bulls,
and they from some unseen den beneath the ground, where
were their strong stalls, all wrapt in smoke and flame,
rushed forth together, breathing flaming fire. Sore afraid
were the heroes at that sight; but he, firmly planting
himself, awaited their onset, as a reef of rock awaits the
billows driven against it by the countless blasts. And in
front he held his shield to meet them; and they together
bellowing, smote thereon with their strong horns; yet they
heft him up never a jot by their attack. As when the good
leathern bellows of braziers now send forth a jet of flame
through the holes in the smelting pot, kindling a consum-
ing fire, and now again do cease their blast, while an
awful roar goeth up therefrom, when it darts up from
below; even so those two bulls did bellow as they breathed
from their mouths the rushing fire, and all about Jason
ran the consuming flame, striking him like lightning;
but the maiden's spells protected him. Then did he catch
the ox on his right hand by the top of his horn, and
dragged him with all his might and main, till he was near
the brazen yoke, and then he threw him down upon the
ground on his knees with one quick kick against his
brazen hoof. In like manner he tripped the other on his
knees as he charged, smitten with one stroke. And he
cast from him his broad shield on the earth, and kept
those oxen twain where they were fallen on their knees,
stepping from side to side, now here, now there, rushing*

τῇ καὶ τῇ βεβαὼς ἄμφω ἔχε πεπτηῶτας
γούνασιν ἐν προτέροισι, διὰ φλογὸς εἶθαρ ἐλυσθείς.
θαύμασε δ' Αἰήτης σθένος ἀνέρος. οἱ δ' ἄρα τείως
Τυνδαρίδαι—δὴ γάρ σφι πάλαι προπεφραδμένον ἦεν—
ἀγχίμολον ζυγά οἱ πεδόθεν δόσαν ἀμφιβαλέσθαι.
αὐτὰρ ὁ εὖ ἐνέδησε λόφους· μεσσηγὺ δ' ἀείρας
χάλκεον ἱστοβοῆα, θοῇ συνάρασσε κορώνῃ
ζεύγληθεν. καὶ τὼ μὲν ὑπὲκ πυρὸς ἂψ ἐπὶ νῆα
χαζέσθην. ὁ δ' ἄρ' αὖτις ἑλὼν σάκος ἔνθετο νώτῳ
ἐξόπιθεν, καὶ γέντο θοῶν ἔμπλειον ὀδόντων
πήληκα βριαρὴν δόρυ τ' ἄσχετον, ᾧ ῥ' ὑπὸ μέσσας
ἐργατίνης ὥς τίς τε Πελασγίδι νύσσεν ἀκαίνῃ
οὐτάζων λαγόνας· μάλα δ' ἔμπεδον εὖ ἀραρυῖαν
τυκτὴν ἐξ ἀδάμαντος ἐπιθύνεσκεν ἐχέτλην.
οἱ δ' εἵως μὲν δὴ περιώσια θυμαίνεσκον,
λάβρον ἐπιπνείοντε πυρὸς σέλας· ὦρτο δ' ἀϋτμὴ
ἠΰτε βυκτάων ἀνέμων βρόμος, οὕς τε μάλιστα
δειδιότες μέγα λαῖφος ἁλίπλοοι ἐστείλαντο.
δηρὸν δ' οὐ μετέπειτα κελευόμενοι ὑπὸ δουρὶ
ἤϊσαν· ὀκριόεσσα δ' ἐρείκετο νειὸς ὀπίσσω,
σχιζομένη ταύρων τε βίῃ κρατερῷ τ' ἀροτῆρι.
δεινὸν δ' ἐσμαράγευν ἄμυδις κατὰ ὦλκας ἀρότρου
βώλακες ἀγνύμεναι ἀνδραχθέες· εἵπετο δ' αὐτὸς
λαῖον ἐπὶ στιβαρῷ πιέσας ποδί· τῆλε δ' ἑοῖο
βάλλεν ἀρηρομένην αἰεὶ κατὰ βῶλον ὀδόντας
ἐντροπαλιζόμενος, μή οἱ πάρος ἀντιάσειεν
γηγενέων ἀνδρῶν ὀλοὸς στάχυς· οἱ δ' ἄρ' ἐπιπρὸ
χαλκείῃς χηλῇσιν ἐρειδόμενοι πονέοντο.
ἦμος δὲ τρίτατον λάχος ἤματος ἀνομένοιο
λείπεται ἐξ ἠοῦς, καλέουσι δὲ κεκμηῶτες
ἐργατίναι γλυκερόν σφιν ἄφαρ βουλυτὸν ἱκέσθαι,
τῆμος ἀρήροτο νειὸς ὑπ' ἀκαμάτῳ ἀροτῆρι,
τετράγυός περ ἐοῦσα· βοῶν τ' ἀπελύετ' ἄροτρα.
καὶ τοὺς μὲν πεδίονδε διεπτοίησε φέβεσθαι·
αὐτὰρ ὁ ἂψ ἐπὶ νῆα πάλιν κίεν, ὄφρ' ἔτι κεινὰς
γηγενέων ἀνδρῶν ἴδεν αὔλακας. ἀμφὶ δ' ἑταῖροι
θάρσυνον μύθοισιν. ὁ δ' ἐκ ποταμοῖο ῥοάων
αὐτῇ ἀφυσσάμενος κυνέῃ σβέσεν ὕδατι δίψαν·
γνάμψε δὲ γούνατ' ἐλαφρά, μέγαν δ' ἐμπλήσατο θυμὸν
ἀλκῆς, μαιμώων συῒ εἴκελος, ὅς ῥά τ' ὀδόντας
θήγει θηρευτῇσιν ἐπ' ἀνδράσιν, ἀμφὶ δὲ πολλὸς
ἀφρὸς ἀπὸ στόματος χαμάδις ῥέε χωομένοιο.
οἱ δ' ἤδη κατὰ πᾶσαν ἀνασταχύεσκον ἄρουραν
γηγενέες· φρίξεν δὲ περὶ στιβαροῖς σακέεσσιν
δούρασί τ' ἀμφιγύοις κορύθεσσί τε λαμπομένῃσιν

headlong through the flame. But Æetes marvelled at the might of the man. Meantime those sons of Tyndarus,— for so had it been long before ordained for them,—came near, and gave him the yoke from off the ground to cast about them. And he bound it carefully upon their necks, and lifting the brazen pole between them, made fast its pointed tip unto the yoke. Then those twain started back from the fire toward the ship; but he once more took up his shield, and slung it on his back behind, and grasped the weighty helmet, full of sharp teeth, and his resistless spear, wherewith, like some labourer with a Pelasgian goad, he pricked them, thrusting beneath their flanks; and with a firm hand he guided the shapely plough-handle, fashioned of adamant. But the bulls, the while, were exceeding wroth, breathing against him furious flaming fire; and their breath was as the roar of blustering winds, in fear of which sea-faring folk do mostly furl their wide sail.

But yet a little while, and they started in obedience to the spear, and the grim fallow was cleft behind them, broken up by the might of the bulls and the strong plough-man. Terribly groaned the clods withal along the furrows of the plough as they were broken, each a man's burden; and he followed, pressing down the left stilt with heavy tread, while far from him he was casting the teeth along the clods as each was tilled, with many a backward glance, lest the fell crop of earth-born men should rise against him ere he was done; and on toiled those oxen, treading with their brazen hoofs. Now when the third part of day, as it waned from dawn, was still left, when swinked labourers call the sweet unyoking hour to come to them at once, in that hour the lea was finished ploughing by the tireless ploughman, for all it was four plough-gates; and he loosed the plough from the oxen, and scared them in flight o'er the plain. Then went he again unto the ship, while yet he saw the furrows free of the earth-born men. And he drew of the river's stream in his helmet, and quenched his thirst with water; and he bent his knees to supple them, and filled his mighty soul with courage, eager as a wild boar, that whets his tusks against the hunters, while from his angry mouth the foam runs in great flakes to the ground. Lo! now were those earth-born men springing up o'er all the tilth, and the acre of Ares the death-dealer was all bristling with mighty shields and twy-pointed spears and gleaming helmets; and the

Ἄρηος τέμενος φθισιμβρότου· ἵκετο δ' αἴγλη
νειόθεν Οὔλυμπόνδε δι' ἠέρος ἀστράπτουσα.
ὡς δ' ὁπότ' ἐς γαῖαν πολέος νιφετοῖο πεσόντος
ἂψ ἀπὸ χειμερίας νεφέλας ἐκέδασσαν ἄελλαι
λυγαίῃ ὑπὸ νυκτί, τὰ δ' ἀθρόα πάντ' ἐφαάνθη
τείρεα λαμπετόωντα διὰ κνέφας· ὣς ἄρα τοίγε
λάμπον ἀναλδήσκοντες ὑπὲρ χθονός. αὐτὰρ Ἰήσων
μνήσατο Μηδείης πολυκερδέος ἐννεσιάων,
λάζετο δ' ἐκ πεδίοιο μέγαν περιηγέα πέτρον,
δεινὸν Ἐνυαλίου σόλον Ἄρεος· οὔ κέ μιν ἄνδρες
αἰζηοὶ πίσυρες γαίης ἄπο τυτθὸν ἄειραν.
τόν ῥ' ἀνὰ χεῖρα λαβὼν μάλα τηλόθεν ἔμβαλε μέσσοις
ἀίξας· αὐτὸς δ' ὑφ' ἑὸν σάκος ἕζετο λάθρῃ
θαρσαλέως. Κόλχοι δὲ μέγ' ἴαχον, ὡς ὅτε πόντος
ἴαχεν ὀξείῃσιν ἐπιβρομέων σπιλάδεσσιν·
τὸν δ' ἕλεν ἀμφασίῃ ῥιπῇ στιβαροῖο σόλοιο
Αἰήτην. οἱ δ' ὥστε θοοὶ κύνες ἀμφιθορόντες
ἀλλήλους βρυχηδὸν ἐδήιον· οἱ δ' ἐπὶ γαῖαν
μητέρα πῖπτον ἑοῖς ὑπὸ δούρασιν, ἠύτε πεῦκαι
ἢ δρύες, ἅς τ' ἀνέμοιο κατάικες δονέουσιν.
οἷος δ' οὐρανόθεν πυρόεις ἀναπάλλεται ἀστὴρ
ὁλκὸν ὑπαυγάζων, τέρας ἀνδράσιν, οἵ μιν ἴδωνται
μαρμαρυγῇ σκοτίοιο δι' ἠέρος ἀίξαντα·
τοῖος ἄρ' Αἴσονος υἱὸς ἐπέσσυτο γηγενέεσσιν,
γυμνὸν δ' ἐκ κολεοῖο φέρε ξίφος, οὖτα δὲ μίγδην
ἀμώων, πολέας μὲν ἔτ' ἐς νηδὺν λαγόνας τε
ἡμίσεας ἀνέχοντας ἐς ἠέρα· τοὺς δὲ καὶ ἄχρις
† ὤμων † τελλομένους· τοὺς δὲ νέον ἑστηῶτας,
τοὺς δ' ἤδη καὶ ποσσὶν ἐπειγομένους ἐς ἄρηα.
ὡς δ' ὁπότ', ἀμφ' οὔροισιν ἐγειρομένου πολέμοιο,
δείσας γειομόρος, μή οἱ προτάμωνται ἀρούρας,
ἅρπην εὐκαμπῆ νεοθηγέα χερσὶ μεμαρπὼς
ὠμὸν ἐπισπεύδων κείρει στάχυν, οὐδὲ βολῇσιν
μίμνει ἐς ὡραίην τερσήμεναι ἠελίοιο·
ὣς τότε γηγενέων κεῖρε στάχυν· αἵματι δ' ὁλκοὶ
ἠύτε κρηναῖαι ἀμάραι πλήθοντο ῥοῇσιν.
πῖπτον δ', οἱ μὲν ὀδὰξ τετρηχότα βῶλον † ὀδοῦσιν †
λαζόμενοι πρηνεῖς, οἱ δ' ἔμπαλιν, οἱ δ' ἐπ' ἀγοστῷ
καὶ πλευροῖς, κήτεσσι δομὴν ἀτάλαντοι ἰδέσθαι.
πολλοὶ δ' οὐτάμενοι, πρὶν ὑπὸ χθονὸς ἴχνος ἀεῖραι,
ὅσσον ἄνω προύτυψαν ἐς ἠέρα, τόσσον ἔραζε
βριθόμενοι πλαδαροῖσι καρήασιν ἠρήρειντο.
ἔρνεά που τοίως, Διὸς ἄσπετον ὀμβρήσαντος,
φυταλιῇ νεόθρεπτα κατημύουσιν ἔραζε
κλασθέντα ῥίζηθεν, ἀλωήων πόνος ἀνδρῶν·

212

sheen thereof went flashing through the air from earth beneath to Olympus. As when, in the murk of night, after a heavy storm of snow hath fallen on the earth, the winds do scatter the wintry clouds once more, and all the heavenly signs at once are seen shining through the gloom; even so those warriors shone as they grew up above the earth. But Jason remembered the counsel of crafty Medea, and caught up from the plain a great round rock, a fearful quoit for Ares the War-god; four strong men could not have stirred it ever so little from the ground. This did he take in his hand, and threw it very far into their midst with one swing, while himself did boldly couch beneath his shield. And the Colchians gave a mighty cry, like the cry of the sea when it roars on jagged rocks, but on the king Æetes came dumb dismay at the hurtling of that mighty quoit. Then did they like sharp-toothed dogs leap upon it, and with loud yells did rend each other; and they were falling on their mother earth 'neath their own spears, like pines or oaks, which sudden gusts of wind do shake. Like as when a fiery meteor shoots from heaven, with a trail of light behind, a marvel to mankind, whoso see it dart and flash through the darkling air; in such wise rushed the son of Æson on the earth-born men, and he bared his sword from the scabbard, and smote them, mowing them down one upon another, many in the belly and flanks as they were but half risen to the air, and some in the legs as they were rising, others just standing upright, and some as they were even now hastening to the fray. As when some yeoman, when a war hath broken out upon his boundaries, fearful lest men will ravage his fields, seizes in his hand a curved sickle, newly-sharpened, and hastes to cut his crop unripe, nor waiteth for it to ripen in its season by the beams of the sun; even so did he then cut the crop of earth-born men, and so the furrows were filled with blood, as the channels of a spring are filled with water. There they fell; some on their faces, biting with their teeth the rough clods; some upon their backs; others on the palms of their hands and sides; like sea-monsters in shape to behold. And many wounded, or ever they had stept forth from the earth, bowed their damp brows to the ground and rested there, as much of them as had emerged to the air above. Even so shoots newly-planted in an orchard do droop to the ground, snapped from their roots, when Zeus sendeth a torrent of rain, a toil to gardening

τὸν δὲ κατηφείη τε καὶ οὐλοὸν ἄλγος ἱκάνει
κλήρου σημαντῆρα φυτοτρόφον· ὡς τότ' ἄνακτος
Αἰήταο βαρεῖαι ὑπὸ φρένας ἦλθον ἀνῖαι.
ἤιε δ' ἐς πτολίεθρον ὑπότροπος ἄμμιγα Κόλχοις,
πορφύρων. ᾗ κέ σφι θοώτερον ἀντιόωτο.
ἦμαρ ἔδυ, καὶ τῷ τετελεσμένος ἦεν ἄεθλος.

*folk; and heavy grief and bitter sorrow cometh on him
who owns the plot of ground and tends the plants. So then
o'er the heart of king Æetes stole heavy grief. And he
gat him homeward to his town together with his Colchians,
musing darkly how he might most quickly meet them.
And daylight died, and Jason's toil was ended.*

ΒΙΒΛΙΟΝ ΤΕΤΑΡΤΟΝ

BOOK FOUR

Αὐτὴ νῦν κάματόν γε, θεά, καὶ δήνεα κούρης
Κολχίδος ἔννεπε, Μοῦσα, Διὸς τέκος. ἦ γὰρ ἔμοιγε
ἀμφασίη νόος ἔνδον ἑλίσσεται ὁρμαίνοντι,
ἠέ μιν ἄτης πῆμα δυσίμερον, ἦ τόγ᾽ ἐνίσπω
φύζαν ἀεικελίην, ᾗ κάλλιπεν ἔθνεα Κόλχων.
Ἤτοι ὁ μὲν δήμοιο μετ᾽ ἀνδράσιν, ὅσσοι ἄριστοι,
παννύχιος δόλον αἰπὺν ἐπὶ σφίσι μητιάασκεν
οἷσιν ἐνὶ μεγάροις, στυγερῷ ἐπὶ θυμὸν ἀέθλῳ
Αἰήτης ἄμοτον κεχολωμένος· οὐδ᾽ ὅγε πάμπαν
θυγατέρων τάδε νόσφιν ἑῶν τελέεσθαι ἐώλπει.
Τῇ δ᾽ ἀλεγεινότατον κραδίῃ φόβον ἔμβαλεν Ἥρη·
τρέσσεν δ᾽, ἠύτε τις κούφη κεμάς, ἥν τε βαθείης
τάρφεσιν ἐν ξυλόχοιο κυνῶν ἐφόβησεν ὁμοκλή.
αὐτίκα γὰρ νημερτὲς ὀίσσατο, μή μιν ἀρωγὴν
ληθέμεν, αἶψα δὲ πᾶσαν ἀναπλήσειν κακότητα.
τάρβει δ᾽ ἀμφιπόλους ἐπιίστορας· ἐν δέ οἱ ὄσσε
πλῆτο πυρός, δεινὸν δὲ περιβρομέεσκον ἀκουαί.
πυκνὰ δὲ λαυκανίης ἐπεμάσσατο, πυκνὰ δὲ κουρὶξ
ἑλκομένη πλοκάμους γοερῇ βρυχήσατ᾽ ἀνίῃ.
καί νύ κεν αὐτοῦ τῆμος ὑπὲρ μόρον ὤλετο κούρη,
φάρμακα πασσαμένη, Ἥρης δ᾽ ἁλίωσε μενοινάς,
εἰ μή μιν Φρίξοιο θεὰ σὺν παισὶ φέβεσθαι
ὦρσεν ἀτυζομένην· πτερόεις δέ οἱ ἐν φρεσὶ θυμὸς
ἰάνθη· μετὰ δ᾽ ἧγε παλίσσυτος ἀθρόα κόλπων
φάρμακα πάντ᾽ ἄμυδις κατεχεύατο φωριαμοῖο.

218

*Now tell, O Muse, child of Zeus, in thine own words,
the toil and plans of the Colchian maiden. For verily
my mind within me is swayed perplexedly, as I ponder
thereon, whether I am to say, 'twas the sad outcome of
bitter infatuation or unseemly panic, that made her leave
the tribes of the Colchians.*

*Æetes, of a truth, amongst the chosen captains of his
people was devising sheer treachery against the heroes all
night in his halls, in wild fury at the sorry ending of the
contest; and he was very sure, that angry sire, that these
things were not being accomplished without the aid of
his own daughters.*

*But upon Medea's heart Hera cast most grievous fear,
and she trembled, like some nimble fawn, which the bark-
ing of hounds hath frighted in the thickets of a deep wood-
land. For anon she thought, that of a surety her help
would never escape her father's eye, and right soon would
she fill up her cup of bitterness. And she terrified her
handmaids, who were privy thereto; and her eyes were
full of fire, and in her ears there rang a fearful sound;
and oft would she clutch at her throat, and oft tear the
hair upon her head and groan in sore anguish. Yea,
and in that hour would the maid have overleapt her
doom and died of a poisoned cup, bringing to nought the
plans of Hera; but the goddess drove her in panic to*

219

κύσσε δ' ἑόν τε λέχος καὶ δικλίδας ἀμφοτέρωθεν
σταθμούς, καὶ τοίχων ἐπαφήσατο, χερσί τε μακρὸν
ῥηξαμένη πλόκαμον, θαλάμῳ μνημήια μητρὶ
κάλλιπε παρθενίης, ἀδινῇ δ' ὀλοφύρατο φωνῇ·
'Τόνδε τοι ἀντ' ἐμέθεν ταναὸν πλόκον εἶμι λιποῦσα,
μῆτερ ἐμή· χαίροις δὲ καὶ ἄνδιχα πολλὸν ἰούσῃ·
χαίροις Χαλκιόπη, καὶ πᾶς δόμος. αἴθε σε πόντος,
ξεῖνε, διέρραισεν, πρὶν Κολχίδα γαῖαν ἱκέσθαι.'
Ὥς ἄρ' ἔφη· βλεφάρων δὲ κατ' ἀθρόα δάκρυα χεῦεν.
οἵη δ' ἀφνειοῖο διειλυσθεῖσα δόμοιο
ληιάς, ἥν τε νέον πάτρης ἀπενόσφισεν αἶσα,
οὐδέ νύ πω μογεροῖο πεπείρηται καμάτοιο,
ἀλλ' ἔτ' ἀηθέσσουσα δύης καὶ δούλια ἔργα
εἶσιν ἀτυζομένη χαλεπὰς ὑπὸ χεῖρας ἀνάσσης·
τοίη ἄρ' ἱμερόεσσα δόμων ἐξέσσυτο κούρη.
τῇ δὲ καὶ αὐτόματοι θυρέων ὑπόειξαν ὀχῆες,
ὠκείαις ἄψορροι ἀναθρώσκοντες ἀοιδαῖς.
γυμνοῖσιν δὲ πόδεσσιν ἀνὰ στεινὰς θέεν οἴμους,
λαιῇ μὲν χερὶ πέπλον ἐπ' ὀφρύσιν ἀμφὶ μέτωπα
στειλαμένη καὶ καλὰ παρήια, δεξιτερῇ δὲ
ἄκρην ὑψόθι πέζαν ἀερτάζουσα χιτῶνος.
καρπαλίμως δ' ἀίδηλον ἀνὰ στίβον ἔκτοθι πύργων
ἄστεος εὐρυχόροιο φόβῳ ἵκετ'· οὐδέ τις ἔγνω
τήνγε φυλακτήρων, λάθε δέ σφεας ὁρμηθεῖσα.
ἔνθεν ἴμεν νηόνδε μάλ' ἐφράσατ'· οὐ γὰρ ἄιδρις
ἦεν ὁδῶν, θαμὰ καὶ πρὶν ἀλωμένη ἀμφί τε νεκροὺς,
ἀμφί τε δυσπαλέας ῥίζας χθονός, οἷα γυναῖκες
φαρμακίδες· τρομερῷ δ' ὑπὸ δείματι πάλλετο θυμός.
τὴν δὲ νέον Τιτηνὶς ἀνερχομένη περάτηθεν
φοιταλέην ἐσιδοῦσα θεὰ ἐπεχήρατο Μήνη
ἁρπαλέως, καὶ τοῖα μετὰ φρεσὶν ᾗσιν ἔειπεν·
'Οὐκ ἄρ' ἐγὼ μούνη μετὰ Λάτμιον ἄντρον ἀλύσκω,
οὐδ' οἴη καλῷ περιδαίομαι Ἐνδυμίωνι·
ἦ θαμὰ δὴ καὶ σεῖο κίον δολίῃσιν ἀοιδαῖς,
μνησαμένη φιλότητος, ἵνα σκοτίῃ ἐνὶ νυκτὶ
φαρμάσσῃς εὔκηλος, ἅ τοι φίλα ἔργα τέτυκται.
νῦν δὲ καὶ αὐτὴ δῆθεν ὁμοίης ἔμμορες ἄτης·
δῶκε δ' ἀνιηρόν τοι Ἰήσονα πῆμα γενέσθαι
δαίμων ἀλγινόεις. ἀλλ' ἔρχεο, τέτλαθι δ' ἔμπης,
καὶ πινυτή περ ἐοῦσα, πολύστονον ἄλγος ἀείρειν.'
Ὥς ἄρ' ἔφη· τὴν δ' αἶψα πόδες φέρον ἐγκονέουσαν.
ἀσπασίως δ' ἄχθησιν ἐπηέρθη ποταμοῖο,
ἀντιπέρην λεύσσουσα πυρὸς σέλας, ὅ ῥά τ' ἀέθλου
παννύχιοι ἥρωες ἐυφροσύνῃσιν ἔδαιον.
ὀξείῃ δήπειτα διὰ κνέφας ὄρθια φωνῇ

fly with the sons of Phrixus. And her fluttering heart was comforted within her. So she in eager haste poured from the casket all her drugs at once into the folds of her bosom. And she kissed her bed and the posts of the doors on either side, and stroked the walls fondly, and with her hand cut off one long tress and left it in her chamber, a memorial of her girlish days for her mother; then with a voice all choked with sobs she wept aloud, «Ah, mother mine! I leave thee here this one long tress instead of me, and go; so take this last farewell as I go far from hence; farewell Chalciope, farewell to all my home! Would that the sea had dashed thee, stranger, in pieces, or ever thou didst reach the Colchian land!»

So spake she, and from her eyes poured forth a flood of tears. Even as a captive maid stealeth forth from a wealthy house, one whom fate hath lately reft from her country, and as yet knoweth she nought of grievous toil, but a stranger to misery and slavish tasks, she cometh in terror 'neath the cruel hands of a mistress; like her the lovely maiden stole forth swiftly from her home. And the bolts of the doors yielded of their own accord to her touch, springing back at her hurried spells. With bare feet she sped along the narrow paths, drawing her robe with her left hand over her brows to veil her face and fair cheeks, while with her right hand she lifted up the hem of her garment. Swiftly along the unseen track she came in her terror outside the towers of the spacious town, and none of the guard marked her, for she sped on and they knew it not. Then marked she well her way unto the temple, for she was not ignorant of the paths, having wandered thither oft aforetime in quest of corpses and the noxious roots of the earth, as a sorceress must; yet did her heart quake with fear and trembling. Now Titania, goddess of the moon, as she sailed up the distant sky, caught sight of that maid distraught, and savagely she exulted o'er her in words like these, «So I am not the only one to wander to the cave on Latmos; not I alone burn with love for fair Endymion! How oft have I gone hence before thy cunning spells, with thoughts of love, that thou mightest work in peace, in the pitchy night, the sorceries so dear to thee. And now, I trow, hast thou too found a like sad fate, and some god of sorrow hath given thee thy Jason for a very troublous grief. Well, go thy way; yet steel thy heart to take up her load of bitter woe, for all thy understanding.»

ὁπλότατον Φρίξοιο περαιόθεν ἦπυε παίδων,
Φρόντιν· ὁ δὲ ξὺν ἑοῖσι κασιγνήτοις ὄπα κούρης
αὐτῷ τ' Αἰσονίδῃ τεκμήρατο· σῖγα δ' ἑταῖροι
θάμβεον, εὖτ' ἐνόησαν ὃ δὴ καὶ ἐτήτυμον ἦεν.
τρὶς μὲν ἀνήυσεν, τρὶς δ' ὀτρύνοντος ὁμίλου
Φρόντις ἀμοιβήδην ἀντίαχεν· οἱ δ' ἄρα τείως
ἥρωες μετὰ τήνγε θοοῖς ἐλάασκον ἐρετμοῖς.
οὔπω πείσματα νηὸς ἐπ' ἠπείροιο περαίης
βάλλον, ὁ δὲ κραιπνοὺς χέρσῳ πόδας ἧκεν Ἰήσων
ὑψοῦ ἀπ' ἰκριόφιν· μετὰ δὲ Φρόντις τε καὶ Ἄργος,
υἷε δύω Φρίξου, χαμάδις θόρον· ἡ δ' ἄρα τούσγε
γούνων ἀμφοτέρῃσι περισχομένη προσέειπεν·
'Ἔκ με, φίλοι, ῥύσασθε δυσάμμορον, ὣς δὲ καὶ αὐτοὺς
ὑμέας Αἰήταο, πρὸ γάρ τ' ἀναφανδὰ τέτυκται
πάντα μάλ', οὐδέ τι μῆχος ἱκάνεται. ἀλλ' ἐπὶ νηὶ
φεύγωμεν, πρὶν τόνδε θοῶν ἐπιβήμεναι ἵππων.
δώσω δὲ χρύσειον ἐγὼ δέρος, εὐνήσασα
φρουρὸν ὄφιν· τύνη δὲ θεοὺς ἐνὶ σοῖσιν ἑταίροις,
ξεῖνε, τεῶν μύθων ἐπιίστορας, οὕς μοι ὑπέστης,
ποίησαι· μηδ' ἔνθεν ἑκαστέρω ὁρμηθεῖσαν
χήτεϊ κηδεμόνων ὀνοτὴν καὶ ἀεικέα θείης.'
Ἴσκεν ἀκηχεμένη· μέγα δὲ φρένες Αἰσονίδαο
γήθεον· αἶψα δέ μιν περὶ γούνασι πεπτηυῖαν
ἧκ' ἀναειρόμενος προσπτύξατο, θάρσυνέν τε·
'Δαιμονίη, Ζεὺς αὐτὸς Ὀλύμπιος ὅρκιος ἔστω,
Ἥρη τε Ζυγίη, Διὸς εὐνέτις, ἦ μὲν ἐμοῖσιν
κουριδίην σε δόμοισιν ἐνιστήσεσθαι ἄκοιτιν,
εὖτ' ἂν ἐς Ἑλλάδα γαῖαν ἱκώμεθα νοστήσαντες.'
Ὣς ηὔδα, καὶ χεῖρα παρασχεδὸν ἤραρε χειρὶ
δεξιτερήν· ἡ δέ σφιν ἐς ἱερὸν ἄλσος ἀνώγει
νῆα θοὴν ἐλάαν αὐτοσχεδόν, ὄφρ' ἔτι νύκτωρ
κῶας ἑλόντες ἄγοιντο παρὲκ νόον Αἰήταο.
ἔνθ' ἔπος ἠδὲ καὶ ἔργον ὁμοῦ πέλεν ἐσσυμένοισιν.
εἰς γάρ μιν βήσαντες, ἀπὸ χθονὸς αὐτίκ' ἔωσαν
νῆα· πολὺς δ' ὀρυμαγδὸς ἐπειγομένων ἐλάτῃσιν
ἦεν ἀριστήων· ἡ δ' ἔμπαλιν ἀίσσουσα
γαίῃ χεῖρας ἔτεινεν ἀμήχανος. αὐτὰρ Ἰήσων
θάρσυνέν τ' ἐπέεσσι, καὶ ἴσχανεν ἀσχαλόωσαν.
Ἦμος δ' ἀνέρες ὕπνον ἀπ' ὀφθαλμῶν ἐβάλοντο
ἀγρόται, οἵ τε κύνεσσι πεποιθότες οὔποτε νύκτα
ἄγχαυρον κνώσσουσιν, ἀλευάμενοι φάος ἠοῦς,
μὴ πρὶν ἀμαλδύνῃ θηρῶν στίβον ἠδὲ καὶ ὀδμὴν
θηρείην λευκῇσιν ἐνισκίμψασα βολῇσιν·
τῆμος ἄρ' Αἰσονίδης κούρη τ' ἀπὸ νηὸς ἔβησαν
ποιήεντ' ἀνὰ χῶρον, ἵνα κριοῦ καλέονται

*So spake she; but her feet bare that other hasting on
her way. Right glad was she to climb the river's high
banks, and see before her the blazing fire, which all night
long the heroes kept up in joy for the issue of the enter-
prise. Then through the gloom, with piercing voice, she
called aloud to Phrontis, youngest of the sons of Phrixus,
from the further bank; and he, with his brethren and the
son of Æson too, deemed it was his sister's voice, and the
crew marvelled silently, when they knew what it really
was. Thrice she lifted up her voice, and thrice at the bid-
ding of his company cried Phrontis in answer to her;
and those heroes the while rowed swiftly over to fetch
her. Not yet would they cast the ship's hawsers on the
mainland, but the hero Jason leapt quickly ashore from
the deck above, and with him Phrontis and Argus, two
sons of Phrixus, also sprang to land; then did she clasp
them by the knees with both her hands, and spake: «Save
me, friends, me most miserable, aye, and yourselves as
well from Æetes. For ere now all is discovered, and
no remedy cometh. Nay, let us fly aboard the ship, be-
fore he mount his swift horses. And I will give you
the golden fleece, when I have lulled the guardian snake
to rest; but thou, stranger, now amongst thy comrades
take heaven to witness to the promises thou didst make
me, and make me not to go away from hence in scorn
and shame, for want of friends.»*

*So spake she in her sore distress, and the heart of the
son of Æson was very glad; at once he gently raised her
up, where she was fallen at his knees, and took her in his
arms and comforted her, «God help thee, lady! Be Zeus of
Olympus himself witness of mine oath, and Hera, queen
of marriage, bride of Zeus, that I will of a truth establish
thee as my wedded wife in my house, when we are come
on our return to the land of Hellas.»*

*So spake he, and therewith clasped her right hand in
his own. Then bade she them row the swift ship with all
speed unto the sacred grove, that they might take the fleece
and bear it away against the will of Æetes, while yet it
was night. Without delay deeds followed words; for they
made her embark, and at once thrust out the ship from
the shore; and loud was the din, as the heroes strained
at their oars. But she, starting back, stretched her hands
wildly to the shore; but Jason cheered her with words, and
stayed her in her sore grief.*

In the hour when huntsmen were shaking sleep from

εὐναί, ὅθι πρῶτον κεκμηότα γούνατ' ἔκαμψεν,
νώτοισιν φορέων Μινυήιον υἷ' Ἀθάμαντος.
ἐγγύθι δ' αἰθαλόεντα πέλεν βωμοῖο θέμεθλα,
ὅν ῥά ποτ' Αἰολίδης Διὶ Φυξίῳ εἴσατο Φρίξος,
ῥέζων κεῖνο τέρας παγχρύσεον, ὥς οἱ ἔειπε
Ἑρμείας πρόφρων ξυμβλήμενος. ἔνθ' ἄρα τούσγε
Ἄργου φραδμοσύνῃσιν ἀριστῆες μεθέηκαν.
τὼ δὲ δι' ἀτραπιτοῖο μεθ' ἱερὸν ἄλσος ἵκοντο,
φηγὸν ἀπειρεσίην διζημένω, ᾗ ἔπι κῶας
βέβλητο, νεφέλῃ ἐναλίγκιον, ἥ τ' ἀνιόντος
ἠελίου φλογερῇσιν ἐρεύθεται ἀκτίνεσσιν.
αὐτὰρ ὁ ἀντικρὺ περιμήκεα τείνετο δειρὴν
ὀξὺς ἀύπνοισιν προϊδὼν ὄφις ὀφθαλμοῖσιν
νισσομένους, ῥοίζει δὲ πελώριον· ἀμφὶ δὲ μακραὶ
ἠιόνες ποταμοῖο καὶ ἄσπετον ἴαχεν ἄλσος.
ἔκλυον οἳ καὶ πολλὸν ἑκὰς Τιτηνίδος Αἴης
Κολχίδα γῆν ἐνέμοντο παρὰ προχοῇσι Λύκοιο,
ὅς τ' ἀποκιδνάμενος ποταμοῦ κελάδοντος Ἀράξεω
Φάσιδι συμφέρεται ἱερὸν ῥόον· οἱ δὲ σύναμφω
Καυκασίην ἅλαδ' εἰς ἓν ἐλαυνόμενοι προχέουσιν.
δείματι δ' ἐξέγροντο λεχωίδες, ἀμφὶ δὲ παισὶν
νηπιάχοις, οἵ τέ σφιν ὑπ' ἀγκαλίδεσσιν ἴαυον,
ῥοίζῳ παλλομένοις χεῖρας βάλον ἀσχαλόωσαι.
ὡς δ' ὅτε τυφομένης ὕλης ὕπερ αἰθαλόεσσαι
καπνοῖο στροφάλιγγες ἀπείριτοι εἰλίσσονται,
ἄλλη δ' αἶψ' ἑτέρῃ ἐπιτέλλεται αἰὲν ἐπιπρὸ
νειόθεν εἰλίγγοισιν ἐπήορος ἐξανιοῦσα·
ὣς τότε κεῖνο πέλωρον ἀπειρεσίας ἐλέλιξεν
ῥυμβόνας ἀζαλέῃσιν ἐπηρεφέας φολίδεσσιν.
τοῖο δ' ἑλισσομένοιο κατ' ὄμματα νίσσετο κούρη,
Ὕπνον ἀοσσητῆρα, θεῶν ὕπατον, καλέουσα
ἡδείῃ ἐνοπῇ, θέλξαι τέρας· αὖε δ' ἄνασσαν
νυκτιπόλον, χθονίην, εὐαντέα δοῦναι ἐφορμήν.
εἵπετο δ' Αἰσονίδης πεφοβημένος, αὐτὰρ ὅγ' ἤδη
οἴμῃ θελγόμενος δολιχὴν ἀνελύετ' ἄκανθαν
γηγενέος σπείρης, μήκυνε δὲ μυρία κύκλα,
οἷον ὅτε βληχροῖσι κυλινδόμενον πελάγεσσιν
κῦμα μέλαν κωφόν τε καὶ ἄβρομον· ἀλλὰ καὶ ἔμπης
ὑψοῦ σμερδαλέην κεφαλὴν μενέαινεν ἀείρας
ἀμφοτέρους ὀλοῇσι περιπτύξαι γενύεσσιν.
ἡ δέ μιν ἀρκεύθοιο νέον τετμηότι θαλλῷ
βάπτουσ' ἐκ κυκεῶνος ἀκήρατα φάρμακ' ἀοιδαῖς,
ῥαῖνε κατ' ὀφθαλμῶν· περί τ' ἀμφί τε νήριτος ὀδμὴ
φαρμάκου ὕπνον ἔβαλλε· γένυν δ' αὐτῇ ἐνὶ χώρῃ
θῆκεν ἐρεισάμενος· τὰ δ' ἀπείρονα πολλὸν ὀπίσσω

224

their eyes, men who trust unto their hounds and never sleep away the end part of the night, but shun the light of dawn, lest it smite them too soon with its clear beams, and efface the track and scent of the game; in that hour the son of Æson and the maiden stept from the ship into a grassy spot, called «the Ram's couch,» the spot where first he rested his weary knees from bearing on his back the Minyan son of Athamas. Nigh thereto are the foundations of an altar, smirched with soot, which on a day Phrixus, son of Æolus, did build to Zeus, who aideth fugitives, offering that strange creature with his fleece of gold, even as Hermes had bidden, when of his good will he met him. There it was that the heroes set them down by the counsel of Argus. So they twain went along the path to the sacred grove, in quest of the wondrous oak, whereon the fleece was hung, resting there like a cloud that turns to red in the fiery beams of the rising sun. But right in their way that serpent with his keen sleepless eyes, stretched out his long neck, when he saw them coming, and horribly he hissed, so that the long banks of the river and the grove echoed strangely all around. Even they heard it, who dwelt in the Colchian land very far from Titanian Æa by the mouth of the Lycus, that stream that parteth from the roaring river Araxes, and brings his sacred flood to join the Phasis; and they twain flow on together and pour into the Caucasian sea. And women in their travail arose in terror, and cast their arms in agony about their new-born babes, who cried in their mothers' arms, trembling at the serpent's hiss. As when, above smouldering wood, countless sooty eddies of smoke do whirl, and one upon another rises ever upward from below, hovering aloft in wreaths; so then that monster writhed his endless coils, covered with hard dry scales. But, as he writhed, the maiden came in sight, calling with sweet voice Sleep, highest of gods, to her aid, to charm the fearsome beast; and she called on the queen of the nether world, who roams by night, to grant her a favourable enterprise. And the son of Æson followed in fear. But lo! that snake, charmed by her voice, loosened the giant coil of his long spine, and stretched out his countless folds, like a dark wave, dumb and noiseless, rolling o'er a sluggish sea; but yet he held his gruesome head on high, eager to seize them both in his deadly jaws; but the maiden dipt a spray of juniper just cut in her thick broth, and sprinkled charms unmixed upon his eyes,

225

κύκλα πολυπρέμνοιο διὲξ ὕλης τετάνυστο.
ἔνθα δ' ὁ μὲν χρύσειον ἀπὸ δρυὸς αἴνυτο κῶας,
κούρης κεκλομένης· ἡ δ' ἔμπεδον ἑστηυῖα
φαρμάκῳ ἔψηχεν θηρὸς κάρη, εἰσόκε δή μιν
αὐτὸς ἑὴν ἐπὶ νῆα παλιντροπάασθαι Ἰήσων
ἤνωγεν, λεῖπεν δὲ πολύσκιον ἄλσος Ἄρηος.
ὡς δὲ σεληναίην διχομήνιδα παρθένος αἴγλην
ὑψόθεν ἐξανέχουσαν ὑπωροφίου θαλάμοιο
λεπταλέῳ ἑανῷ ὑποΐσχεται· ἐν δέ οἱ ἦτορ
χαίρει δερκομένης καλὸν σέλας· ὣς τότ' Ἰήσων
γηθόσυνος μέγα κῶας ἑαῖς ἐναείρατο χερσίν·
καί οἱ ἐπὶ ξανθῇσι παρηΐσιν ἠδὲ μετώπῳ
μαρμαρυγῇ ληνέων φλογὶ εἴκελον ἷζεν ἔρευθος.
ὅσση δὲ ῥινὸς βοὸς ἤνιος ἢ ἐλάφοιο
γίγνεται, ἥν τ' ἀγρῶσται ἀχαινέην καλέουσιν,
τόσσον ἔην πάντη χρύσεον ἐφύπερθεν ἄωτον.
βεβρίθει λήνεσσιν ἐπηρεφές· ἤλιθα δὲ χθὼν
αἰὲν ὑποπρὸ ποδῶν ἀμαρύσσετο νισσομένοιο.
ἤιε δ' ἄλλοτε μὲν λαιῷ ἐπιειμένος ὤμῳ

226

chanting the while; and all around him the potent smell of the drug shed slumber, and he let his jaw sink down upon that spot, and far behind him through the trunks of the wood his endless coils were stretched. Then did Jason take the golden fleece from the oak, at the maiden's bidding; while she stood staunchly by him and rubbed the beast's head with her drug, until the voice of Jason bade her turn and come unto the ship, for he was leaving the dusky grove of Ares. As a maiden catches on her fine-wrought robe the rays of the moon at her full, when she soareth above the high-roofed chamber, and her heart within her rejoices at the sight of the lovely light; so then was Jason glad, as he lifted the great fleece in his hands, and o'er his sun-burnt cheeks and brow there settled a flush as of flame from the flashing of the fleece; as is the hide of a yearling ox, or of a hind which hunters call a brocket, even such was the skin of the fleece, all covered with gold and heavy with wool; and the ground sparkled exceedingly before his feet as he went. On strode he with it thrown now over his left shoulder, and hanging from his neck above down to his feet, and now again would he gather it up in his hands; for he feared exceedingly, lest some god or man should meet him and take it from him.

Dawn was spreading o'er the earth, when they came unto their company; and the young men were astonied at sight of the great fleece, flashing like the lightning of Zeus. And each man was eager to touch it and take it in his hands. But the son of Æson checked them all, and o'er it cast a new-made robe; then he took and set the maiden on the stern, and thus spake amongst them all: «No longer, friends, shrink now from faring homeward. For now is the need accomplished easily by the plans of the maiden, for which we dared this grievous voyage in toil and sorrow. Her of her own free will I will bear to my home to be my wedded wife; and do ye protect her, for that she was a ready champion of all Achæa and of you. For surely, an I think aright, Æetes will come to stop us with an armed throng from getting sea-ward from out the river. So one half of you throughout the ship row at the oars, seated man by man, while the other half hold up your oxhide shields before them, a ready defence against the darts of the enemy, and fight ye for our return. For now, my friends, we hold in our hands our children and our country and our aged parents; and the fate of Hellas

227

αὐχένος ἐξ ὑπάτοιο ποδηνεκές, ἄλλοτε δ᾽ αὖτε
εἴλει ἀφασσόμενος· περὶ γὰρ δίεν, ὄφρα ἑ μή τις
ἀνδρῶν ἠὲ θεῶν νοσφίσσεται ἀντιβολήσας.
Ἠὼς μὲν ῥ᾽ ἐπὶ γαῖαν ἐκίδνατο, τοὶ δ᾽ ἐς ὅμιλον
ἷξον· θάμβησαν δὲ νέοι μέγα κῶας ἰδόντες
λαμπόμενον στεροπῇ ἴκελον Διός. ὦρτο δ᾽ ἕκαστος
ψαῦσαι ἐελδόμενος δέχθαι τ᾽ ἐνὶ χερσὶν ἑῇσιν.
Αἰσονίδης δ᾽ ἄλλους μὲν ἐρήτυε, τῷ δ᾽ ἐπὶ φᾶρος
κάββαλε νηγάτεον· πρύμνῃ δ᾽ ἐνεείσατο κούρην
ἀνθέμενος, καὶ τοῖον ἔπος μετὰ πᾶσιν ἔειπεν·
‘Μηκέτι νῦν χάζεσθε, φίλοι, πάτρηνδε νέεσθαι.
ἤδη γὰρ χρειώ, τῆς εἵνεκα τήνδ᾽ ἀλεγεινὴν
ναυτιλίην ἔτλημεν ὀιζύι μοχθίζοντες,
εὐπαλέως κούρης ὑπὸ δήνεσι κεκράανται.
τὴν μὲν ἐγὼν ἐθέλουσαν ἀνάξομαι οἴκαδ᾽ ἄκοιτιν
κουριδίην· ἀτὰρ ὕμμες Ἀχαιίδος οἷά τε πάσης
αὐτῶν θ᾽ ὑμείων ἐσθλὴν ἐπαρωγὸν ἐοῦσαν
σώετε. δὴ γάρ που, μάλ᾽ ὀίομαι, εἶσιν ἐρύξων
Αἰήτης ὁμάδῳ πόντονδ᾽ ἴμεν ἐκ ποταμοῖο.
ἀλλ᾽ οἱ μὲν διὰ νηός, ἀμοιβαδὶς ἀνέρος ἀνὴρ
ἑζόμενος, πηδοῖσιν ἐρέσσετε· τοὶ δὲ βοείας
ἀσπίδας ἡμίσεες, δήων θοὸν ἕρμα βολάων,
προσχόμενοι νόστῳ ἐπαμύνετε. νῦν δ᾽ ἐνὶ χερσὶν
παῖδας ἑοὺς πάτρην τε φίλην, γεραρούς τε τοκῆας
ἴσχομεν· ἡμετέρῃ δ᾽ ἐπερείδεται Ἑλλὰς ἐφορμῇ,
ἠὲ κατηφείην, ἢ καὶ μέγα κῦδος ἀρέσθαι.’
Ὣς φάτο, δῦνε δὲ τεύχε᾽ ἀρήια· τοὶ δ᾽ ἰάχησαν
θεσπέσιον μεμαῶτες. ὁ δὲ ξίφος ἐκ κολεοῖο
σπασσάμενος πρυμναῖα νεὼς ἀπὸ πείσματ᾽ ἔκοψεν.
ἄγχι δὲ παρθενικῆς κεκορυθμένος ἰθυντῆρι
Ἀγκαίῳ παρέβασκεν· ἐπείγετο δ᾽ εἰρεσίῃ νηῦς
σπερχομένων ἄμοτον ποταμοῦ ἄφαρ ἐκτὸς ἐλάσσαι.
Ἤδη δ᾽ Αἰήτῃ ὑπερήνορι πᾶσί τε Κόλχοις
Μηδείης περίπυστος ἔρως καὶ ἔργ᾽ ἐτέτυκτο.
ἐς δ᾽ ἀγορὴν ἀγέροντ᾽ ἐνὶ τεύχεσιν· ὅσσα δὲ πόντου
κύματα χειμερίοιο κορύσσεται ἐξ ἀνέμοιο,
ἢ ὅσα φύλλα χαμᾶζε περικλαδέος πέσεν ὕλης
φυλλοχόῳ ἐνὶ μηνί—τίς ἂν τάδε τεκμήραιτο;—
ὣς οἱ ἀπειρέσιοι ποταμοῦ παρεμέτρεον ὄχθας,
κλαγγῇ μαιμώοντες· ὁ δ᾽ εὐτύκτῳ ἐνὶ δίφρῳ
Αἰήτης ἵπποισι μετέπρεπεν, οὕς οἱ ὄπασσεν
Ἠέλιος, πνοιῇσιν ἐειδομένους ἀνέμοιο,
σκαιῇ μέν ῥ᾽ ἐνὶ χειρὶ σάκος δινωτὸν ἀείρων,
τῇ δ᾽ ἑτέρῃ πεύκην περιμήκεα· πὰρ δέ οἱ ἔγχος
ἀντικρὺ τετάνυστο πελώριον. ἡνία δ᾽ ἵππων

228

hangeth on our enterprise, to win deep shame or haply great renown.»

So spake he, and did on his harness of war; and they cried aloud, filled with a strange desire. But he drew his sword from the scabbard and cut the stern-cables of the ship, and nigh to the maiden he set himself to fight by he pilot Ancæus, with his helmet on his head; then on sped the ship, as they hasted to row her ever onward and clear of the river.

But now was Medea's love and her work known to proud Æetes and to all the Colchians, and they gathered to the assembly in their harness. Countless as the waves, that raise their crests before the wind on a stormy sea, or as the leaves, that fall to earth through the wood with its thick branches in the month when leaves are shed, and who shall tell their number? in such countless throngs they flocked along the river-banks, with eager cries; but their king Æetes towered o'er all with his steeds in his shapely car, those steeds which Helios did give him, swift as the breath of the wind; in his left hand he held his round shield, and in the other a long pine-torch, and his huge sword was ready drawn before him, and Absyrtus grasped the reins of the horses. But the ship was cleaving her way out to sea already, driven on by the stout rowers and the downward current of the mighty river. Then the king in sore distress raised his hands and called on Helios and Zeus to witness their evil deeds; and forthwith uttered he fearful threats against all his people, if they should not bring the maiden with their own hands, either upon shore or finding the ship on the swell of the open sea, that he might sate his eager soul with vengeance for all these things, while they should know and endure in their own persons all his fury and all his revenge.

So spake Æetes, and on the self-same day the Colchians launched their ships and put the tackling in them, and the self-same day sailed out to sea; thou wouldst not have thought it was a fleet of ships so much as a vast flight of birds, screaming o'er the sea in flocks.

Swift blew the wind by the counsels of the goddess Hera, that so Æxan Medea might come most quickly to the Pelasgian land to plague the house of Pelias; and on the third day at dawn they bound the cables of the ship to the cliffs of the Paphlagones, at the mouth of the river Halys; for Medea bade them go ashore and appease Hecate with sacrifice. Now that which the maiden did pre-

229

γέντο χεροῖν Ἄψυρτος. ὑπεκπρὸ δὲ πόντον ἔταμνεν
νηῦς ἤδη κρατεροῖσιν ἐπειγομένη ἐρέτῃσιν,
καὶ μεγάλου ποταμοῖο καταβλώσκοντι ῥεέθρῳ.
αὐτὰρ ἄναξ ἄτῃ πολυπήμονι χεῖρας ἀείρας
Ἠέλιον καὶ Ζῆνα κακῶν ἐπιμάρτυρας ἔργων
κέκλετο· δεινὰ δὲ παντὶ παρασχεδὸν ἤπυε λαῷ,
εἰ μή οἱ κούρην αὐτάγρετον, ἢ ἀνὰ γαῖαν,
ἢ πλωτῆς εὑρόντες ἔτ᾽ εἰν ἁλὸς οἴδματι νῆα,
ἄξουσιν, καὶ θυμὸν ἐνιπλήσει μενεαίνων
τίσασθαι τάδε πάντα, δαήσονται κεφαλῇσιν
πάντα χόλον καὶ πᾶσαν ἑὴν ὑποδέγμενοι ἄτην.
Ὣς ἔφατ᾽ Αἰήτης· αὐτῷ δ᾽ ἐνὶ ἤματι Κόλχοι
νῆάς τ᾽ εἰρύσσαντο, καὶ ἄρμενα νηυσὶ βάλοντο,
αὐτῷ δ᾽ ἤματι πόντον ἀνήιον· οὐδέ κε φαίης
τόσσον νηίτην στόλον ἔμμεναι, ἀλλ᾽ οἰωνῶν
ἰλαδὸν ἄσπετον ἔθνος ἐπιβρομέειν πελάγεσσιν.
Οἱ δ᾽ ἀνέμου λαιψηρὰ θεᾶς βουλῇσιν ἀέντος
Ἥρης, ὄφρ᾽ ὤκιστα κακὸν Πελίαο δόμοισιν
Αἰαίη Μήδεια Πελασγίδα γαῖαν ἵκηται,
ἠοῖ ἐνὶ τριτάτῃ πρυμνήσια νηὸς ἔδησαν
Παφλαγόνων ἀκτῇσι, πάροιθ᾽ Ἅλυος ποταμοῖο.
ἡ γάρ σφ᾽ ἐξαποβάντας ἀρέσσασθαι θυέεσσιν
ἠνώγει Ἑκάτην. καὶ δὴ τὰ μέν, ὅσσα θυηλὴν
κούρη πορσανέουσα τιτύσκετο, μήτε τις ἴστωρ
εἴη, μήτ᾽ ἐμὲ θυμὸς ἐποτρύνειεν ἀείδειν.
ἄζομαι αὐδῆσαι· τό γε μὴν ἔδος ἐξέτι κείνου,
ὅ ῥα θεᾷ ἥρωες ἐπὶ ῥηγμῖσιν ἔδειμαν,
ἀνδράσιν ὀψιγόνοισι μένει καὶ τῆμος ἰδέσθαι.
Αὐτίκα δ᾽ Αἰσονίδης ἐμνήσατο, σὺν δὲ καὶ ὧλλοι
ἥρωες, Φινῆος, ὃ δὴ πλόον ἄλλον ἔειπεν
ἐξ Αἴης ἔσσεσθαι· ἀνώιστος δ᾽ ἐτέτυκτο
πᾶσιν ὁμῶς. Ἄργος δὲ λιλαιομένοις ἀγόρευσεν·
Νισσόμεθ᾽ Ὀρχομενὸν τὴν ἔχραεν ὔμμι περῆσαι
νημερτὴς ὅδε μάντις, ὅτῳ ξυνέβητε πάροιθεν.
ἔστιν γὰρ πλόος ἄλλος, ὃν ἀθανάτων ἱερῆες
πέφραδον, οἳ Θήβης Τριτωνίδος ἐκγεγάασιν.
οὔπω τείρεα πάντα, τά τ᾽ οὐρανῷ εἰλίσσονται,
οὐδέ τί πω Δαναῶν ἱερὸν γένος ἦεν ἀκοῦσαι
πευθομένοις· οἶοι δ᾽ ἔσαν Ἀρκάδες Ἀπιδανῆες,
Ἀρκάδες, οἳ καὶ πρόσθε σεληναίης ὑδέονται
ζώειν, φηγὸν ἔδοντες ἐν οὔρεσιν· οὐδὲ Πελασγὶς
χθὼν τότε κυδαλίμοισιν ἀνάσσετο Δευκαλίδῃσιν,
ἦμος ὅτ᾽ Ἠερίη πολυλήιος ἐκλήιστο,
μήτηρ Αἴγυπτος προτερηγενέων αἰζηῶν,
καὶ ποταμὸς Τρίτων ἠύρροος, ᾧ ὕπο πᾶσα

pare and offer in sacrifice, let no man know, nor let my heart urge me to sing thereof. I shudder to utter it. Verily that altar which the heroes builded on the strand unto the goddess, abideth from that day forth until now, for men of later days to see.

Anon the son of Æson minded him of Phineus, and likewise did the other heroes, how that he told them they should find a different course from Æa, but his meaning was hidden from them all. But to their eager ears did Argus make harangue: «Let us now to Orchomenus, whither that unerring seer, whom ye met aforetime, foretold that ye would come. For there is another course, well known unto the priests of the immortal gods, who are sprung from Tritonian Thebe. While as yet the stars, which wheel in the firmament, were not; nor yet was any sacred race of Danai to be heard of, but only Apidanean Arcadians, those Arcadians who are said to have lived before ever the moon was, feeding on acorns in the hills; nor as yet was the Pelasgian land ruled by the famed sons of Deucalion; in the days when Egypt, mother of primeval men, was called the rich land of the morning, with that Tritonian river of seven streams, whereby all that land of the morning is watered; for no rain from Zeus doth wet the soil, and yet do crops spring up abundantly at the river's mouth. Yea, and they tell how a man went forth from thence upon his travels through all Europe and Asia, trusting in the might and strength of his people and in his own courage; and, as he went, he founded many a town, some whereof men haply still inhabit, and some maybe no longer; for many a long age hath passed since then.

But Æa still abides steadfast, and the children of those men, whom that king did plant therein to dwell there; these men preserve writings of their fathers, graved upon pillars, whereon are all the ways and limits of sea and dry land, far and wide, for those who come thither. Now there is a river, farthest branch of Ocean, broad and very deep for e'en a merchant ship to pass thereon; they call it Ister, and far away they have traced it on their chart; for a while it cleaveth through the boundless tilth in one solitary stream, for its springs roar and seethe far away beyond the north wind's breath in the Rhipæan mountains.

But when it enters the boundaries of Thrace and Scythia, thenceforth in two streams it pours one half

231

ἄρδεται Ἠερίῃ· Διόθεν δέ μιν οὔποτε δεύει
ὄμβρος· ἅλις προχοῇσι δ' ἀνασταχύουσιν ἄρουραι.
ἔνθεν δή τινά φασι πέριξ διὰ πᾶσαν ὁδεῦσαι
Εὐρώπην Ἀσίην τε βίῃ καὶ κάρτεϊ λαῶν
σφωιτέρων θάρσει τε πεποιθότα· μυρία δ' ἄστη
νάσσατ' ἐποιχόμενος, τὰ μὲν ἤ ποθι ναιετάουσιν,
ἠὲ καὶ οὔ· πουλὺς γὰρ ἄδην ἐπενήνοθεν αἰών.
Αἶά γε μὴν ἔτι νῦν μένει ἔμπεδον υἱωνοί τε
τῶνδ' ἀνδρῶν, οὓς ὅσγε καθίσσατο ναιέμεν Αἶαν,
οἳ δή τοι γραπτῦς πατέρων ἔθεν εἰρύονται,
κύρβιας, οἷς ἔνι πᾶσαι ὁδοὶ καὶ πείρατ' ἔασιν
ὑγρῆς τε τραφερῆς τε πέριξ ἐπινισσομένοισιν.
ἔστι δέ τις ποταμός, ὕπατον κέρας Ὠκεανοῖο,
εὐρύς τε προβαθύς τε καὶ ὁλκάδι νηὶ περῆσαι·
Ἴστρον μιν καλέοντες ἑκὰς διετεκμήραντο
ὃς δή τοι τείως μὲν ἀπείρονα τέμνετ' ἄρουραν
εἷς οἶος· πηγαὶ γὰρ ὑπὲρ πνοιῆς βορέαο
Ῥιπαίοις ἐν ὄρεσσιν ἀπόπροθι μορμύρουσιν.
ἀλλ' ὁπόταν Θρῃκῶν Σκυθέων τ' ἐπιβήσεται οὔρους,
ἔνθα διχῇ τὸ μὲν ἔνθα μετ' † Ἰονίην † ἅλα βάλλει
τῇδ' ὕδωρ, τὸ δ' ὄπισθε βαθὺν διὰ κόλπον ἵησιν
σχιζόμενος πόντου Τρινακρίου εἰσανέχοντα,
γαίῃ ὃς ὑμετέρῃ παρακέκλιται, εἰ ἐτεὸν δὴ
ὑμετέρης γαίης Ἀχελώιος ἐξανίησιν.'
Ὣς ἄρ' ἔφη· τοῖσιν δὲ θεὰ τέρας ἐγγυάλιξεν
αἴσιον, ᾧ καὶ πάντες ἐπευφήμησαν ἰδόντες,
στέλλεσθαι τήνδ' οἶμον. ἐπιπρὸ γὰρ ὁλκὸς ἐτύχθη
οὐρανίης ἀκτῖνος, ὅπῃ καὶ ἀμεύσιμον ἦεν.
γηθόσυνοι δὲ Λύκοιο καταυτόθι παῖδα λιπόντες
λαίφεσι πεπταμένοισιν ὑπεὶρ ἅλα ναυτίλλοντο,
οὔρεα Παφλαγόνων θηεύμενοι. οὐδὲ Κάραμβιν
γνάμψαν, ἐπεὶ πνοιαί τε καὶ οὐρανίου πυρὸς αἴγλη
μεῖνεν, ἕως Ἴστροιο μέγαν ῥόον εἰσαφίκοντο.
Κόλχοι δ' αὖτ' ἄλλοι μέν, ἐτώσια μαστεύοντες,
Κυανέας Πόντοιο διὲκ πέτρας ἐπέρησαν·
ἄλλοι δ' αὖ ποταμὸν μετεκίαθον, οἷσιν ἄνασσεν
Ἄψυρτος, Καλὸν δὲ διὰ στόμα πεῖρε λιασθείς.
τῷ καὶ ὑπέφθη τούσγε βαλὼν ὕπερ αὐχένα γαίης
κόλπον ἔσω πόντοιο πανέσχατον Ἰονίοιο.
Ἴστρῳ γάρ τις νῆσος ἐέργεται οὔνομα Πεύκη,
τριγλώχιν, εὖρος μὲν ἐς αἰγιαλοὺς ἀνέχουσα,
στεινὸν δ' αὖτ' ἀγκῶνα ποτὶ ῥόον· ἀμφὶ δὲ δοιαὶ
σχίζονται προχοαί. τὴν μὲν καλέουσι Νάρηκος·
τὴν δ' ὑπὸ τῇ νεάτῃ, Καλὸν στόμα. τῇ δὲ διαπρὸ
Ἄψυρτος Κόλχοι τε θοώτερον ὡρμήθησαν·

232

*its waters by one channel into the Ionian sea, while the
residue it sends, after the division, through a deep bay
that openeth into the Trinacrian sea, which lieth along
your coast, if in very truth the Achelous flows forth from
your land.»*

*So spake he; and the goddess vouchsafed them a lucky
sign, at sight whereof all gave glory to her, that this was
their appointed path. For before them went a trail of heav-
enly radiance, where they might pass. So there they left
the son of Lycus, and sailed in gladness of heart across
the sea, with canvas set, their eyes upon the hills of the
Paphlagones. But they did not round Carambis, for the
winds and the blaze of heavenly fire abode with them,
till they entered Ister's mighty stream.*

*Now some of the Colchians, after a vain search, had
sailed through the Cyanean rocks into Pontus, while others
had made for the river under the command of Absyrtus,
and he had withdrawn a space and entered the «fair
mouth.» So he had just anchored before them beyond
a neck of land inside the furthest bay of the Ionian sea; for
Ister floweth round an island by name Peuce, trian-
gular in shape, with its base unto the sea shore, and a
narrow angle toward the river's stream; around it the river
branches into two channels. One they call the mouth of
Narex, the other below the bottom of the island, call
they the «fair mouth»; and here it was that Absyrtus and
his Colchians put in and anchored in haste; while the
heroes sailed further up-stream to the top of the island.
And in the water-meads the shepherds of the country left
good store of sheep, in fear of the ships, for they thought
them monsters coming forth from the teeming deep. For
they had never seen sea-faring ships anywhere before,
nor yet had the Scythians, who are mixed with the Thra-
cians, nor the Sigynni, nor yet the Graucenni, nor the Lin-
di who dwell next to these on the great Laurian steppes.*

*Now when they had passed by the mountain of An-
churus and the rock of Cauliacus, a little space from that
mountain, round which the Ister parts in twain and rolls
his full tide this way and that, and past that Laurian plain;
then did the Colchians go forth into the Cronian sea, and
cut off all the routes that they might not escape them. But
the heroes reached the river after them, and passed close
to the two Brygean isles of Artemis, where on the one was
a sacred building, and on the other they did land, being
ware of the host of Absyrtus; for the Colchians had left*

233

οἱ δ' ὑψοῦ νήσοιο κατ' ἀκροτάτης ἐνέοντο
τηλόθεν. εἰαμενῇσι δ' ἐν ἄσπετα πώεα λεῖπον
ποιμένες ἄγραυλοι νηῶν φόβῳ, οἷά τε θῆρας
ὀσσόμενοι πόντου μεγακήτεος ἐξανιόντας.
οὐ γάρ πω ἁλίας γε πάρος ποθὶ νῆας ἴδοντο,
οὔτ' οὖν Θρήιξιν μιγάδες Σκύθαι, οὐδὲ Σίγυννοι,
οὔτ' οὖν Γραυκένιοι, οὔθ' οἱ περὶ Λαύριον ἤδη
Σίνδοι ἐρημαῖον πεδίον μέγα ναιετάοντες.
αὐτὰρ ἐπεί τ' Ἄγγουρον ὄρος, καὶ ἄπωθεν ἐόντα
Ἀγγούρου ὄρεος σκόπελον πάρα Καυλιακοῖο,
ᾧ πέρι δὴ σχίζων Ἴστρος ῥόον ἔνθα καὶ ἔνθα
βάλλει ἁλός, πεδίον τε τὸ Λαύριον ἠμείψαντο,
δή ῥα τότε Κρονίην Κόλχοι ἅλαδ' ἐκπρομολόντες
πάντῃ, μή σφε λάθοιεν, ὑπετμήξαντο κελεύθους.
οἱ δ' ὄπιθεν ποταμοῖο κατήλυθον, ἐκ δ' ἐπέρησαν
δοιὰς Ἀρτέμιδος Βρυγηίδας ἀγχόθι νήσους.
τῶν δ' ἤτοι ἑτέρῃ μὲν ἐν ἱερὸν ἔσκεν ἔδεθλον·
ἐν δ' ἑτέρῃ, πληθὺν πεφυλαγμένοι Ἀψύρτοιο,
βαῖνον· ἐπεὶ κείνας πολέων λίπον ἔνδοθι νήσους
αὔτως, ἁζόμενοι κούρην Διός· αἱ δὲ δὴ ἄλλαι
στεινόμεναι Κόλχοισι πόρους εἴρυντο θαλάσσης.
ὣς δὲ καὶ εἰς ἀκτὰς πληθὺν λίπεν † ἀγχόθι νήσους †
μέσφα Σαλαγγῶνος ποταμοῦ καὶ Νέστιδος αἴης.
Ἔνθα κε λευγαλέῃ Μινύαι τότε δηιοτῆτι
παυρότεροι πλεόνεσσιν ὑπείκαθον· ἀλλὰ πάροιθεν
συνθεσίην, μέγα νεῖκος ἀλευάμενοι, ἐτάμοντο,
κῶας μὲν χρύσειον, ἐπεί σφισιν αὐτὸς ὑπέστη
Αἰήτης, εἰ κεῖνοι ἀναπλήσειαν ἀέθλους,
ἔμπεδον εὐδικίῃ σφέας ἐξέμεν, εἴτε δόλοισιν,
εἴτε καὶ ἀμφαδίην αὔτως ἀέκοντος ἀπηύρων·
αὐτὰρ Μήδειάν γε—τὸ γὰρ πέλεν ἀμφήριστον—
παρθέσθαι κούρῃ Λητωίδι νόσφιν ὁμίλου,
εἰσόκε τις δικάσῃσι θεμιστούχων βασιλήων,
εἴτε μιν εἰς πατρὸς χρειὼ δόμον αὖτις ἱκάνειν,
εἴτε μεθ' Ἑλλάδα γαῖαν ἀριστήεσσιν ἕπεσθαι.
Ἔνθα δ' ἐπεὶ τὰ ἕκαστα νόῳ πεμπάσσατο κούρη,
δή ῥά μιν ὀξεῖαι κραδίην ἐλέλιξαν ἀνῖαι
νωλεμές· αἶψα δὲ νόσφιν Ἰήσονα μοῦνον ἑταίρων
ἐκπροκαλεσσαμένη ἄγεν ἄλλυδις, ὄφρ' ἐλίασθεν
πολλὸν ἑκάς, στονόεντα δ' ἐνωπαδὶς ἔκφατο μῦθον·
Αἰσονίδη, τίνα τήνδε συναρτύνασθε μενοινὴν
ἀμφ' ἐμοί; ἦέ σε πάγχυ λαθιφροσύναις ἐνέηκαν
ἀγλαΐαι, τῶν δ' οὔτι μετατρέπῃ, ὅσσ' ἀγόρευες
χρειοῖ ἐνισχόμενος; ποῦ τοι Διὸς Ἱκεσίοιο
ὅρκια, ποῦ δὲ μελιχραὶ ὑποσχεσίαι βεβάασιν;

234

those islands within the river void of cities as they were, in awe of the daughter of Zeus; though the others, which guarded the passages to the sea, were crowded with their folk; and so it was that Absyrtus left his host upon the headlands, nigh to the isles, between the river Salangon and the Thracian land.

There would the handful of Minyæ have yielded then in pitiful fray to their more numerous foes; but ere that they made a treaty and covenant, avoiding the dire quarrel; they were still to keep fairly the golden fleece, since Æetes himself had so promised them, if they should fulfil their tasks, whether they did wrest it from him by guile or haply in the open, against his will; but for Medea,—for there was the quarrel,—they were to deliver her to the virgin child of Leto apart from their company, until one of the kings, that defend justice, should decide whether she must go again unto her father's house, or follow the chieftains to the land of Hellas.

Now when the maiden inly mused on each thing, verily sharp anguish shook her heart unceasingly, and she called Jason apart from his crew and led him aside, till they were far withdrawn; then to his face she told her piteous tale, «Son of Æson, what is this purpose ye design together about me? hath thy triumph cast such exceeding forgetfulness on thee, and dost thou pay no heed to all that thou didst promise in thine hour of need? where are thy oaths by Zeus, the god of suppliants? where are all thy honied promises fled? for which, in shameful wise, with shameless will, I have put far from me my country, my glorious home, my parents too, all that I held most dear; and all alone am I being carried far over the sea with the sad king-fishers, for the sake of thy troubles, that by mine aid thou mightest accomplish in safety thy toils with the bulls and the earth-born warriors. Lastly, 'twas by my foolish help thou didst take the fleece when it was found. But I have spread a foul reproach on the race of women. Lo! I thought I should come with thee to the land of Hellas as thy bride, thy wife, and sister dear. Oh! save me with all good will! leave me not apart from thee, whilst thou goest to the kings. Nay, save me as I am, and let that just and sacred bond, that we twain made, be firmly tied; else do thou here at once cleave through this throat with thy sword, that I may receive the gift my mad passion has deserved. Ah! woe is me! if yon king, whose judgment ye await in this your bitter covenant, should

235

ἧς ἐγὼ οὐ κατὰ κόσμον ἀναιδήτῳ ἰότητι
πάτρην τε κλέα τε μεγάρων αὐτούς τε τοκῆας
νοσφισάμην, τά μοι ἦεν ὑπέρτατα· τηλόθι δ' οἴη
λυγρῇσιν κατὰ πόντον ἅμ' ἀλκυόνεσσι φορεῦμαι
σῶν ἕνεκεν καμάτων, ἵνα μοι σόος ἀμφί τε βουσὶν
ἀμφί τε γηγενέεσσιν ἀναπλήσειας ἀέθλους.
ὕστατον αὖ καὶ κῶας, ἐπεί τ' ἐπαϊστὸν ἐτύχθη,
εἷλες ἐμῇ ματίῃ· κατὰ δ' οὐλοὸν αἶσχος ἔχευα
θηλυτέραις. τῶ φημὶ τεῇ κούρη τε δάμαρ τε
αὐτοκασιγνήτη τε μεθ' Ἑλλάδα γαῖαν ἕπεσθαι.
πάντῃ νυν πρόφρων ὑπερίστασο, μηδέ με μούνην
σεῖο λίπῃς ἀπάνευθεν, ἐποιχόμενος βασιλῆας.
ἀλλ' αὔτως εἴρυσο· δίκη δέ τοι ἔμπεδος ἔστω
καὶ θέμις, ἣν ἄμφω συναρέσσαμεν· ἢ σύγ' ἔπειτα
φασγάνῳ αὐτίκα τόνδε μέσον διὰ λαιμὸν ἀμῆσαι,
ὄφρ' ἐπίηρα φέρωμαι ἐοικότα μαργοσύνῃσιν.
σχετλίη, εἴ κεν δή με κασιγνήτοιο δικάσσῃ
ἔμμεναι οὗτος ἄναξ, τῷ ἐπίσχετε τάσδ' ἀλεγεινὰς
ἄμφω συνθεσίας. πῶς ἵξομαι ὄμματα πατρός;
ἦ μάλ' ἐϋκλειής; τίνα δ' οὐ τίσιν, ἠὲ βαρεῖαν
ἄτην οὐ σμυγερῶς δεινῶν ὕπερ, οἷα ἔοργα,
ὀτλήσω; σὺ δέ κεν θυμηδέα νόστον ἕλοιο;
μὴ τόγε παμβασίλεια Διὸς τελέσειεν ἄκοιτις,
ᾗ ἐπικυδιάεις. μνήσαιο δέ καί ποτ' ἐμεῖο,
στρευγόμενος καμάτοισι· δέρος δέ τοι ἴσον ὀνείροις
οἴχοιτ' εἰς ἔρεβος μεταμώνιον. ἐκ δέ σε πάτρης
αὐτίκ' ἐμαὶ σ' ἐλάσειαν Ἐρινύες· οἷα καὶ αὐτὴ
σῇ πάθον ἀτροπίῃ. τὰ μὲν οὐ θέμις ἀκράαντα
ἐν γαίῃ πεσέειν. μάλα γὰρ μέγαν ἤλιτες ὅρκον,
νηλεές· ἀλλ' οὔ θήν μοι ἐπιλλίζοντες ὀπίσσω
δὴν ἔσσεσθ' εὔκηλοι ἕκητί γε συνθεσιάων.'
Ὣς φάτ' ἀναζείουσα βαρὺν χόλον· ἵετο δ' ἥγε
νῆα καταφλέξαι, διά τ' ἔμπεδα πάντα κεάσσαι,
ἐν δὲ πεσεῖν αὐτὴ μαλερῷ πυρί. τοῖα δ' Ἰήσων
μειλιχίοις ἐπέεσσιν ὑποδδείσας προσέειπεν·
'Ἴσχεο, δαιμονίη· τὰ μὲν ἀνδάνει οὐδ' ἐμοὶ αὐτῷ.
ἀλλά τιν' ἀμβολίην διζήμεθα δηιοτῆτος,
ὅσσον δυσμενέων ἀνδρῶν νέφος ἀμφιδέδηεν
εἵνεκα σεῦ. πάντες γάρ, ὅσοι χθόνα τήνδε νέμονται,
Ἀψύρτῳ μεμάασιν ἀμυνέμεν, ὄφρα σε πατρί,
οἷά τε ληισθεῖσαν, ὑπότροπον οἴκαδ' ἄγοιντο.
αὐτοὶ δὲ στυγερῷ κεν ὀλοίμεθα πάντες ὀλέθρῳ,
μίξαντες δαὶ χεῖρας· ὅ τοι καὶ ῥίγιον ἄλγος
ἔσσεται, εἴ σε θανόντες ἕλωρ κείνοισι λίποιμεν.
ἥδε δὲ συνθεσίη κρανέει δόλον, ᾧ μιν ἐς ἄτην

236

decide that I am my brother's. How shall I come before my father? Will not my fame be passing fair? what vengeance, what grievous torture shall I not endure in agony for the awful deeds that I have done? and thou, shalt thou find the return thou longest for? No, that may the bride of Zeus, queen of the world, in whom is thy joy, never bring to pass! And some day mayest thou remember even me, when thou art racked with anguish; and may the fleece, like a dream, float away from thee into darkness on the wings of the wind. Yea, and may my avenging spirit chase thee anon from thy fatherland; so terrible is my fate through thy cruelty. Nor is it ordained that these curses fall fruitless to the ground, for thou hast sinned indeed against a mighty oath, without pity; nay, ye shall not long at your ease wink the eye in mockery of me hereafter, for all your covenant.»

So spake she, in the heat of her vehement rage; for she was longing to fire the ship, and tear it all asunder, and then to throw herself upon the devouring flame. But Jason, though somewhat afraid, made answer thus with soothing words: «God help thee, lady! stay thine hand. These things are not after mine own heart. But we seek some delay from the conflict, so thick is the cloud of furious foes around us for thy sake. For all who dwell in this land are eager to help Absyrtus, that they may bring thee home again unto thy father, like some captive maid. And we, if we meet them in battle, shall all be slain ourselves by a hateful doom; and that surely will be a grief yet more bitter, if we die and leave thee a prey in their hands. Now this our covenant shall accomplish a cunning wile, whereby we will bring Absyrtus to destruction. And they who dwell around will never come against us for thy sake after all, to pleasure the Colchians, without their prince, who is both thy champion and thy brother; nor will I shrink from fighting them face to face, if so be they will not let us sail forth.»

So spake he, soothing her; but she let fall a deadly speech: «Hearken now. Needs must one in sorry case devise a sorry plan; for at the first was I led astray by a mistake, and evil were the desires I had from heaven. Do thou in the turmoil ward off from me the spears of the Colchians, and I will entice him to come into your hands, and do thou welcome him with gladdening gifts, if haply I can persuade the heralds to depart and bring him all by himself to agree to my proposals.

237

βήσομεν. οὐδ' ἂν ὁμῶς περιναιέται ἀντιόωσιν
Κόλχοις ἦρα φέροντες ὑπὲρ σέο νόσφιν ἄνακτος.
ὅς τοι ἀοσσητήρ τε κασίγνητός τε τέτυκται·
οὐδ' ἂν ἐγὼ Κόλχοισιν ὑπείξω μὴ πολεμίζειν
ἀντιβίην, ὅτε μή με διὲξ εἰῶσι νέεσθαι.'
Ἴσκεν ὑποσσαίνων· ἡ δ' οὐλοὸν ἔκφατο μῦθον·
'Φράζεο νῦν. χρειὼ γὰρ ἀεικελίοισιν ἐπ' ἔργοις
καὶ τόδε μητίσασθαι, ἐπεὶ τὸ πρῶτον ἀάσθην
ἀμπλακίῃ, θεόθεν δὲ κακὰς ἤνυσσα μενοινάς.
τύνη μὲν κατὰ μῶλον ἀλέξεο δούρατα Κόλχων·
αὐτὰρ ἐγὼ κεῖνόν γε τεὰς ἐς χεῖρας ἱκέσθαι
μειλίξω· σὺ δέ μιν φαιδροῖς ἀγαπάζεο δώροις.
εἴ κέν πως κήρυκας ἀπερχομένους πεπίθοιμι
οἰόθεν οἶον ἐμοῖσι συναρθμῆσαι ἐπέεσσιν,
ἔνθ' εἴ τοι τόδε ἔργον ἐφανδάνει, οὔτι μεγαίρω,
κτεῖνέ τε, καὶ Κόλχοισιν ἀείρεο δηιοτῆτα.'
Ὣς τώγε ξυμβάντε μέγαν δόλον ἠρτύνοντο
Ἀψύρτῳ, καὶ πολλὰ πόρον ξεινήια δῶρα,
οἷς μέτα καὶ πέπλον δόσαν ἱερὸν Ὑψιπυλείης
πορφύρεον. τὸν μέν ῥα Διωνύσῳ κάμον αὐταὶ
Δίῃ ἐν ἀμφιάλῳ Χάριτες θεαί· αὐτὰρ ὁ παιδὶ
δῶκε Θόαντι μεταῦτις· ὁ δ' αὖ λίπεν Ὑψιπυλείῃ·
ἡ δ' ἔπορ' Αἰσονίδῃ πολέσιν μετὰ καὶ τὸ φέρεσθαι
γλήνεσιν εὐεργὲς ξεινήιον. οὔ μιν ἀφάσσων,
οὔτε κεν εἰσορόων γλυκὺν ἵμερον ἐμπλήσειας.
τοῦ δὲ καὶ ἀμβροσίη ὀδμὴ πέλεν ἐξέτι κείνου,
ἐξ οὗ ἄναξ αὐτὸς Νυσήιος ἐγκατέλεκτο
ἀκροχάλιξ οἴνῳ καὶ νέκταρι, καλὰ μεμαρπὼς
στήθεα παρθενικῆς Μινωίδος, ἥν ποτε Θησεὺς
Κνωσσόθεν ἑσπομένην Δίῃ ἔνι κάλλιπε νήσῳ.
ἡ δ' ὅτε κηρύκεσσιν ἐπεξυνώσατο μύθους,
θελγέμεν, εὖτ' ἂν πρῶτα θεᾶς περὶ νηὸν ἵκηται
συνθεσίῃ, νυκτός τε μέλαν κνέφας ἀμφιβάλῃσιν,
ἐλθέμεν, ὄφρα δόλον συμφράσσεται, ὥς κεν ἑλοῦσα
χρύσειον μέγα κῶας ὑπότροπος αὖτις ὀπίσσω
βαίη ἐς Αἰήταο δόμους· πέρι γάρ μιν ἀνάγκῃ
υἷες Φρίξοιο δόσαν ξείνοισιν ἄγεσθαι·
τοῖα παραιφαμένη θελκτήρια φάρμακ' ἔπασσεν
αἰθέρι καὶ πνοιῇσι, τά κεν καὶ ἄπωθεν ἐόντα
ἄγριον ἠλιβάτοιο κατ' οὔρεος ἤγαγε θῆρα.
Σχέτλι' Ἔρως, μέγα πῆμα, μέγα στύγος ἀνθρώποισιν,
ἐκ σέθεν οὐλόμεναί τ' ἔριδες στοναχαί τε γόοι τε,
ἄλγεά τ' ἄλλ' ἐπὶ τοῖσιν ἀπείρονα τετρήχασιν.
δυσμενέων ἐπὶ παισὶ κορύσσεο, δαῖμον, ἀερθείς,
οἷος Μηδείῃ στυγερὴν φρεσὶν ἔμβαλες ἄτην.

238

Then, if this deed is to thy mind, slay him and join in fray with the Colchians; 'tis nought to me.»

So they twain agreed and planned great treachery against Absyrtus, and they gave him many a gift for stranger's welcome, and amongst them that dark robe divine of Hypsipyle; the robe which the goddess Graces had made with their own hands for Dionysus in sea-girt Naxos, and he gave it afterwards to his son Thoas, who left it in turn to Hypsipyle, and she gave that robe too, a fair-wrought stranger's gift with many another wonder, unto the son of Æson for to take with him. Never wouldst thou satisfy thy sweet longing in stroking it or gazing thereupon. And the smell thereof was likewise wondrous sweet, from the day on which the prince of Nysa himself lay down thereon, flushed with wine and nectar, with the fair form of Minos' daughter in his arms, whom on a day Theseus had left in the isle of Naxos, when she followed him from Crete.

Now when Medea had declared her meaning to the heralds, so as to persuade them to depart, as soon as Absyrtus came by agreement to the temple of the goddess and night's black pall was over all, that so she might devise with him a cunning plan whereby to take the fleece of gold, and come again unto the house of Æetes; for, said she, the sons of Phrixus gave her by force unto the strangers to bear away. Thus did she persuade them, sprinkling the air and the breeze with magic drugs, such as can draw the wild beast from the pathless hill, be he never so far away.

O cruel Love, man's chiefest bane and curse! from thee proceed deadly feuds and mourning and lamentation; yea, and countless sorrows beside all these are by thee stirred up. Up, and arm thee against the foemen's sons, thou deity, as in the day thou didst inspire Medea, with her fell murderous thoughts. But how did she slay Absyrtus by an evil doom when he came to her? For that must our song tell next.

When they had left her in the isle of Artemis, as had been agreed, then did these anchor their ships apart from one another; but that prince, Jason, went unto an ambush to await Absyrtus and his company. But he, tricked by their promises so dire for him, rowed quickly in his ship across the gulf of sea, as the night grew dark, and landed on the sacred isle. Straight on his way he went alone, and made trial of his sister with words, even as a tender child

239

πῶς γὰρ δὴ μετιόντα κακῷ ἐδάμασσεν ὀλέθρῳ
Ἄψυρτον; τὸ γὰρ ἧμιν ἐπισχερὼ ἦεν ἀοιδῆς.
Ἦμος ὅτ' Ἀρτέμιδος νήσῳ ἔνι τήνγ' ἐλίποντο
συνθεσίῃ, τοὶ μέν ῥα διάνδιχα νηυσὶν ἔκελσαν
σφωιτέραις κρινθέντες· ὁ δ' ἐς λόχον ἦεν Ἰήσων

δέγμενος Ἄψυρτόν τε καὶ οὓς ἐξαῦτις ἑταίρους.
αὐτὰρ ὅγ' αἰνοτάτῃσιν ὑποσχεσίῃσι δολωθεὶς
καρπαλίμως ᾗ νηὶ διὲξ ἁλὸς οἶδμα περήσας,
νύχθ' ὕπο λυγαίην ἱερῆς ἐπεβήσατο νήσου·

οἰόθι δ' ἀντικρὺ μετιὼν πειρήσατο μύθοις
εἷο κασιγνήτης, ἀταλὸς πάις οἷα χαράδρης
χειμερίης, ἣν οὐδὲ δι' αἰζηοὶ περόωσιν,
εἴ κε δόλον ξείνοισιν ἐπ' ἀνδράσι τεχνήσαιτο.
καὶ τὼ μὲν τὰ ἕκαστα συνῄνεον ἀλλήλοισιν·

αὐτίκα δ' Αἰσονίδης πυκινοῦ ἐξᾶλτο λόχοιο,
γυμνὸν ἀνασχόμενος παλάμῃ ξίφος· αἶψα δὲ κούρη
ἔμπαλιν ὄμματ' ἔνεικε, καλυψαμένη ὀθόνῃσιν,
μὴ φόνον ἀθρήσειε κασιγνήτοιο τυπέντος.

τὸν δ' ὅγε, βουτύπος ὥστε μέγαν κερεαλκέα ταῦρον,
πλῆξεν ὀπιπτεύσας νηοῦ σχεδόν, ὅν ποτ' ἔδειμαν
Ἀρτέμιδι Βρυγοὶ περιναιέται ἀντιπέρηθεν.
τοῦ ὅγ' ἐνὶ προδόμῳ γνὺξ ἤριπε· λοίσθια δ' ἥρως

θυμὸν ἀναπνείων χερσὶν μέλαν ἀμφοτέρῃσιν
αἷμα κατ' ὠτειλὴν ὑποΐσχετο· τῆς δὲ καλύπτρην
ἀργυφέην καὶ πέπλον ἀλευομένης ἐρύθηνεν.
ὀξὺ δὲ πανδαμάτωρ λοξῷ ἴδεν οἷον ἔρεξαν
ὄμματι νηλειὴς ὀλοφώιον ἔργον Ἐρινύς.

ἥρως δ' Αἰσονίδης ἐξάργματα τάμνε θανόντος,
τρὶς δ' ἀπέλειξε φόνου, τρὶς δ' ἐξ ἄγος ἔπτυσ' ὀδόντων,
ἣ θέμις αὐθέντῃσι δολοκτασίας ἱλάεσθαι.
ὑγρὸν δ' ἐν γαίῃ κρύψεν νέκυν, ἔνθ' ἔτι νῦν περ
κεῖαται ὀστέα κεῖνα μετ' ἀνδράσιν Ἀψυρτεῦσιν.

Οἱ δ' ἄμυδις πυρσοῖο σέλας προπάροιθεν ἰδόντες,
τό σφιν παρθενικὴ τέκμαρ μετιοῦσιν ἄειρεν,
Κολχίδος ἀγχόθι νηὸς ἑὴν παρὰ νῆα βάλοντο

ἥρωες· Κόλχον δ' ὄλεκον στόλον, ἠύτε κίρκοι
φῦλα πελειάων, ἠὲ μέγα πῶϋ λέοντες
ἀγρότεροι κλονέουσιν ἐνὶ σταθμοῖσι θορόντες.
οὐδ' ἄρα τις κείνων θάνατον φύγε, πάντα δ' ὅμιλον

πῦρ ἅ τε δηιόωντες ἐπέδραμον· ὀψὲ δ' Ἰήσων
ἤντησεν, μεμαὼς ἐπαμυνέμεν οὐ μάλ' ἀρωγῆς
δευομένοις· ἤδη δὲ καὶ ἀμφ' αὐτοῖο μέλοντο.
ἔνθα δὲ ναυτιλίης πυκινὴν περὶ μητιάασκον
ἑζόμενοι βουλήν· ἐπὶ δέ σφισιν ἤλυθε κούρη

φραζομένοις· Πηλεὺς δὲ παροίτατος ἔκφατο μῦθον·

tries a torrent in winter, which not even strong men can pass; if haply she would devise some guile against the strangers. So they twain agreed together on all points, when on a sudden the son of Æson leapt from the thick ambush, clutching in his hand a naked sword; quickly the maiden turned away her eyes, covering them with her veil, that she might not see the blood of her brother when he was smitten. Him did Jason strike from his ambuscade, as a butcher strikes a mighty bull with strong horns, hard by the temple, which the Brygians, who dwell on the mainland opposite, once had built for Artemis. There at its threshold he fell upon his knees, but as the hero breathed out his soul with his dying breath, he caught up in his hands black blood from the wound, and dyed with crimson his sister's silvery veil and robe, as she shrunk from him. But a pitiless spirit of vengeance, irresistible, gave one quick look askance at the murderous deed they wrought. Then the hero, the son of Æson, first cut off some limbs of the murdered man, and thrice licked up some blood, and thrice spat the pollution from his mouth, for so must they make expiation who have murdered a man by treachery. Then he buried the clammy corpse in the ground, where to this day lie his bones amongst the Absyrtians.

In the same hour the heroes, seeing before them a blazing torch, the signal which the maiden raised for them to cross, laid their ship alongside the Colchian barque, and slew the crew thereof, as hawks drive flocks of doves in confusion, or fierce lions a great flock of sheep, when they have leapt upon the fold. Not one of them escaped death, but they fell on the whole crew, destroying them as fire doth; at the last came Jason up, eager to help them, but they had no need of his succour; but were already anxious on his account. Then they sat them down and took sage counsel about the voyage; and as they mused thereon came the maiden to join them, and Peleus first made harangue: « Lo! I bid you embark now, while it is yet night, upon the ship, and take the passage opposite to that which the enemy hold; for at dawn, as soon as they perceive all, methinks there is no argument which will urge them to pursue us further, so as to prevail with them; but they will part asunder in grievous quarrels, as men do who have lost their king. And when once the folk are divided, 'twill be an easy route for us, or indeed for any who come hither hereafter. »

241

ΟΙ ΚΟΛΧΟΙ ΚΑΤΑΔΙΩ-
ΚΟΥΝ ΤΟΥΣ ΑΡΓΟΝΑΥΤΕΣ

THE COLCHIAN HOST IN
PURSUIT OF THE ARGONAUTS

'"Ηδη νῦν κέλομαι νύκτωρ ἔτι νῆ' ἐπιβάντας
εἰρεσίῃ περάαν πλόον ἀντίον, ᾧ ἐπέχουσιν
δήιοι· ἠῶθεν γὰρ ἐπαθρήσαντας ἕκαστα
ἔλπομαι οὐχ ἕνα μῦθον, ὅτις προτέρωσε δίεσθαι
ἡμέας ὀτρυνέει, τοὺς πεισέμεν· οἷα δ' ἄνακτος
εὔνιδες, ἀργαλέῃσι διχοστασίῃς κεδόωνται.
ῥηιδίῃ δέ κεν ἄμμι, κεδασθέντων δίχα λαῶν,
ἤδ' εἴη μετέπειτα κατερχομένοισι κέλευθος.'
Ὣς ἔφατ'· ᾔνησαν δὲ νέοι ἔπος Αἰακίδαο.
ῥίμφα δὲ νῆ' ἐπιβάντες ἐπερρώοντ' ἐλάτῃσιν
νωλεμές, ὄφρ' ἱερὴν Ἠλεκτρίδα νῆσον ἵκοντο,
ἀλλάων ὑπάτην, ποταμοῦ σχεδὸν Ἠριδανοῖο.
Κόλχοι δ' ὁππότ' ὄλεθρον ἐπεφράσθησαν ἄνακτος,
ἤτοι μὲν δίζεσθαι ἐπέχραον ἔνδοθι πάσης
Ἀργὼ καὶ Μινύας Κρονίης ἁλός. ἀλλ' ἀπέρυκεν
Ἥρη σμερδαλέῃσι κατ' αἰθέρος ἀστεροπῇσιν.
ὕστατον αὐτοὶ δ' αὖτε Κυταιίδος ἤθεα γαίης
στύξαν, ἀτυζόμενοι χόλον ἄγριον Αἰήταο,
ἔμπεδα δ' ἄλλυδις ἄλλοι ἐφορμηθέντες ἔνασθεν.
οἱ μὲν ἐπ' αὐτάων νήσων ἔβαν, ᾗσιν ἐπέσχον
ἥρωες, ναίουσι δ' ἐπώνυμοι Ἀψύρτοιο·
οἱ δ' ἄρ' ἐπ' Ἰλλυρικοῖο μελαμβαθέος ποταμοῖο,
τύμβος ἵν' Ἁρμονίης Κάδμοιό τε, πύργον ἔδειμαν,
ἀνδράσιν Ἐγχελέεσσιν ἐφέστιοι· οἱ δ' ἐν ὄρεσσιν
ἐνναίουσιν, ἅπερ τε Κεραύνια κικλήσκονται,
ἐκ τόθεν, ἐξότε τούσγε Διὸς Κρονίδαο κεραυνοὶ
νῆσον ἐς ἀντιπέραιαν ἀπέτραπον ὁρμηθῆναι.
Ἥρωες δ', ὅτε δή σφιν ἐείσατο νόστος ἀπήμων,
δή ῥα τότε προμολόντες ἐπὶ χθονὶ πείσματ' ἔδησαν
Ὑλλήων. νῆσοι γὰρ ἐπιπρούχοντο θαμειαὶ
ἀργαλέην πλώουσιν ὁδὸν μεσσηγὺς ἔχουσαι.
οὐδέ σφιν, ὡς καὶ πρίν, ἀνάρσια μητιάασκον
Ὑλλῆες· πρὸς δ' αὐτοὶ ἐμηχανόωντο κέλευθον,
μισθὸν ἀειρόμενοι τρίποδα μέγαν Ἀπόλλωνος.
δοιοὺς γὰρ τρίποδας τηλοῦ πόρε Φοῖβος ἄγεσθαι
Αἰσονίδῃ περόωντι κατὰ χρέος, ὁππότε Πυθὼ
ἱρὴν πευσόμενος μετεκίαθε τῆσδ' ὑπὲρ αὐτῆς
ναυτιλίης· πέπρωτο δ', ὅπῃ χθονὸς ἱδρυνθεῖεν,
μήποτε τὴν δήιοισιν ἀναστήσεσθαι ἰοῦσιν.
τούνεκεν εἰσέτι νῦν κείνῃ ὅδε κεύθεται αἴῃ
ἀμφὶ πόλιν ἀγανὴν Ὑλληίδα, πολλὸν ἔνερθεν
οὔδεος, ὥς κεν ἄφαντος ἀεὶ μερόπεσσι πέλοιτο.
οὐ μὲν ἔτι ζώοντα καταυτόθι τέτμον ἄνακτα
Ὕλλον, ὃν εὐειδὴς Μελίτη τέκεν Ἡρακλῆι
δήμῳ Φαιήκων. ὁ γὰρ οἰκία Ναυσιθόοιο

244

*So spake he, and the young men approved the word of
the son of Æacus. So they went quickly aboard and bent
to their oars unceasingly, until they came to the sacred isle
of Electra, chiefest of isles, nigh to the river Eridanus.*

*Now the Colchians when they learnt the death of
their prince, were right eager to search the Cronian sea
throughout for Argo and the Minyæ. But Hera restrained
them by fearful thunderings and lightnings from the sky.
And they ended by being afraid of their own homes in
the Cytæan land for fear of Æetes' savage fury. So they
came to land in different places and settled there securely.
Some landed on those very islands, on which the heroes
had halted; and there they dwell, called after Absyrtus;
others built a fenced city by the deep black stream of the
Illyrian river, where is the tomb of Harmonia and Cad-
mus, settling amongst the Encheleans; and others dwell
upon the mountains, which are called «the Thunderers,»
from the day that the thunder of Zeus the son of Cronos
stayed them from going to the island over against them.*

*But the heroes, when now their return seemed assured
them, did then bind their cables on the shore of the Hyl-
leans and go forth. For there be groups of islands scat-
tered there, making the passage through them hard for
sailors. But the Hylleans no more devised enmity against
them, as before; but of themselves did further their voy-
age, getting as their guerdon Apollo's mighty tripod. For
Phœbus gave to the son of Æson tripods twain, to
carry to that far country, when he journeyed thither in
obedience to an oracle, on the day when he came to
sacred Pytho to enquire about this very voyage; and it
was ordained that wheresoever these were set up, that
land should never be ravaged by the attack of foemen.
Wherefore to this day that tripod is buried in yon land
near the pleasant city of Hyllus, deep beneath the soil,
that it may ever be hidden from mortal ken.*

*But they found not king Hyllus still living there,
whom comely Melite bare to Heracles in the land of the
Phæacians. For Heracles came hither to the house of
Nausithous and to Macris, the nurse of Dionysus, to
wash away the awful murder of his children; there did
that hero vanquish in love's warfare the daughter of the
river Ægæus, Melite, the water-nymph, and she bare
strong Hyllus. But he, when he grew up, cared not to
abide in the island itself, under the eye of Nausithous,
its prince, but went o'er the Cronian sea, having gathered*

Μάκριν τ᾽ εἰσαφίκανε, Διωνύσοιο τιθήνην,
νιψόμενος παίδων ὀλοὸν φόνον· ἔνθ᾽ ὅγε κούρην
Αἰγαίου ἐδάμασσεν ἐρασσάμενος ποταμοῖο,
νηιάδα Μελίτην· ἡ δὲ σθεναρὸν τέκεν Ὕλλον.
οὐδ᾽ ἄρ᾽ ὅγ᾽ ἡβήσας αὐτῇ ἐνὶ ἔλδετο νήσῳ
ναίειν, κοιρανέοντος ἐπ᾽ ὀφρύσι Ναυσιθόοιο·
βῆ δ᾽ ἅλαδε Κρονίην, αὐτόχθονα λαὸν ἀγείρας
Φαιήκων· σὺν γάρ οἱ ἄναξ πόρσυνε κέλευθον
ἥρως Ναυσίθοος· τόθι δ᾽ εἴσατο, καί μιν ἔπεφνον
Μέντορες, ἀγραύλοισιν ἀλεξόμενον περὶ βουσίν.
Ἀλλά, θεαί, πῶς τῆσδε παρὲξ ἁλός, ἀμφί τε γαῖαν
Αὐσονίην νήσους τε Λιγυστίδας, αἳ καλέονται
Στοιχάδες, Ἀργῴης περιώσια σήματα νηὸς
νημερτὲς πέφαται; τίς ἀπόπροθι τόσσον ἀνάγκη
καὶ χρειώ σφ᾽ ἐκόμισσε; τίνες σφέας ἤγαγον αὖραι;
Αὐτόν που μεγαλωστὶ δεδουπότος Ἀψύρτοιο
Ζῆνα, θεῶν βασιλῆα, χόλος λάβεν, οἷον ἔρεξαν.
Αἰαίης δ᾽ ὀλοὸν τεκμήρατο δήνεσι Κίρκης
αἷμ᾽ ἀπονιψαμένους, πρό τε μυρία πημανθέντας,
νοστήσειν. τὸ μὲν οὔτις ἀριστήων ἐνόησεν·
ἀλλ᾽ ἔθεον γαίης Ὑλληίδος ἐξανιόντες
τηλόθι· τὰς δ᾽ ἀπέλειπον, ὅσαι Κόλχοισι πάροιθεν
ἑξείης πλήθοντο Λιβυρνίδες εἰν ἁλὶ νῆσοι,
Ἴσσα τε Δυσκέλαδός τε καὶ ἱμερτὴ Πιτύεια.
αὐτὰρ ἔπειτ᾽ ἐπὶ τῆσι παραὶ Κέρκυραν ἵκοντο,
ἔνθα Ποσειδάων Ἀσωπίδα νάσσατο κούρην,
ἠύκομον Κέρκυραν, ἑκὰς Φλιουντίδος αἴης,
ἁρπάξας ὑπ᾽ ἔρωτι· μελαινομένην δέ μιν ἄνδρες
ναυτίλοι ἐκ πόντοιο κελαινῇ πάντοθεν ὕλῃ
δερκόμενοι Κέρκυραν ἐπικλείουσι Μέλαιναν.
τῇ δ᾽ ἐπὶ καὶ Μελίτην, λιαρῷ περιγηθέες οὔρῳ,
αἰπεινήν τε Κερωσσόν, ὕπερθε δὲ πολλὸν ἐοῦσαν
Νυμφαίην παράμειβον, ἵνα κρείουσα Καλυψὼ
Ἀτλαντὶς ναίεσκε· τὰ δ᾽ ἠεροειδέα λεύσσειν
οὔρεα δοιάζοντο Κεραύνια. καὶ τότε βουλὰς
ἀμφ᾽ αὐτοῖς Ζηνός τε μέγαν χόλον ἐφράσαθ᾽ Ἥρη.
μηδομένη δ᾽ ἄνυσιν τοῖο πλόου, ὦρσεν ἀέλλας
ἀντικρύ, ταῖς αὖτις ἀναρπάγδην φορέοντο
νήσου ἔπι κραναῆς Ἠλεκτρίδος. αὐτίκα δ᾽ ἄφνω
ἴαχεν ἀνδρομέῃ ἐνοπῇ μεσσηγὺ θεόντων
αὐδῆεν γλαφυρῆς νηὸς δόρυ, τό ῥ᾽ ἀνὰ μέσσην
στεῖραν Ἀθηναίη Δωδωνίδος ἥρμοσε φηγοῦ.
τοὺς δ᾽ ὀλοὸν μεσσηγὺ δέος λάβεν εἰσαΐοντας
φθογγήν τε Ζηνός τε βαρὺν χόλον. οὐ γὰρ ἀλύξειν
ἔννεπεν οὔτε πόρους δολιχῆς ἁλός, οὔτε θυέλλας

246

*to him the people of the Phæacians who dwelt there; for
the hero Nausithous helped him on his way; there did
he settle, and was slain by the Mentores, as he stood up
to do battle for the oxen of his field.*

*But, ye goddesses, how came Argo's wondrous pen-
non in clear view outside the sea, about the Ausonian
land and the Ligystian islands, which are called «the line
of isles?» What need, what business brought her so far
away? what breezes bare them hither?*

*Zeus, I trow, the king of gods, was seized with fury
at their deed, when Absyrtus was mightily o'erthrown;
but yet he ordained that they should wash away the guilt
of blood by the counsels of Ææan Circe, and after first en-
during countless woes should return. Now none of the
chieftains was ware thereof; but starting from the land
of Hyllus they hasted far on their way, and they left on
the lee those islands of the Liburni that lie in order on
the sea, peopled formerly by Colchians, Issa and Dusce-
ladus and lovely Pityeia. And, next to them, they came
unto Corcyra, where Poseidon had settled the daughter
of Asopus, Corcyra of the fair tresses, far from the land
of Phlius, whence he had snatched her in his love; and
sailors, seeing it rise darkly from the main with black
woodland all around, do call it Corcyra the Black. Next
passed they Melite, rejoicing greatly at the gentle breeze,
and steep Cerossus, and Nymphæa on the far horizon,
where queen Calypso, daughter of Atlas, had her home;
and lo! they deemed they saw the shadowy «hills of thun-
der.» Then was Hera ware of the angry counsels and the
heavy wrath of Zeus for their sake; and forasmuch as
she was planning the fulfilment of that voyage, she did
stir up head-winds, whereby they were caught and carried
back upon the rocky isle of Electra. Anon from out the
hollow ship, in mid course, the oaken beam from Dodona,
which Athene had fitted down the middle of the keel, found
a tongue and cried out in human voice. And deadly fear
came on them as they heard the voice, that told of Zeus's
grievous wrath. For it said they should not escape a
passage o'er a lengthy sea, nor troublous tempests, unless
Circe purged them of the ruthless murder of Absyrtus; and
it bade Polydeuces and Castor pray to the deathless gods
to grant a passage first across the Ausonian sea, wherein
they should find Circe, daughter of Perse and Helios.*

*So cried Argo in the gloom; and they, the sons of
Tyndarus, arose, and raised their hands to the immor-*

ἀργαλέας, ὅτε μὴ Κίρκη φόνον Ἀψύρτοιο
νηλέα νίψειεν· Πολυδεύκεα δ' εὐχετάασθαι
Κάστορά τ' ἀθανάτοισι θεοῖς ἤνωγε κελεύθους
Αὐσονίης ἔμπροσθε πορεῖν ἁλός, ᾗ ἔνι Κίρκην
δήουσιν, Πέρσης τε καὶ Ἠελίοιο θύγατρα.
Ὣς Ἀργὼ ἰάχησεν ὑπὸ κνέφας· οἱ δ' ἀνόρουσαν
Τυνδαρίδαι, καὶ χεῖρας ἀνέσχεθον ἀθανάτοισιν
εὐχόμενοι τὰ ἕκαστα· κατηφείη δ' ἔχεν ἄλλους
ἥρωας Μινύας. ἡ δ' ἔσσυτο πολλὸν ἐπιπρὸ
λαίφεσιν, ἐς δ' ἔβαλον μύχατον ῥόον Ἠριδανοῖο·
ἔνθα ποτ' αἰθαλόεντι τυπεὶς πρὸς στέρνα κεραυνῷ
ἡμιδαὴς Φαέθων πέσεν ἅρματος Ἠελίοιο
λίμνης ἐς προχοὰς πολυβενθέος· ἡ δ' ἔτι νῦν περ
τραύματος αἰθομένοιο βαρὺν ἀνακηκίει ἀτμόν.
οὐδέ τις ὕδωρ κεῖνο διὰ πτερὰ κοῦφα τανύσσας
οἰωνὸς δύναται βαλέειν ὕπερ· ἀλλὰ μεσηγὺς
φλογμῷ ἐπιθρώσκει πεποτημένος. ἀμφὶ δὲ κοῦραι
Ἡλιάδες ταναῇσιν ἐελμέναι αἰγείροισιν,
μύρονται κινυρὸν μέλεαι γόον· ἐκ δὲ φαεινὰς
ἠλέκτρου λιβάδας βλεφάρων προχέουσιν ἔραζε,
αἱ μέν τ' ἠελίῳ ψαμάθοις ἔπι τερσαίνονται·
εὖτ' ἂν δὲ κλύζῃσι κελαινῆς ὕδατα λίμνης
ἠιόνας πνοιῇ πολυηχέος ἐξ ἀνέμοιο,
δὴ τότ' ἐς Ἠριδανὸν προκυλίνδεται ἀθρόα πάντα
κυμαίνοντι ῥόῳ. Κελτοὶ δ' ἐπὶ βάξιν ἔθεντο,
ὡς ἄρ' Ἀπόλλωνος τάδε δάκρυα Λητοΐδαο
συμφέρεται δίναις, ἅ τε μυρία χεῦε πάροιθεν,
ἦμος Ὑπερβορέων ἱερὸν γένος εἰσαφίκανεν,
οὐρανὸν αἰγλήεντα λιπὼν ἐκ πατρὸς ἐνιπῆς,
χωόμενος περὶ παιδί, τὸν ἐν λιπαρῇ Λακερείῃ
δῖα Κορωνὶς ἔτικτεν ἐπὶ προχοῇς Ἀμύροιο.
καὶ τὰ μὲν ὣς κείνοισι μετ' ἀνδράσι κεκλήισται.
τοὺς δ' οὔτε βρώμης ᾕρει πόθος, οὐδὲ ποτοῖο,
οὔτ' ἐπὶ γηθοσύνας τράπετο νόος. ἀλλ' ἄρα τοίγε
ἤματα μὲν στρεύγοντο περιβληχρὸν βαρύθοντες
ὀδμῇ λευγαλέῃ, τήν ῥ' ἄσχετον ἐξανίεσκον
τυφομένου Φαέθοντος ἐπιρροαὶ Ἠριδανοῖο·
νυκτὸς δ' αὖ γόον ὀξὺν ὀδυρομένων ἐσάκουον
Ἡλιάδων λιγέως· τὰ δὲ δάκρυα μυρομένῃσιν
οἷον ἐλαιηραὶ στάγες ὕδασιν ἐμφορέοντο.
Ἐκ δὲ τόθεν Ῥοδανοῖο βαθὺν ῥόον εἰσαπέβησαν,
ὅς τ' εἰς Ἠριδανὸν μετανίσσεται· ἄμμιγα δ' ὕδωρ
ἐν ξυνοχῇ βέβρυχε κυκώμενον. αὐτὰρ ὁ γαίης
ἐκ μυχάτης, ἵνα τ' εἰσὶ πύλαι καὶ ἐδέθλια Νυκτός,
ἔνθεν ἀπορνύμενος τῇ μέν τ' ἐπερεύγεται ἀκτὰς

tals, praying for each and all; for deep dismay was come upon the other Minyan heroes. But the ship sped on apace; and they entered far into the stream of Eridanus, where on a day Phaethon, smitten through the breast with a blazing bolt, fell scorched from the chariot of Helios into the mouth of that deep sheet of water, and it belches forth heavy clouds of steam from his wound that still is smouldering. No bird can spread his light pinions and cross that water, but half-way it flutters and then plunges in the flame. Round about the daughters of the Sun sadly raise their dirge of woe, as they dance round the tall poplars; and from their eyes they shed upon the ground bright drops of amber, which dry up on the sand beneath the sun's heat; but when the swollen billows of the dark mere do dash against the rocks before the blast of the noisy wind, then are they rolled all together along the billowy tide into the Eridanus. And the Celts have set this legend to them, how that they are the tears of Apollo, son of Leto, hurried away in the swirling stream, all those many tears he shed the day he came to the sacred race of the Hyperboreans, leaving radiant heaven at the chiding of this father, wroth at the slaying of his son, whom divine Coronis bare in rich Lacereia by the mouth of the Amyrus. So runs the legend 'mongst those folk. But these felt no desire for meat or drink, nor did their spirit turn to mirth. But all day, I trow, were they worn out and grievously weakened by the foul stench, which the streams of Eridanus sent up unceasingly from smouldering Phaethon; and all night too they heard the shrill lament of the daughters of the Sun, loudly wailing; and as they mourned their tears were borne along the waters, as it were drops of oil.

Thence they entered the deep stream of Rhodanus, which comes to join the Eridanus; and at their meeting doth the water roar in wild commotion. Now that river, rising in a land very far away, where are the portals and the habitation of Night, doth pour himself on one side upon the ocean's cliffs, on another doth he fall into the Ionian sea, while by yet a third channel he casts his stream through seven mouths into the Sardinian sea and its boundless bay. Thence they sailed into stormy lakes, which open out along the vast mainland of the Celts, and there would they have met with a foul mishap. For a certain off-stream was bearing them into the ocean-gulf, and they not knowing were about to sail thereinto; whence

249

'Ωκεανοῦ, τῇ δ' αὖτε μετ' 'Ιονίην ἅλα βάλλει,
τῇ δ' ἐπὶ Σαρδόνιον πέλαγος καὶ ἀπείρονα κόλπον
ἑπτὰ διὰ στομάτων ἵει ῥόον. ἐκ δ' ἄρα τοῖο
λίμνας εἰσέλασαν δυσχείμονας, αἵ τ' ἀνὰ Κελτῶν
ἤπειρον πέπτανται ἀθέσφατον· ἔνθα κεν οἵγε
ἄτῃ ἀεικελίῃ πέλασαν. φέρε γάρ τις ἀπορρὼξ
κόλπον ἐς 'Ωκεανοῖο, τὸν οὐ προδαέντες ἔμελλον
εἰσβαλέειν, τόθεν οὔ κεν ὑπότροποι ἐξεσάωθεν.
ἀλλ' Ἥρη σκοπέλοιο καθ' Ἑρκυνίου ἰάχησεν
οὐρανόθεν προθοροῦσα· φόβῳ δ' ἐτίναχθεν ἀυτῆς
πάντες ὁμῶς· δεινὸν γὰρ ἐπὶ μέγας ἔβραχεν αἰθήρ.
ἂψ δὲ παλιντροπόωντο θεᾶς ὕπο, καί ῥ' ἐνόησαν
τὴν οἶμον, τῇπέρ τε καὶ ἔπλετο νόστος ἰοῦσιν.
δηναιοὶ δ' ἀκτὰς ἁλιμυρέας εἰσαφίκοντο
Ἥρης ἐννεσίῃσι, δι' ἔθνεα μυρία Κελτῶν
καὶ Λιγύων περόωντες ἀδήιοι. ἀμφὶ γὰρ αἰνὴν
ἠέρα χεῦε θεὰ πάντ' ἤματα νισσομένοισιν.
μεσσότατον δ' ἄρα τοίγε διὰ στόμα νηὶ βαλόντες
Στοιχάδας εἰσαπέβαν νήσους σόοι εἵνεκα κούρων
Ζηνός· ὃ δὴ βωμοί τε καὶ ἱερὰ τοῖσι τέτυκται
ἔμπεδον· οὐδ' οἶον κείνης ἐπίκουροι ἕποντο
ναυτιλίης· Ζεὺς δέ σφι καὶ ὀψιγόνων πόρε νῆας.
Στοιχάδας αὖτε λιπόντες ἐς Αἰθαλίην ἐπέρησαν
νῆσον, ἵνα ψηφῖσιν ἀπωμόρξαντο καμόντες
ἱδρῶ ἅλις· χροιῇ δὲ κατ' αἰγιαλοῖο κέχυνται
εἴκελαι· ἐν δὲ σόλοι καὶ τεύχεα θέσκελα κείνων·
ἐν δὲ λιμὴν 'Αργῷος ἐπωνυμίην πεφάτισται.
Καρπαλίμως δ' ἐνθένδε διὲξ ἁλὸς οἶδμα νέοντο
Αὐσονίης ἀκτὰς Τυρσηνίδας εἰσορόωντες·
ἷξον δ' Αἰαίης λιμένα κλυτόν· ἐκ δ' ἄρα νηὸς
πείσματ' ἐπ' ἠιόνων σχεδόθεν βάλον. ἔνθα δὲ Κίρκην
εὗρον ἁλὸς νοτίδεσσι κάρη ἐπιφαιδρύνουσαν·
τοῖον γὰρ νυχίοισιν ὀνείρασιν ἐπτοίητο.
αἵματί οἱ θάλαμοί τε καὶ ἕρκεα πάντα δόμοιο
μύρεσθαι δόκεον· φλὸξ δ' ἀθρόα φάρμακ' ἔδαπτεν,
οἷσι πάρος ξείνους θέλγ' ἀνέρας, ὅστις ἵκοιτο·
τὴν δ' αὐτὴ φονίῳ σβέσεν αἵματι πορφύρουσαν,
χερσὶν ἀφυσσαμένη· λῆξεν δ' ὀλοοῖο φόβοιο.
τῶ καὶ ἐπιπλομένης ἠοῦς νοτίδεσσι θαλάσσης
ἐγρομένη πλοκάμους τε καὶ εἵματα φαιδρύνεσκεν.
θῆρες δ' οὐ θήρεσσιν ἐοικότες ὠμηστῇσιν,
οὐδὲ μὲν οὐδ' ἀνδρεσσιν ὁμὸν δέμας, ἄλλο δ' ἀπ' ἄλλων
συμμιγέες μελέων, κίον ἀθρόοι, ἠύτε μῆλα
ἐκ σταθμῶν ἅλις εἶσιν ὀπηδεύοντα νομῆι.
τοίους καὶ προτέρης ἐξ ἰλύος ἐβλάστησε

250

they would never have won a safe return. But Hera sped forth from heaven and shouted from the Hercynian rock; and one and all did quake with fear at her shout, for terribly rumbled the wide firmament. So they turned back before the goddess, noting now the way along which they must go for their return. At last they reached the seacoast by the counsels of Hera, passing through the coasts of countless Celtic and Ligyan tribes, without being attacked. For about them the goddess shed a thick mist all day as they went. So they sailed through the river's midmost mouth and came unto «the line of islands,» saved through the intercession of the sons of Zeus; wherefore are altars and temples builded there for ever, for it was not that voyage alone they did attend to succour; but to them Zeus vouchsafed to aid the ships also of future mariners. After leaving «the line of islands» they sailed to the isle of Æthalia, and there upon its shingly beach they wiped off in the lists much sweat; and the pebbles on the strand were strewn as it were with skin; and there lie their quoits and tattered raiment, wondrous many; so that the harbour therein is called Argo's haven after them.

Quickly they sailed thence across the ocean swell with their eyes upon the Tyrsenian cliffs of Ausonia, and came unto the famous harbour of Æææa, and they drew nigh and fastened the ship's hawsers on the rocks. There they found Circe washing her head in the sea-water, for greatly was she scared by the visions of the night. Her chamber and the walls of her house seemed to be all running with blood, and fire was devouring her store of drugs, wherewith afore she bewitched strangers, whoso came hither; and she did quench the fire's bright blaze with blood of murdered men, scooping it up in her hands; and so she ceased from deadly fear. Wherefore so soon as dawn was come, she arose and would wash her hair and raiment in the waters of the sea. And beasts, that resembled not ravening brutes of prey, nor yet had the form of men, but each wore his fellow's limbs in medley strange, came trooping forth, like sheep when they throng from the fold at the heels of the shepherd. Such creatures earth herself produced from the primeval mud, compact of divers kinds of limbs, when as yet she was not made solid by the thirsty air, nor yet had gotten one drop of moisture from the rays of the scorching sun; but time put these forms together and led them forth in rows; e'en

χθὼν αὐτὴ μικτοῖσιν ἀρηρεμένους μελέεσσιν,
οὔπω διψαλέῳ μάλ' ὑπ' ἠέρι πιληθεῖσα,
οὐδέ πω ἀζαλέοιο βολαῖς τόσον ἠελίοιο
ἰκμάδας αἰνυμένη· τὰ δ' ἐπὶ στίχας ἤγαγεν αἰὼν
συγκρίνας· τὼς οἵγε φυὴν ἀίδηλοι ἔποντο.
ἥρωας δ' ἕλε θάμβος ἀπείριτον· αἶψα δ' ἕκαστος
Κίρκης εἴς τε φυήν, εἴς τ' ὄμματα παπταίνοντες
ῥεῖα κασιγνήτην φάσαν ἔμμεναι Αἰήταο.
Ἡ δ' ὅτε δὴ νυχίων ἀπὸ δείματα πέμψεν ὀνείρων,
αὐτίκ' ἔπειτ' ἄψορρον ἀπέστιχε· τοὺς δ' ἅμ' ἕπεσθαι,
χειρὶ καταρρέξασα, δολοφροσύνῃσιν ἄνωγεν.
ἔνθ' ἤτοι πληθὺς μὲν ἐφετμαῖς Αἰσονίδαο
μίμνεν ἀπηλεγέως· ὁ δ' ἐρύσσατο Κολχίδα κούρην.
ἄμφω δ' ἑσπέσθην αὐτὴν ὁδόν, ἔστ' ἀφίκοντο
Κίρκης ἐς μέγαρον· τοὺς δ' ἐν λιπαροῖσι κέλευεν
ἧγε θρόνοις ἕζεσθαι, ἀμηχανέουσα κιόντων.
τὼ δ' ἄνεῳ καὶ ἄναυδοι ἐφ' ἑστίῃ ἀίξαντε
ἵζανον, ᾗ τε δίκη λυγροῖς ἱκέτῃσι τέτυκται,
ἡ μὲν ἐπ' ἀμφοτέραις θεμένη χείρεσσι μέτωπα,
αὐτὰρ ὁ κωπῆεν μέγα φάσγανον ἐν χθονὶ πήξας,
ᾧπέρ τ' Αἰήταο πάιν κτάνεν· οὐδέ ποτ' ὄσσε
ἰθὺς ἐνὶ βλεφάροισιν ἀνέσχεθον. αὐτίκα δ' ἔγνω
Κίρκη φύξιον οἶτον ἀλιτροσύνας τε φόνοιο.
τῷ καὶ ὀπιζομένη Ζηνὸς θέμιν Ἱκεσίοιο,
ὃς μέγα μὲν κοτέει, μέγα δ' ἀνδροφόνοισιν ἀρήγει,
ῥέζε θυηπολίην, οἵῃ τ' ἀπολυμαίνονται
νηλειεῖς ἱκέται, ὅτ' ἐφέστιοι ἀντιόωσιν.
πρῶτα μὲν ἀτρέπτοιο λυτήριον ἦγε φόνοιο
τειναμένη καθύπερθε συὸς τέκος, ἧς ἔτι μαζοὶ
πλήμμυρον λοχίης ἐκ νηδύος, αἵματι χεῖρας
τέγγεν, ἐπιτμήγουσα δέρην· αὖτις δὲ καὶ ἄλλοις
μείλισσεν χύτλοισι, καθάρσιον ἀγκαλέουσα
Ζῆνα, παλαμναίων τιμήορον ἱκεσιάων.
καὶ τὰ μὲν ἀθρόα πάντα δόμων ἐκ λύματ' ἔνεικαν
νηιάδες πρόπολοι, ταί οἱ πόρσυνον ἕκαστα.
ἡ δ' εἴσω πελάνους μείλικτρά τε νηφαλίῃσιν
καῖεν ἐπ' εὐχωλῇσι παρέστιος, ὄφρα χόλοιο
σμερδαλέας παύσειεν Ἐρινύας, ἠδὲ καὶ αὐτὸς
εὐμειδής τε πέλοιτο καὶ ἤπιος ἀμφοτέροισιν,
εἴτ' οὖν ὀθνείῳ μεμιασμένοι αἵματι χεῖρας,
εἴτε καὶ ἐμφύλῳ προσκηδέες ἀντιόωσιν.
Αὐτὰρ ἐπεὶ μάλα πάντα πονήσατο, δὴ τότ' ἔπειτα
εἷσεν ἐπὶ ξεστοῖσιν ἀναστήσασα θρόνοισιν,
καὶ δ' αὐτὴ πέλας ἷζεν ἐνωπαδίς. αἶψα δὲ μύθῳ
χρειὼ ναυτιλίην τε διακριδὸν ἐξερέεινεν,

252

such were the shapeless things that followed her. And ex-
ceeding wonder seized the heroes; and anon, as each man
gazed upon the form and face of Circe, easily he guessed
she was a sister of Æetes.

Now when she had sent from her the terror of her
dream by night, at once she started back again, and she
bade them follow her in her subtlety, caressing them with
her hand. Now his company abode there steadfastly at
the bidding of the son of Æson, but he took with him the
Colchian maiden; and they twain went with her along
the road, until they came to the hall of Circe; then that
lady bade them sit on fair seats, in great amaze at their
coming. But those twain without a word or sound darted
to her hearth and sat them down, as is the custom of sad
suppliants, and Medea buried her face in her hands, but
Jason fixed his great hilted sword in the ground, where-
with he slew the son of Æetes, but his eye would never
look her full in the face. In that moment Circe knew,
'twas murder and blood-guiltiness from which they fled.
Wherefore in reverence for the ordinance of Zeus, the
suppliants' god, who is a very jealous god, yet mightily
succoureth murderers, she offered the sacrifice, where-
with ruthless suppliants purify themselves when they
come to the altar. First, to release them from the unatoned
bloodshed, she held above their heads the young of a sow,
whose dugs were still full of milk after her litter, and
wetted their hands in the blood when she had cut its skin;
next made she atonement with other libations, calling
on Zeus the while to purify them; for he is the champion
of blood-guilty suppliants. And all that she used in the
cleansing did attendant nymphs, who brought each thing
to her, bear forth from the house. But she within stood
by the hearth and burned thereon, praying the while, a
soothing sop of honey, oil, and meal with nought of wine
therein, that she might stay the grim spirits of vengeance
from their fury, and that Zeus might be propitious and
favourable to them both, whether they sought atonement
for hands defiled with a stranger's blood or haply for a
kinsman, themselves his kith and kin.

Now when all her task was duly done, then did she
raise them up, and seated them on polished chairs, and
herself sat near facing them. And straightway she ques-
tioned them straitly of their business and their voyage,
and whence they came to her land and house, to sit them
down as suppliants in such wise. For lo! a hideous remem-

ἠδ' ὁπόθεν μετὰ γαῖαν ἐὴν καὶ δώματ' ἰόντες
αὕτως ἱδρύνθησαν ἐφέστιοι. ἦ γὰρ ὀνείρων
μνῆστις ἀεικελίη δῦνεν φρένας ὁρμαίνουσαν·
ἵετο δ' αὖ κούρης ἐμφύλιον ἴδμεναι ὀμφήν,
αὐτίχ' ὅπως ἐνόησεν ἀπ' οὔδεος ὄσσε βαλοῦσαν.
πᾶσα γὰρ Ἡελίου γενεὴ ἀρίδηλος ἰδέσθαι
ἦεν, ἐπεὶ βλεφάρων ἀποτηλόθι μαρμαρυγῆσιν
οἷόν τε χρυσέην ἀντώπιον ἵεσαν αἴγλην.
ἡ δ' ἄρα τῇ τὰ ἕκαστα διειρομένη κατέλεξεν,
Κολχίδα γῆρυν ἱεῖσα, βαρύφρονος Αἰήταο
κούρη μειλιχίως, ἠμὲν στόλον ἠδὲ κελεύθους
ἡρώων, ὅσα τ' ἀμφὶ θοοῖς ἐμόγησαν ἀέθλοις,
ὥς τε κασιγνήτης πολυκηδέος ἤλιτε βουλαῖς,
ὥς τ' ἀπονόσφιν ἄλυξεν ὑπέρβια δείματα πατρὸς
σὺν παισὶν Φρίξοιο· φόνον δ' ἀλέεινεν ἐνισπεῖν
Ἀψύρτου. τὴν δ' οὔτι νόῳ λάθεν· ἀλλὰ καὶ ἔμπης
μυρομένην ἐλέαιρεν, ἔπος δ' ἐπὶ τοῖον ἔειπεν·
'Σχετλίη, ἦ ῥα κακὸν καὶ ἀεικέα μήσαο νόστον.
ἔλπομαι οὐκ ἐπὶ δήν σε βαρὺν χόλον Αἰήταο
ἐκφυγέειν· τάχα δ' εἶσι καὶ Ἑλλάδος ἤθεα γαίης
τισόμενος φόνον υἷος, ὅτ' ἄσχετα ἔργ' ἐτέλεσσας.
ἀλλ' ἐπεὶ οὖν ἱκέτις καὶ ὁμόγνιος ἔπλευ ἐμεῖο,
ἄλλο μὲν οὔτι κακὸν μητίσομαι ἐνθάδ' ἰούσῃ·
ἔρχεο δ' ἐκ μεγάρων ξείνῳ συνοπηδὸς ἐοῦσα,
ὅντινα τοῦτον ἄιστον ἀείραο πατρὸς ἄνευθεν·
μηδέ με γουνάσσηαι ἐφέστιος, οὐ γὰρ ἔγωγε
αἰνήσω βουλάς τε σέθεν καὶ ἀεικέα φύξιν.'
Ὣς φάτο· τὴν δ' ἀμέγαρτον ἄχος λάβεν· ἀμφὶ δὲ πέπλον
ὀφθαλμοῖσι βαλοῦσα γόον χέεν, ὄφρα μιν ἥρως
χειρὸς ἐπισχόμενος μεγάρων ἐξῆγε θύραζε
δείματι παλλομένην· λεῖπον δ' ἀπὸ δώματα Κίρκης.
Οὐδ' ἄλοχον Κρονίδαο Διὸς λάθον· ἀλλά οἱ Ἶρις
πέφραδεν, εὖτ' ἐνόησεν ἀπὸ μεγάροιο κιόντας.
αὐτὴ γάρ μιν ἄνωγε δοκευέμεν, ὁππότε νῆα
στείχοιεν· τὸ καὶ αὖτις ἐποτρύνουσ' ἀγόρευεν·
'Ἶρι φίλη, νῦν, εἴ ποτ' ἐμὰς ἐτέλεσσας ἐφετμάς,
εἰ δ' ἄγε λαιψηρῇσι μετοιχομένη πτερύγεσσιν,
δεῦρο Θέτιν μοι ἄνωχθι μολεῖν ἁλὸς ἐξανιοῦσαν.
κείνης γὰρ χρειώ με κιχάνεται. αὐτὰρ ἔπειτα
ἐλθεῖν εἰς ἀκτάς, ὅθι τ' ἄκμονες Ἡφαίστοιο
χάλκειοι στιβαρῇσιν ἀράσσονται τυπίδεσσιν·
εἰπὲ δὲ κοιμῆσαι φύσας πυρός, εἰσόκεν Ἀργὼ
τάσγε παρεξελάσῃσιν. ἀτὰρ καὶ ἐς Αἴολον ἐλθεῖν,
Αἴολον, ὅς τ' ἀνέμοις αἰθρηγενέεσσιν ἀνάσσει·
καὶ δὲ τῷ εἰπέμεναι τὸν ἐμὸν νόον, ὡς κεν ἀήτας

brance of her dream came o'er her, as her heart mused thereon; and she yearned to hear the voice of the maiden, her kinswoman, soon as ever she saw her lift her eyes from the ground. For all the race of Helios was manifest at sight, for they shot far in front of them a gleam, as it had been of gold, from the twinkling of their eyes. Then did she, the daughter of grave Æetes, make soft answer in the Colchian tongue to all her questioning, telling of the expedition and the journey of the heroes, and all their suffering in their hurried toils, and how she had sinned at the bidding of her sorrowing sister, and how she fled with the sons of Phrixus from the awful horrors her father might inflict; but of the murder of Absyrtus she was careful not to speak. But nowise did it escape the ken of Circe; yet for all that she pitied the weeping maiden and thus unto her said, « Unhappy girl! verily an evil and a shameful return thou hast devised. No long time, I trow, shalt thou escape Æetes' fearful wrath; for soon will he go even to the homes in the land of Hellas, to take vengeance for the murder of his son; seeing that thou hast wrought a terrible deed. But, forasmuch as thou art my suppliant and of my race, I will devise no further evil against thee at thy coming hither; but get thee from my house in company with this stranger, this fellow whom thou hast taken unbeknown to thy father; entreat me not, sitting at my hearth, for I will not consent to thy counsels and thy shameful flight. »

So spake she; and grievous sorrow laid hold upon Medea, and she wrapt her robe about her eyes and wept; till the hero took her by the hand and led her forth to the door of the hall, quivering with terror; so they left the house of Circe.

But they escaped not the knowledge of the wife of Zeus, the son of Cronos; but Iris told her, when she marked them going from the hall. For Hera bade her watch them closely, until they came unto the ship, and again she spake and hailed her, « Dear Iris, now, if ever thou hast accomplished my bidding, come, speed thee on swift wings and bid Thetis arise from out the deep, and come hither to me. For need of her aid is come upon me; and next get thee to the cliffs, where the brazen anvils of Hephæstus clang to the blows of his heavy hammers, and bid him lull his fiery blasts to rest, until Argo has sailed by those cliffs. Then go to Æolus, Æolus who rules the winds, children of the upper air, and tell him this my

255

πάντας ἀπολλήξειεν ὑπ' ἠέρι, μηδέ τις αὔρη
τρηχύνοι πέλαγος· Ζεφύρου γε μὲν οὖρος ἀήτω,
ὄφρ' οἵγ' Ἀλκινόου Φαιήκιδα νῆσον ἵκωνται.'
Ὣς ἔφατ'· αὐτίκα δ' Ἶρις ἀπ' Οὐλύμποιο θοροῦσα
τέμνε, τανυσσαμένη κοῦφα πτερά. δῦ δ' ἐνὶ πόντῳ
Αἰγαίῳ, τόθι πέρ τε δόμοι Νηρῆος ἔασιν.
πρώτην δ' εἰσαφίκανε Θέτιν, καὶ ἐπέφραδε μῦθον
Ἥρης ἐννεσίης, ὦρσέν τέ μιν εἰς ἓ νέεσθαι.
δεύτερα δ' εἰς Ἥφαιστον ἐβήσατο· παῦσε δὲ τόνγε
ῥίμφα σιδηρείων τυπίδων· ἔσχοντο δ' ἀυτμῆς
αἰθαλέοι πρηστῆρες. ἀτὰρ τρίτον εἰσαφίκανεν
Αἴολον Ἱππότεω παῖδα κλυτόν. ὄφρα δὲ καὶ τῷ
ἀγγελίην φαμένη θοὰ γούνατα παῦσεν ὁδοῖο,
τόφρα Θέτις Νηρῆα κασιγνήτας τε λιποῦσα
ἐξ ἁλὸς Οὔλυμπόνδε θεὰν μετεκίαθεν Ἥρην·
ἡ δέ μιν ἆσσον ἑοῖο παρεῖσέ τε, φαῖνέ τε μῦθον·
'Κέκλυθι νῦν, Θέτι δῖα, τά τοι ἐπιέλδομ' ἐνισπεῖν.
οἶσθα μέν, ὅσσον ἐμῇσιν ἐνὶ φρεσὶ τίεται ἥρως
Αἰσονίδης, οἱ δ' ἄλλοι ἀοσσητῆρες ἀέθλου,
οἵως τέ σφ' ἐσάωσα διὰ πλαγκτὰς περόωντας
πέτρας, ἔνθα πάρος δειναὶ βρομέουσι θύελλαι,
κύματά τε σκληρῇσι περιβλύει σπιλάδεσσιν.
νῦν δὲ παρὰ Σκύλλης σκόπελον μέγαν ἠδὲ Χάρυβδιν
δεινὸν ἐρευγομένην δέχεται ὁδός. ἀλλά σε γὰρ δὴ
ἐξέτι νηπυτίης αὐτὴ τρέφον ἠδ' ἀγάπησα
ἔξοχον ἀλλάων, αἵ τ' εἰν ἁλὶ ναιετάουσιν,
οὕνεκεν οὐκ ἔτλης εὐνῇ Διὸς ἱεμένοιο
λέξασθαι. κείνῳ γὰρ ἀεὶ τάδε ἔργα μέμηλεν,
ἠὲ σὺν ἀθανάταις ἠὲ θνητῇσιν ἰαύειν.
ἀλλ' ἐμὲ αἰδομένη καὶ ἐνὶ φρεσὶ δειμαίνουσα,
ἠλεύω· ὁ δ' ἔπειτα πελώριον ὅρκον ὄμοσσεν,
μήποτέ σ' ἀθανάτοιο θεοῦ καλέεσθαι ἄκοιτιν.
ἔμπης δ' οὐ μεθίεσκεν ὀπιπτεύων ἀέκουσαν,
εἰσότε οἱ πρέσβειρα Θέμις κατέλεξεν ἅπαντα,
ὡς δή τοι πέπρωται ἀμείνονα πατρὸς ἑοῖο
παῖδα τεκεῖν· τῷ καί σε λιλαιόμενος μεθέηκεν,
δείματι, μή τις ἑοῦ ἀντάξιος ἄλλος ἀνάσσοι
ἀθανάτων, ἀλλ' αἰὲν ἐὸν κράτος εἰρύοιτο.
αὐτὰρ ἐγὼ τὸν ἄριστον ἐπιχθονίων πόσιν εἶναι
δῶκά τοι, ὄφρα γάμου θυμηδέος ἀντιάσειας,
τέκνα τε φιτύσαιο· θεοὺς δ' ἐς δαῖτ' ἐκάλεσσα
πάντας ὁμῶς· αὐτὴ δὲ σέλας χείρεσσιν ἀνέσχον
νυμφίδιον, κείνης ἀγανόφρονος εἵνεκα τιμῆς.
ἀλλ' ἄγε καί τινά τοι νημερτέα μῦθον ἐνίψω.
εὖτ' ἂν ἐς Ἠλύσιον πεδίον τεὸς υἱὸς ἵκηται,

mind, that he make all wind to cease under heaven, and suffer no breeze to roughen the sea; only let a favouring west-wind blow, that the heroes may come to the Phæacian isle of Alcinous.»

So spake she; and forthwith Iris darted from Olympus, cleaving her way, with her light wings outspread. And she plunged into the Ægean sea, just where the home of Nereus is. And she came to Thetis first, and told her tale as Hera bade, and roused her to go to her. Next went she to Hephæstus; and quickly stayed him from his iron hammers, and his sooty bellows ceased from their blast. Lastly came she to Æolus, famous son of Hippotas. And even while she was telling him her message, and resting her swift knees from her course, did Thetis leave Nereus and her sisters and go from the sea to Olympus, unto the goddess Hera, who made her sit beside her, and declared her speech; «Hearken now, lady Thetis, to that which I fain would tell thee. Thou knowest how dear to my heart is the hero son of Æson, and those others that do help him in his toil; for 'twas I alone, that saved them in their passage through the wandering rocks, where erst dire tempests roared and the billows boiled round the rugged rocks. But now awaits them a journey past the mighty rock of Scylla, and Charybdis, horribly belching. Nay, hear me; for lo! 'twas I that with mine own hands tended and caressed thee from thine infancy above all others, who dwell within the sea, because thou wouldst not yield to the importunities of Zeus. For he is ever bent on such deeds, to lie with women, be they mortal or immortal. But thou, from reverence of me and from fear, didst avoid him; wherefore he then did swear a mighty oath, that thou shouldst never be called the wife of an immortal god. Yet did he lie in wait for thee an unwilling mate, and would not give thee up, until aged Themis told him all, how that of a surety it was ordained that thou shouldst bear a son better than his father; wherefore he gave thee up, for all his strong desire, in fear that another should be his rival and rule the deathless gods, yea, and for ever wrest away his power. But I gave thee the best of mortal men to be thy husband, that thou mightest find the joys of wedlock and bear children; and to thy marriage-feast I bade the gods, one and all, and with mine own hand raised the wedding torch, to repay that thy generous respect. But come now, I will tell thee a tale that lieth

257

ὃν δὴ νῦν Χείρωνος ἐν ἤθεσι Κενταύροιο
νηιάδες κομέουσι τεοῦ λίπτοντα γάλακτος,
χρειώ μιν κούρης πόσιν ἔμμεναι Αἰήταο
Μηδείης· σὺ δ' ἄρηγε νυῷ ἑκυρή περ ἐοῦσα,
ἠδ' αὐτῷ Πηλῆι. τί τοι χόλος ἐστήρικται;
ἀάσθη. καὶ γάρ τε θεοὺς ἐπινίσσεται ἄτη.
ναὶ μὲν ἐφημοσύνῃσιν ἐμαῖς Ἥφαιστον ὀίω
λωφήσειν πρήσοντα πυρὸς μένος, Ἱπποτάδην δὲ
Αἴολον ὠκείας ἀνέμων ἄικας ἐρύξειν,
νόσφιν ἐυσταθέος ζεφύρου, τείως κεν ἵκωνται
Φαιήκων λιμένας· σὺ δ' ἀκηδέα μήδεο νόστον.
δεῖμα δέ τοι πέτραι καὶ ὑπέρβια κύματ' ἔασιν
μοῦνον, ἅ κεν τρέψαιο κασιγνήτῃσι σὺν ἄλλαις.
μηδὲ σύγ' ἠὲ Χάρυβδιν ἀμηχανέοντας ἐάσῃς
ἐσβαλέειν, μὴ πάντας ἀναβρόξασα φέρῃσιν,
ἠὲ παρὰ Σκύλλης στυγερὸν κευθμῶνα νέεσθαι,
Σκύλλης Αὐσονίης ὀλοόφρονος, ἣν τέκε Φόρκυι
νυκτιπόλος Ἑκάτη, τήν τε κλείουσι Κράταιιν,
μή πως σμερδαλέῃσιν ἐπαΐξασα γένυσσιν
λεκτοὺς ἡρώων δηλήσεται. ἀλλ' ἔχε νῆα
κεῖσ', ὅθι περ τυτθή γε παραίβασις ἔσσετ' ὀλέθρου.'
Ὣς φάτο· τὴν δὲ Θέτις τοίῳ προσελέξατο μύθῳ·
Εἰ μὲν δὴ μαλεροῖο πυρὸς μένος ἠδὲ θύελλαι
ζαχρηεῖς λήξουσιν ἐτήτυμον, ἦ τ' ἂν ἔγωγε
θαρσαλέη φαίην, καὶ κύματος ἀντιόωντος
νῆα σαωσέμεναι, ζεφύρου λίγα κινυμένοιο.
ἀλλ' ὥρη δολιχήν τε καὶ ἄσπετον οἶμον ὁδεύειν,
ὄφρα κασιγνήτας μετελεύσομαι, αἵ μοι ἀρωγοὶ
ἔσσονται, καὶ νηὸς ὅθι πρυμνήσι' ἀνῆπται,
ὥς κεν ὑπηῷοι μνησαίατο νόστον ἑλέσθαι.'
Ἦ, καὶ ἀναΐξασα κατ' αἰθέρος ἔμπεσε δίναις
κυανέου πόντοιο· κάλει δ' ἐπαμυνέμεν ἄλλας
αὐτοκασιγνήτας Νηρηίδας· αἱ δ' ἀίουσαι
ἤντεον ἀλλήλῃσι· Θέτις δ' ἀγόρευεν ἐφετμὰς
Ἥρης· αἶψα δ' ἴαλλε μετ' Αὐσονίην ἅλα πάσας.
αὐτὴ δ' ὠκυτέρη ἀμαρύγματος ἠὲ βολάων
ἠελίου, ὅτ' ἄνεισι περαίης ὑψόθι γαίης,
σεύατ' ἴμεν λαιψηρὰ δι' ὕδατος, ἔστ' ἀφίκανεν
ἀκτὴν Αἰαίην Τυρσηνίδος ἠπείροιο.
τοὺς δ' εὗρεν παρὰ νηὶ σόλῳ ῥιπῇσί τ' ὀιστῶν
τερπομένους· ἡ δ' ἆσσον ὀρεξαμένη χερὸς ἄκρης
Αἰακίδεω Πηλῆος· ὁ γάρ ῥά οἱ ἦεν ἀκοίτης·
οὐδέ τις εἰσιδέειν δύνατ' ἔμπεδον, ἀλλ' ἄρα τῷγε
οἴῳ ἐν ὀφθαλμοῖσιν ἐείσατο, φώνησέν τε·
Μηκέτι νῦν ἀκταῖς Τυρσηνίσιν ἧσθε μένοντες,

258

*not; whenso thy son cometh to the Elysian plain, he, I
mean, whom water-nymphs now do tend in the home of
the Centaur Chiron, though he longeth for thy milk; needs
must he be the husband of Medea, daughter of Æetes;
do thou, then, as a mother, help thy future daughter, and
Peleus as well. Why is thy wrath so firmly rooted? 'Tis
blindness; for even to gods will blindness come. Verily
I do think that at my bidding Hephæstus will cease
to make his furious fire burn, and Æolus, son of Hippo-
tas, will check the winds' swift flight, all save the steady
west, until they come to the havens of the Phæacians;
so do thou devise for them a painless return. My only
fear is for thy rocks and mountainous billows, which,
with the aid of thy other sisters, thou canst turn aside.
Oh! leave them not to drift helplessly into Charybdis lest
with one gulp she take them all down, nor let them come
to Scylla's foul lair, murderous Scylla of Ausonia, whom
Hecate that roameth by night, bare to Phorcus, whom
men call ⟨the Mighty One,⟩ lest haply she dart upon
them with her fearful jaws and slay the chosen heroes.
But keep thou the ship just in the course where there
shall be a hair-breadth escape from destruction.»*

*So spake she; and Thetis answered her thus: «If, of
a truth, the furious raging fire and the stormy winds
shall cease, verily I too will with confidence promise to
save the ship from the wave's attack too, while the west
wind is piping. But 'tis time to set out upon my long weary
way, till I shall come unto my sisters, who shall help me,
and to the place where the ship's cables are fastened, that
at dawn they may bethink them of winning their return.»*

*Therewith she shot down from the sky and plunged
amid the eddies of the deep blue sea, and she called other
Nereids, her own sisters, to her aid, and they heard her
voice and came together. Then Thetis rehearsed the bid-
ding of Hera, and sent them all at once to the Ausonian
sea. But herself, swifter than the twinkling of an eye, or
the rays of the sun, when he riseth high above the hori-
zon, sped quickly on her way through the water, till she
reached the Ææan cliff of the Tyrsenian mainland. There
she found the heroes by the ship, taking their pastime
with quoits and archery, and she drew near and took
Peleus, son of Æacus, by the hand, for he was her hus-
band, but no man might see her at all; only to his eye did
she appear, and thus spake she: « Abide no longer now
sitting on the Tyrsenian strand, but at dawn loose the*

259

ἠῶθεν δὲ θοῆς πρυμνήσια λύετε νηός,
Ἥρῃ πειθόμενοι ἐπαρηγόνι. τῆς γὰρ ἐφετμῆς
πασσυδίῃ κοῦραι Νηρηίδες ἀντιόωσιν,
νῆα διὲκ πέτρας, αἵ τε Πλαγκταὶ καλέονται,
ῥυσόμεναι. κείνη γὰρ ἐναίσιμος ὕμμι κέλευθος.
ἀλλὰ σὺ μή τῳ ἐμὸν δείξῃς δέμας, εὖτ' ἂν ἴδηαι
ἀντομένην σὺν τῇσι· νόῳ δ' ἔχε, μή με χολώσῃς
πλεῖον ἔτ', ἢ τὸ πάροιθεν ἀπηλεγέως ἐχόλωσας.'
Ἦ, καὶ ἔπειτ' ἀίδηλος ἐδύσατο βένθεα πόντου·
τὸν δ' ἄχος αἰνὸν ἔτυψεν, ἐπεὶ πάρος οὐκέτ' ἰοῦσαν
ἔδρακεν, ἐξότε πρῶτα λίπεν θάλαμόν τε καὶ εὐνὴν
χωσαμένη Ἀχιλῆος ἀγαυοῦ νηπιάχοντος.
ἡ μὲν γὰρ βροτέας αἰεὶ περὶ σάρκας ἔδαιεν
νύκτα διὰ μέσσην φλογμῷ πυρός· ἤματα δ' αὖτε
ἀμβροσίῃ χρίεσκε τέρεν δέμας, ὄφρα πέλοιτο
ἀθάνατος, καί οἱ στυγερὸν χροῒ γῆρας ἀλάλκοι.
αὐτὰρ ὅγ' ἐξ εὐνῆς ἀναπάλμενος εἰσενόησεν
παῖδα φίλον σπαίροντα διὰ φλογός· ἧκε δ' ἀυτὴν
σμερδαλέην ἐσιδών, μέγα νήπιος· ἡ δ' ἀίουσα
τὸν μὲν ἄρ' ἁρπάγδην χαμάδις βάλε κεκληγῶτα,
αὐτὴ δὲ πνοιῇ ἰκέλη δέμας, ἠύτ' ὄνειρος,
βῆ ῥ' ἴμεν ἐκ μεγάροιο θοῶς, καὶ ἐσήλατο πόντον
χωσαμένη· μετὰ δ' οὔτι παλίσσυτος ἵκετ' ὀπίσσω.
τῶ μιν ἀμηχανίη δῆσεν φρένας· ἀλλὰ καὶ ἔμπης
πᾶσαν ἐφημοσύνην Θέτιδος μετέειπεν ἑταίροις.
οἱ δ' ἄρα μεσσηγὺς λῆξαν καὶ ἔπαυσαν ἀέθλους
ἐσσυμένως, δόρπον τε χαμεύνας τ' ἀμφεπένοντο,
τῆς ἔνι δαισάμενοι νύκτ' ἄεσαν, ὡς τὸ πάροιθεν.
Ἦμος δ' ἄκρον ἔβαλλε φαεσφόρος οὐρανὸν Ἠώς,
δὴ τότε λαιψηροῖο κατηλυσίῃ ζεφύροιο
βαῖνον ἐπὶ κληῖδας ἀπὸ χθονός· ἐκ δὲ βυθοῖο
εὐναίας εἷλκον περιγηθέες ἄλλα τε πάντα
ἄρμενα μηρύοντο κατὰ χρέος· ὕψι δὲ λαῖφος
εἴρυσσαν τανύσαντες ἐν ἱμάντεσσι κεραίης.
νῆα δ' ἐυκραὴς ἄνεμος φέρεν. αἶψα δὲ νῆσον
καλήν, Ἀνθεμόεσσαν ἐσέδρακον, ἔνθα λίγειαι
Σειρῆνες σίνοντ' Ἀχελωίδες ἡδείῃσιν
θέλγουσαι μολπῇσιν, ὅτις παρὰ πεῖσμα βάλοιτο.
τὰς μὲν ἄρ' εὐειδὴς Ἀχελωίῳ εὐνηθεῖσα
γείνατο Τερψιχόρη, Μουσέων μία· καί ποτε Δηοῦς
θυγατέρ' ἰφθίμην ἀδμῆτ' ἔτι πορσαίνεσκον
ἄμμιγα μελπόμεναι· τότε δ' ἄλλο μὲν οἰωνοῖσιν,
ἄλλο δὲ παρθενικῆς ἐναλίγκιαι ἔσκον ἰδέσθαι.
αἰεὶ δ' εὐόρμου δεδοκημέναι ἐκ περιωπῆς
ἦ θαμὰ δὴ πολέων μελιηδέα νόστον ἕλοντο,

hawsers of the swift ship, in obedience to Hera, your champion. For at her command my Nereid maids are met, to send your ship in safety, and with all speed through the rocks which are called ‹the Wanderers.› For that is your proper route. But do thou point me out to no man, what time thou seest me present with these; lay that to heart, lest thou anger me in more downright earnest than ever thou hast afore.»

Therewith she plunged unseen into the depths of the sea, and sore grief smote Peleus, for he had never seen her come, since first she left her bridal chamber in anger, when noble Achilles was yet a babe. For the goddess ever used to wrap about his mortal body fiery flame through the night, and by day she would anoint his tender skin with ambrosia, that he might become immortal, and that she might ward off hateful old age from his body. But Peleus saw his dear son gasping in the flame, and he sprang from his bed with a cry of horror at the sight, fond fool! but she, when she heard him, cast the screaming babe headlong to the ground, and herself passed forth from the house in haste, like to a breath of wind or as a dream, and leapt into the sea in anger; and she never came back again. So blank dismay tied up his heart; yet, for all that, he told to his comrades all the bidding of Thetis. And they hurriedly broke off in the midst and ceased their contests, and busied themselves about supper and their pallet beds, whereon, when they had eaten, they slept through the night, as aforetime.

But when Dawn, giver of light, was touching the edge of heaven, in that hour they went from the land to sit upon the rowing benches, as the swift west-wind came down; and from the deep they hauled up the anchors, glad at heart; and made all the rest of the tackling taut as was needful; and they set the sail, stretching it on the sheets of the yardarm. And a gentle wind carried the ship along. Anon they beheld an island, fair and full of flowers, where the Sirens, clear-voiced daughters of Achelous, used to charm with their sweet singing whoso cast anchor there, and then destroy him. These are the children that comely Terpsichore, one of the Muses, bare to Achelous for his love; once they had the charge of Demeter's noble daughter, while she was yet unwed, singing to her in chorus; at that time were they part bird, part maiden to behold. Ever they keep watch from their outlook, with its fair haven; and many a one have they

τηκεδόνι φθινύθουσαι· ἀπηλεγέως δ' ἄρα καὶ τοῖς
ἵεσαν ἐκ στομάτων ὄπα λείριον. οἱ δ' ἀπὸ νηὸς
ἤδη πείσματ' ἔμελλον ἐπ' ἠιόνεσσι βαλέσθαι,
εἰ μὴ ἄρ' Οἰάγροιο πάις Θρηίκιος Ὀρφεὺς
Βιστονίην ἐνὶ χερσὶν ἑαῖς φόρμιγγα τανύσσας
κραιπνὸν ἐυτροχάλοιο μέλος κανάχησεν ἀοιδῆς,
ὄφρ' ἄμυδις κλονέοντος ἐπιβρομέωνται ἀκουαὶ
κρεγμῷ· παρθενικὴν δ' ἐνοπὴν ἐβιήσατο φόρμιγξ.
νῆα δ' ὁμοῦ ζέφυρός τε καὶ ἠχῆεν φέρε κῦμα
πρυμνόθεν ὀρνύμενον· ταὶ δ' ἄκριτον ἵεσαν αὐδήν.
ἀλλὰ καὶ ὣς Τελέοντος ἐὺς πάις, οἶος ἑταίρων
προφθάμενος, ξεστοῖο κατὰ ζυγοῦ ἔνθορε πόντῳ
Βούτης, Σειρήνων λιγυρῇ ὀπὶ θυμὸν ἰανθείς·
νῆχε δὲ πορφυρέοιο δι' οἴδματος, ὄφρ' ἐπιβαίη,
σχέτλιος. ἦ τέ οἱ αἶψα καταυτόθι νόστον ἀπηύρων,
ἀλλά μιν οἰκτείρασα θεὰ Ἔρυκος μεδέουσα
Κύπρις ἔτ' ἐν δίναις ἀνερέψατο, καί ῥ' ἐσάωσεν
πρόφρων ἀντομένη Λιλυβηίδα ναιέμεν ἄκρην.
οἱ δ' ἄχεϊ σχόμενοι τὰς μὲν λίπον, ἄλλα δ' ὄπαζον
κύντερα μιξοδίῃσιν ἁλὸς ῥαιστήρια νηῶν.
τῇ μὲν γὰρ Σκύλλης λισσὴ προυφαίνετο πέτρη·
τῇ δ' ἄμοτον βοάασκεν ἀναβλύζουσα Χάρυβδις·
ἄλλοθι δὲ Πλαγκταὶ μεγάλῳ ὑπὸ κύματι πέτραι
ῥόχθεον, ἧχι πάροιθεν ἀπέπτυεν αἰθομένη φλὸξ
ἄκρων ἐκ σκοπέλων, πυριθαλπέος ὑψόθι πέτρης,
καπνῷ δ' ἀχλυόεις αἰθὴρ πέλεν, οὐδέ κεν αὐγὰς
ἔδρακες ἠελίοιο. τότ' αὖ λήξαντος ἀπ' ἔργων
Ἡφαίστου θερμὴν ἔτι κήκιε πόντος ἀυτμήν.
ἔνθα σφιν κοῦραι Νηρηίδες ἄλλοθεν ἄλλαι
ἤντεον· ἡ δ' ὄπιθεν πτέρυγος θίγε πηδαλίοιο
δῖα Θέτις, Πλαγκτῇσιν ἐνὶ σπιλάδεσσιν ἐρύσσαι.
ὡς δ' ὁπόταν δελφῖνες ὑπὲξ ἁλὸς εὐδιόωντες
σπερχομένην ἀγεληδὸν ἑλίσσωνται περὶ νῆα,
ἄλλοτε μὲν προπάροιθεν ὁρώμενοι, ἄλλοτ' ὄπισθεν,
ἄλλοτε παρβολάδην, ναύτῃσι δὲ χάρμα τέτυκται·
ὣς αἱ ὑπεκπροθέουσαι ἐπήτριμοι εἱλίσσοντο
Ἀργώῃ περὶ νηί, Θέτις δ' ἴθυνε κέλευθον.
καί ῥ' ὅτε δὴ Πλαγκτῇσιν ἐνιχρίμψεσθαι ἔμελλον,
αὐτίκ' ἀνασχόμεναι λευκοῖς ἐπὶ γούνασι πέζας,
ὑψοῦ ἐπ' αὐτάων σπιλάδων καὶ κύματος ἀγῆς
ῥώοντ' ἔνθα καὶ ἔνθα διασταδὸν ἀλλήλῃσιν.
τὴν δὲ παρηορίην κόπτεν ῥόος· ἀμφὶ δὲ κῦμα
λάβρον ἀειρόμενον πέτραις ἐπικαχλάζεσκεν,
αἵ θ' ὁτὲ μὲν κρημνοῖς ἐναλίγκιαι ἠέρι κῦρον,
ἄλλοτε δὲ βρύχιαι νεάτῳ ὑπὸ πυθμένι πόντου

reft of his joyous return, making him waste away slow-ly; forthwith then to the heroes they wafted their delicate voice. And these would at once have cast their cables on the rocks, had not Thracian Orpheus, son of Œager, forthwith strung his lyre in his hands, and let a hasty snatch of quick music ring out loudly, that their ears might be dinned as he at the same time swept the twang-ing chords; and his lyre did drown the voice of the maidens. And the west-wind and the roaring wave, rushing astern, together bore on the ship, while the Sirens raised their ceaseless song. Yet even thus Teleon's goodly son, Butes, did alone elude his fellows and leapt from the polished bench into the sea, for his heart was melted by the clear singing of the Sirens; and he swum through the darkling swell to reach that shore, unhappy mortal! Quickly would they rob him of his return then and there; but the goddess Cypris, who watcheth o'er Eryx, did pity him, and caught him up, while he was yet in the eddying wave, and with kindly aid brought him to a safe dwell-ing-place on the headland of Lilybeum. So they left the Sirens, holden with grief withal; but other perils of shipwreck, direr still, did await them in the strait, where two seas meet. For on one side arose Scylla's sheer wall of cliff, and on the other Charybdis did spout and roar unceasingly; while in another place «the Wandering rocks» thundered at the buffet of mighty waves, there where in front of them a blazing flame vomited from the top of the crags, high o'er a red-hot rock. And the air was murky with smoke; nor couldst thou have seen the rays of the sun. Moreover, though Hephæstus had ceased from his work, the sea still sent up warm steam. Here the Nereids flocked from all sides to meet them; while the goddess, lady Thetis, took hold of the rudder-blade be-hind to drag the ship inside «the Wandering rocks.» As when dolphins come forth from the sea in fair weather, and gambol in flocks round a speeding ship, now seen in front, and now behind, and yet again alongside, to the joy of the sailors; even so the Nereids darted up and circled in their ranks about the good ship Argo, while Thetis steered her course. Now when they were just coming nigh unto «the Wandering rocks,» in a moment they drew the edge of their robes up above their white knees, and darting up to the very top of the cliffs and on to the beach, ranged themselves in rows on either side. And the stream smote upon the ship's side, and the wave,

263

ἠρήρειν, τὸ δὲ πολλὸν ὑπείρεχεν ἄγριον οἶδμα.
αἱ δ', ὥστ' ἠμαθόεντος ἐπισχεδὸν αἰγιαλοῖο
παρθενικαί, δίχα κόλπον ἐπ' ἰξύας εἱλίξασαι,
σφαίρῃ ἀθύρουσιν περιηγέι· αἱ μὲν ἔπειτα
ἄλλη ὑπ' ἐξ ἄλλης δέχεται καὶ ἐς ἠέρα πέμπει
ὕψι μεταχρονίην· ἡ δ' οὔποτε πίλναται οὔδει·
ὣς αἱ νῆα θέουσαν ἀμοιβαδὶς ἄλλοθεν ἄλλη
πέμπε διηερίην ἐπὶ κύμασιν, αἰὲν ἄπωθεν
πετράων· περὶ δέ σφιν ἐρευγόμενον ζέεν ὕδωρ.
τὰς δὲ καὶ αὐτὸς ἄναξ κορυφῆς ἔπι λισσάδος ἄκρης
ὀρθὸς ἐπὶ στελεῇ τυπίδος βαρὺν ὦμον ἐρείσας
Ἥφαιστος θηεῖτο, καὶ αἰγλήεντος ὕπερθεν
οὐρανοῦ ἑστηυῖα Διὸς δάμαρ· ἀμφὶ δ' Ἀθήνη
βάλλε χέρας, τοῖόν μιν ἔχεν δέος εἰσορόωσαν.
ὅσση δ' εἰαρινοῦ μηκύνεται ἤματος αἶσα,
τοσσάτιον μογέεσκον ἐπὶ χρόνον, ὀχλίζουσαι
νῆα διὲκ πέτρας πολυηχέας· οἱ δ' ἀνέμοιο
αὖτις ἐπαυρόμενοι προτέρω θέον· ὦκα δ' ἄμειβον
Θρινακίης λειμῶνα, βοῶν τροφὸν Ἠελίοιο.
ἔνθ' αἱ μὲν κατὰ βένθος ἀλίγκιαι αἰθυίῃσιν
δῦνον, ἐπεί ῥ' ἀλόχοιο Διὸς πόρσυνον ἐφετμάς.
τοὺς δ' ἄμυδις βληχή τε δι' ἠέρος ἵκετο μήλων,
μυκηθμός τε βοῶν αὐτοσχεδὸν οὔατ' ἔβαλλεν.
καὶ τὰ μὲν ἐρσήεντα κατὰ δρία ποιμαίνεσκεν
ὁπλοτέρη Φαέθουσα θυγατρῶν Ἠελίοιο,
ἀργύρεον χαῖον παλάμῃ ἔνι πηχύνουσα·
Λαμπετίη δ' ἐπὶ βουσὶν ὀρειχάλκοιο φαεινοῦ
πάλλεν ὀπηδεύουσα καλαύροπα· τὰς δὲ καὶ αὐτοὶ
βοσκομένας ποταμοῖο παρ' ὕδασιν εἰσορόωντο
ἂμ πεδίον καὶ ἕλος λειμώνιον· οὐδέ τις ἦεν
κυανέη μετὰ τῇσι δέμας, πᾶσαι δὲ γάλακτι
εἰδόμεναι, χρυσέοις κεράεσσιν κυδιάασκον.
καὶ μὲν τὰς παράμειβον ἐπ' ἤματι· νυκτὶ δ' ἰούσῃ
πεῖρον ἁλὸς μέγα λαῖτμα κεχαρμένοι, ὄφρα καὶ αὖτις
Ἠὼς ἠριγενὴς φέγγος βάλε νισσομένοισιν.
Ἔστι δέ τις πορθμοῖο παροιτέρη Ἰονίοιο
ἀμφιλαφὴς πίειρα Κεραυνίη εἰν ἁλὶ νῆσος,
ᾗ ὕπο δὴ κεῖσθαι δρέπανον φάτις—ἵλατε Μοῦσαι,
οὐκ ἐθέλων ἐνέπω προτέρων ἔπος—ᾧ ἀπὸ πατρὸς
μήδεα νηλειῶς ἔταμεν Κρόνος· οἱ δέ ἑ Δηοῦς
κλείουσι χθονίης καλαμητόμον ἔμμεναι ἅρπην.
Δηὼ γὰρ κείνῃ ἐνὶ δή ποτε νάσσατο γαίῃ,
Τιτῆνας δ' ἔδαε στάχυν ὄμπνιον ἀμήσασθαι,
Μάκριδα φιλαμένη. Δρεπάνη τόθεν ἐκλήισται
οὔνομα, Φαιήκων ἱερὴ τροφός· ὣς δὲ καὶ αὐτοὶ

264

rising furiously about them, broke over the rocks. And these at one moment had their sharp points covered as it were with mist, and at another their base was seen far down beneath the nether depth, while that wild surf poured in floods over them. But they, like maids, who play at ball hard by a sandy beach, with the folds of their dress rolled up to their waists out of their way; and one catcheth the ball from another and sends it soaring high into the air, and it never reaches the ground; even so they sent the ship on her way from hand to hand o'er the crests of the waves, ever clear of the rocks, while the water belched and seethed around them. There on the top of a smooth rock stood king Hephæstus in person, resting his heavy shoulder on the handle of his hammer, and watching them; and above the dazzling firmament stood the wife of Zeus, with her arm about Athene's waist, so mightily was she frightened at the sight. Long as is a day's allotted space in spring-time, so long they toiled, heaving the ship through the echoing rocks; and the heroes catching the wind once more, sped onward, and quickly they passed the meadow of Trinacria, where graze the kine of Helios. Then did the Nereids plunge beneath the depths like water-fowl, for they had performed the commands of the wife of Zeus. Now did the bleating of sheep come to them confusedly through the air, and a lowing of kine smote upon their ears nigh at hand. The sheep was Phaethusa, youngest of the daughters of Helios, shepherding adown the dewy thickets, with a crook of silver in her hand; but Lampetie herded the kine, brandishing a herdsman's staff of gleaming orichalcum. These kine the heroes saw grazing by the waters of the river along the plain and the water meadow; there was not one among them of dark colour, but all, white as milk, with horns of gold, moved proudly on their way. By these they passed in the day-time; and in the coming night they cleft their path o'er a wide gulf of sea, rejoicing; till once again Dawn, child of morning, shed his light upon their path.

Now there is in front of the Ionian gulf a rich island, thickly o'ergrown, in the Ceraunian sea, beneath which, legend saith, there lies a sickle—be gracious, ye Muses, for I tell not willingly this tale of olden times—wherewith Cronos reft his sire of his manhood ruthlessly; but others say it is the reaping-hook of Demeter, goddess of the nether world. For Demeter, they say, once dwelt in that land, and taught the Titans to reap the corn-crop for

A
R
G
O
N
A
U
T
I
C
A

265

αἵματος Οὐρανίοιο γένος Φαίηκες ἔασιν.
τοὺς Ἀργὼ πολέεσσιν ἐνισχομένη καμάτοισιν
Θρινακίης αὔρης ἵκετ' ἐξ ἁλός· αἱ δ' ἀγανῇσιν
Ἀλκίνοος λαοί τε θυηπολίῃσιν ἰόντας
δειδέχατ' ἀσπασίως· ἐπὶ δέ σφισι καγχαλάασκεν
πᾶσα πόλις· φαίης κεν ἑοῖς ἐπὶ παισὶ γάνυσθαι.
καὶ δ' αὐτοὶ ἥρωες ἀνὰ πληθὺν κεχάροντο,
τῷ ἴκελοι, οἷόν τε μεσαιτάτῃ ἐμβεβαῶτες
Αἱμονίῃ· μέλλον δὲ βοῇ ἔνι θωρήξεσθαι·
ὧδε μάλ' ἀγχίμολον στρατὸς ἄσπετος ἐξεφαάνθη
Κόλχων, οἳ Πόντοιο κατὰ στόμα καὶ διὰ πέτρας
Κυανέας μαστῆρες ἀριστήων ἐπέρησαν.
Μήδειαν δ' ἔξαιτον ἑοῦ ἐς πατρὸς ἄγεσθαι
ἵεντ' ἀπροφάτως, ἠὲ στονόεσσαν αὐτὴν
νωμήσειν χαλεπῇσιν ὁμόκλεον ἀτροπίῃσιν
αὖθί τε καὶ μετέπειτα σὺν Αἰήταο κελεύθῳ.
ἀλλά σφεας κατέρυκεν ἐπειγομένους πολέμοιο
κρείων Ἀλκίνοος. λελίητο γὰρ ἀμφοτέροισιν
δηιοτῆτος ἄνευθεν ὑπέρβια νείκεα λῦσαι.
κούρη δ' οὐλομένῳ ὑπὸ δείματι πολλὰ μὲν αὐτοὺς
Αἰσονίδεω ἑτάρους μειλίσσετο, πολλὰ δὲ χερσὶν
Ἀρήτης γούνων ἀλόχου θίγεν Ἀλκινόοιο·
'Γουνοῦμαι, βασίλεια· σὺ δ' ἵλαθι, μηδέ με Κόλχοις
ἐκδώῃς ᾧ πατρὶ κομιζέμεν, εἴ νυ καὶ αὐτὴ
ἀνθρώπων γενεῆς μία φέρβεαι, οἷσιν ἐς ἄτην
ὠκύτατος κούφῃσι θέει νόος ἀμπλακίῃσιν.
ὡς ἐμοὶ ἐκ πυκιναὶ ἔπεσον φρένες, οὐ μὲν ἕκητι
μαργοσύνης. ἴστω δ' ἱερὸν φάος Ἠελίοιο,
ἴστω νυκτιπόλου Περσηίδος ὄργια κούρης,
μὴ μὲν ἐγὼν ἐθέλουσα σὺν ἀνδράσιν ἀλλοδαποῖσιν
κεῖθεν ἀφωρμήθην· στυγερὸν δέ με τάρβος ἔπεισεν
τῆσγε φυγῆς μνήσασθαι, ὅτ' ἤλιτον· οὐδέ τις ἄλλη
μῆτις ἔην. ἔτι μοι μίτρη μένει, ὡς ἐνὶ πατρὸς
δώμασιν, ἄχραντος καὶ ἀκήρατος. ἀλλ' ἐλέαιρε,
πότνα, τεόν τε πόσιν μειλίσσεο· σοὶ δ' ὀπάσειαν
ἀθάνατοι βίοτόν τε τελεσφόρον ἀγλαΐην τε
καὶ παῖδας καὶ κῦδος ἀπορθήτοιο πόληος.'
Τοῖα μὲν Ἀρήτην γουνάζετο δάκρυ χέουσα·
τοῖα δ' ἀριστήων ἐναμοιβαδὶς ἄνδρα ἕκαστον·
''Υμέων, ὦ πέρι δὴ μέγα φέρτατοι, ἀμφί τ' ἀέθλοις
ἢ οὕνεκεν ἢ ὑμετέροισιν, ἀτύζομαι· ἧς ἰότητι
ταύρους τ' ἐζεύξασθε, καὶ ἐκ θέρος οὐλοὸν ἀνδρῶν
κείρατε γηγενέων· ἧς εἵνεκεν Αἱμονίηνδε
χρύσεον αὐτίκα κῶας ἀνάξετε νοστήσαντες.
ἥδ' ἐγώ, ἣ πάτρην τε καὶ οὓς ὤλεσσα τοκῆας,

266

*her love of Macris; whence it was called «the Hook»
by name, and became the sacred nursing-mother of the
Phæacians, and so it is that the Phæacians really are
by lineage of the blood of Uranus. To them came Argo,
after stress of many toils, driven by the wind from the
Trinacrian sea; and these, Alcinous and his people, re-
ceived them gladly at their coming with gracious sacri-
fice; and the whole city made merry in their honour;
thou wouldst have said, 'twas their own sons they were
rejoicing over. And the heroes likewise rejoiced among
the folk, even as if they had set foot in the heart of Hæ-
monia. But soon were they to arm and raise the battle-cry,
so close behind them hove in sight a countless host of
Colchians, who had passed through the mouth of Pontus
and the rocks Cyanean in search of the chieftains. Above
all, they were eager to carry Medea, without excuse, unto
her father's home; or else they threatened to raise their
dire war-cry both then and thereafter with savage cruelty,
after the fashion of Æetes.*

*But king Alcinous restrained their eagerness for war,
for he would fain end their lawless quarrel for both sides
without going to battle. And the maiden, in deadly fear,
earnestly implored the companions of the son of Æson
by their names, and with suppliant hands she touched
the knees of Arete, wife of Alcinous: « I entreat thee,
queen, and be thou gracious; give me not up to the Col-
chians to take unto my father, if haply thou too art only
of the race of mortals, whose heart rusheth headlong to
their doom from trifling slips. For I did lose my senses;
'twas not mad passion led me on. Witness the sacred
light of Helios, witness the rites of the maiden, who
flieth by night, the daughter of Perses; never of my own
accord would I have started from Æa with strange folk,
but grievous terror urged me to plan this flight, in the
hour of my sin, for there was no other remedy. Still is
my honour pure and chaste, as in my father's house. Oh!
pity me, great lady, and implore thy lord; and may the
gods grant thee a perfect life, and joy, and children, and
the glory of a town unsacked.»*

*Thus did she implore Arete through her tears, and
thus each man of the chieftains in turn: « For you, ye
peerless princes, and for your toils wherein I have helped
you, am I sore afflicted; for by my help ye yoked the
bulls, and reaped the deadly harvest of earth-born warriors,
and by my means will ye return to Hæmonia anon, and*

ἢ δόμον, ἢ σύμπασαν ἐυφροσύνην βιότοιο·
ὔμμι δὲ καὶ πάτρην καὶ δώματα ναιέμεν αὖτις
ἤνυσα· καὶ γλυκεροῖσιν ἔτ᾽ εἰσόψεσθε τοκῆας
ὄμμασιν· αὐτὰρ ἐμοὶ ἀπὸ δὴ βαρὺς εἵλετο δαίμων
ἀγλαΐας· στυγερὴ δὲ σὺν ὀθνείοις ἀλάλημαι.
δείσατε συνθεσίας τε καὶ ὅρκια, δείσατ᾽ Ἐρινὺν
Ἱκεσίην, νέμεσίν τε θεῶν, ἐς χεῖρας ἰοῦσαν
Αἰήτεω λώβῃ πολυπήμονι δῃωθῆναι.
οὐ νηούς, οὐ πύργον ἐπίρροθον, οὐκ ἀλεωρὴν
ἄλλην, οἰόθι δὲ προτιβάλλομαι ὑμέας αὐτούς.
σχέτλιοι ἀτροπίης καὶ ἀνηλέες· οὐδ᾽ ἐνὶ θυμῷ
αἰδεῖσθε ξείνης μ᾽ ἐπὶ γούνατα χεῖρας ἀνάσσης
δερκόμενοι τείνουσαν ἀμήχανον· ἀλλά κε πᾶσιν,
κῶας ἑλεῖν μεμαῶτες, ἐμίξατε δούρατα Κόλχοις
αὐτῷ τ᾽ Αἰήτῃ ὑπερήνορι· νῦν δ᾽ ἐλάθεσθε
ἠνορέης, ὅτε μοῦνοι ἀποτμηγέντες ἔασιν.᾽
Ὣς φάτο λισσομένη· τῶν δ᾽ ὅντινα γουνάζοιτο,
ὅς μιν θαρσύνεσκεν ἐρητύων ἀχέουσαν.
σεῖον δ᾽ ἐγχείας εὐήκεας ἐν παλάμῃσιν,
φάσγανά τ᾽ ἐκ κολεῶν· οὐδὲ σχήσεσθαι ἀρωγῆς
ἔννεπον, εἴ κε δίκης ἀλιτήμονος ἀντιάσειεν.

268

bear with you the golden fleece. Lo! here am I, a maid who hath lost country, parents, home, aye, all the joy in life; while for you I have contrived a return unto your country and your homes; and ye will yet see your parents with glad eyes; but from me god's heavy hand hath reft all joy, and I wander accursed with strangers. Fear your covenant and your oaths; fear the spirit who avengeth suppliants, and the resentment of the gods, if I fall into the hands of Æetes to be slain with grievous outrage. I have no temple, no tower of defence, no protection else, but on you, and you alone, I cast myself. Woe to your cruelty, ye pitiless men! ye have no reverence in you for me, though ye saw me helplessly stretch out my hands to supplicate the stranger queen; yet would ye, in your eagerness to get the fleece, have met the whole Colchian nation and proud Æetes too in battle; but now have ye forgotten your chivalry, when there be but these, and they severed from their people.»

So prayed she; and each of those she did entreat, encouraged her, striving to stay her anguish. And they brandished well-pointed lances in their hands, and swords drawn from their sheaths; for they declared they would not hold their hands from her succour, if they should meet with unrighteous judgment. But on the weary warriors, thronging there, came down the night, that puts an end to toil, and shed calm o'er all the earth together; but to the maiden's couch came no sleep, no, never so little; but her heart within her breast was wrung with anguish. As when a toiling woman winds her thread the livelong night, and about her moan her orphan babes, now she is widowed; and the tear-drop courses down her cheek, as she weepeth for the piteous lot that hath fallen to her; even so Medea's cheeks were wet, and her heart within her was throbbing, pierced with sharp agony.

Now those twain, the lord Alcinous and Arete, his wife revered, were in their house within the city, as aforetime, pondering the maiden's case, upon their bed by night; and thus the wife addressed her lord and husband with persuasive words: «Dear husband, come, rescue this poor maiden, I pray thee, from the Colchians, doing a favour to the Minyæ. For Argos and the men of Hæmonia are very nigh unto our island, but Æetes neither dwelleth near us, nor know we aught of him save by hearsay; and this poor suffering maid hath broken my heart by her entreaties. Give her not over to the Colchians to take to

269

στρευγομένοις δ' ἀν' ὅμιλον ἐπήλυθεν εὐνήτειρα
Νὺξ ἔργων ἄνδρεσσι, κατευκήλησε δὲ πᾶσαν
γαῖαν ὁμῶς· τὴν δ' οὔτι μίνυνθά περ εὔνασεν ὕπνος,
ἀλλά οἱ ἐν στέρνοις ἀχέων εἱλίσσετο θυμός.
οἷον ὅτε κλωστῆρα γυνὴ ταλαεργὸς ἑλίσσει
ἐννυχίη· τῇ δ' ἀμφὶ κινύρεται ὀρφανὰ τέκνα
χηροσύνῃ πόσιος· σταλάει δ' ὑπὸ δάκρυ παρειὰς
μνωομένης, οἵη μιν ἐπὶ σμυγερὴ λάβεν αἶσα·
ὣς τῆς ἰκμαίνοντο παρηίδες· ἐν δέ οἱ ἦτορ
ὀξείῃς εἰλεῖτο πεπαρμένον ἀμφ' ὀδύνῃσιν.
Τὼ δ' ἔντοσθε δόμοιο κατὰ πτόλιν, ὡς τὸ πάροιθεν,
κρείων Ἀλκίνοος πολυπότνιά τ' Ἀλκινόοιο
Ἀρήτη ἄλοχος, κούρης πέρι μητιάασκον
οἷσιν ἐνὶ λεχέεσσι διὰ κνέφας· οἷα δ' ἀκοίτην
κουρίδιον θαλεροῖσι δάμαρ προσπτύσσετο μύθοις·
'Ναὶ φίλος, εἰ δ' ἄγε μοι πολυκηδέα ῥύεο Κόλχων
παρθενικήν, Μινύῃσι φέρων χάριν. ἐγγύθι δ' Ἄργος
ἡμετέρης νήσοιο καὶ ἀνέρες Αἱμονιῆες·
Αἰήτης δ' οὔτ' ἂρ ναίει σχεδόν, οὐδέ τι ἴδμεν
Αἰήτην, ἀλλ' οἷον ἀκούομεν· ἥδε δὲ κούρη
αἰνοπαθὴς κατά μοι νόον ἔκλασεν ἀντιόωσα.
μή μιν, ἄναξ, Κόλχοισι πόροις ἐς πατρὸς ἄγεσθαι.
ἀάσθη, ὅτε πρῶτα βοῶν θελκτήρια δῶκεν
φάρμακά οἱ· σχεδόθεν δὲ κακῷ κακόν, οἷά τε πολλὰ
ῥέζομεν ἀμπλακίῃσιν, ἀκειομένη ὑπάλυξεν
πατρὸς ὑπερφιάλοιο βαρὺν χόλον. αὐτὰρ Ἰήσων,
ὡς ἀίω, μεγάλοισιν ἐνίσχεται ἐξ ἕθεν ὅρκοις,
κουριδίην θήσεσθαι ἐνὶ μεγάροισιν ἄκοιτιν,
τῷ, φίλε, μήτ' οὖν αὐτὸν ἑκὼν ἐπίορκον ὀμόσσαι
θείης Αἰσονίδην, μήτ' ἄσχετα σεῖο ἕκητι
παῖδα πατὴρ θυμῷ κεκοτηότι δηλήσαιτο.
λίην γὰρ δύσζηλοι ἑαῖς ἐπὶ παισὶ τοκῆες·
οἷα μὲν Ἀντιόπην εὐώπιδα μήσατο Νυκτεύς·
οἷα δὲ καὶ Δανάη πόντῳ ἔνι πήματ' ἀνέτλη,
πατρὸς ἀτασθαλίῃσι· νέον γε μέν, οὐδ' ἀποτηλοῦ,
ὑβριστὴς Ἔχετος γλήναις ἔνι χάλκεα κέντρα
πῆξε θυγατρὸς ἑῆς· στονόεντι δὲ κάρφεται οἴτῳ
ὀρφναίῃ ἐνὶ χαλκὸν ἀλετρεύουσα καλιῇ.'
Ὣς ἔφατ' ἀντομένη· τοῦ δὲ φρένες ἰαίνοντο
ἧς ἀλόχου μύθοισιν, ἔπος δ' ἐπὶ τοῖον ἔειπεν·
'Ἀρήτη, καί κεν σὺν τεύχεσιν ἐξελάσαιμι
Κόλχους, ἡρώεσσι φέρων χάριν εἵνεκα κούρης.
ἀλλὰ Διὸς δείδοικα δίκην ἰθεῖαν ἀτίσσαι.
οὐδὲ μὲν Αἰήτην ἀθεριζέμεν, ὡς ἀγορεύεις,
λώιον· οὐ γάρ τις βασιλεύτερος Αἰήταο.

270

her father's home, O king. 'Twas blindly done, when she did give him at the first her drugs to charm the oxen; and now, to cure one evil by another close upon it, as oft we do through our mistakes, she hath fled from the awful fury of her proud father. Moreover Jason, as I hear, is bound by a mighty oath of his own taking to make her his wedded wife within his halls. Wherefore, dear husband, make not the son of Æson to perjure himself, at least if thou canst help it; nor let the father in his fury do his child some terrible injury, when thou canst stay it. For parents are exceeding jealous of their children; such punishment did Nycteus devise for Antiope, fair of face; so grievous were the woes, again, that Danae endured upon the deep, all through her father's infatuate folly; yea, and but lately, and not so far away, did Echetus in wanton cruelty thrust bronze spikes into his daughter's eyeballs; and now she wastes away by a piteous fate, grinding bronze for corn within a gloomy hut.»

Thus spake she in entreaty; and his heart melted at the words of his wife, and thus he answered, «Arete, I would even drive out the Colchians with their harness for the maiden's sake, doing a favour to the heroes. But I do fear to slight the just ordinance of Zeus. Nor is it well to treat Æetes lightly, as thou sayest; for there is no mightier prince than he. And if he will, he will carry his quarrel against Hellas, though he come from far. Wherefore it behoveth me to give the judgment that shall seem best amongst all men, and I will not hide it from thee. If she be yet a maid, my decision is, that they carry her back to her father; but, if she share a husband's bed, I will not separate her from her lord; nor, if she carry a child within her womb, do I give her up unto her enemies.»

So spake he; and forthwith fell asleep. But she laid up in her heart his wise words, and at once arose from her bed, and went about the house; and the women, her handmaids, hastened together, bustling about their mistress. Quietly she had her herald called, and told him her commands, in her shrewdness eager that the son of Æson should at once wed the maiden, and so avoid entreating king Alcinous; for this was the decision he would carry with his own lips to the Colchians, that, if she were yet a maid, he would deliver her to her father's house; but, if she were already some man's wife, he would sever her no more from honourable love.

So spake Arete, and quickly his feet bare him from

271

καί κ' ἐθέλων, ἕκαθέν περ, ἐφ' Ἑλλάδι νεῖκος ἄγοιτο.
τῶ μ' ἐπέοικε δίκην, ἥτις μετὰ πᾶσιν ἀρίστη
ἔσσεται ἀνθρώποισι, δικαζέμεν· οὐδέ σε κεύσω.
παρθενικὴν μὲν ἐοῦσαν ἑῷ ἀπὸ πατρὶ κομίσσαι
ἰθύνω· λέκτρον δὲ σὺν ἀνέρι πορσαίνουσαν
οὔ μιν ἑοῦ πόσιος νοσφίσσομαι· οὐδέ, γενέθλην
εἴ τιν' ὑπὸ σπλάγχνοισι φέρει, δήιοισιν ὀπάσσω.'
Ὣς ἄρ' ἔφη· καὶ τὸν μὲν ἐπισχεδὸν εὔνασεν ὕπνος.
ἡ δ' ἔπος ἐν θυμῷ πυκινὸν βάλετ'· αὐτίκα δ' ὦρτο
ἐκ λεχέων ἀνὰ δῶμα· συνήιξαν δὲ γυναῖκες
ἀμφίπολοι, δέσποιναν ἑὴν μέτα ποιπνύουσαι.
σῖγα δ' ἑὸν κήρυκα καλεσσαμένη προσέειπεν,
ᾗσιν ἐπιφροσύνῃσιν ἐποτρυνέουσα μιγῆναι
Αἰσονίδην κούρῃ, μηδ' Ἀλκίνοον βασιλῆα
λίσσεσθαι· τὸ γὰρ αὐτὸς ἰὼν Κόλχοισι δικάσσει,
παρθενικὴν μὲν ἐοῦσαν ἑοῦ ποτὶ δώματα πατρὸς
ἐκδώσειν, λέκτρον δὲ σὺν ἀνέρι πορσαίνουσαν
οὐκέτι κουριδίης μιν ἀποτμήξειν φιλότητος.
Ὣς ἄρ' ἔφη· τὸν δ' αἶψα πόδες φέρον ἐκ μεγάροιο,
ὥς κεν Ἰήσονι μῦθον ἐναίσιμον ἀγγείλειεν
Ἀρήτης βουλάς τε θεουδέος Ἀλκινόοιο.
τοὺς δ' εὗρεν παρὰ νηὶ σὺν ἔντεσιν ἐγρήσσοντας
Ὑλλικῷ ἐν λιμένι, σχεδὸν ἄστεος· ἐκ δ' ἄρα πᾶσαν
πέφραδεν ἀγγελίην· γήθησε δὲ θυμὸς ἑκάστου
ἡρώων· μάλα γάρ σφιν ἑαδότα μῦθον ἔειπεν.
Αὐτίκα δὲ κρητῆρα κερασσάμενοι μακάρεσσιν
ἦ θέμις, εὐαγέως ἐπιβώμια μῆλ' ἐρύσαντες,
αὐτονυχὶ κούρῃ θαλαμήιον ἔντυον εὐνὴν
ἄντρῳ ἐν ἠγαθέῳ, τόθι δή ποτε Μάκρις ἔναιεν,
κούρη Ἀρισταίοιο μελίφρονος, ὅς ῥα μελισσέων
ἔργα πολυκμήτοιό τ' ἀνεύρατο πῖαρ ἐλαίης.
κείνη δὴ πάμπρωτα Διὸς Νυσήιον υἷα
Εὐβοίης ἔντοσθεν Ἀβαντίδος ᾧ ἐνὶ κόλπῳ
δέξατο, καὶ μέλιτι ξηρὸν περὶ χεῖλος ἔδευσεν,
εὖτέ μιν Ἑρμείας φέρεν ἐκ πυρός· ἔδρακε δ' Ἥρη,
καί ἑ χολωσαμένη πάσης ἐξήλασε νήσου.
ἡ δ' ἄρα Φαιήκων ἱερῷ ἐνὶ τηλόθεν ἄντρῳ
νάσσατο, καὶ πόρεν ὄλβον ἀθέσφατον ἐνναέτῃσιν.
ἔνθα τότ' ἐστόρεσαν λέκτρον μέγα· τοῖο δ' ὕπερθεν
χρύσεον αἰγλῆεν κῶας βάλον, ὄφρα πέλοιτο
τιμήεις τε γάμος καὶ ἀοίδιμος. ἄνθεα δέ σφιν
νύμφαι ἀμεργόμεναι λευκοῖς ἐνὶ ποικίλα κόλποις
ἐσφόρεον· πάσας δὲ πυρὸς ὣς ἄμφεπεν αἴγλη·
τοῖον ἀπὸ χρυσέων θυσάνων ἀμαρύσσετο φέγγος.
δαῖε δ' ἐν ὀφθαλμοῖς γλυκερὸν πόθον· ἴσχε δ' ἑκάστην

the hall, that he might announce to Jason the fair speech of Arete, and the plan of godlike Alcinous. And he found them keeping watch by the ship in harness in the Hyllic harbour, near to the town; so he told them all his message, and the heart of each hero was glad, for he spake a word that pleased them right well.

At once they mixed a bowl for the blessed gods, as was right, and dragged sheep to the altar with pious hands, and made ready that very night for the maiden her bridal bed in the holy cave, where Macris once did dwell, the daughter of Aristæus, the bee-keeper, who discovered the use of honey and the fatness of the olive, prize of toil. She it was, that at the first took to her breast the Nysean son of Zeus in Eubœa, home of the Abantes, and with honey she moistened his parched lips, when Hermes brought him from out the fire; but Hera saw her, and in her rage drove her right away from the island. So then she came to dwell far away in the holy cavern of the Phæacians, and she granted to the folk around wondrous prosperity. There then they strewed a great couch, and upon it did throw the glistering fleece of gold, that the marriage might have honour and renown. And the nymphs plucked every kind of blossom and brought them in their white bosoms, and a blaze as of fire played round them all; so bright was the radiance gleaming from the golden tufts. And it kindled in their eyes a sweet desire, yet reverence prevented each one from laying hands thereon, for all her longing. Of these some were called the daughters of the river Ægæus; others dwelt about the peaks of the hill of Melite, and some came from the plains, woodland nymphs. For Hera herself, the wife of Zeus, had sent them, in honour of Jason. And that cave, to this day, is called Medea's sacred grotto, where they spread fine linen, very fragrant, and wedded those twain together. Meantime the heroes brandished in their hands their warlike spears, that no unseen host of foes might fall upon them to fight withal, ere the deed was done; and wreathing their heads with leafy boughs, they sung in tune to the clear music of Orpheus a marriage hymn at the entrance to the bridal bower. Now the hero, the son of Æson, was not minded to complete his marriage now, but in the halls of his father, on his return to Iolchos; and Medea, too, was of like mind with him. But needs must they wed then and there. Yea, for never do we tribes of suffering mortals embark on happiness without alloy; but ever there cometh

273

αἰδὼς ἱεμένην περ ὅμως ἐπὶ χεῖρα βαλέσθαι.
αἱ μέν τ' Αἰγαίου ποταμοῦ καλέοντο θύγατρες·
αἱ δ' ὄρεος κορυφὰς Μελιτηίου ἀμφενέμοντο·
αἱ δ' ἔσαν ἐκ πεδίων ἀλσηίδες. ὦρσε γὰρ αὐτὴ
Ἥρη Ζηνὸς ἄκοιτις, Ἰήσονα κυδαίνουσα.
κεῖνο καὶ εἰσέτι νῦν ἱερὸν κλήζεται ἄντρον
Μηδείης, ὅθι τούσγε σὺν ἀλλήλοισιν ἔμιξαν
τεινάμεναι ἑανοὺς εὐώδεας. οἱ δ' ἐνὶ χερσὶν
δούρατα νωμήσαντες ἀρήια, μὴ πρὶν ἐς ἀλκὴν
δυσμενέων ἀίδηλος ἐπιβρίσειεν ὅμιλος,
κράατα δ' εὐφύλλοις ἐστεμμένοι ἀκρεμόνεσσιν,
ἐμμελέως, Ὀρφῆος ὑπαὶ λίγα φορμίζοντος
νυμφιδίαις ὑμέναιον ἐπὶ προμολῇσιν ἄειδον.
οὐ μὲν ἐν Ἀλκινόοιο γάμον μενέαινε τελέσσαι
ἥρως Αἰσονίδης, μεγάροις δ' ἐνὶ πατρὸς ἑοῖο,
νοστήσας ἐς Ἰωλκὸν ὑπότροπος· ὣς δὲ καὶ αὐτὴ
Μήδεια φρονέεσκε· τότ' αὖ χρεὼ ἦγε μιγῆναι.
ἀλλὰ γὰρ οὔποτε φῦλα δυηπαθέων ἀνθρώπων
τερπωλῆς ἐπέβημεν ὅλῳ ποδί· σὺν δέ τις αἰεὶ
πικρὴ παρμέμβλωκεν ἐυφροσύνῃσιν ἀνίη.
τῶ καὶ τοὺς γλυκερῇ περ ἰαινομένους φιλότητι
δεῖμ' ἔχεν, εἰ τελέοιτο διάκρισις Ἀλκινόοιο.
Ἠὼς δ' ἀμβροσίοισιν ἀνερχομένη φαέεσσιν
λῦε κελαινὴν νύκτα δι' ἠέρος· αἱ δ' ἐγέλασσαν
ἠιόνες νήσοιο καὶ ἑρσήεσσαι ἄπωθεν
ἀτραπιτοὶ πεδίων· ἐν δὲ θρόος ἔσκεν ἀγυιαῖς·
κίνυντ' ἐνναέται μὲν ἀνὰ πτόλιν, οἱ δ' ἀποτηλοῦ
Κόλχοι Μακριδίης ἐπὶ πείρασι χερνήσοιο.
αὐτίκα δ' Ἀλκίνοος μετεβήσετο συνθεσίῃσιν
ὃν νόον ἐξερέων κούρης ὕπερ· ἐν δ' ὅγε χειρὶ
σκῆπτρον ἔχεν χρυσοῖο δικασπόλον, ᾧ ὕπο λαοὶ
ἰθείας ἀνὰ ἄστυ διεκρίνοντο θέμιστας.
τῶ δὲ καὶ ἑξείης πολεμήια τεύχεα δύντες
Φαιήκων οἱ ἄριστοι ὁμιλαδὸν ἐστιχόωντο.
ἥρωας δὲ γυναῖκες ἀολλέες ἔκτοθι πύργων
βαῖνον ἐποψόμεναι· σὺν δ' ἀνέρες ἀγροιῶται
ἤντεον εἰσαΐοντες, ἐπεὶ νημερτέα βάξιν
Ἥρη ἐπιπροέηκεν. ἄγεν δ' ὁ μὲν ἔκκριτον ἄλλων
ἀρνειὸν μήλων, ὁ δ' ἀεργηλὴν ἔτι πόρτιν·
ἄλλοι δ' ἀμφιφορῆας ἐπισχεδὸν ἵστασαν οἴνου
κίρνασθαι· θυέων δ' ἀποτηλόθι κήκιε λιγνύς.
αἱ δὲ πολυκμήτους ἑανοὺς φέρον, οἷα γυναῖκες,
μείλιά τε χρυσοῖο καὶ ἀλλοίην ἐπὶ τοῖσιν
ἀγλαΐην, οἵην τε νεόζυγες ἐντύνονται·
θάμβευν δ' εἰσορόωσαι ἀριπρεπέων ἡρώων

with our gladness some bitter grief. Wherefore they too, for all their joy of sweet love, were holden with fear, whether the decision of Alcinous would be fulfilled.

Then came Dawn again with his light divine, and broke up the gloom of night throughout the sky; and the island beach and the dewy paths across the plains laughed out afar; and in the streets was the noise of men; for through the city the inhabitants were astir, and the Colchians far away at the end of the Macridian peninsula. Anon went Alcinous to them, as he had agreed, to declare his purpose concerning the maiden, and in his hand he held his golden wand of judgment; whereby the folk had righteous judgment dealt them throughout the city. And with him came the chiefs of the Phæacians in their warlike gear, drawn up in ranks. And forth from the towers came the women in crowds to see the heroes, and with them came the country folk when they heard thereof, for Hera had sent forth a sure report. One brought the chosen ram of his flock, and another a heifer that never yet had worked, and others set jars of wine nigh at hand for mixing; and the smoke and flame of sacrifice leapt up in the distance. But the women brought fine linen, fruit of honest toil, as women will, and toys of gold, and divers ornaments beside, such as couples newly-wed are furnished with; and they were astonied to see the form and beauty of the noble heroes, and the son of Œager in their midst oft beating the ground with his rich sandal in time to his ringing lyre and song. And all the nymphs in chorus, whenever he made mention of marriage, raised a joyous wedding hymn; and yet again would others sing alone, as they circled round in the dance in thy honour, O Hera; for 'twas thou, who didst put it in the heart of Arete to speak her word of wisdom to Alcinous. But he, so soon as he had declared the issue of his judgment, and when already the marriage was declared complete, took good care that so it should abide for ever; for no deadly fear, nor the grievous threats of Æetes touched him, but he held fast bound by the oath he would not break.

So when the Colchians learnt that they were come to him in vain, and he bade them either hold his ordinances in honour or withdraw their ships far from the harbours of his land; then but not before were they afraid of the threats of their own king, and besought Alcinous to receive them among his people; so for a very long time

275

Η ΣΚΗΝΗ ΤΟΥ ΓΑΜΟΥ ΤΟΥ
ΙΑΣΟΝΟΣ ΚΑΙ ΤΗΣ ΜΗΔΕΙΑΣ

SCENE AT THE MARRIAGE
OF JASON AND MEDEA

εἴδεα καὶ μορφάς, ἐν δέ σφισιν Οἰάγροιο
υἱὸν ὑπαὶ φόρμιγγος ἐυκρέκτου καὶ ἀοιδῆς
ταρφέα σιγαλόεντι πέδον κροτέοντα πεδίλῳ.
νύμφαι δ' ἄμμιγα πᾶσαι, ὅτε μνήσαιτο γάμοιο,
ἱμερόενθ' ὑμέναιον ἀνήπυον· ἄλλοτε δ' αὖτε
οἰόθεν οἶαι ἄειδον ἑλισσόμεναι περὶ κύκλον,
Ἥρη, σεῖο ἕκητι· σὺ γὰρ καὶ ἐπὶ φρεσὶ θῆκας
Ἀρήτῃ, πυκινὸν φάσθαι ἔπος Ἀλκινόοιο.
αὐτὰρ ὅγ' ὡς τὰ πρῶτα δίκης ἀνὰ πείρατ' ἔειπεν
ἰθείης, ἤδη δὲ γάμου τέλος ἐκλήιστο,
ἔμπεδον ὧς ἀλέγυνε διαμπερές· οὐδέ ἑ τάρβος
οὐλοόν, οὐδὲ βαρεῖαι ἐπήλυθον Αἰήταο
μήνιες, ἀρρήκτοισι δ' ἐνιζεύξας ἔχεν ὅρκοις.
τῷ καὶ ὅτ' ἠλεμάτως Κόλχοι μάθον ἀντιόωντες,
καί σφεας ἠὲ θέμιστας ἑὰς εἴρυσθαι ἄνωγεν,
ἢ λιμένων γαίης τ' ἀποτηλόθι νῆας ἐέργειν,
δὴ τότε μιν βασιλῆος ἑοῦ τρομέοντας ἐνιπὰς
δέχθαι μειλίξαντο συνήμονας· αὖθι δὲ νήσῳ
δὴν μάλα Φαιήκεσσι μετ' ἀνδράσι ναιετάασκον,
εἰσότε Βακχιάδαι, γενεὴν Ἐφύρηθεν ἐόντες,
ἀνέρες ἐννάσσαντο μετὰ χρόνον· οἱ δὲ περαίην
νῆσον ἔβαν· κεῖθεν δὲ Κεραύνια μέλλον Ἀβάντων
οὔρεα, Νεσταίους τε καὶ Ὤρικον εἰσαφικέσθαι·
ἀλλὰ τὰ μὲν στείχοντος ἄδην αἰῶνος ἐτύχθη.
Μοιράων δ' ἔτι κεῖσε θύη ἐπέτεια δέχονται
καὶ Νυμφέων Νομίοιο καθ' ἱερὸν Ἀπόλλωνος
βωμοί, τοὺς Μήδεια καθίσσατο. πολλὰ δ' ἰοῦσιν
Ἀλκίνοος Μινύαις ξεινήια, πολλὰ δ' ὄπασσεν
Ἀρήτη· μετὰ δ' αὖτε δυώδεκα δῶκεν ἕπεσθαι
Μηδείῃ δμωὰς Φαιηκίδας ἐκ μεγάροιο.
ἤματι δ' ἑβδομάτῳ Δρεπάνην λίπον· ἦλθε δ' οὖρος
ἀκραὴς ἠῶθεν ὑπὲκ Διός· οἱ δ' ἀνέμοιο
πνοιῇ ἐπειγόμενοι προτέρω θέον. ἀλλὰ γὰρ οὔπω
αἴσιμον ἦν ἐπιβῆναι Ἀχαιίδος ἡρώεσσιν,
ὄφρ' ἔτι καὶ Λιβύης ἐπὶ πείρασιν ὀτλήσειαν.
Ἤδη μέν ποθι κόλπον ἐπώνυμον Ἀμβρακιήων,
ἤδη Κουρῆτιν ἔλιπον χθόνα πεπταμένοισιν
λαίφεσι καὶ στεινὰς αὐταῖς σὺν Ἐχινάσι νήσους
ἑξείης, Πέλοπος δὲ νέον κατεφαίνετο γαῖα·
καὶ τότ' ἀναρπάγδην ὀλοὴ βορέαο θύελλα
μεσσηγὺς πελαγόσδε Λιβυστικὸν ἐννέα πάσας
νύκτας ὁμῶς καὶ τόσσα φέρ' ἤματα, μέχρις ἵκοντο
προπρὸ μάλ' ἔνδοθι Σύρτιν, ὅθ' οὐκέτι νόστος ὀπίσσω
νηυσὶ πέλει, ὅτε τόνγε βιῴατο κόλπον ἱκέσθαι.
πάντῃ γὰρ τέναγος, πάντῃ μνιόεντα βυθοῖο

278

afterward they dwelt among the Phæacians, until the Bacchiadæ, a race of men that came from Corinth, settled among them after a while; then they crossed to the island over against them, and from thence they were soon to go to the Ceraunian hills of the Abantes and the Nestæans and to Oricum; but these things happened after a long lapse of years. Yet still do the altars, which Medea builded there to the Fates and the Nymphs in the holy place of Apollo, god of shepherds, receive their yearly sacrifice. Now when the Minyæ went away, Alcinous gave them many a stranger's gift, and Arete did the like; moreover she gave to Medea twelve Phæacian slave-girls from her house, to bear her company. 'Twas on the seventh day they left Drepane; and a fresh breeze came forth from Zeus at dawn, and they went hasting onward before the breath of the wind. Still it was not ordained for the heroes yet to set foot in Achæa till they had toiled somewhat further, even in Libya's utmost bounds.

Lo! they had even now left the bay behind, that is named after the Ambracians; even now had they left, with all sail set, the land of Ætolia and next thereto the isles of the Echinades with their narrow passage, and the land of Pelops just hove in sight, when the baleful blast of the north-wind caught them in mid course and swept them nine whole nights and as many days towards the Libyan sea, till they came right within the Syrtis, whence cometh no ship forth again, when once 'tis forced inside that gulf. For all around are shoals, and masses of sea-weed on every side, and thereon are bubbles of noiseless foam, while on the dim horizon stretches a plain of sand. No creeping thing nor winged creature moveth thereupon. 'Twas here that the flood-tide thrust them far up the beach on a sudden, and only a little of the keel was left in the water, for yon tide full oft recoils from the land, and then again with furious onset discharges itself over the beach.

But they leapt forth from the ship, and sorrow seized them, when they beheld the great wide stretch of misty land, reaching on and on into the distance like a haze; nor could they see any place to water in, nor path, nor herdsmen's steading far away; but all was wrapt in deathless calm. And one would ask his neighbour sorrowfully, «What land doth this call itself? whither have the tempests thrust us forth? Would that we, setting deadly

τάρφεα· κούφη δέ σφιν ἐπιβλύει ὕδατος ἄχνη·
ἠερίη δ' ἄμαθος παρακέκλιται· οὐδέ τι κεῖσε
ἑρπετόν, οὐδὲ ποτητὸν ἀείρεται. ἔνθ' ἄρα τούσγε
πλημμυρίς—καὶ γάρ τ' ἀναχάζεται ἠπείροιο
ἢ θαμὰ δὴ τόδε χεῦμα, καὶ ἂψ ἐπερεύγεται ἀκτὰς
λάβρον ἐποιχόμενον—μυχάτῃ ἐνέωσε τάχιστα
ἠιόνι, τρόπιος δὲ μάλ' ὕδασι παῦρον ἔλειπτο.
οἱ δ' ἀπὸ νηὸς ὄρουσαν, ἄχος δ' ἕλεν εἰσορόωντας
ἠέρα καὶ μεγάλης νῶτα χθονὸς ἠέρι ἶσα,
τηλοῦ ὑπερτείνοντα διηνεκές· οὐδέ τιν' ἀρδμόν,
οὐ πάτον, οὐκ ἀπάνευθε κατηυγάσσαντο βοτήρων
αὔλιον, εὐκήλῳ δὲ κατείχετο πάντα γαλήνῃ.
ἄλλος δ' αὖτ' ἄλλον τετιημένος ἐξερέεινεν·
'Τίς χθὼν εὔχεται ἥδε; πόθι ξυνέωσαν ἄελλαι
ἡμέας; αἴθ' ἔτλημεν, ἀφειδέες οὐλομένοιο
δείματος, αὐτὰ κέλευθα διαμπερὲς ὁρμηθῆναι
πετράων. ἦ τ' ἂν καὶ ὑπὲρ Διὸς αἶσαν ἰοῦσιν
βέλτερον ἦν μέγα δή τι μενοινώοντας ὀλέσθαι.
νῦν δὲ τί κεν ῥέξαιμεν, ἐρυκόμενοι ἀνέμοισιν
αὖθι μένειν τυτθόν περ ἐπὶ χρόνον; οἷον ἐρήμη
πέζα διωλυγίης ἀναπέπταται ἠπείροιο.'
Ὣς ἄρ' ἔφη· μετὰ δ' αὐτὸς ἀμηχανίῃ κακότητος
ἰθυντὴρ Ἀγκαῖος ἀκηχέμενος ἀγόρευσεν·
'Ὠλόμεθ' αἰνότατον δῆθεν μόρον, οὐδ' ὑπάλυξις
ἔστ' ἄτης· πάρα δ' ἄμμι τὰ κύντατα πημανθῆναι
τῇδ' ὑπ' ἐρημαίῃ πεπτηότας, εἰ καὶ ἀῆται
χερσόθεν ἀμπνεύσειαν· ἐπεὶ τεναγώδεα λεύσσω
τῆλε περισκοπέων ἅλα πάντοθεν· ἤλιθα δ' ὕδωρ
ξαινόμενον πολιῇσιν ἐπιτροχάει ψαμάθοισιν.
καί κεν ἐπισμυγερῶς διὰ δὴ πάλαι ἦδ' ἐκεάσθη
νηῦς ἱερὴ χέρσου πολλὸν πρόσω· ἀλλά μιν αὐτὴ
πλημμυρίς ἐκ πόντοιο μεταχθονίην ἐκόμισσεν.
νῦν δ' ἡ μὲν πέλαγόσδε μετέσσυται, οἰόθι δ' ἅλμη
ἄπλοος εἰλεῖται, γαίης ὕπερ ὅσσον ἔχουσα.
τοὔνεκ' ἐγὼ πᾶσαν μὲν ἀπ' ἐλπίδα φημὶ κεκόφθαι
ναυτιλίης νόστου τε. δαημοσύνην δέ τις ἄλλος
† φαίνοιεν †· πάρα γάρ οἱ ἐπ' οἰήκεσσι θαάσσειν
μαιομένῳ κομιδῆς. ἀλλ' οὐ μάλα νόστιμον ἦμαρ
Ζεὺς ἐθέλει καμάτοισιν ἐφ' ἡμετέροισι τελέσσαι.'
Ὣς φάτο δακρυόεις· σὺν δ' ἔννεπον ἀσχαλόωντι
ὅσσοι ἔσαν νηῶν δεδαημένοι· ἐν δ' ἄρα πᾶσιν
παχνώθη κραδίη, χύτο δὲ χλόος ἀμφὶ παρειάς.
οἷον δ' ἀψύχοισιν ἐοικότες εἰδώλοισιν
ἀνέρες εἰλίσσονται ἀνὰ πτόλιν, ἢ πολέμοιο
ἢ λοιμοῖο τέλος ποτιδέγμενοι, ἠέ τιν' ὄμβρον

fear aside, had dared to try the way even betwixt the rocks! Far better had it been to go even beyond the will of Zeus and die, venturing some high resolve! For now what can we do, if we be forced here to abide holden by the winds, be it never so short a while? so desolate is the strand of this vast land, that looms before us.»

Thus would he say; and amongst them Ancæus, the helmsman, made harangue, sore grieved himself at the hopelessness of their evil case: «We are undone, it seems, by a most grievous fate, and there is no escaping from our trouble, but now must we suffer ghastly woes where we have fallen on this wilderness, if haply the winds blow steadily from the land, for I see on all sides a sea of shoals after a wide look-out, and the water is fretted into long lines of foam as it washes just the surface of the gray sand. Yea, and long, long ago would yon sacred ship have been miserably shattered far from the shore, unless the tide itself had borne her high ashore from out the deep. But now hath it rushed back sea-ward, and nought but foam, o'er which no ship can sail, for it covereth but the top of the ground, rolls about us. Wherefore I deem that all hope of our voyage and our return is utterly cut off. So let some other shew his skill, for he may sit at the helm striving to win our escape. But Zeus hath no great wish to bring about the day of return, after all our toil.»

So spake he through his tears; and all they that knew aught of ships spake with him in his distress; but the heart of all, I trow, was cold and stiff, and paleness spread o'er their cheeks. As when men move like lifeless spectres, about a town, awaiting the end that war or famine bring, or the issue of some fearful storm, which hath washed away acres of the oxen's toil; or when images do sweat and of themselves run down with blood, and bellowing is heard in sacred shrines, or the sun maybe at noon brings night from the sky, while through the gloom the stars shine bright; even so the chieftains wandered now, groping their way along the weary strand. Anon dark eve came down upon them; and they, piteously embracing each other, were fain to weep, that thereafter they might lie down, each man apart, to die upon the sand. Hither and thither they went their way to find a resting-place further off; and then they wrapped their heads in their cloaks and laid them down without meat or drink the whole night and the dawn, waiting a death

281

ἄσπετον, ὅς τε βοῶν κατὰ μυρία ἔκλυσεν ἔργα,
ἢ ὅταν αὐτόματα ξόανα ῥέῃ ἱδρώοντα
αἵματι, καὶ μυκαὶ σηκοῖς ἔνι φαντάζωνται,
ἠὲ καὶ ἠέλιος μέσῳ ἤματι νύκτ᾽ ἐπάγῃσιν
οὐρανόθεν, τὰ δὲ λαμπρὰ δι᾽ ἠέρος ἄστρα φαείνοι·
ὣς τότ᾽ ἀριστῆες δολιχοῦ πρόπαρ αἰγιαλοῖο
ἤλυον ἑρπύζοντες. ἐπήλυθε δ᾽ αὐτίκ᾽ ἐρεμνὴ
ἕσπερος· οἱ δ᾽ ἐλεεινὰ χεροῖν σφέας ἀμφιβαλόντες
δακρυόειν ἀγάπαζον, ἵν᾽ ἄνδιχα δῆθεν ἕκαστος
θυμὸν ἀποφθίσειαν ἐνὶ ψαμάθοισι πεσόντες.
βὰν δ᾽ ἴμεν ἄλλυδις ἄλλος ἑκαστέρω αὖλιν ἑλέσθαι·
ἐν δὲ κάρῃ πέπλοισι καλυψάμενοι σφετέροισιν
ἄκμηνοι καὶ ἄπαστοι ἐκείατο νύκτ᾽ ἔπι πᾶσαν
καὶ φάος, οἰκτίστῳ θανάτῳ ἔπι. νόσφι δὲ κοῦραι
ἀθρόαι Αἰήταο παρεστενάχοντο θυγατρί.
ὡς δ᾽ ὅτ᾽ ἐρημαῖοι πεπτηότες ἔκτοθι πέτρης
χηραμοῦ ἀπτῆνες λιγέα κλάζουσι νεοσσοί·
ἢ ὅτε καλὰ νάοντος ἐπ᾽ ὀφρύσι Πακτωλοῖο
κύκνοι κινήσωσιν ἑὸν μέλος, ἀμφὶ δὲ λειμὼν
ἑρσήεις βρέμεται ποταμοῖό τε καλὰ ῥέεθρα·
ὣς αἱ ἐπὶ ξανθὰς θέμεναι κονίῃσιν ἐθείρας
παννύχιαι ἐλεεινὸν ἰήλεμον ὠδύροντο.
καί νύ κεν αὐτοῦ πάντες ἀπὸ ζωῆς ἐλίασθεν
νώνυμνοι καὶ ἄφαντοι ἐπιχθονίοισι δαῆναι
ἡρώων οἱ ἄριστοι ἀνηνύστῳ ἐπ᾽ ἀέθλῳ·
ἀλλά σφεας ἐλέηραν ἀμηχανίῃ μινύθοντας
ἡρῷσσαι, Λιβύης τιμήοροι, αἵ ποτ᾽ Ἀθήνην,
ἦμος ὅτ᾽ ἐκ πατρὸς κεφαλῆς θόρε παμφαίνουσα,
ἀντόμεναι Τρίτωνος ἐφ᾽ ὕδασι χυτλώσαντο.
ἔνδιον ἦμαρ ἔην, περὶ δ᾽ ὀξύταται θέρον αὐγαὶ
ἠελίου Λιβύην· αἱ δὲ σχεδὸν Αἰσονίδαο
ἔσταν, ἕλον δ᾽ ἀπὸ χερσὶ καρήατος ἠρέμα πέπλον.
αὐτὰρ ὅγ᾽ εἰς ἑτέρωσε παλιμπετὲς ὄμματ᾽ ἔνεικεν,
δαίμονας αἰδεσθείς· αὐτὸν δέ μιν ἀμφαδὸν οἶον
μειλιχίοις ἐπέεσσιν ἀτυζόμενον προσέειπον·
'Κάμμορε, τίπτ᾽ ἐπὶ τόσσον ἀμηχανίῃ βεβόλησαι;
ἴδμεν ἐποιχομένους χρύσεον δέρος· ἴδμεν ἕκαστα
ὑμετέρων καμάτων, ὅσ᾽ ἐπὶ χθονός, ὅσσα τ᾽ ἐφ᾽ ὑγρὴν
πλαζόμενοι κατὰ πόντον ὑπέρβια ἔργ᾽ ἐκάμεσθε.
οἰοπόλοι δ᾽ εἰμὲν χθόνιαι θεαὶ αὐδήεσσαι,
ἡρῷσσαι, Λιβύης τιμήοροι ἠδὲ θύγατρες.
ἀλλ᾽ ἄνα· μηδ᾽ ἔτι τοῖον ὀιζύων ἀκάχησο·
ἄνστησον δ᾽ ἑτάρους. εὖτ᾽ ἂν δέ τοι Ἀμφιτρίτη
ἅρμα Ποσειδάωνος ἐύτροχον αὐτίκα λύσῃ,
δή ῥα τότε σφετέρῃ ἀπὸ μητέρι τίνετ᾽ ἀμοιβὴν

most miserable. Apart from them beside the daughter of Æetes her maidens moaned, huddled all together. As when in the wilderness young birds unfledged fall from a hole in the rock and loudly do they twitter; or as when on the banks of fair-flowing Pactolus swans lift up their melody, and the dewy meadow echoes around, and the river's fair streams; even so those maidens, casting their golden tresses in the dust, wailed the livelong night a piteous lament. And all, then and there, would have vanished from among the living, out of the ken of mortal men, yea, those chosen heroes on their aimless quest, had not the heroines, who watch o'er Libya, pitied them hopelessly wasting away; these be the goddesses, who erst, when Athene sprang in bright armour from her father's head, met her at the waters of Triton and bathed her. 'Twas noon, and terribly the sun's piercing rays were scorching Libya; when lo! they stood beside the son of Æson, and lightly drew his mantle from his head. But he cast down his eyes and looked aside, in reverence for the goddesses. And they with gentle words spake unto him alone openly in his affliction, « Poor wretch! why art thou so cast down? We know ye went in quest of the golden fleece; we know each toil of yours, all the wondrous things that ye have done in your wanderings o'er land and sea. We are the goddesses of this land; here tend we sheep, and speak the speech of men; heroines we, daughters of Libya and warders of her land. Up now; no longer be so disquieted with grief, and rouse thy comrades. But mark, when Amphitrite doth loose anon the smooth-running car of Poseidon; in that very hour make recompense to your mother for all her travail in bearing you so long time in her womb; and so shall ye yet return to holy Achæa.»

So spake they, and forthwith vanished from their place, as their words died away. But Jason sat up on the ground and looked about him, and thus spake he : « Be gracious, noble goddesses, who dwell in this wilderness, but I understand not very clearly what ye said about our return. Verily I will gather my crew together and tell them all, if haply we can find somewhat that points to our escape; for the wisdom of many is better than the wisdom of one.»

Therewith he sprang up and cried aloud to his comrades, all squalid with dust, like a lion, who roars as he seeks his mate through the woodland; and the glens in

283

ὧν ἔκαμεν δηρὸν κατὰ νηδύος ὔμμε φέρουσα·
καί κεν ἔτ᾽ ἠγαθέην ἐς Ἀχαιίδα νοστήσαιτε.'
Ὣς ἄρ᾽ ἔφαν, καὶ ἄφαντοι ἵν᾽ ἔσταθεν, ἔνθ᾽ ἄρα ταίγε
φθογγῇ ὁμοῦ ἐγένοντο παρασχεδόν. αὐτὰρ Ἰήσων
παπτήνας ἀν᾽ ἄρ᾽ ἕζετ᾽ ἐπὶ χθονός, ὧδέ τ᾽ ἔειπεν·
' Ἴλατ᾽ ἐρημονόμοι κυδραὶ θεαί· ἀμφὶ δὲ νόστῳ
οὔτι μάλ᾽ ἀντικρὺ νοέω φάτιν. ἦ μὲν ἑταίρους
εἰς ἓν ἀγειράμενος μυθήσομαι, εἴ νύ τι τέκμωρ
δήωμεν κομιδῆς· πολέων δέ τε μῆτις ἀρείων.'·
Ἦ, καὶ ἀναΐξας ἑτάρους ἐπὶ μακρὸν ἄυτει,
αὐσταλέος κονίῃσι, λέων ὥς, ὅς ῥά τ᾽ ἀν᾽ ὕλην
σύννομον ἣν μεθέπων ὠρύεται· αἱ δὲ βαρείῃ
φθογγῇ ὑποτρομέουσιν ἀν᾽ οὔρεα τηλόθι βῆσσαι·
δείματι δ᾽ ἄγραυλοί τε βόες μέγα πεφρίκασιν
βουπελάται τε βοῶν· τοῖς δ᾽ οὔ νύ τι γήρυς ἐτύχθη
ῥιγεδανὴ ἑτάροιο φίλους ἐπικεκλομένοιο.
ἀγχοῦ δ᾽ ἠγερέθοντο κατηφέες· αὐτὰρ ὁ τούσγε
ἀχνυμένους ὅρμοιο πέλας μίγα θηλυτέρῃσιν
ἱδρύσας, μυθεῖτο πιφαυσκόμενος τὰ ἕκαστα·
' Κλῦτε, φίλοι· τρεῖς γάρ μοι ἀνιάζοντι θεάων,
στέρφεσιν αἰγείοις ἐζωσμέναι ἐξ ὑπάτοιο
αὐχένος ἀμφί τε νῶτα καὶ ἰξύας, ἠύτε κοῦραι,
ἔσταν ὑπὲρ κεφαλῆς μάλ᾽ ἐπισχεδόν· ἂν δ᾽ ἐκάλυψαν
πέπλον ἐρυσσάμεναι κούφῃ χερί, καί μ᾽ ἐκέλοντο
αὐτόν τ᾽ ἔγρεσθαι, ἀνά θ᾽ ὑμέας ὄρσαι ἰόντα·
μητέρι δὲ σφετέρῃ μενοεικέα τῖσαι ἀμοιβὴν
ὧν ἔκαμεν δηρὸν κατὰ νηδύος ἄμμε φέρουσα
ὁππότε κεν λύσῃσιν ἐύτροχον Ἀμφιτρίτη
ἅρμα Ποσειδάωνος. ἐγὼ δ᾽ οὐ πάγχυ νοῆσαι
τῆσδε θεοπροπίης ἴσχω πέρι. φάν γε μὲν εἶναι
ἡρῷσσαι, Λιβύης τιμήοροι ἠδὲ θύγατρες·
καὶ δ᾽ ὁπόσ᾽ αὐτοὶ πρόσθεν ἐπὶ χθονὸς ἠδ᾽ ὅσ᾽ ἐφ᾽ ὑγρὴν
ἔτλημεν, τὰ ἕκαστα διίδμεναι εὐχετόωντο.
οὐδ᾽ ἔτι τάσδ᾽ ἀνὰ χῶρον ἐσέδρακον, ἀλλά τις ἀχλὺς
ἠὲ νέφος μεσσηγὺ φαεινομένας ἐκάλυψεν.'
Ὣς ἔφαθ᾽· οἱ δ᾽ ἄρα πάντες ἐθάμβεον εἰσαΐοντες.
ἔνθα τὸ μήκιστον τεράων Μινύῃσιν ἐτύχθη.
ἐξ ἁλὸς ἤπειρόνδε πελώριος ἔκθορεν ἵππος,
ἀμφιλαφής, χρυσέῃσι μετήορος αὐχένα χαίταις·
ῥίμφα δὲ σεισάμενος γυίων ἄπο νήχυτον ἅλμην
ὦρτο θέειν, πνοιῇ ἴκελος πόδας. αἶψα δὲ Πηλεὺς
γηθήσας ἑτάροισιν ὁμηγερέεσσι μετηύδα·
' Ἅρματα μὲν δή φημι Ποσειδάωνος ἔγωγε
ἤδη νῦν ἀλόχοιο φίλης ὑπὸ χερσὶ λελύσθαι·
μητέρα δ᾽ οὐκ ἄλλην προτιόσσομαι, ἠέ περ αὐτὴν

284

the mountains far away tremble at his deep voice; and oxen in the field and they that herd them shudder horribly with fear. Yet had his voice nought to make them shudder, friend calling unto friends. So they gathered near him with downcast looks, and he made them sit down in their sorrow nigh to where the ship lay, together with the women, and made harangue, declaring each thing: «*Friends, hearken; there stood above my head, very nigh to me, as I lay grieving, three goddesses, girt in goatskins from the neck above about the back and waist, like maidens; and with light hand they drew aside my robe and uncovered my head, bidding me rise up myself, and go rouse you; and they bid us pay bounteous recompense unto our mother for all her travail in carrying us this long time in her womb, whenso Amphitrite shall loose the smooth-running car of Poseidon. Now I cannot wholly understand this message divine. They said, indeed, that they were heroines, daughters of Libya and warders of her land. Yea, and they declared that full well they knew everything that we ourselves had endured ere this on land and sea. Then I saw them no more in their place, but some mist or cloud came betwixt us and veiled their brightness.*»*

So spake he, and they were all astonied as they listened. Then came unto the Minyæ this wonder passing strange. From out the sea toward the land leapt forth a monster horse; a mighty steed was he, with mane of gold floating in the wind; lightly he spurned the salt foam from his legs and started on his course with legs that matched the wind. Then up spake Peleus with a cry of joy among his comrades gathered there: «*Verily I do think that Poseidon's chariot hath already been loosed by the hands of his dear wife, and I deem that our mother is no other than the ship herself; for surely she doth bear us in her womb and groaneth unceasingly in hard travail. Come, we will lift her up with unshaken might and tireless shoulders and carry her within this sandy country, whither yon swift steed is gone before us. For he, brave beast, will not plunge beneath the dry ground, and I trow his tracks will show us some bay of the sea far inland.*»*

So spake he; and his ready counsel pleased them all. This is the tale the Muses told; and I, the servant of the Pierian maidens, do sing it; and this is what I heard in all honesty, that ye, brave sons of kings, exceeding bold, did lift your ship and all ye took therein high upon

νῆα πέλειν· ἦ γὰρ κατὰ νηδύος ἄμμε φέρουσα
νωλεμὲς ἀργαλέοισιν ὀιζύει καμάτοισιν.
ἀλλά μιν ἀστεμφεῖ τε βίῃ καὶ ἀτειρέσιν ὤμοις
ὑψόθεν ἀνθέμενοι ψαμαθώδεος ἔνδοθι γαίης
οἴσομεν, ἦ προτέρωσε ταχὺς πόδας ἤλασεν ἵππος.
οὐ γὰρ ὅγε ξηρὴν ὑποδύσεται· ἴχνια δ' ἡμῖν
σημανέειν τιν' ἔολπα μυχὸν καθύπερθε θαλάσσης.'
Ὣς ηὔδα· πάντεσσι δ' ἐπήβολος ἥνδανε μῆτις.
Μουσάων ὅδε μῦθος· ἐγὼ δ' ὑπακουὸς ἀείδω
Πιερίδων, καὶ τήνδε πανατρεκὲς ἔκλυον ὀμφήν,
ὑμέας, ὦ πέρι δὴ μέγα φέρτατοι υἷες ἀνάκτων,
ἦ βίῃ ἦ τ' ἀρετῇ Λιβύης ἀνὰ θῖνας ἐρήμους
νῆα μεταχρονίην ὅσα τ' ἔνδοθι νηὸς ἄγεσθε,
ἀνθεμένους ὤμοισι φέρειν δυοκαίδεκα πάντα
ἤμαθ' ὁμοῦ νύκτας τε. δύην γε μὲν ἦ καὶ ὀιζὺν
τίς κ' ἐνέποι, τὴν κεῖνοι ἀνέπλησαν μογέοντες;
ἔμπεδον ἀθανάτων ἔσαν αἵματος, οἷον ὑπέσταν
ἔργον, ἀναγκαίῃ βεβιημένοι. αὐτὰρ ἐπιπρὸ
τῆλε μάλ' ἀσπασίως Τριτωνίδος ὕδασι λίμνης
ὡς φέρον, ὡς εἰσβάντες ἀπὸ στιβαρῶν θέσαν ὤμων.
Λυσσαλέοις δῆπειτ' ἴκελοι κυσὶν ἀίσσοντες
πίδακα μαστεύεσκον· ἐπὶ ξηρῇ γὰρ ἔκειτο
δίψα δυηπαθίη τε καὶ ἄλγεσιν, οὐδ' ἐμάτησαν
πλαζόμενοι· ἷξον δ' ἱερὸν πέδον, ᾧ ἔνι Λάδων
εἰσέτι που χθιζὸν παγχρύσεα ῥύετο μῆλα
χώρῳ ἐν Ἄτλαντος, χθόνιος ὄφις· ἀμφὶ δὲ νύμφαι
Ἑσπερίδες ποίπνυον, ἐφίμερον ἀείδουσαι.
δὴ τότε δ' ἤτοι τῆμος ὑφ' Ἡρακλῆι δαϊχθεὶς
μήλειον βέβλητο ποτὶ στύπος· οἰόθι δ' ἄκρῃ
οὐρῇ ἔτι σκαίρεσκεν· ἀπὸ κρατὸς δὲ κελαινὴν
ἄχρις ἐπ' ἄκνηστιν κεῖτ' ἄπνοος· ἐκ δὲ λιπόντων
ὕδρης Λερναίης χόλον αἵματι πικρὸν ὀιστῶν
μυῖαι πυθομένοισιν ἐφ' ἕλκεσι τερσαίνοντο.
ἀγχοῦ δ' Ἑσπερίδες κεφαλαῖς ἔπι χεῖρας ἔχουσαι
ἀργυφέας ξανθῇσι λίγ' ἔστενον· οἱ δ' ἐπέλασσαν
ἄφνω ὁμοῦ· ταὶ δ' αἶψα κόνις καὶ γαῖα, κιόντων
ἐσσυμένως, ἐγένοντο καταυτόθι. νώσατο δ' Ὀρφεὺς
θεῖα τέρα, τὰς δέ σφι παρηγορέεσκε λιτῇσιν·
'Δαίμονες ὦ καλαὶ καὶ εὔφρονες, ἵλατ', ἄνασσαι,
εἴτ' οὖν οὐρανίαις ἐναρίθμιοί ἐστε θεῇσιν,
εἴτε καταχθονίαις, εἴτ' οἰοπόλοι καλέεσθε
νύμφαι· ἴτ' ὦ νύμφαι, ἱερὸν γένος Ὠκεανοῖο,
δείξατ' ἐελδομένοισιν ἐνωπαδὶς ἄμμι φανεῖσαι
ἤ τινα πετραίην χύσιν ὕδατος, ἤ τινα γαίης
ἱερὸν ἐκβλύοντα, θεαί, ῥόον, ᾧ ἀπὸ δίψαν

286

*your shoulders and carried her in your might and man-
hood o'er the desert sandhills of Libya twelve whole days
and as many nights. Yet who can tell the pain and an-
guish these men endured in that toil? Surely they were
of the blood of the immortals, so great was the work they
took upon them under the stress of need. Now when they
had carried her right gladly far to the waters of the lake
Tritonis, straightway they waded in and set her down
from their stalwart shoulders.*

*Then like hounds, mad with thirst, they darted forth
to find a spring; for to their misery and suffering was
added parching drought. But not in vain did they wander;
and they came to the sacred plain, where but yesterday
Ladon, a serpent of that land, did guard the golden apples
in the place of Atlas, while about him the Hesperides
used to busy themselves, singing their lovely song. But
now, lo! he was fallen against the trunk of the apple-tree
from the wound that Heracles had given him; only with
the tip of his tail was he still writhing, but from his head
unto the end of his dark spine lifeless he lay; and where
the arrows had left in its blood the bitter venom of the
Lernæan hydra flies were busy at his festering wounds.
And near him the Hesperides raised their loud lament,
their fair white arms clasped about their golden hair;
when on a sudden came the heroes nigh to them, and lo!
at once those maidens turned, as they stood, to dust and
ashes, even while the men came hasting on. But Orpheus
was ware of the divine marvel, and for his comrades'
sake he lifted up a prayer to the maidens: « Ye queens
divine, so fair and kind, be gracious, whether ye are
counted amongst the goddesses of heaven, or those of
earth, or are called the nymphs that tend the sheep-fold;
come, maidens, holy race of Oceanus, appear to us face
to face, and show us at our desire some fount of water
gushing from the rock, or some holy stream bubbling up
from the earth, whereat, O goddesses, to quench the thirst,
that parches us unceasingly. And if we come again some
day o'er the sea to the land of Achæa, then will we offer
you gladly countless gifts amongst the first of goddesses,
with drink-offerings and rich feasts. »*

*So prayed he aloud; and the goddesses from their sta-
tion nigh had pity on their suffering, and first of all they
made grass spring up from the earth, and above the grass
tall shoots sprang up; and next young trees in bloom shot
high o'er the ground and stood upright. Hespere became*

287

αἰθομένην ἄμοτον λωφήσομεν. εἰ δέ κεν αὖτις
δή ποτ' Ἀχαιίδα γαῖαν ἱκώμεθα ναυτιλίῃσιν,
δὴ τότε μυρία δῶρα μετὰ πρώτῃσι θεάων
λοιβάς τ' εἰλαπίνας τε παρέξομεν εὐμενέοντες.'
Ὣς φάτο λισσόμενος ἀδινῇ ὀπί· ταὶ δ' ἐλέαιρον
ἐγγύθεν ἀχνυμένους· καὶ δὴ χθονὸς ἐξανέτειλαν
ποίην πάμπρωτον· ποίης γε μὲν ὑψόθι μακροὶ
βλάστεον ὄρπηκες· μετὰ δ' ἔρνεα τηλεθάοντα
πολλὸν ὑπὲρ γαίης ὀρθοσταδὸν ἠέξοντο.
Ἑσπέρη, αἴγειρος, πτελέη δ' Ἐρυθηὶς ἔγεντο·
Αἴγλη δ' ἰτείης ἱερὸν στύπος. ἐκ δέ νυ κείνων
δενδρέων, οἷαι ἔσαν, τοῖαι πάλιν ἔμπεδον αὔτως
ἐξέφανεν, θάμβος περιώσιον, ἔκφατο δ' Αἴγλη
μειλιχίοις ἐπέεσσιν ἀμειβομένη χατέοντας·
' Ἦ ἄρα δὴ μέγα πάμπαν ἐφ' ὑμετέροισιν ὄνειαρ
δεῦρ' ἔμολεν καμάτοισιν ὁ κύντατος, ὅστις ἀπούρας
φρουρὸν ὄφιν ζωῆς παγχρύσεα μῆλα θεάων
οἴχετ' ἀειράμενος· στυγερὸν δ' ἄχος ἄμμι λέλειπται.
ἤλυθε γὰρ χθιζός τις ἀνὴρ ὀλοώτατος ὕβριν
καὶ δέμας· ὄσσε δέ οἱ βλοσυρῷ ὑπέλαμπε μετώπῳ·
νηλής· ἀμφὶ δὲ δέρμα πελωρίου ἕστο λέοντος
ὠμόν, ἀδέψητον· στιβαρὸν δ' ἔχεν ὄζον ἐλαίης
τόξα τε, τοῖσι πέλωρ τόδ' ἀπέφθισεν ἰοβολήσας.
ἤλυθε δ' οὖν κάκεῖνος, ἅ τε χθόνα πεζὸς ὁδεύων,
δίψῃ καρχαλέος· παίφασσε δὲ τόνδ' ἀνὰ χῶρον,
ὕδωρ ἐξερέων, τὸ μὲν οὔ ποθι μέλλεν ἰδέσθαι.
ἥδε δέ τις πέτρη Τριτωνίδος ἐγγύθι λίμνης·
τὴν ὅγ' ἐπιφρασθείς, ἢ καὶ θεοῦ ἐννεσίῃσιν,
λὰξ ποδὶ τύψεν ἔνερθε· τὸ δ' ἀθρόον ἔβλυσεν ὕδωρ.
αὐτὰρ ὅγ' ἄμφω χεῖρε πέδῳ καὶ στέρνον ἐρείσας
ῥωγάδος ἐκ πέτρης πίεν ἄσπετον, ὄφρα βαθεῖαν
νηδύν, φορβάδι ἶσος ἐπιπροπεσών, ἐκορέσθη.'
Ὣς φάτο· τοὶ δ' ἀσπαστὸν ἵνα σφίσι πέφραδεν Αἴγλη
πίδακα, τῇ θέον αἶψα κεχαρμένοι, ὄφρ' ἐπέκυρσαν.
ὡς δ' ὁπότε στεινὴν περὶ χηραμὸν εἱλίσσονται
γειομόροι μύρμηκες ὁμιλαδόν, ἢ ὅτε μυῖαι
ἀμφ' ὀλίγην μέλιτος γλυκεροῦ λίβα πεπτηυῖαι
ἄπλητον μεμάασιν ἐπήτριμοι· ὣς τότ' ἀολλεῖς
πετραίῃ Μινύαι περὶ πίδακι δινεύεσκον.
καί πού τις διεροῖς ἐπὶ χείλεσιν εἶπεν ἰανθείς·
' Ὢ πόποι, ἦ καὶ νόσφιν ἐὼν ἐσάωσεν ἑταίρους
Ἡρακλέης δίψῃ κεκμηότας. ἀλλά μιν εἴ πως
δήοιμεν στείχοντα δι' ἠπείροιο κιόντες.'
Ἦ, καὶ ἀμειβομένων, οἵ τ' ἄρμενοι ἐς τόδε ἔργον,
ἔκριθεν ἄλλυδις ἄλλος ἐπαΐξας ἐρεείνειν.

288

a poplar, *Erytheis* an elm, and *Ægle* a willow with sacred trunk. And from these trees their forms looked out, even as they were before, a wonder passing strange; then spake *Ægle* to their longing ears a gentle answer, *« Yea, verily there hath come hither one that can succour your troubles full well, that man accursed, who robbed our guardian snake of life, and is gone taking with him the golden apples of the goddesses; and grievous woe is left to us. Yestreen there came a man, a very fiend in form and wanton violence; his eyes gleamed from under his grim forehead; a ruthless wretch; and he was girt about with the skin of a huge lion, rough and untanned, and he bare a heavy bough of olive, and a bow, wherewith he shot to death yon monster-snake. And he too came all parched with thirst, as a wayfarer might; and wildly he rushed about this place in quest of water, but none was he likely to see, I trow. Now here stood a rock nigh to the lake Tritonis, which he, strong giant, smote with his foot below, on purpose or mayhap by some god's prompting; and yonder spring gushed out at once. Then did he, sprawling with hands and chest upon the ground, drink a mighty draught from the cleft in the rock, till, like a beast with head thrown forward, he had filled his deep belly. »*

So spake she; and gladly they hasted with joyful steps, until they found the spot where *Ægle* had told them of the spring. As when burrowing ants crawl in swarms about a narrow hole, or as when flies, lighting about a tiny drop of sweet honey, do throng there in terrible eagerness; even so the *Minyæ* then were thronging around the spring in the rock; and thus would one say in his gladness as he moistened his lips, *« Lo! you now; in very sooth, Heracles, though far away, hath saved his comrades dying of thirst. Aye, would that we might find him on his way, as we pass through the mainland! »*

Therewith, when such as were ready for this work had answered; they started up and parted, hither and thither, to search; for on the night-wind a sound of steps had come rolling to their ears, as the sand was stirred. Forth sped the two sons of Boreas, trusting to their wings; and *Euphemus*, relying on his fleetness of foot; and *Lynceus* too, to cast his keen glance far and wide; and yet a fifth hurried to their side, even *Canthus*. Him, I trow, did heaven's high will and his brave soul send forth upon that journey, that he might learn for certain

289

ἴχνια γὰρ νυχίοισιν ἐπηλίνδητ' ἀνέμοισιν
κινυμένης ἀμάθου. Βορέαο μὲν ὡρμήθησαν
υἷε δύω, πτερύγεσσι πεποιθότε· ποσσὶ δὲ κούφοις
Εὔφημος πίσυνος, Λυγκεύς γε μὲν ὀξέα τηλοῦ
ὄσσε βαλεῖν· πέμπτος δὲ μετὰ σφίσιν ἔσσυτο Κάνθος.
τὸν μὲν ἄρ' αἶσα θεῶν κείνην ὁδὸν ἠνορέη τε
ὦρσεν, ἵν' Ἡρακλῆος ἀπηλεγέως πεπύθοιτο,
Εἰλατίδην Πολύφημον ὅπῃ λίπε· μέμβλετο γάρ οἱ
οὗ ἕθεν ἀμφ' ἑτάροιο μεταλλῆσαι τὰ ἕκαστα.
ἀλλ' ὁ μὲν οὖν Μυσοῖσιν ἐπικλεὲς ἄστυ πολίσσας
νόστου κηδοσύνῃσιν ἔβη διζήμενος Ἀργὼ
τῆλε δι' ἠπείροιο· τέως δ' ἐξίκετο γαῖαν
ἀγχιάλων Χαλύβων· τόθι μιν καὶ Μοῖρ' ἐδάμασσεν.
καί οἱ ὑπὸ βλωθρὴν ἀχερωίδα σῆμα τέτυκται
τυτθὸν ἁλὸς προπάροιθεν. ἀτὰρ τότε γ' Ἡρακλῆα
μοῦνον ἀπειρεσίης τηλοῦ χθονὸς εἴσατο Λυγκεὺς
τὼς ἰδέειν, ὥς τίς τε νέῳ ἐνὶ ἤματι μήνην
ἢ ἴδεν, ἢ ἐδόκησεν ἐπαχλύουσαν ἰδέσθαι.
ἐς δ' ἑτάρους ἀνιὼν μυθήσατο, μή μιν ἔτ' ἄλλον
μαστῆρα στείχοντα κιχησέμεν· οἱ δὲ καὶ αὐτοὶ
ἤλυθον, Εὔφημός τε πόδας ταχὺς υἷέ τε δοιὼ
Θρηικίου Βορέω, μεταμώνια μοχθήσαντε.
Κάνθε, σὲ δ' οὐλόμεναι Λιβύῃ ἔνι Κῆρες ἕλοντο.
πώεσι φερβομένοισι συνήντεες· εἵπετο δ' ἀνὴρ
αὐλίτης, ὅ σ' ἑῶν μήλων πέρι, τόφρ' ἑτάροισιν
δευομένοις κομίσειας, ἀλεξόμενος κατέπεφνεν
λᾶι βαλών· ἐπεὶ οὐ μὲν ἀφαυρότερός γ' ἐτέτυκτο,
υἱωνὸς Φοίβοιο Λυκωρείοιο Κάφαυρος
κούρης τ' αἰδοίης Ἀκακαλλίδος, ἥν ποτε Μίνως
ἐς Λιβύην ἀπένασσε θεοῦ βαρὺ κῦμα φέρουσαν,
θυγατέρα σφετέρην· ἡ δ' ἀγλαὸν υἱέα Φοίβῳ
τίκτεν, ὃν Ἀμφίθεμιν Γαράμαντά τε κικλήσκουσιν.
Ἀμφίθεμις δ' ἄρ' ἔπειτα μίγη Τριτωνίδι νύμφῃ·
ἡ δ' ἄρα οἱ Νασάμωνα τέκεν κρατερόν τε Κάφαυρον,
ὃς τότε Κάνθον ἔπεφνεν ἐπὶ ῥήνεσσιν ἑοῖσιν.
οὐδ' ὅγ' ἀριστήων χαλεπὰς ἠλεύατο χεῖρας,
ὡς μάθον οἷον ἔρεξε. νέκυν δ' ἀνάειραν ὀπίσσω
πευθόμενοι Μινύαι, γαίῃ δ' ἐνὶ ταρχύσαντο
μυρόμενοι· τὰ δὲ μῆλα μετὰ σφέας οἵγ' ἐκόμισσαν.
Ἔνθα καὶ Ἀμπυκίδην αὐτῷ ἐνὶ ἤματι Μόψον
νηλειὴς ἕλε πότμος· ἀδευκέα δ' οὐ φύγεν αἶσαν
μαντοσύναις· οὐ γάρ τις ἀποτροπίη θανάτοιο.
κεῖτο δ' ἐπὶ ψαμάθοισι μεσημβρινὸν ἦμαρ ἀλύσκων
δεινὸς ὄφις, νωθὴς μὲν ἑκὼν ἀέκοντα χαλέψαι·
οὐδ' ἂν ὑποτρέσσαντος ἐνωπαδὶς ἀίξειεν.

from Heracles, where he had left Polyphemus, son of
Elatus; for he was minded to question him on every
point about his comrade. But Polyphemus had founded
a famous town among the Mysians, and then, anxious
to return, had gone in quest of Argo afar across the
mainland; and he came meantime to the land of the
Chalybes, that live beside the sea; there did his fate
o'ertake him. And his tomb lieth beneath a tall poplar,
facing the sea, a little space therefrom. But now Lynceus
thought he saw Heracles alone, far away over the bound-
less shore, just as a man seeth, or thinks he seeth, the
new moon through a mist. So he came, and told his
companions, that no one could ever track him further
and o'ertake him on his way; and back those others al-
so came, Euphemus, fleet of foot, and the two sons of
Thracian Boreas, after fruitless toil.

But on thee, Canthus, fate laid her deadly hold.
Thou didst come upon flocks at pasture; but the man
that did shepherd them slew thee with the blow of a stone
for sake of his sheep to prevent thee from carrying them
off to thy needy comrades; for Caphaurus was no feeble
foe, that grandson of Lycorean Phœbus, and of the chaste
maid Acacallis, the daughter whom Minos on a day did
bring to dwell in Libya, bearing in her womb a heavy
load from the god; and she bare a noble son to Phœbus,
whom men call Amphithemis, or Garamas. And Amphi-
themis in his turn lay with a Tritonian nymph, who
bare to him Nasamon and strong Caphaurus; he it was,
who now slew Canthus, in defence of his sheep. Yet was
not he, strong warrior, to escape the stern hands of
the heroes, when they learnt what he had done. For the
Minyæ, when they knew it, took up his corpse and
brought it back and buried him; but those sheep the
heroes took unto themselves, mourning the while.

There too upon the self-same day relentless Fate
laid her hand upon Mopsus, son of Ampycus, nor could
his divination save him from his bitter doom. For there
is no way to hinder death. Now there was lying on the
sand a fearsome snake, seeking to avoid the noontide heat,
too sluggish indeed purposely to wound an unwitting
foe, nor yet would it have darted at one who shrunk from
meeting it. But on whomsoever it once should dart its
black venom of all living creatures that have breath,
whom Earth the life-giver doth nurture, for him is his
road to Hades not so much as a span long; no, not

291

ἀλλὰ μὲν ᾧ τὰ πρῶτα μελάγχιμον ἰὸν ἐνείη
ζωόντων, ὅσα γαῖα φερέσβιος ἔμπνοα βόσκει,
οὐδ' ὁπόσον πήχυιον ἐς Ἀιδα γίγνεται οἶμος,
οὐδ' εἰ Παιήων, εἴ μοι θέμις ἀμφαδὸν εἰπεῖν,
φαρμάσσοι, ὅτε μοῦνον ἐνιχρίμψῃσιν ὀδοῦσιν.

εὖτε γὰρ ἰσόθεος Λιβύην ὑπερέπτατο Περσεὺς
Εὐρυμέδων—καὶ γὰρ τὸ κάλεσκέ μιν οὔνομα μήτηρ—
Γοργόνος ἀρτίτομον κεφαλὴν βασιλῆι κομίζων,
ὅσσαι κυανέου στάγες αἵματος οὖδας ἵκοντο,
αἱ πᾶσαι κείνων ὀφίων γένος ἐβλάστησαν.

τῷ δ' ἄκρην ἐπ' ἄκανθαν ἐνεστηρίξατο Μόψος
λαιὸν ἐπιπροφέρων ταρσὸν ποδός· αὐτὰρ ὁ μέσσην
κερκίδα καὶ μυῶνα, πέριξ ὀδύνῃσιν ἑλιχθείς,

σάρκα δακὼν ἐχάραξεν. ἀτὰρ Μήδεια καὶ ἄλλαι
ἔτρεσαν ἀμφίπολοι· ὁ δὲ φοίνιον ἕλκος ἄφασσεν
θαρσαλέως, ἕνεκ' οὔ μιν ὑπέρβιον ἄλγος ἔτειρεν.

σχέτλιος· ἦ τέ οἱ ἤδη ὑπὸ χροῒ δύετο κῶμα
λυσιμελές, πολλὴ δὲ κατ' ὀφθαλμῶν χέετ' ἀχλύς.
αὐτίκα δὲ κλίνας δαπέδῳ βεβαρηότα γυῖα
ψύχετ' ἀμηχανίῃ· ἕταροι δέ μιν ἀμφαγέροντο
ἥρως τ' Αἰσονίδης, ἀδινῇ περιθαμβέες ἄτῃ.

οὐδὲ μὲν οὐδ' ἐπὶ τυτθὸν ἀποφθίμενός περ ἔμελλεν
κεῖσθαι ὑπ' ἠελίῳ. πύθεσκε γὰρ ἔνδοθι σάρκας
ἰὸς ἄφαρ, μυδόωσα δ' ἀπὸ χροὸς ἔρρεε λάχνη.

αἶψα δὲ χαλκείῃσι βαθὺν τάφον ἐξελάχαινον
ἐσσυμένως μακέλῃσιν· ἐμοιρήσαντο δὲ χαίτας
αὐτοὶ ὁμῶς κοῦραί τε, νέκυν ἐλεεινὰ παθόντα
μυρόμενοι· τρὶς δ' ἀμφὶ σὺν ἔντεσι δινηθέντες
εὖ κτερέων ἴσχοντα, χυτὴν ἐπὶ γαῖαν ἔθεντο.

Ἀλλ' ὅτε δή ῥ' ἐπὶ νηὸς ἔβαν, πρήσοντος ἀήτεω
ἂμ πέλαγος νοτίοιο, πόρους τ' ἀπετεκμήραντο
λίμνης ἐκπρομολεῖν Τριτωνίδος, οὔτινα μῆτιν
δὴν ἔχον, ἀφραδέως δὲ πανημέριοι φορέοντο.

ὡς δὲ δράκων σκολιὴν εἰλιγμένος ἔρχεται οἶμον,
εὖτέ μιν ὀξύτατον θάλπει σέλας ἠελίοιο·
ῥοίζῳ δ' ἔνθα καὶ ἔνθα κάρη στρέφει, ἐν δέ οἱ ὄσσε
σπινθαρύγεσσι πυρὸς ἐναλίγκια μαιμώοντι
λάμπεται, ὄφρα μυχόνδε διὰ ῥωχμοῖο δύηται·

ὣς Ἀργὼ λίμνης στόμα ναύπορον ἐξερέουσα
ἀμφεπόλει δηναιὸν ἐπὶ χρόνον. αὐτίκα δ' Ὀρφεὺς
κέκλετ' Ἀπόλλωνος τρίποδα μέγαν ἔκτοθι νηὸς
δαίμοσιν ἐγγενέταις νόστῳ ἔπι μείλια θέσθαι.
καὶ τοὶ μὲν Φοίβου κτέρας ἵδρυον ἐν χθονὶ βάντες·
τοῖσιν δ' αἰζηῷ ἐναλίγκιος ἀντεβόλησεν

Τρίτων εὐρυβίης, γαίης δ' ἀνὰ βῶλον ἀείρας

even if the healing god should be his leech (if I may speak openly), when that snake hath but grazed him with its fangs. For when godlike Perseus, whom his mother also called Eurymedon, flew over Libya, carrying to king Polydectes the Gorgon's head just severed, all the drops of dark blood, that fell to the ground, did breed a race of those serpents. Now Mopsus trod upon the reptile's back with the sole of his left foot; but the snake writhing round in pain, bit and tore the flesh 'twixt his shin and calf. And Medea and the other women, her handmaids, fled in terror; but he bravely handled the bleeding wound, for it did not vex him very much, poor wretch! Verily even now beneath the skin a lethargy, that looseth the limbs, was spreading, and o'er his eyes fell a thick mist. Anon his heavy limbs sank upon the ground, and he grew cold and helpless; and his comrades gathered round him, and the hero son of Æson, sore dismayed at this chain of disasters. Not even, when dead, might he lie ever so short a time in the sun; for the venom at once began to rot the flesh within, and the hair decayed and fell from the skin. So, quickly and in haste, they dug a deep grave with brazen picks; and themselves and the maidens likewise tore their hair, bewailing the dead man's piteous fate; and thrice, in harness clad, they marched round him, when he had gotten his fair meed of burial; and then heaped up the earth above him.

But when they were gone aboard,—for the south wind blew across the sea,—and were determined to go on their way across the lake Tritonis, no longer had they any plan, and so were driven at random the livelong day. As a serpent creeps along his crooked path, when the sun's piercing heat doth scorch him, and twists his head from side to side, hissing the while, and his eyes withal flash like sparks of fire in his fury, till he hath crept to his hole through a cleft; even so Argo long time was busy seeking an outlet for ships from the lake. Anon Orpheus bade bring out from the hold Apollo's mighty tripod, and set it up before the gods of that land to be a propitiation for their return. So they went and set up on the shore the gift of Phœbus, and mighty Triton met them in the semblance of a young man, and taking up a clod of earth he offered it unto the chieftains as a stranger's gift with these words, « Take this, good friends; for no great gift have I here by me to give to strangers at their request. But if ye desire to know aught of the

293

A
R
G
O
N
A
U
T
I
C
A

ξείν' ἀριστήεσσι προΐσχετο, φώνησέν τε·
'Δέχθε, φίλοι· ἐπεὶ οὐ περιώσιον ἐγγυαλίξαι
ἐνθάδε νῦν πάρ' ἐμοὶ ξεινήιον ἀντομένοισιν.
εἰ δέ τι τῆσδε πόρους μαίεσθ' ἁλός, οἷά τε πολλὰ
ἄνθρωποι χατέουσιν ἐν ἀλλοδαπῇ περόωντες,
ἐξερέω. δὴ γάρ με πατὴρ ἐπιίστορα πόντου
θῆκε Ποσειδάων τοῦδ' ἔμμεναι. αὐτὰρ ἀνάσσω

παρραλίης, εἰ δή τιν' ἀκούετε νόσφιν ἐόντες
Εὐρύπυλον Λιβύῃ θηροτρόφῳ ἐγγεγαῶτα.'
Ὣς ηὔδα· πρόφρων δ' ὑπερέσχεθε βώλακι χεῖρας

Εὔφημος, καὶ τοῖα παραβλήδην προσέειπεν·
' 'Απίδα καὶ πέλαγος Μινώιον εἴ νύ που, ἥρως,
ἐξεδάης, νημερτὲς ἀνειρομένοισιν ἔνισπε.

δεῦρο γὰρ οὐκ ἐθέλοντες ἱκάνομεν, ἀλλὰ βαρείαις
χρίμψαντες γαίης ἐπὶ πείρασι τῆσδε θυέλλαις
νῆα μεταχρονίην ἐκομίσσαμεν ἐς τόδε λίμνης
χεῦμα δι' ἠπείρου βεβαρημένοι· οὐδέ τι ἴδμεν,

πῇ πλόος ἐξανέχει Πελοπηίδα γαῖαν ἱκέσθαι.'
Ὣς ἄρ' ἔφη· ὁ δὲ χεῖρα τανύσσατο, δεῖξε δ' ἄπωθεν
φωνήσας πόντον τε καὶ ἀγχιβαθὲς στόμα λίμνης·
' Κείνη μὲν πόντοιο διήλυσις, ἔνθα μάλιστα
βένθος ἀκίνητον μελανεῖ· ἑκάτερθε δὲ λευκαὶ

ῥηγμῖνες φρίσσουσι διαυγέες· ἡ δὲ μεσηγὺ
ῥηγμίνων στεινὴ τελέθει ὁδὸς ἐκτὸς ἐλάσσαι.
κεῖνο δ' ὑπήέριον θείην Πελοπηίδα γαῖαν
εἰσανέχει πέλαγος Κρήτης ὕπερ· ἀλλ' ἐπὶ χειρὸς

δεξιτερῆς, λίμνηθεν ὅτ' εἰς ἁλὸς οἶδμα βάλητε,
τόφρ' αὐτὴν παρὰ χέρσον ἐεργμένοι ἰθύνεσθε,
ἔστ' ἂν ἄνω τείνῃσι· περιρρήδην δ' ἑτέρωσε
κλινομένης χέρσοιο, τότε πλόος ὕμμιν ἀπήμων

ἀγκῶνος τέτατ' ἰθὺς ἀπὸ προύχοντος ἰοῦσιν.
ἀλλ' ἴτε γηθόσυνοι, καμάτοιο δὲ μῆτις ἀνίη
γιγνέσθω, νεότητι κεκασμένα γυῖα μογῆσαι.'
Ἴσκεν ἐυφρονέων· οἱ δ' αἶψ' ἐπὶ νηὸς ἔβησαν
λίμνης ἐκπρομολεῖν λελιημένοι εἰρεσίῃσιν.

καὶ δὴ ἐπιπρονέοντο μεμαότες· αὐτὰρ ὁ τείως
Τρίτων ἀνθέμενος τρίποδα μέγαν, εἴσατο λίμνην
εἰσβαίνειν· μετὰ δ' οὔτις ἐσέδρακεν, οἷον ἄφαντος
αὐτῷ σὺν τρίποδι σχεδὸν ἔπλετο. τοῖσι δ' ἰάνθη
θυμός, ὃ δὴ μακάρων τις ἐναίσιμος ἀντεβόλησεν.

καί ῥά οἱ Αἰσονίδην μήλων ὅτι φέρτατον ἄλλων
ἤνωγον ῥέξαι καὶ ἐπευφημῆσαι ἑλόντα.
αἶψα δ' ὅγ' ἐσσυμένως ἐκρίνατο, καί μιν ἀείρας
σφάξε κατὰ πρύμνης, ἐπὶ δ' ἔννεπεν εὐχωλῇσιν·

' Δαῖμον, ὅτις λίμνης ἐπὶ πείρασι τῆσδ' ἐφαάνθης,

ways of this sea, as men oft crave, when voyaging over strange waters, I will tell you. For lo! my father Poseidon made me very knowing in this sea, and I am king of the sea-coast, if haply in your distant home ye ever hear of Eurypylus, born in Libya, home of wild beasts.»

So spake he; and gladly Euphemus held out his hands for the clod, and thus addressed him in reply, «Hero, if haply thou knowest aught of Apis and the sea of Minos, tell us truly at our asking. For hither we are come, not of our own will; but, brought nigh to the bounds of this land by tempestuous winds, we did carry our ship shoulder-high to the waters of this lake across the mainland, groaning 'neath the weight; but we know not at all, where lies the route for coming to the land of Pelops.»

So spake he; and the other stretched out his hand and showed them far away the sea and the lake's deep mouth, and thus he said, «Lo! yonder is the outlet to the sea, just where the deep water lies black and still, and on either side white breakers seethe with crests transparent; betwixt the breakers there is your course, a narrow one to sail outside. And yonder sea, that spreads to the horizon, reaches above Crete to the sacred land of Pelops; but steer toward the right hand when ye enter the gulf of sea from the lake, keeping close the while along the shore, till it extends inland; but when the coast-line bends the other way, then your course lies safe and straight before you, starting from that projecting angle. Now go in joy; and as for toil let none repine that limbs, still in their youthful vigour, have to toil.»

So spake he with good will; and they went aboard quickly, eager to row out from the lake. And on they sped in their haste; but he meantime, even Triton, took up the mighty tripod and was seen to enter the lake, but after that no man saw him, how he vanished so near them, tripod and all. And their heart was cheered, for that one of the blessed gods had met them in kindly mood. And they bade the son of Æson offer in his honour the choicest of their remaining sheep, and raise the song of praise, when he had taken him. Quickly that hero chose him out with haste, and, having taken him up to the stern, there sacrificed him, and prayed, «God, who didst appear upon the bounds of this lake, whether the daughters of ocean call thee Triton, wonder of the deep, or Phorcys, or Nereus, be favourable and grant the accomplishment of our return, as we desire.»

Ο ΤΡΙΤΩΝ ΥΠΟΔΕΙΚΝΥΕΙ ΤΗΝ
ΕΞΟΔΟ ΣΤΟΥΣ ΑΡΓΟΝΑΥΤΕΣ

TRITON SHOWS THE ARGONAUTS
THE OUTLET TO THE SEA

εἴτε σέγε Τρίτων', ἅλιον τέρας, εἴτε σε Φόρκυν,
ἢ Νηρῆα θύγατρες ἐπικλείουσ' ἁλοσύδναι,
ἵλαθι, καὶ νόστοιο τέλος θυμηδὲς ὅπαζε.'
Ἦ ῥ', ἅμα δ' εὐχωλῇσιν ἐς ὕδατα λαιμοτομήσας
ἧκε κατὰ πρύμνης· ὁ δὲ βένθεος ἐξεφαάνθη
τοῖος ἐών, οἷός περ ἐτήτυμος ἦεν ἰδέσθαι.
ὡς δ' ὅτ' ἀνὴρ θοὸν ἵππον ἐπ' εὐρέα κύκλον ἀγῶνος
στέλλῃ, ὀρεξάμενος λασίης εὐπειθέα χαίτης,
εἶθαρ ἐπιτροχάων, ὁ δ' ἐπ' αὐχένι γαῦρος ἀερθεὶς
ἕσπεται, ἀργινόεντα δ' ἐνὶ στομάτεσσι χαλινὰ
ἀμφὶς ὀδακτάζοντι παραβλήδην κροτέονται·
ὣς ὅγ' ἐπισχόμενος γλαφυρῆς ὁλκήιον Ἀργοῦς
ἦγ' ἅλαδε προτέρωσε. δέμας δέ οἱ ἐξ ὑπάτοιο
κράατος, ἀμφί τε νῶτα καὶ ἰξύας ἔστ' ἐπὶ νηδὺν
ἀντικρὺ μακάρεσσι φυὴν ἔκπαγλον ἔικτο·
αὐτὰρ ὑπαὶ λαγόνων δίκραιρά οἱ ἔνθα καὶ ἔνθα
κήτεος ὁλκαίη μηκύνετο· κόπτε δ' ἀκάνθαις
ἄκρον ὕδωρ, αἵ τε σκολιοῖς ἐπινειόθι κέντροις
μήνης ὡς κεράεσσιν ἐειδόμεναι διχόωντο.
τόφρα δ' ἄγεν, τείως μιν ἐπιπροέηκε θαλάσσῃ
νισσομένην· δῦ δ' αἶψα μέγαν βυθόν· οἱ δ' ὁμάδησαν
ἥρωες, τέρας αἰνὸν ἐν ὀφθαλμοῖσιν ἰδόντες.
ἔνθα μὲν Ἀργῷός τε λιμὴν καὶ σήματα νηὸς
ἠδὲ Ποσειδάωνος ἰδὲ Τρίτωνος ἔασιν
βωμοί· ἐπεὶ κεῖν' ἦμαρ ἐπέσχεθον. αὐτὰρ ἐς ἠῶ
λαίφεσι πεπταμένοις αὐτὴν ἐπὶ δεξί' ἔχοντες
γαῖαν ἐρημαίην, πνοιῇ ζεφύροιο θέεσκον.
ἦρι δ' ἔπειτ' ἀγκῶνά θ' ὁμοῦ μυχάτην τε θάλασσαν
κεκλιμένην ἀγκῶνος ὕπερ προὔχοντος ἴδοντο.
αὐτίκα δὲ ζέφυρος μὲν ἐλώφεεν, ἦλθε δ' αὔρη
ἀργέσταο νότου· κεχάροντο δὲ θυμὸν ἰωῇ.
ἦμος δ' ἠέλιος μὲν ἔδυ, ἀνὰ δ' ἤλυθεν ἀστὴρ
αὔλιος, ὅς τ' ἀνέπαυσεν ὀιζυροὺς ἀροτῆρας,
δὴ τότ' ἔπειτ' ἀνέμοιο κελαινῇ νυκτὶ λιπόντος
ἱστία λυσάμενοι περιμήκεά τε κλίναντες
ἱστόν, ἐυξέστῃσιν ἐπερρώοντ' ἐλάτῃσιν
παννύχιοι καὶ ἐπ' ἦμαρ, ἐπ' ἤματι δ' αὖτις ἰοῦσαν
νύχθ' ἑτέρην. ὑπέδεκτο δ' ἀπόπροθι παιπαλόεσσα
Κάρπαθος· ἔνθεν δ' οἵγε περαιώσεσθαι ἔμελλον
Κρήτην, ἥ τ' ἄλλων ὑπερέπλετο εἰν ἁλὶ νήσων.
Τοὺς δὲ Τάλως χάλκειος, ἀπὸ στιβαροῦ σκοπέλοιο
ῥηγνύμενος πέτρας, εἶργε χθονὶ πείσματ' ἀνάψαι,
Δικταίην ὅρμοιο κατερχομένους ἐπιωγήν.
τὸν μὲν χαλκείης μελιηγενέων ἀνθρώπων
ῥίζης λοιπὸν ἐόντα μετ' ἀνδράσιν ἡμιθέοισιν

298

Therewith and as he prayed, he cut the throat of the sheep and cast him from the stern into the water. And lo! the god appeared from out the deep in his own true form. As when a man will train a fleet horse for the wide race-course, holding the obedient creature by his bushy mane, and running the while beside him, and the horse, with proud arching neck, follows his guide, and in his mouth the bright bit rattles in answer as he champs it this way and that; even so that strong god laid his hand on the keel of hollow Argo and guided her seaward. Now from the top of his head and about his back and waist as far as the belly, he was wondrous like the blessed gods in form; but below the loins stretched the tail of a sea-monster, forked this way and that, and with the spines thereof he cleft the surface of the water, for these parted below into two curved fins, like to the horns of the moon. On he led the ship, till he brought her on her way into the sea, and then suddenly he plunged beneath the mighty depths; and those heroes cried out, when they saw the strange marvel with their eyes. There is the harbour of Argo, and signs left by the ship, and altars to Poseidon and Triton; for they stopped there that day. But at dawn they set sail, keeping that desert land upon the right; and on they sped before the breath of the west wind. And on the next morning they saw a projecting tongue of land and an inland sea lying beyond it. Anon the west wind ceased, and the breath of the clear south came on, and they were glad at heart for the wind. But when the sun sank, and rose the star, that bids the shepherd fold and stays the ploughman from his toil; in that hour of pitchy night the wind fell; so they furled the sails and stooped the tall mast, and took to their polished oars lustily all night and day and the next night as well. And in the distance craggy Carpathus welcomed them; thence were they, strong rowers, soon to cross to Crete, which standeth out above all other isles upon the sea.

But brazen Talos prevented them from mooring, when they came to the roadstead of the Dictæan haven, by breaking off rocks from the hard cliff. He was a descendant of the brazen stock of men, who sprung from ash trees, ranking among demi-gods; him the son of Cronos gave to Europa, to be the warder of the island of Crete, whereabouts he roameth with those brazen feet. Now truly he is made of brass, unbreakable, in his limbs and all the rest of his body; only beneath the tendon by

Εὐρώπῃ Κρονίδης νήσου πόρεν ἔμμεναι οὖρον,
τρὶς περὶ χαλκείοις Κρήτην ποσὶ δινεύοντα.
ἀλλ' ἤτοι τὸ μὲν ἄλλο δέμας καὶ γυῖα τέτυκτο
χάλκεος ἠδ' ἄρρηκτος· ὑπαὶ δέ οἱ ἔσκε τένοντος
σύριγξ αἱματόεσσα κατὰ σφυρόν· αὐτὰρ ὁ τήνγε
λεπτὸς ὑμήν, ζωῆς, ἔχε, πείρατα καὶ θανάτοιο.
οἱ δέ, δύῃ μάλα περ δεδμημένοι, αἶψ' ἀπὸ χέρσου
νῆα περιδδείσαντες ἀνακρούεσκον ἐρετμοῖς.
καί νύ κ' ἐπισμυγερῶς Κρήτης ἑκὰς ἠέρθησαν,
ἀμφότερον δίψῃ τε καὶ ἄλγεσι μοχθίζοντες,
εἰ μή σφιν Μήδεια λιαζομένοις ἀγόρευσεν·
'Κέκλυτέ μευ. μούνη γὰρ ὀίομαι ὔμμι δαμάσσειν
ἄνδρα τόν, ὅστις ὅδ' ἐστί, καὶ εἰ παγχάλκεον ἴσχει
ὃν δέμας, ὁππότε μή οἱ ἐπ' ἀκάματος πέλοι αἰών.
ἀλλ' ἔχετ' αὐτοῦ νῆα θελήμονες ἐκτὸς ἐρωῆς
πετράων, εἴως κεν ἐμοὶ εἴξειε δαμῆναι.'
Ὣς ἄρ' ἔφη· καὶ τοὶ μὲν ὑπὲκ βελέων ἐρύσαντο
νῆ' ἐπ' ἐρετμοῖσιν, δεδοκημένοι ἥντινα ῥέξει
μῆτιν ἀνωίστως· ἡ δὲ πτύχα πορφυρέοιο
προσχομένη πέπλοιο παρειάων ἑκάτερθεν
βήσατ' ἐπ' ἰκριόφιν· χειρὸς δέ ἑ χειρὶ μεμαρπὼς
Αἰσονίδης ἐκόμιζε διὰ κληῖδας ἰοῦσαν.
ἔνθα δ' ἀοιδῇσιν μειλίσσετο, μέλπε δὲ Κῆρας
θυμοβόρους, Ἀίδαο θοὰς κύνας, αἳ περὶ πᾶσαν
ἠέρα δινεύουσαι ἐπὶ ζωοῖσιν ἄγονται.
τὰς γουναζομένη τρὶς μὲν παρεκέκλετ' ἀοιδαῖς,
τρὶς δὲ λιταῖς· θεμένη δὲ κακὸν νόον, ἐχθοδοποῖσιν
ὄμμασι χαλκείοιο Τάλω ἐμέγηρεν ὀπωπάς·
λευγαλέον δ' ἐπὶ οἷ πρῖεν χόλον, ἐκ δ' ἀίδηλα
δείκηλα προΐαλλεν, ἐπιζάφελον κοτέουσα.
Ζεῦ πάτερ, ἦ μέγα δή μοι ἐνὶ φρεσὶ θάμβος ἄηται,
εἰ δὴ μὴ νούσοισι τυπῇσί τε λυγρὸς ὄλεθρος
ἀντιάει, καὶ δή τις ἀπόπροθεν ἄμμε χαλέπτει.
ὣς ὅγε χάλκειός περ ἐὼν ὑπόειξε δαμῆναι
Μηδείης βρίμῃ πολυφαρμάκου. ἂν δὲ βαρείας
ὀχλίζων λάιγγας, ἐρυκέμεν ὅρμον ἱκέσθαι,
πετραίῳ στόνυχι χρίμψε σφυρόν· ἐκ δέ οἱ ἰχὼρ
τηκομένῳ ἴκελος μολίβῳ ῥέεν· οὐδ' ἔτι δηρὸν
εἱστήκει προβλῆτος ἐπεμβεβαὼς σκοπέλοιο.
ἀλλ' ὡς τίς τ' ἐν ὄρεσσι πελωρίη ὑψόθι πεύκη,
τήν τε θοοῖς πελέκεσσιν ἔθ' ἡμιπλῆγα λιπόντες
ὑλοτόμοι δρυμοῖο κατήλυθον· ἡ δ' ὑπὸ νυκτὶ
ῥιπῇσιν μὲν πρῶτα τινάσσεται, ὕστερον αὖτε
πρυμνόθεν ἐξαγεῖσα κατήριπεν· ὣς ὅγε ποσσὶν
ἀκαμάτοις τείως μὲν ἐπισταδὸν ἠωρεῖτο,

300

the ancle was a vein of blood, and thin was the skin that covered it with its issues of life and death. So the heroes, though sore foredone with toil, quickly backed from the land in grievous fear. And now would they have got them far from Crete sorrowfully, suffering both from thirst and pain, had not Medea hailed them as they drew away: «Hearken to me. For methinks I can by myself master yon man for you, whoever he is, even though he hath his body all of brass, seeing that his life is not to last for ever. But keep the ship here, nothing loth, out of stone-throw, till he yield himself my victim.»

Thus spake she, and they held the ship out of range, waiting to see what plan she would bring to work unexpectedly. Then did she wrap the folds of a dark cloak about both her cheeks and went upon the deck; and the son of Æson, taking her hand in his, guided her steps along the benches. Then did she make use of witching spells, invoking the goddesses of death, that gnaw the heart, the fleet hounds of Hades, who hover all through the air and settle on living men. Thrice with spells she invoked their aid with suppliant voice, and thrice with prayers; and, having framed her mind to evil, she bewitched the sight of brazen Talos with her hostile glance, and against him she gnashed grievous fury and sent forth fearful phantoms in the hotness of her rage.

O father Zeus, verily my heart within me is moved with amaze to see, how death o'ertakes us not merely by disease and wounds, but lo! even from a distance a man may harass us; just as that giant, for all his brazen frame, yielded himself a victim to the might of Medea, the sorceress; for, as he did heave great heavy stones to prevent their coming to the haven, he scratched his ancle against a sharp point of rock, and forth gushed the stream of life like molten lead, nor could he stand any longer on his pinnacle of jutting rock. But like some towering pine, high on the hills, which wood-cutters have left half-cleft by their sharp axes, when they came down from the wood; at first it quivers in the blast at night, then at last it snaps at the bottom and falls; even so that mighty giant stood towering there awhile upright on his tireless feet, then fell at last with mighty crash, a strengthless mass. So then the heroes spent that night after all in Crete; and after that, just as dawn was growing bright, they built a temple to Minoan Athene, and drew water and embarked, that they might row as

301

ὕστερον αὖτ' ἀμενηνὸς ἀπείρονι κάππεσε δούπῳ.
κεῖνο μὲν οὖν Κρήτῃ ἐνὶ δὴ κνέφας ηὐλίζοντο
ἥρωες· μετὰ δ' οἵγε νέον φαέθουσαν ἐς ἠῶ
ἱρὸν Ἀθηναίης Μινωίδος ἱδρύσαντο,
ὕδωρ τ' εἰσαφύσαντο καὶ εἰσέβαν, ὥς κεν ἐρετμοῖς
παμπρώτιστα βάλοιεν ὑπὲρ Σαλμωνίδος ἄκρης.

Αὐτίκα δὲ Κρηταῖον ὑπὲρ μέγα λαῖτμα θέοντας
νὺξ ἐφόβει, τήνπερ τε κατουλάδα κικλήσκουσιν·

νύκτ' ὀλοὴν οὐκ ἄστρα διίσχανεν, οὐκ ἀμαρυγαὶ
μήνης· οὐρανόθεν δὲ μέλαν χάος, ἠέ τις ἄλλη
ὠρώρει σκοτίη μυχάτων ἀνιοῦσα βερέθρων.

αὐτοὶ δ', εἴτ' Ἀίδῃ, εἴθ' ὕδασιν ἐμφορέοντο,
ἠείδειν οὐδ' ὅσσον· ἐπέτρεψαν δὲ θαλάσσῃ
νόστον, ἀμηχανέοντες, ὅπῃ φέροι. αὐτὰρ Ἰήσων
χεῖρας ἀνασχόμενος μεγάλῃ ὀπὶ Φοῖβον ἀύτει,
ῥύσασθαι καλέων· κατὰ δ' ἔρρεεν ἀσχαλόωντι

δάκρυα· πολλὰ δὲ Πυθοῖ ὑπέσχετο, πολλὰ δ' Ἀμύκλαις,
πολλὰ δ' ἐς Ὀρτυγίην ἀπερείσια δῶρα κομίσσειν.
Λητοΐδη, τύνη δὲ κατ' οὐρανοῦ ἵκεο πέτρας
ῥίμφα Μελαντίους ἀριήκοος, αἵ τ' ἐνὶ πόντῳ
ἧνται· δοιάων δὲ μιῆς ἐφύπερθεν ὀρούσας,
δεξιτερῇ χρύσειον ἀνέσχεθες ὑψόθι τόξον·

μαρμαρέην δ' ἀπέλαμψε βιὸς περὶ πάντοθεν αἴγλην.
τοῖσι δέ τις Σποράδων βαιὴ ἀπὸ τόφρ' ἐφαάνθη
νῆσος ἰδεῖν, ὀλίγης Ἱππουρίδος ἀντία νήσου,
ἔνθ' εὐνὰς ἐβάλοντο καὶ ἔσχεθον· αὐτίκα δ' ἠὼς

φέγγεν ἀνερχομένη· τοὶ δ' ἀγλαὸν Ἀπόλλωνι
ἄλσει ἐνὶ σκιερῷ τέμενος σκιόεντά τε βωμὸν
ποίεον, Αἰγλήτην μὲν ἐυσκόπου εἵνεκεν αἴγλης
Φοῖβον κεκλόμενοι· Ἀνάφην δέ τε λισσάδα νῆσον
ἴσκον, ὃ δὴ Φοῖβός μιν ἀτυζομένοις ἀνέφηνεν.

ῥέζον δ' ὅσσα περ ἄνδρες ἐρημαίῃ ἐνὶ ῥέζειν
ἀκτῇ ἐφοπλίσσειαν· ὃ δή σφεας ὁππότε δαλοῖς
ὕδωρ αἰθομένοισιν ἐπιλλείβοντας ἴδοντο
Μηδείης δμωαὶ Φαιηκίδες, οὐκέτ' ἔπειτα

ἴσχειν ἐν στήθεσσι γέλω σθένον, οἷα θαμειὰς
αἰὲν ἐν Ἀλκινόοιο βοοκτασίας ὁρόωσαι.
τὰς δ' αἰσχροῖς ἥρωες ἐπεστοβέεσκον ἔπεσσιν
χλεύῃ γηθόσυνοι· γλυκερὴ δ' ἀνεδαίετο τοῖσιν

κερτομίη καὶ νεῖκος ἐπεσβόλον. ἐκ δέ νυ κείνης
μολπῆς ἡρώων νήσῳ ἔνι τοῖα γυναῖκες
ἀνδράσι δηριόωνται, ὅτ' Ἀπόλλωνα θυηλαῖς
Αἰγλήτην Ἀνάφης τιμήορον ἱλάσκωνται.

Ἀλλ' ὅτε δὴ κἀκεῖθεν ὑπεύδια πείσματ' ἔλυσαν,
μνήσατ' ἔπειτ' Εὔφημος ὀνείρατος ἐννυχίοιο,

soon as possible beyond the headland of Salmoneus.

Anon, as they were hasting o'er the wide gulf of Crete, night scared them, that night men call «the shroud of gloom.» No stars nor any ray of the moon pierced through its horror; but it was black chaos come from heaven, or haply thick gloom rising from the nethermost abyss. And they knew not so much as whether they were drifting into Hades or along the water, but to the sea they committed their return, not knowing whither it would carry them. Then Jason, with uplifted hands, cried aloud to Phœbus, calling on him to save, and his tears ran down in his distress; and he promised he would bring great store of gifts to Pytho and to Amy-clæ, and likewise to Ortygia. Lightly didst thou come, son of Latona, from heaven, in ready response, unto the rocks of Melas, which lie there in the sea, and on the top of one of the twin peaks thou didst settle, holding thy golden bow on high in thy right hand; and the bow flashed a dazzling radiance all around. Then a little is-land of the Sporades appeared in sight of them, front-ing the tiny isle of Hippuris; and there they cast an-chor and waited. Anon the dawn arose and showed his light, and they made for Apollo a noble enclosure and an altar, with trees above, in a shady grove, calling Phœ-bus «radiant god» because of his far-seen radiance; and the bare isle called they «isle of appearing,» for that Phœbus did there appear to them at their sore need. And they offered all that men can find to offer on a barren strand; and so it was that when Medea's Phæa-cian damsels saw them pouring libations of water on the blazing brands, they would no longer keep back their laughter in their breasts, for they had ever seen oxen in plenty slain in the halls of Alcinous. But the heroes, glad at their jesting, scoffed at them with words of abuse; and among them rose the merry sound of taunting gibe and raillery; and from that sport of the heroes the women do strive on this wise with the men in the island, when they will appease with sacrifice Apollo, «god of radiance,» champion of his «isle of appearing.»

But when they had loosed their cables thence in calm weather, then did Euphemus remember a vision he saw in the night, in awe of the famous son of Maia; for it seemed to him that that strange clod, held in the palm of his hand, was being suckled at his breast with white streams of milk; and out of the clod, little though it was,

303

ἁζόμενος Μαίης υἷα κλυτόν. εἴσατο γάρ οἱ
δαιμονίη βῶλαξ ἐπιμάστιος ᾧ ἐν ἀγοστῷ
ἄρδεσθαι λευκῇσιν ὑπὸ λιβάδεσσι γάλακτος,
ἐκ δὲ γυνὴ βώλοιο πέλειν ὀλίγης περ ἐούσης
παρθενικῇ ἰκέλη· μίχθη δέ οἱ ἐν φιλότητι
ἄσχετον ἱμερθείς· ὀλοφύρετο δ' ἠύτε κούρην
ζευξάμενος, τήν τ' αὐτὸς ἑῷ ἀτίταλλε γάλακτι·
ἡ δέ ἑ μειλιχίοισι παρηγορέεσκ' ἐπέεσσιν·
'Τρίτωνος γένος εἰμί, τεῶν τροφός, ὦ φίλε, παίδων,
οὐ κούρη· Τρίτων γὰρ ἐμοὶ Λιβύη τε τοκῆες.
ἀλλά με Νηρῆος παρακάτθεο παρθενικῇσιν
ἂμ πέλαγος ναίειν Ἀνάφης σχεδόν· εἶμι δ' ἐς αὐγὰς
ἠελίου μετόπισθε, τεοῖς νεπόδεσσιν ἑτοίμη.'
Τῶν ἄρ' ἐπὶ μνῆστιν κραδίη βάλεν, ἔκ τ' ὀνόμηνεν
Αἰσονίδῃ· ὁ δ' ἔπειτα θεοπροπίας Ἑκάτοιο
θυμῷ πεμπάζων ἀνενείκατο φώνησέν τε·
''Ὦ πέπον, ἦ μέγα δή σε καὶ ἀγλαὸν ἔμμορε κῦδος.
βώλακα γὰρ τεύξουσι θεοὶ πόντονδε βαλόντι
νῆσον, ἵν' ὁπλότεροι παίδων σέθεν ἐννάσσονται
παῖδες· ἐπεὶ Τρίτων ξεινήιον ἐγγυάλιξεν
τήνδε τοι ἠπείροιο Λιβυστίδος. οὔ νύ τις ἄλλος
ἀθανάτων, ἢ κεῖνος, ὅ μιν πόρεν ἀντιβολήσας.'
'Ὣς ἔφατ'· οὐδ' ἁλίωσεν ὑπόκρισιν Αἰσονίδαο
Εὔφημος· βῶλον δέ, θεοπροπίῃσιν ἰανθείς,
ἧκεν ὑποβρυχίην. τῆς δ' ἔκτοθι νῆσος ἀέρθη
Καλλίστη, παίδων ἱερὴ τροφὸς Εὐφήμοιο,
οἳ πρὶν μέν ποτε δὴ Σιντηίδα Λῆμνον ἔναιον,
Λήμνου τ' ἐξελαθέντες ὑπ' ἀνδράσι Τυρσηνοῖσιν
Σπάρτην εἰσαφίκανον ἐφέστιοι· ἐκ δὲ λιπόντας
Σπάρτην Αὐτεσίωνος ἐὺς πάις ἤγαγε Θήρας
Καλλίστην ἐπὶ νῆσον, ἀμείψατο δ' οὔνομα Θήρης
ἐξ ἕθεν. ἀλλὰ τὰ μὲν μετόπιν γένετ' Εὐφήμοιο.
Κεῖθεν δ' ἀπτερέως διὰ μυρίον οἶδμα λιπόντες
Αἰγίνης ἀκτῇσιν ἐπέσχεθον· αἶψα δὲ τοίγε
ὑδρείης πέρι δῆριν ἀμεμφέα δηρίσαντο,
ὅς κεν ἀφυσσάμενος φθαίη μετὰ νῆάδ' ἱκέσθαι.
ἄμφω γὰρ χρειώ τε καὶ ἄσπετος οὖρος ἔπειγεν.
ἔνθ' ἔτι νῦν πλήθοντας ἐπωμαδὸν ἀμφιφορῆας
ἀνθέμενοι κούφοισιν ἄφαρ κατ' ἀγῶνα πόδεσσιν
κοῦροι Μυρμιδόνων νίκης πέρι δηριόωνται.
'Ίλατ' ἀριστήων μακάρων γένος· αἵδε δ' ἀοιδαὶ
εἰς ἔτος ἐξ ἔτεος γλυκερώτεραι εἶεν ἀείδειν
ἀνθρώποις. ἤδη γὰρ ἐπὶ κλυτὰ πείραθ' ἱκάνω
ὑμετέρων καμάτων· ἐπεὶ οὔ νύ τις ὔμμιν ἄεθλος
αὖτις ἀπ' Αἰγίνηθεν ἀνερχομένοισιν ἐτύχθη,

grew a woman, like to a virgin; and he, o'ercome by
strong desire, lay with her in love's embrace; but in the
act he pitied her as though she were a maiden, whom
himself was feeding with his milk; but she comforted him
with soothing words: «Dear husband, I am the daughter
of Triton, thy children's nurse, no maiden I; for Triton
and Libya are my parents. But give me back to the
maidens of Nereus, to dwell within the deep nigh to ‹the
isle of appearing› ; and I will come back again to the
sun-light, ready to help thy children.»

Of this vision Euphemus now minded him, and he
told it to the son of Æson; and he, when he had pondered
awhile the oracles of Hecatus, uttered his voice, and said:
«Lo! you now; verily there hath fallen to thee a great
and glorious fame. For of yon clod the gods will make
an island for thee, when thou hast cast it into the sea,
where thy children's children in days to come shall dwell;
for Triton did vouchsafe to thee this clod of the Libyan
mainland as a stranger's gift; 'twas none other than he
of the immortals, who met us and gave thee this.»

So spake he, and Euphemus made not light of the
answer of the son of Æson, but flung the clod into the
deep, cheered at the word of prophecy. Therefrom rose
the isle Calliste, holy nurse of the children of Euphemus,
who at first dwelt some time in Sintean Lemnos, but, being
driven from Lemnos by Tyrsenians, they came to Sparta
as suppliants; and, when they left Sparta, Theras, good-
ly son of Autesion, brought them to the isle of Calliste, and
it took the name of Thera from him in exchange for its
own. But these things happened after the time of Eu-
phemus.

And when they were gone hence, they sailed steadily
through the boundless swell, and stopped at the beach
of Ægina. Here on a sudden arose an innocent strife
among them about the drawing of water, who should be
first to draw his jar, and get him to the ship again; for
need and the ceaseless breeze hurried them alike. There,
to this day, the young men of the Myrmidons take up
full jars upon their shoulders, and at once dart off to
race striving for the victory.

Be gracious, O race of blessed chieftains! and from
year to year may these songs be sweeter to sing to men!
For now am I come unto the end of your glorious toils;
for there was no further adventure ordained you as ye
came from Ægina, nor did hurricanes rise against you,

οὔτ' ἀνέμων ἐριῶλαι ἐνέσταθεν· ἀλλὰ ἕκηλοι
γαίην Κεκροπίην παρά τ' Αὐλίδα μετρήσαντες
Εὐβοίης ἔντοσθεν Ὀπούντιά τ' ἄστεα Λοκρῶν
ἀσπασίως ἀκτὰς Παγασηίδας εἰσαπέβητε.

but calmly ye coasted by the land of Cecrops and past Aulis, in under Euboea and the towns of the Opuntian Locri, till with gladness ye stept forth upon the strand of Pagasæ.